C
DIC
1812 — 1870

Чарльз
ДИККЕНС

Повесть
о двух городах

АЗБУКА

Санкт-Петербург

УДК 821.111
ББК 84(4Вел)-44
Д 45

Перевод с английского Елизаветы Бекетовой

Серийное оформление Вадима Пожидаева

Оформление обложки Валерия Гореликова

ISBN 978-5-389-01133-5

ПРЕДИСЛОВИЕ

У английского писателя Уилки Коллинза есть пьеса «Оледенелая пучина». В пьесе изображается, как во время полярной экспедиции некий безнадежно влюбленный юноша, отвергнутый любимой девушкой, спасает жизнь своему счастливому сопернику, которого он незадолго до того намеревался убить. Он ухаживает за соперником во время болезни, отдает ему последний кусок хлеба и, выбиваясь из сил, приносит его к ногам любимой женщины:

— Я спас его, Клара, для тебя!

И тут же эффектно умирает.

Уилки Коллинз был близким приятелем Диккенса. Когда на Святках в 1857 году дети Диккенса затеяли домашний спектакль, они выбрали для постановки эту пьесу. Диккенс исполнял в ней главную роль — роль самоотверженного юноши Ричарда, жертвующего жизнью ради спасения врага.

Диккенс был отличный актер. Он наполнил эту ходульную роль таким большим душевным содержанием, что она потрясла присутствовавших. Впоследствии он дважды сыграл ее перед многотысячной аудиторией в Манчестере. Роль Ричарда запала ему в душу. Диккенс пережил эту роль так глубоко, что, по его же словам, ему, при его пламенном воображении, стало казаться, будто этот юноша он сам, будто все это случилось в его собственной жизни. Так зародился у него образ Сидни Картона, самоотверженного героя «Повести о двух городах», который идет на гильотину, чтобы спасти своему сопернику жизнь. Постепенно этот образ в сознании Диккенса усложнялся, обрастал все новыми деталями и наконец воплотился в великодушного, но опустившегося пьяницу, страдающего презрением к себе и ко всей своей даром истраченной жизни. В черновой тетради Диккенса, куда он заносил в беспорядке всевозможные мысли и образы, сохранился такой набросок: «Пьяница? — Мот? — что? — Лев! и его Шакал и Начальник — крадется к нему в неурочный час».

Каждое слово этих небрежных строк нашло себе развитие в повести.

Особенно трудно далось Диккенсу заглавие этого произведения.

В той же черновой тетради читаем: «Написать бы повесть о двух каких-нибудь разных эпохах — с промежутком посредине, как бывает во французской драме. Заглавия для такого сочинения: „Время!“ — „Листья в лесу.“ — „Развеянные листья“. — „Большое колесо“. — „Кругом и кругом“. — „Засохшие листья“. „Четверть века“. — „Годы и годы“. — „Бегущие годы“. — „День за днем“. — „Поваленные деревья“. — „Мемори Картон“. — „Катящиеся камни“. — „Два поколения“.

В январе 1858 года, то есть ровно через год после возникновения первого замысла, Диккенс писал своему другу: «Что вы скажете о таком заглавии: „Один из этих дней?“

Через полтора месяца он спрашивал снова: «Что вы скажете о таком названии моей повести: „Заживо погребенный?“ Не слишком ли это мрачно? Или „Золотая нить?“ Или „Доктор из Бове?“

Но прошел еще год, и лишь в начале 1859 года Диккенс принялся за эту повесть. В марте он сообщает другу: «Пишу лишь затем, чтобы уведомить вас, что я нашел заглавие для повести: „Повесть о двух городах“».

———————

Повесть писалась туго. Диккенс постоянно жаловался в письмах на всевозможные трудности, которые ему приходится преодолевать. Дело в том, что он писал эту повесть для нового еженедельного журнала «Круглый год», редактором которого был он сам. До сих пор ему редко случалось писать для еженедельника. Прежние его романы — почти все — печатались ежемесячными выпусками, и там он мог давать своему вдохновению волю и писать длинные неторопливые главы. Здесь же ему постоянно приходилось сжиматься. Нужны были пестрые, коротенькие главки, быстро следующие одна за другой. Такой темп был непривычен для Диккенса.

«Эти маленькие порции сводят меня с ума», — писал он Джону Форстеру в июле 1859 года.

«Никакие деньги, — писал он ему же, — не вознаградят меня за эту постоянную работу над сгущением, сжиманием повести. Только интерес к ее сюжету и удовольствие, которое я испытываю, преодолевая трудности новой трактовки, отчасти искупают мой труд».

Нужны были новые литературные приемы, совершенно непривычные для Диккенса. Чтобы поднять интерес к своему молодому журналу, он задумал написать такую повесть, в которой главное — увлекательный, волнующий сюжет, а отнюдь не обрисовка характеров.

«Мне захотелось написать, — говорит он в одном письме, — картинную живописную повесть, интерес к которой возрастал бы с каждой новой главой. Хотя действующие лица в ней и будут выхвачены из жизни, но их характеры будут выясняться не столько из их разговоров, сколько из самого действия повести. Словом, я вообразил, что может быть написана „повесть приключений“ взамен того скучного вздора, который стряпают у нас под этим названием».

Возлагая на себя такую задачу, Диккенс тем самым насильственно подавлял в себе свою самую могучую способность — способность обрисовки характеров. Он ведь был силен не столько фабулой, сколько обрисовкой характеров. Теперь впервые он затеял выдвинуть фабулу на первый план, избрав героями повести не отдельных людей, а целые города: Париж и Лондон. Он, изобразитель нравов, бытовой живописец, взялся за исторический роман, причем само действие романа происходит по большей части не в Англии, а на чужбине — во Франции. Словом, и сюжет, и трактовка сюжета были для него непривычны. Юморист, он принужден был на каждом шагу обуздывать и укрощать свой юмор. В этой повести меньше юмора, чем в других его произведениях. Поэтому-то он и испытывал такие затруднения во время писания повести. Если бы он взялся за эту повесть в молодости, он неминуемо потерпел бы неудачу. В молодости он творил безоглядно, стихийно, бездумно. Но теперь ему было сорок семь лет, у него скопился огромный писательский опыт, он стал мастером своего ремесла, осознал границы своего дарования и создал насыщенную, гармонически стройную повесть. Он отдавал себе ясный отчет в каждой ее строке. Он тщательно изучил изображаемую им эпоху. Когда Форстер в письме к нему высказал мнение, что едва ли накануне Французской революции, почти за несколько дней до нее, французское дворянство совершало жестокости, описанные в «Повести о двух городах», что эти жестокости относятся к более ранней эпохе, Диккенс ответил весьма обстоятельным письмом, обнаружившим большую эрудицию.

«Если есть на земле что-нибудь достоверное, — писал он между прочим в этом письме, — я считаю самым достоверным, что положение французского крестьянина в те дни было невыносимо. Никакие позднейшие исследования, никакие арифметические выкладки не поколеблют страшных показаний, исходящих от современников и очевидцев. Есть любопытная книга, напечатанная в Амстердаме, подробная, как словарь, и благодаря этому достаточно скучная; то, что разбросано там и сям на страницах этой книги, указывает, что мой маркиз вполне возможен. Эта книга — „Tableau de Paris“. О том, что крестьянин запирал на ключ свой дом, когда к нему попадал кусочек мяса, свидетельствует Ж.-Ж. Руссо. Официальные таблицы налогов свидетельствуют, как были разорены эти несчастные...»

———————

Изображая революцию, Диккенс был под обаянием такого чуждого ему таланта, как Карлейль. Диккенс очень любил Карлейля.

«Для того чтобы встретиться с Карлейлем, я в любое время пошел бы дальше, чем для встречи с кем бы то ни было», — выразился Диккенс в одном письме.

Мнение Карлейля он ценил чрезвычайно.

«Больше всего я хотел бы показать эту вещь Карлейлю — раньше, чем кому-нибудь другому», — писал он из Италии в 1844 году, работая над созданием «Колоколов».

Существует рисунок, на котором изображено, как Диккенс читает друзьям эту повесть и невдалеке от него сидит его любимый Карлейль.

Карлейль отвечал Диккенсу такой же горячей приязнью. «...Добрый, нежный, высокоодаренный, вечно дружественный, благородный Диккенс», — писал он о нем. Но внутренней близости между ними быть не могло. Один — трансценденталист, метафизик, а другой — практик, радикал, — они чувствовали революцию по-разному. Тем не менее Карлейль оказал несомненное влияние на стиль и художественные методы Диккенса. Первая глава «Повести о двух городах» словно продиктована Карлейлем. Недаром Диккенс так любил его «Историю Революции».

«Я в пятисотый раз читаю эту изумительную книгу», — писал он Форстеру в 1851 году.

———————

«Повесть о двух городах» посвящена Диккенсом известному политическому деятелю, вождю либералов лорду Джону Расселу (1792—1878), к которому он чувствовал большое пристрастие.

«В одном его мизинце больше благородства, чем обычно бывает в целой корпорации министров», — выразился он в одном письме.

Лорд Рассел некоторое время стоял во главе министерства (с 1846 по 1852 год). Со многими писателями его связывала тесная дружба. Он и сам был писателем: напечатал несколько неудачных, давно забытых повестей и трагедий, издал в восьми томах мемуары своего друга поэта Томаса Мура, переписку Фокса и т. д.

К. Чуковский

Повесть о двух городах

Эта повесть посвящается
лорду Джону Расселу в знак памяти
о многочисленных заслугах перед обществом
и о внимании, многократно оказанном автору

ПРЕДИСЛОВИЕ АВТОРА

Основная мысль этой повести явилась у меня впервые, когда я вместе с детьми и знакомыми участвовал в представлении драмы Уилки Коллинза «Оледенелая пучина». Стремясь к воплощению своей роли, я с особенной вдумчивостью и интересом нарисовал в своем воображении картину того душевного состояния, которое мне предстояло воспроизвести перед наблюдательным зрителем.

Когда эта мысль стала выясняться, она мало-помалу приняла ту форму, в которую вылилась окончательно. Я всецело находился во власти своего замысла, пока приводил его в исполнение. Все, что выстрадано и пережито на этих страницах, было прочувствовано мной: все это пережил и перестрадал я сам.

Все приводимые мной подробности, не исключая и самых мелких, о состоянии французского народа до и во время революции вполне достоверны, ибо основаны на свидетельстве очевидцев, заслуживающих безусловного доверия. Я, между прочим, льстил себя надеждой, что эта книга поможет широкому кругу читателей составить себе картину внешней стороны того страшного времени; что же касается до внутреннего его понимания, то после удивительной книги господина Карлейля вряд ли кто может надеяться сказать в этой области новое слово.

Тэвисток-Гоуз, Лондон,
ноябрь 1850 г.

ЧАСТЬ ПЕРВАЯ
«ВОЗВРАЩАЕТСЯ К ЖИЗНИ»

Глава I
Время действия

Это было лучшее из всех времен, это было худшее из всех времен; это был век мудрости, это был век глупости; это была эпоха веры, это была эпоха безверия; это были годы света, это были годы мрака; это была весна надежд, это была зима отчаяния; у нас было все впереди, у нас не было ничего впереди; все мы стремительно мчались в рай, все мы стремительно мчались в ад, — словом, то время было так похоже на наше, что наиболее крикливые его представители требовали, чтобы к нему применялась и в дурном и хорошем лишь превосходная степень сравнения.

На английском престоле восседал король с широкой челюстью и королева с некрасивым лицом; на французском престоле восседал король с широкой челюстью и королева с красивым лицом. В обоих государствах вельможи и лорды, обладатели благ земных, были твердо убеждены, что все благополучно и прочно установлено раз навсегда.

То было лето от Рождества Христова тысяча семьсот семьдесят пятое. И в ту благополучную эпоху, так же как и в нынешнюю, Англии были ниспосланы особые откровения свыше. Миссис Соускотт[1] только что отпраздновала двадцать пятый день своего благословенного рождения, хотя некий пророк из солдат лейб-гвардии предсказал, что все уже готово для того, чтобы в этот самый день Лондон и Вестминстер провалились сквозь землю. Призрак,

---

[1] *Миссис Соускотт* (1750—1814) — религиозная фанатичка, якобы обладавшая даром пророчества и другими сверхъестественными способностями. Имела до ста тысяч последователей.

15

появлявшийся на улице Кок-лейн[1], всего только лет двенадцать как был укрощен, простучав все, что имел сообщить человечеству, совершенно так же, как в прошлом
году новоявленные духи выстукивали свои сообщения, —
мимоходом сказать, доказав этим сверхъестественное отсутствие всякой оригинальности. Другие сообщения —
уже не столь сверхъестественным образом — начали с некоторых пор приходить по адресу английского народа и
английских властей от конгресса британских подданных,
находившихся в Америке[2]; и, как это ни странно, эти
сообщения оказались несравненно более важными для человечества, нежели все, что до сих пор человечеству приходилось выслушивать от духов и призраков, кок-лейн-
ских и иных.

Франция, по части спиритических откровений вообще менее взысканная Небесами, чем ее заморская сестра,
полегоньку катилась себе под гору, фабрикуя бумажные
деньги и транжиря их. Под руководством христианских
своих пастырей забавлялась она, между прочим, и такими
гуманными развлечениями: приговаривала юношу к отсе-
чению обеих рук, вырыванию языка клещами и сожже-
нию туловища живьем за то, что он не встал на колени —
в грязи, под дождем, — в то время как на расстоянии
пятидесяти или шестидесяти шагов от него проходила
процессия монахов. Очень вероятно, что в ту пору, когда
казнили этого страдальца, где-нибудь в лесах Франции
или Норвегии росли те самые деревья, уже отмеченные
Дровосеком-Судьбой, деревья, из которых потом вырежут
бревна, напилят доски и построят некую переносную ма-

---

[1] Привидение, появлявшееся на улице Кок-лейн, возбуждало много толков в Лондоне в шестидесятых годах XVIII в. Впоследствии выяснилось, что в роли привидения фигурировала молодая девушка, а целью появления мнимого призрака был шан-
таж.

[2] Английские колонисты в Северной Америке протестовали
против вмешательства Англии во внутреннюю жизнь колоний,
против вводимых налогов и пр. Эта оппозиция закончилась Вой-
ной за независимость и полным отпадением североамериканских
колоний от Англии.

шину с падающим ножом, столь страшную в истории человечества. Очень вероятно, что в тот самый день где-нибудь в сараях у земледельцев, обрабатывающих тяжелую почву ближайших окрестностей Парижа, стояли запрятанные от дождя грубые телеги, забрызганные деревенской грязью, и свиньи обнюхивали их, а куры несли в них яйца, а Хозяйка-Смерть уже отметила их для перевозки осужденных на казнь во время революции. Но и Дровосек, и Хозяйка хоть и работают беспрерывно, но работают тихо, и никто не слыхал, как бесшумной поступью они подвигались вперед; тем более что, если бы кто осмелился заявить об их приближении, того провозгласили бы безбожником и предателем.

В Англии тоже жилось не слишком безопасно и спокойно; оснований для национальной гордости было не много. В самой столице каждую ночь совершались дерзкие грабежи, вооруженные люди врывались в дома, разбойники грабили по дорогам. Семейным людям официально рекомендовалось не иначе выезжать за город, как сдав свою городскую движимость на хранение в мебельные склады. Разбойник, выезжавший ночью на большую дорогу, днем мирно торговал в Сити; а когда его же собрат по торговле, на которого он нападал под видом *капитана*, узнавал его и называл по имени, капитан благороднейшим образом простреливал ему череп и уезжал. На почтовую карету однажды напало семеро; кондуктор троих уложил на месте, а остальные четверо уложили его самого, потому что у него не хватило зарядов, — после чего они преспокойно ограбили почту. Сам великолепный вельможа, лондонский лорд-мэр[1], ехавший через Тернгемский выгон, был остановлен *одним* разбойником, который без всякой церемонии обобрал высокопочтенного сановника в присутствии всей его свиты. В лондонских тюрьмах узники учиняли настоящие битвы со сторожами, а представители закона палили в них из мушкетов. Воры ухитрялись отрезывать бриллиантовые звезды с благородных лордов, являвшихся ко двору на торжественные приемы. Мушкетеры входили в церковь Сент-Джайлса в поисках контрабандных товаров,

---

[1] *Лорд-мэр* — городской голова лондонского Сити.

и при этом простой народ стрелял в мушкетеров, а мушкетеры стреляли в народ; и всем это казалось в порядке вещей. И среди всей этой суеты без устали работал палач — работы у него было по горло, а дела не улучшались нисколько. Он был нарасхват: то вздернет гуртом целую гирлянду самых разнородных преступников, то повесит в субботу разбойника, пойманного не дальше как во вторник, то на площади у Ньюгетской тюрьмы[1] сожжет десятки людей, то у ворот Вестминстера спалит пачку бумажных памфлетов; нынче казнит страшнейшего злодея и убийцу, а назавтра — жалкого воришку, стащившего шесть пенсов у мужика-батрака.

Все эти факты и тысячи им подобных происходили в благословенное лето от Рождества Христова тысяча семьсот семьдесят пятое, да и немного позже. В такой обстановке, пока таинственный Дровосек и Хозяйка действовали неслышно и невидимо, те двое с широкими челюстями и другие двое — одна с некрасивым, а другая с красивым лицом — шествовали своим путем довольно шумно, широко пользуясь своими божественными правами. Таким-то образом этот тысяча семьсот семьдесят пятый год вел предназначенными им дорогами как этих высоких особ, так и мириады всякой мелкоты, в том числе и тех мелких существ, о которых будет речь в этой летописи.

Глава II

Почтовая карета

Поздним вечером в конце ноября, в пятницу, перед глазами первого из действующих лиц нашей повести тянулся Дуврский тракт. Это действующее лицо шагало по жидкой грязи рядом с почтовой каретой, медленно взбиравшейся по косогору Шутерсхилла; за ним плелись и остальные пассажиры; прогулка при таких обстоятельствах не доставляла никакой приятности, но подъем был

---

[1] Старинная тюрьма, расположенная в центре Лондона и очень плохо содержавшаяся. Во второй половине XIX в. она была снесена.

так крут, дорога так грязна, дилижанс и сбруя так тяжелы, что лошади уже три раза останавливались, не считая того случая, когда они рванули карету вбок с мятежным намерением отвезти почту обратно в Блэкхиз. Но вожжи и хлыст, кучер и кондуктор соединились вместе и прочли им ту статью военного устава, которая запрещает всякую попытку к мятежу, и хотя в этом случае бессловесные твари явно подтверждали мнение, будто они тоже одарены разумом, тем не менее они смирились и снова принялись исполнять свои обязанности.

Понуря головы и потрясая хвостами, месили они глубокую грязь, спотыкаясь и барахтаясь всем телом, как будто угрожая развалиться на главные составные части. Каждый раз, как кучер давал им вздохнуть и останавливал карету, сдержанно произнося: «Ну-ну, смирно!» — передняя лошадь выразительно мотала головой, гремя всем, что было на ней напутано, как бы желая сказать, что, по ее мнению, втащить карету на гору никак нельзя. И каждый раз, как передняя лошадь производила такое громыхание, пассажир нервно вздрагивал и смущался в душе.

Все лощины были полны тумана, который тоскливо всползал вверх по откосам холма, как нечистый дух, ищущий покоя и не находящий его. Туман был липкий, пронзительно-холодный и клубился в воздухе слоями, медленно надвигая один слой на другой подобно волнам какого-то ядовитого моря. Он был так густ, что заслонял все окрестные виды, и свет каретных фонарей только и освещал сами фонари да несколько ярдов дороги; а пар, валивший от лошадей, смешиваясь с окружавшим туманом, производил такое впечатление, как будто и весь туман шел от них же.

Двое других пассажиров, помимо того одного, также брели в гору рядом с каретой. Все трое были закутаны по самые уши и даже выше. Все трое были в высоких ботфортах. Ни один из них не мог бы догадаться, на что похож каждый из других сам по себе, и так же тщательно кутал от спутников свое звание и образ мыслей, как и свою внешность. В ту пору путешественники неохотно друг с другом знакомились, так как всякий встречный на большой дороге мог оказаться разбойником или в стачке с разбойниками. На каждой станции, на каждом почтовом дворе и в каждом придорожном кабаке был кто-нибудь на жалованье у капитана, и такими подручными его агентами бывали не только мелкие слуги и конюхи, но и сами хозяева гостиниц, так что подобное предположение всегда было в высшей степени вероятно. Так, по крайней мере, думал про себя кондуктор дуврского дилижанса в ту пятницу вечером, в конце ноября тысяча семьсот семьдесят пятого года, стоя на своей подножке позади кареты, топчась от холода на месте, зорко глядя вперед и одной рукой придерживаясь за стоявший перед ним ящик с оружием, где сверху лежал заряженный мушкетон, под ним штук шесть или восемь заряженных седельных пистолетов, а на дне еще слой кортиков.

Дуврский почтовый дилижанс находился в своем нормальном состоянии, в том отношении, что кондуктор подозрительно косился на пассажиров, а пассажиры друг на друга и на кондуктора; все подозревали всех, и кучер был уверен только в своих лошадях и с чистой совестью присягнул бы и на Ветхом и на Новом Завете, что эти скоты никуда не годились.

— Ну-ну! — сказал кучер. — Пошевеливайся! Понатужьтесь еще маленько, тогда и доберемся до вершины, провал бы вас взял... Намучился я с вами!.. Джо-о!

— Ну? — отозвался кондуктор.

— Ты как думаешь, Джо, который теперь час?

— По крайней мере минут десять двенадцатого.

— Вишь ты! — молвил кучер с досадой. — А все еще не въехали на Шутеров холм. Эй! Ну-ну! Вперед, что ли!

Передняя лошадь только что принялась с величайшей энергией отрицательно трясти головой, как удар хлыста помешал ей продлить это заявление: она дернула вперед, и остальные три лошади последовали за ней. Дуврский дилижанс опять тронулся в гору, и сапоги пассажиров снова начали месить грязь. Они останавливались в одно время с ним и не отставали от него ни на шаг.

Если бы хоть один из них отважился предложить которому-нибудь из спутников пройти немножко вперед, туда, где было темно и туманно, его, вероятно, тотчас пристрелили бы как разбойника.

Последнее усилие вывезло наконец почтовую карету на вершину горы. Лошади остановились отдохнуть, а кондуктор соскочил с подножки, затормозил колесо для спуска под гору и отворил дверцу кареты, чтобы впустить туда пассажиров.

— Тсс!.. Джо! — окликнул его кучер тоном предостережения и глядя с козел вниз.

— Ты что говоришь, Том?

Оба прислушивались.

— Я говорю, Джо, что за нами в гору мчится конь... рысью... Слышишь?

— А я говорю, вскачь! — отвечал кондуктор, выпустив из рук дверцу и вскакивая на свое место на запятках. — Джентльмены! Именем короля, приготовьтесь!

После такого поспешного воззвания он взвел курок у своего мушкетона и приготовился к обороне.

Пассажир, помянутый в начале этой главы, стоял на подножке, собираясь войти в карету, двое других намеревались последовать за ним, но он все еще стоял на подножке, наполовину просунувшись внутрь экипажа, а остальные оставались внизу на дороге. Все они посматривали то на кондуктора, то на кучера и прислушивались. Кучер оглянулся назад, кондуктор обернулся в ту же сторону; даже рьяная передняя лошадь повернула голову туда же и, насторожив уши, никому на этот раз не противоречила.

Тишина, наступившая после того, как дилижанс перестал скрипеть и грохотать, казалось, еще усиливала тишину самой ночи и впечатление общего безмолвия. Дыхание усталых лошадей сообщало карете легкое сотрясение, как будто она сама была в тревоге. У пассажиров сердца бились так шибко, что их почти можно было слышать; во всяком случае, в затишье явственно можно было различить ускоренное и вместе с тем сдержанное дыхание людей, кровь которых обращалась быстрее и от подъема в гору, и от напряженного ожидания.

Между тем слышен был бешеный галоп мчавшейся вверх по косогору лошади.

— Го-го! — крикнул кондуктор нараспев и как можно громче. — Эй, вы, кто там, стой, не то буду стрелять!

Лошадь замедлила бег, шлепая по лужам и расплескивая грязь, и из тумана раздался человеческий голос:

— Это ли почтовая карета в Дувр?

— А тебе что за дело? — возразил кондуктор. — Ты кто такой?

— Это ли дуврский почтовый дилижанс?

— Зачем тебе?

— Мне нужно видеть одного из пассажиров, коли это почта.

— Которого пассажира?

— Мистера Джервиса Лорри.

Отмеченный нами пассажир тотчас заявил, что его так зовут. Кондуктор, кучер и остальные два пассажира взглянули на него недоверчиво.

— Стой, где стоишь! — крикнул кондуктор по направлению голоса из тумана. — Не то я неравно ошибусь, и тогда тебе несдобровать! Джентльмен по имени Лорри, отвечайте ему.

— В чем дело? — произнес пассажир робким и дрожащим голосом. — Кто меня спрашивает? Джерри, это вы?

— Не нравится мне голос Джерри, коли это точно Джерри, — пробурчал себе под нос кондуктор. — Больно уж он хрипло говорит, этот Джерри!

— Точно так, мистер Лорри.

— Что случилось?

— Депешу вам привез, вдогонку послали, от «Т и К°».

— Кондуктор, я знаю посланного, — сказал мистер Лорри, слезая с подножки на дорогу, причем двое других пассажиров скорее быстро, чем вежливо, помогли ему в этом, немедленно сами влезли в карету, захлопнули дверцу за собой и подняли оконное стекло. — Позвольте ему подъехать поближе: опасности нет никакой.

— Будем надеяться, что нет, хоть я и не больно в этом уверен, — проворчал кондуктор. — Эй, вы!

— Я, что ли? — сказал Джерри еще более хриплым голосом.

— Подъезжайте шагом; слышите вы, что я говорю? И коли у вас есть кобуры у седла, уберите от них руки подальше, а не то смотрите у меня. Я человек горячий и могу ошибиться, того и гляди всажу в вас пулю невзначай... Ну, дайте на себя поглядеть.

Из тумана медленно выделилась фигура всадника и его лошади, тихим шагом подъехавшей к дилижансу с той стороны, где стоял пассажир. Всадник нагнулся, взглянул на кондуктора и подал пассажиру сложенную бумажку. Лошадь его тяжело дышала, и оба они, конь и ездок, были покрыты грязью от копыт лошади до шляпы ездока.

— Кондуктор! — произнес пассажир тоном успокоительным, деловым и конфиденциальным.

Бдительный кондуктор, держа правую руку на курке, а левой ухватившись за ствол приподнятого мушкетона и не спуская глаз с ездока, отрывисто отвечал:

— Сэр?

— Вы ничего не опасайтесь. Я служу в банке у Тельсона. Вам известна банкирская контора Тельсона в Лондоне? Я еду в Париж по делам. Дам крону на водку. Можно мне это прочесть?

— Коли недолго, так читайте, сэр.

Пассажир развернул бумажку и при свете каретного фонаря прочел сначала про себя, потом вслух: «В Дувре подождите барышню».

— Видите, кондуктор, уж кажется, недолго... Джерри, скажите, что мой ответ таков: «Возвращен к жизни».

Джерри привскочил на седле.

— Вот так ответ... диковинный! — произнес он совсем охрипшим голосом.

— Так и скажите им от меня, тогда они будут знать, что я получил их записку, все равно как бы я написал ответ. Возвращайтесь назад как можно скорее. Прощайте!

С этими словами пассажир отворил дверцу и полез внутрь дилижанса. Остальные пассажиры и не думали ему помогать: еще раньше они поскорее спустили и запрятали в сапоги свои часы и кошельки, а теперь притворялись спящими без всякого иного повода, кроме желания избегнуть каких бы то ни было действий.

Почтовая карета потащилась дальше, и, по мере того как спускалась с холма, туман обступал ее все гуще.

Кондуктор вскоре положил мушкетон обратно в оружейный ящик, предварительно осмотрев, все ли там в целости, потом освидетельствовал запасные пистолеты, бывшие у него за поясом, и наконец осмотрел небольшой сундучок, бывший у него под сиденьем и содержавший кое-какие кузнечные инструменты, пару факелов и коробку с огнивом. Он был человек исправный и запасливый, так что, если бы, паче чаяния, каретные фонари потухли или разбились во время бури, что тоже иногда случалось, ему стоило только хорошенько затвориться от ветра внутри дилижанса, высечь огня, изловчившись, чтобы искры не попали в наваленную на полу солому, да и зажечь свечку; при особенно благоприятных условиях эту операцию возможно было произвести в каких-нибудь пять минут.

— Том! — вполголоса окликнул он кучера через верх кареты.

— Ну, Джо?

— Ты слышал, какой ответ посылали?

— Слышал, Джо.

— Как по-твоему, что оно означает, Том?

— Да ничего.

— Слово в слово, — молвил кондуктор задумчиво, — и мне то же самое показалось.

Тем временем Джерри, оставшись один в темноте и тумане, слез с лошади, желая не только облегчить измученную животину, но и самому маленько оправиться. Он обтер грязь с лица, вылил воду с полей шляпы, которая могла вместить до трех бутылок жидкости, и, перекинув поводья через руку, густо замазанную грязью, подождал, пока замолк в отдалении грохот колес почтовой кареты. Когда все снова стихло, он повернулся и пешком пошел вниз по дороге, ведя лошадь за собой.

— После такой скачки от самой заставы Темпла[1] небось станешь припадать на передние ноги, старушка; так уж я до тех пор на тебя не сяду, пока не выедем на ровную дорогу, — хрипло сказал гонец, глядя на свою

---

[1] В старину на главных улицах, ведущих в Сити, были устроены заставы. Одна из них находилась у Темпла, бывшего сначала монастырем рыцарского ордена тамплиеров, а впоследствии собственностью адвокатской корпорации.

кобылу. — «Возвращен к жизни». Вишь ты, какой чудной ответ! Кабы это часто случалось, плохо бы тебе пришлось, Джерри! Ась? Кабы вдруг вошло в моду «возвращать к жизни», Джерри, это была бы совсем неподходящая для тебя статья!

Глава III
Ночные тени

Достоин размышления тот удивительный факт, что каждый человек по самой сущности своей представляет тайну и загадку для всякого другого человека. Когда я ночной порой въезжаю в большой город, на меня особенно глубокое впечатление производит мысль, что в каждом из этих мрачно толпящихся домов заключается свой особый секрет, что в каждой комнате каждого из них — своя тайна; и сколько бы сотен тысяч сердец ни билось в этих домах, каждое из них хоть в каком-нибудь отношении хранит свой секрет от ближайшего к нему сердца. Благоговейный ужас, навеваемый такими размышлениями, имеет нечто общее с таинственной загадкой смерти. Вот дорогая книга, которую я так любил и надеялся прочесть подробно и до конца, закрылась для меня, и никогда больше не стану я ее перелистывать. Никогда больше не могу заглядывать в бездонную глубь тех вод, где при свете случайно проникавших туда лучей виднелись мне потопленные дивные сокровища. Было предназначено, чтобы эта книга внезапно захлопнулась на веки веков, тогда как я успел прочесть только одну страницу. И было предназначено, чтобы та вода превратилась в вечный лед и мороз сковал ее в непроницаемую глыбу, пока свет играл на ее поверхности, а я стоял на берегу и ничего не понимал. Умер мой друг, умер мой ближний, умерла моя возлюбленная — сокровище моей души, — и этим неумолимо подтверждается и продолжается на все будущие века тот секрет, который всегда заключался в личности того или другого человека, — секрет, который и я буду всегда носить в себе до конца моей жизни. Проходя мимо многих кладбищ этого города, я сознаю, что ни один из покоящихся там не более загадочен для живущих людей, чем каждый из живущих людей для меня, да и для каждого из них.

Что до этого естественного и неотчуждаемого наследия человеческой натуры, верховой гонец был одарен им в такой же степени, как и сам король, его первый министр и богатейший из лондонских купцов. То же можно сказать и о трех пассажирах, запрятанных в тесном пространстве старого, расшатанного почтового дилижанса. Друг для друга они были такой же непроницаемой тайной, как будто каждый из них ехал отдельно, в собственной карете шестериком, и притом по различным дорогам.

Гонец ехал назад рысцой, нередко останавливаясь у придорожных кабаков, чтобы выпить, но он не выказывал желания поболтать, а надвигал себе на глаза шляпу как можно ниже. Эти глаза были под стать его шляпе: такие же черные, неглубокие, выцветшие. Они сидели очень близко друг к дружке, как будто боялись быть пойманными в одиночку, а потому и подвинулись поближе один к другому. Выражение их было зловещее, и они мрачно выглядывали из-под старой большой треугольной шляпы из разряда тех, что так похожи на плевательницу; а вокруг его шеи был повязан огромный шарф, спускавшийся почти до самых колен и закрывавший всю нижнюю часть его лица. При остановках для выпивки он левой рукой отворачивал шарф только на то время, пока вливал в себя жидкость правой рукой, и тотчас после этого опять закутывал свой подбородок.

— Нет, какова штука! — говорил гонец, размышляя все на ту же тему и едучи путем-дорогой. Нет, Джерри, это для нас статья неподходящая. Мы с тобой честные промышленники, Джерри, но в нашем деле это совсем некстати. *Возвращается*... Вишь ты! Ей-богу, должно быть, он это сказал с пьяных глаз.

Ответ, который поручили ему передать, озадачил его до такой степени, что он несколько раз хватался за шляпу с намерением почесать в голове. За исключением макушки, почти совсем плешивой, остальная голова была покрыта жесткими щетинистыми черными волосами, которые росли очень низко, почти до самого носа, широкого и приплюснутого. Волосы его казались изделием кузницы: они были похожи на утыканный гвоздями забор; играя с ним в чехарду, самый искусный прыгун мог бы убояться перескакивать через его голову из опасения наткнуться на острия.

Пока он ехал рысцой с ответом, который должен был передать ночному сторожу, караулившему в будке у двери Тельсонова банка, что близ Темплских ворот, — этот сторож обязан был передать ответ властям, заседавшим в недрах конторы, — ночные тени по сторонам дороги принимали в глазах всадника различные призрачные формы, соответственные смыслу везомого им загадочного ответа; а кобыле, вероятно, чудилось тоже что-нибудь страшное: она то и дело шарахалась в сторону.

Тем временем почтовый дилижанс грохотал, скрипел, качался и подскакивал дальше на своем горемычном пути, заключая в своих недрах все те же три неисповедимые загадки. Ночные тени осаждали и их, выводя перед их сонными глазами и взбудораженным мозгом всевозможные видения и образы.

Тельсонов банк играл значительную роль в этих снах. Служивший в банке пассажир сидел, просунув руку в кожаную петлю и держась за нее так крепко, чтобы по мере возможности не стукаться о своего соседа и усидеть в своем углу в тех случаях, когда карету встряхивало с особой силой; сидел он с полузакрытыми глазами, и сквозь ресницы слабо мерцали перед ним боковые окошечки кареты и передний фонарь и смутно чернела грузная фигура пассажира, сидевшего напротив. Мало-помалу эта закутанная фигура превратилась в банкирскую контору и стала вершать крупные дела. Дребезжание кареты обратилось в звяканье деньгами, и в течение пяти минут по векселям были выплачены такие суммы, каких у Тельсона не выдавали и в четверть часа, даром что у него было довольно сношений с английскими и заграничными банками. Потом открылись перед ним кладовые в подвальном помещении Тельсона со всеми известными ему в этих пределах сокровищами и тайнами (а это совсем не безделица), и он ходил среди них со связкой тяжелых ключей и с тускло мерцавшей свечой и нашел, что все там цело, крепко, надежно и тихо, как он видел в последний раз.

Но хотя банк почти неотлучно участвовал во всех его грезах, да и дилижанс тоже смутно чувствовался все это время (наподобие того, как под влиянием наркотического средства все-таки смутно ощущается боль), было еще одно ощущение, непрерывной нитью проходившее через все остальное. Ему чудилось, что он едет откапывать кого-то из могилы.

Которое из лиц, вереницей возникавших перед ним в мелькании ночных теней, принадлежало тому, кого он должен был выкопать, он не знал; ночные тени не указывали этого; все они были лицом человека в возрасте около сорока пяти лет, и главное различие их состояло в том, какие страсти выражались на этом лице и какова была степень его изможденности, бледности и худобы. Гордость, презрение, гнев, упрямство, покорность, смирение попеременно отражались на этом лице со впалыми щеками, с землистым оттенком кожи, иссохшими руками и телом. Но в главных чертах лицо, с его преждевременно седыми волосами, было все одно и то же. Сто раз дремавший пассажир обращался к этому призраку с вопросами:

— Давно ли вы погребены?

И ответ был все тот же:

— Почти восемнадцать лет назад.

— Вы потеряли надежду, что вас когда-нибудь отроют?

— Давно потерял.

— Вам известно, что вы возвращаетесь к жизни?

— Так говорят.

— Надеюсь, что вам хочется жить?

— Не могу сказать.

— Показать вам ее? Хотите ее увидеть?

На этот вопрос ответы получались разные, иногда противоположные. Говорилось и так:

— Постойте! Если я ее увижу слишком скоро, это может убить меня.

Иногда призрак разражался потоком слез и нежно произносил:

— Ведите меня к ней!

28

Иногда он был ошеломлен и, уставившись глазами в пространство, отвечал:

— Я не знаю, кто это, не понимаю.

После такого воображаемого разговора пассажир мысленно принимался рыть то заступом, то большим ключом, то просто руками, стараясь выкопать из земли это несчастное существо. Вот оно наконец извлечено из могилы, на лице и в волосах приставшие комья земли... и вдруг оно распадается в прах... Пассажир вздрагивал, просыпался и опускал оконное стекло, чтобы ощутить наяву реальное впечатление туманной сырости и дождя у себя на щеках.

Но даже и тогда, когда он с открытыми глазами смотрел на дождь и туман, на движущийся круг света, отбрасываемый фонарем, на полосу придорожной изгороди, мелькавшей мимо, ночные тени внешнего мира путались с ночными тенями его душевного состояния. Он ясно помнил банкирскую контору у Темплских ворот, и то, что он вчера там делал, и кладовые подвального этажа, и нарочного, присланного за ним вдогонку, и посланный ответ — все представлялось ему вполне реально. Но среди всех этих фактов действительности вставал вдруг призрачный образ, и опять он вопрошал его:

— Давно ли вы погребены?

— Почти восемнадцать лет назад.

— Надеюсь, что вам хочется жить?

— Не могу сказать.

И снова он роет и роет, пускает в ход и заступ, и пальцы, пока нетерпеливое движение которого-нибудь из спутников не напомнит ему, что пора закрыть окно.

Он поднимает стекло, продевает руку в ременную петлю, усаживается плотнее в угол и начинает разглядывать своих двоих задремавших соседей, пока нить размышлений не приводит его опять к банкирской конторе и к могиле.

— Давно ли вы погребены?

— Почти восемнадцать лет назад.

— Вы утратили надежду, что вас когда-нибудь отроют?

— Давно потерял.

Он только что слышал эти слова, и слышал явственно, как нельзя лучше, и вдруг вздрогнул, проснулся и увидел, что настало утро и ночные тени исчезли.

Опустив стекло, он выглянул наружу, на восходившее солнце. Перед ним тянулась борозда вспаханной земли и тут же лежал плуг, оставленный с вечера, когда выпрягли и увели лошадей. По ту сторону пашни виднелась тихая роща молодых деревьев, на которых еще оставались кое-где ярко-пунцовые и золотисто-желтые осенние листья. Почва была холодная и влажная, но небо чисто, и сияющее солнце вставало ясно, великолепно и радостно.

— Восемнадцать лет! — проговорил пассажир, глядя на солнце. — Боже Милостивый! Творец света дневного! Быть погребенным заживо в течение восемнадцати лет!

Глава IV

Подготовка

Когда почтовая карета еще до полудня благополучно приехала в Дувр и остановилась перед гостиницей «Король Георг», старший лакей, по обыкновению, собственноручно распахнул дверцу дилижанса. Это совершалось с соблюдением некоторой торжественности, потому что в ту пору было с чем поздравить предприимчивого путешественника, в почтовом экипаже приехавшего из Лондона в Дувр.

К тому времени внутри кареты оставался только один такой предприимчивый путешественник, потому что двое других пассажиров вышли раньше и отправились, куда им следовало. Заплесневевшая внутренность дилижанса, наполненного сырой и грязной соломой, своим неприятным запахом и темнотой напоминала собачью конуру просторных размеров. А мистер Лорри, пассажир, вылезая оттуда и отряхиваясь от приставшей к нему соломы, укутанный в мохнатое одеяло, в шапке с наушниками и в забрызганных грязью ботфортах, был похож на собаку крупной породы.

— Служитель, завтра отправляют почтовое судно в Кале?

— Точно так, сэр, если погода позволит и ветер будет попутный. Часа в два пополудни начинается отлив, сэр, и это тоже поможет отплыть. Прикажете приготовить кровать, сэр?

— Я до ночи спать не лягу, но мне все-таки нужна спальня, и достаньте мне цирюльника.

— А потом изволите завтракать, сэр? Слушаю, сэр. Сюда пожалуйте, сэр... Эй, проводите джентльмена в Конкордию. Помогите джентльмену снять сапоги в Конкордии... Камин топится, сэр; изволите сами убедиться, что углей довольно. Позовите цирюльника в Конкордию! Ну же, пошевеливайся... Эй, вы, в Конкордию!

Комната, именовавшаяся Конкордией, всегда отводилась пассажиру, приезжавшему в почтовой карете (а таковые всегда бывали чрезвычайно плотно закутаны с головы до ног), поэтому представляла для прислуги гостиницы «Король Георг» тот интерес, что в Конкордию входили весьма однородные с виду пассажиры, но выходили оттуда джентльмены всех возможных сортов и разрядов; вследствие этого другой лакей, двое носильщиков, несколько горничных и сама хозяйка постоянно и как бы случайно вертелись на пути между общим залом и Конкордией, когда оттуда вышел джентльмен лет шестидесяти, прилично одетый в полную пару платья коричневого цвета, довольно поношенную, но хорошо сохранившуюся, с большими четырехугольными обшлагами у рукавов и с такими же отворотами у карманов; он прошел в общий зал.

На ту пору там никого не было, кроме него. Завтрак накрыт был на особом столике у камина; он сел и при свете пылавшего огня сидел так смирно в ожидании кушанья, как будто с него собирались писать портрет.

Вид он имел чрезвычайно аккуратный и методический и сидел, положив ладони на колени, между тем как из-под длинных пол его жилета звонко тикали карманные часы, свидетельствуя о своей степенности и долговечности по сравнению с легкомысленным треском быстро преходящего огня в очаге. У него были стройные ноги, и он немножко щеголял ими, судя по тому, что носил коричневые чулки из тонкой пряжи, плотно облегавшие икры, и башмаки с пряжками, простые, но изящные. Носил он также маленький гладкий белокурый парик, плотно притянутый к голове и, вероятно, сделанный из человеческих волос, но такого вида, как будто его фабриковали из шелковых или из стеклянных нитей. Его белье было не так тонко, как чулки, но белизной не уступало морской пене, выбрасываемой волнами на соседний берег, или парусам, что сверкали на солнце в открытом море, вдали. Его лицо, обыкновенно спокойное и чинное, все еще освещалось влажно блестевшими глазами, и позволительно было думать, что владельцу их в былые годы стоило немалого труда приучить их к тому степенному и сдержанному выражению, которое было обязательно в конторе Тельсонова банка. Щеки у него были румяные, и хотя слегка морщинисты, но на лице не было отпечатка тревог и житейских волнений. Это происходило, вероятно, оттого, что холостые служащие Тельсонова банка имели на плечах преимущественно чужие заботы: а чужие заботы, так же как и платье с чужого плеча, носятся небрежнее и легче скатываются с плеч, чем свои собственные.

В довершение сходства с человеком, с которого пишут портрет, мистер Лорри задремал сидя. Разбудил его лакей, принесший кушанье, и мистер Лорри сказал ему, поворачивая кресло к столику:

— Надо приготовить еще помещение для молодой леди, которая может приехать сегодня во всякое время. Она, вероятно, спросит мистера Джервиса Лорри, а может быть, просто джентльмена из Тельсонова банка. Тогда доложите мне немедленно.

— Слушаю, сэр. Тельсонов банк в Лондоне, сэр?

— Да.

— Точно так, сэр. Мы частенько имеем честь прислуживать вашим джентльменам; они ведь то и дело ездят взад и вперед между Лондоном и Парижем, сэр. Очень много ездят господа от конторы Тельсона и компании.

— Да, наш дом столько же французский, как и английский торговый дом.

— Точно так, сэр. Сами-то вы, кажется, не часто изволите ездить, сэр?

— В последние годы не ездил. Вот уж пятнадцать лет, как мы... то есть я... не был во Франции.

— Неужто, сэр? Стало быть, это было еще до меня, сэр. В то время никого из теперешних тут не было. Гостиница в ту пору была в других руках, сэр.

— Должно быть, так.

— Но я готов заложить порядочную ставку, сэр, что Тельсонов банк процветал не то что пятнадцать, а, пожалуй, и все пятьдесят лет тому назад.

— Смело можете утроить цифру; скажите «сто пятьдесят», и то не ошибетесь.

— Неужто, сэр?

Сомкнув губы сердечком и округлив глаза, лакей отступил на шаг от стола, перекинул салфетку с правой руки на левую, утвердился покрепче на одной ноге и все время, покуда гость ел и пил, надзирал за ним как бы с башни или с высоты сторожевой вышки, как, впрочем, все вообще трактирные слуги во все времена, везде.

Покончив с завтраком, мистер Лорри вышел прогуляться по морскому берегу. Маленький, узкий и кривой городишко Дувр, словно морской страус, уткнулся головой в меловые утесы. Побережье представляло собой пустынное зрелище нагроможденных камней, о которые бились морские волны: море делало что хотело, а хотело оно только разрушать. Оно с грохотом налетало на город, отчаянно ударялось об утесы, отрывало и уносило куски берегов. Воздух вокруг домов был так пропитан запахом рыбы, как будто больная рыба имела обыкновение купаться в нем, наподобие того как больные люди ходят купаться в море. В гавани рыбу ловили редко, а приходили туда ночью погулять, а главное, обращали взоры к морю, особенно перед началом прилива. Мелкие лавочники, торговавшие кое-какой дрянью, иногда вдруг оказывались обладателями крупного состояния. Замечательно, что в этой местности обыватели терпеть не могли, чтобы зажигались фонари.

Во весь день стояла ясная погода, и воздух был так прозрачен, что не раз можно было простым глазом рассмотреть французский берег; но под вечер поднялся туман, и мысли мистера Лорри также стали омрачаться. Когда стемнело, он опять присел к огню в общем зале, поджидая своего обеда, как поутру поджидал завтрака, и, устремив глаза на раскаленные угли, снова стал копать, копать, копать — на этот раз среди раскаленных углей.

Бутылка доброго красного вина — вещь невредная для подобного землекопа, хотя, пожалуй, с течением времени

33

делает его неспособным к дальнейшему труду. Мистер Лорри долго сидел в полном бездействии, но с тем довольным видом, какой бывает у пожилого джентльмена с румянцем во всю щеку, когда его бутылочка подходит к концу. Он только что налил себе в стакан последние капли вина, как услышал грохот колес, въезжавших сначала вверх по узкой и крутой улице, а потом во двор гостиницы.

Он поставил стакан на стол, не притронувшись к нему губами.

— Это Mam'selle! — промолвил он.

Через минуту пришел лакей и доложил, что мисс Манетт приехала из Лондона и очень желает видеть джентльмена от Тельсона и К°.

— Как, сейчас?

— Мисс Манетт закусывала дорогой и теперь ничего не хочет, ей только крайне желательно повидаться с джентльменом от Тельсона, если ему удобно и угодно пожаловать к ней.

Джентльмену от Тельсона только и оставалось после этого опорожнить свой стакан с видом отчаянной решимости, хорошенько надвинуть на уши белокурый парик и последовать за лакеем в комнату, отведенную для мисс Манетт.

Комната была большая, темная, мрачно меблированная, с обивкой из черного конского волоса и множеством тяжелых столов темного дерева. Они так часто полировались и натирались маслом, что две свечи, стоявшие посреди комнаты на столе, отражались слабым светом в каждом из них, как будто они были похоронены в глубине почерневшего красного дерева и до тех пор не дадут настоящего света, пока их не отроют.

Темнота была так непроницаема, что мистер Лорри, ощупью ступая по изношенному ковру, думал поискать молодую девицу в другой комнате, но, пройдя мимо свечей, вдруг увидел стоявшую между ними и топившимся камином мисс Манетт — особу лет семнадцати, двинувшуюся ему навстречу в дорожном плаще и с соломенной шляпкой, которую она держала в руке, ухватив ее за завязки. Он смотрел на эту грациозную фигурку небольшого роста, тоненькую, с хорошеньким личиком, обрамленным густыми золотистыми волосами, с вопросительными голубыми глазами и гладким лбом, который имел удивительную способность (принимая во внимание крайнюю ее молодость) быстро менять выражения: тревога, изумление, замешательство или просто оживленное внимание — все это сменялось с такой быстротой, что иногда казалось, будто все эти четыре выражения являются там одновременно, и, глядя на нее, он был вдруг поражен ее сходством с маленьким ребенком, которого он вез на руках через этот самый пролив в одну холодную зимнюю ночь, когда море под ними бушевало, а сверху обдавало их градом. Это видение мелькнуло перед ним и пропало, словно исчез след горячего дыхания с потускневшего зеркала, стоявшего за нею, в резной раме из черного дерева, изображавшей целый лазарет убогих черных купидонов (иные были без голов, и все калеки), предлагавших черные корзины с обгорелыми фруктами каким-то черным божествам женского пола... Видение исчезло, и мистер Лорри отвесил низкий поклон мисс Манетт.

— Прошу садиться, сэр, — произнесла она очень чистым и приятным молодым голосом с легким, очень легким иностранным акцентом.

— Целую ваши ручки, мисс, — ответствовал мистер Лорри в духе старинной любезности и, еще раз поклонившись, сел на стул.

— Вчера я получила письмо из банка, сэр, с извещением, что есть новые сведения... или открытия...

— Это все равно, мисс; оба выражения равно приложимы.

— ...касательно имущества, оставшегося после моего бедного отца... Я его никогда не видала... Он так давно скончался!..

Мистер Лорри завозился на своем стуле и устремил смущенный взор на процессию увечных черных купидонов... Как будто в их нелепых корзинках можно было найти что-нибудь путное!

— ...и что поэтому мне нужно съездить в Париж и повидаться там с джентльменом из Тельсонова банка, который был так добр, что согласился ради этого ехать в Париж...

— Это я и есть.

— Так я и думала, сэр.

Она сделала ему реверанс (в те времена девицы еще делали реверансы) с милым намерением дать ему почувствовать, что она понимает, насколько он старше, почтеннее и умнее ее. Он опять встал и отвесил ей поклон.

— Я ответила банку, сэр, что если лица, знающие дело и благоволящие подать мне советы, считают нужным, чтобы я ехала во Францию, то я, будучи сиротой и не имея никого знакомых, кто мог бы проводить меня, сочла бы великой для себя милостью, если бы мне было дозволено совершить это путешествие под покровительством того достойного джентльмена. Он уже в то время выехал из Лондона, но, если не ошибаюсь, к нему послали нарочного с моей покорнейшей просьбой подождать меня здесь.

— Мне весьма лестно, — сказал мистер Лорри, — что на меня возложили такое поручение, и еще более лестно мне будет исполнить его.

— Сэр, я вам чрезвычайно благодарна; премного обязана вам. В банке мне сказали, что джентльмен объяснит мне все подробности дела и что я должна приготовиться к тому, что узнаю нечто изумительное. Я старалась приготовиться как умела, а теперь, натурально, сильнейшим образом желаю узнать, в чем дело.

— Весьма естественно! — сказал мистер Лорри. — Да... вот я...

Он запнулся, помолчал и сказал, надвигая на уши парик:

— Затрудняюсь, с чего начать.

Он колебался, взглянул на нее и встретился с ней взглядом. Она подняла брови с тем сложным и оригинальным выражением, которое придавало особую прелесть ее полудетскому личику, и в то же время протянула руку, как бы невольным движением желая поймать или удержать не то призрак, не то воспоминание.

— Вы... вы мне совсем посторонний человек, сэр?

— Посторонний ли?.. — молвил мистер Лорри, подняв обе руки ладонями кнаружи и глядя на нее с улыбкой.

Между бровей, над ее тонким, деликатно выточенным носиком, залегла глубокая морщинка, и она задумчиво опустилась в кресло, возле которого до сих пор стояла. Он наблюдал ее молча и, когда она вскинула на него глаза, заговорил снова:

— Здесь, на вашей приемной родине, вы мне позволите звать вас так, как у нас в Англии принято называть молодых девиц, мисс Манетт?

— Сделайте одолжение, сэр.

— Мисс Манетт, я человек деловой. Мне предстоит выполнить деловое поручение. Прошу вас, когда я приступлю к делу, не обращайте на меня внимания или смотрите просто как на говорильную машину. Это и есть в действительности мое назначение. С вашего позволения, я изложу вам историю одного из наших клиентов.

— Историю?

Он как бы с намерением не расслышал повторенного ею слова и поспешно продолжал:

— Ну да, клиента. Так мы называем джентльменов, с которыми имеем постоянные дела. Он был родом француз; ученый джентльмен... чрезвычайно образованный, даже доктор медицины...

— Из Бове?

— Гм... да, из Бове... Как и ваш батюшка, господин Манетт, тот джентльмен был также из Бове; и, так же как господин Манетт, этот джентльмен пользовался в Париже весьма хорошей репутацией. Там я имел честь с ним познакомиться. Мы имели сношения делового характера, но я был его доверенным лицом. В то время я служил во французском отделении нашей конторы и жил там... о, лет двадцать.

— В то время... позвольте узнать, сэр, о каком времени вы говорите?

— Я говорю, мисс, о том, что было тому назад двадцать лет. Он женился на... на англичанке, и я был одним из попечителей над его имуществом. Все его дела, равно как дела многих других французских джентльменов и французских фамилий, находились в руках Тельсона. А потому я был, да и теперь состою, поверенным или опекуном многих клиентов нашего дома. Все это отношения чисто делового характера, мисс; тут нет ни дружбы, ни личной привязанности и вообще ничего похожего на чувство. В течение деловой моей жизни я занимался делами то одного, то другого лица, точно так же в течение дня, сидя в конторе, перехожу от одного клиента к другому. Короче говоря, чувств у меня никаких... я машина, и больше ничего. Возвращаясь к нашему предмету...

— Но ведь это история моего отца, сэр; я начинаю думать (нахмуренный лобик уставился на него с самым внимательным выражением), что когда мать моя скончалась, только на два года пережив моего отца, и я осталась круглой сиротой, то именно вы и привезли меня в Англию. Я почти уверена, что это были вы.

Мистер Лорри взял нерешительно протянутую ему ручку и довольно церемонно приложился к ней губами. Потом он подвел молодую девушку обратно к ее креслу, усадил и, держась левой рукой за спинку этого кресла, а правой то потирая себе подбородок, то поправляя парик, то выделывая в воздухе различные фигуры для подтверждения своих речей, стал смотреть на нее сверху вниз, между тем как она подняла к нему свое лицо.

— Мисс Манетт, это был я. И вот видите, как я прав, говоря, что я человек без всяких чувств и что все мои сношения с ближними только деловые; ведь с той поры я ни разу не виделся с вами. С той поры вы все время состояли под опекой Тельсонова банка, а я занимался банковыми делами у Тельсона — только и всего. Какие тут чувства. Не до них мне, да и некогда ими заниматься. Вся моя жизнь проходит в том, что я, ухватившись за рукоятку, верчу громадное денежное колесо.

Дав такое странное определение своей повседневной деятельности, мистер Лорри обеими руками прихлопнул к голове свой парик (что было совершенно излишне, так как он и без того сидел вполне гладко) и принял прежнюю позу.

— До сих пор, мисс, как вы изволили заметить, эта история похожа на историю вашего покойного отца. Теперь пойдет другое. Если бы ваш батюшка тогда не умер... Не пугайтесь. Как вы вздрогнули!

Она встрепенулась с головы до ног и обеими руками ухватилась за его руку.

— Ну полноте, — сказал мистер Лорри успокоительно, сняв со спинки свою левую руку и поглаживая ею дрожащие пальчики, обвившиеся вокруг его правой, — пожалуйста, уймите свое волнение... ведь у нас деловой разговор... Итак, я говорю...

Ее умоляющий взгляд так расстроил его, что он сбился, помолчал, потом начал сызнова:

— Я говорю, если бы господин Манетт не умер, а вместо того внезапно и таинственно исчез; если бы его вдруг похитили и упрятали в такое место, что никакими средствами нельзя было отыскать его следов; если бы у него был среди соотечественников такой могущественный враг, который мог воспользоваться особой привилегией, о которой, как я сам бывал свидетелем, даже наихрабрейшие люди отзывались шепотом, с опаской; так, например, существует во Франции такая привилегия, что от имени короля выдаются бланки, на которых стоит только вписать чье-нибудь имя, и этого человека заключат в темницу на какой угодно срок... И если бы жена его понапрасну умоляла короля, королеву, придворных, лиц судебного ведомства, духовенство, умоляла о том, чтобы ей дали о нем хоть какие-нибудь сведения, и ничего не добилась... Вот тогда история вашего отца была бы тождественна с историей этого джентльмена... Доктора из Бове.

— Умоляю вас, сэр, продолжайте.

— Сейчас... Непременно! Вы в состоянии выслушать?

— Я в состоянии перенести что угодно, только бы не томиться неизвестностью, а вы меня томите.

— Вы говорите решительно, и вы... в самом деле такая решительная. Это хорошо! (На словах он был доволен, но на деле сильно тревожился.) Мы ведем деловой разговор... Вы так и рассматривайте предмет, как дело, требующее спокойного обсуждения. Ну и положим, что жена этого доктора, дама с большим характером, так намучилась этим еще прежде, нежели родился на свет ее младенец...

— Этот младенец был девочка, сэр.

— Девочка, да. И... и... мы говорим о делах... вы не волнуйтесь... И положим, мисс, что эта бедная дама так намучилась еще до рождения ребенка, что решилась избавить свое бедное дитя хоть от некоторой части пережитых ею страданий и ради этого надумала воспитать свою дочку так, чтобы она считала своего отца умершим... Нет, зачем... ради бога, зачем вам *передо мной* становиться на колени?

— Умоляю вас, скажите правду... Милый, добрый, сострадательный сэр, скажите всю правду!

— Э... э... ведь мы о делах... Вы меня конфузите, а как же я буду вести деловой разговор, коли я сконфужен? Тут необходимо хладнокровие. Вот если бы вы мне изволили сказать, например, много ли составят девять раз девять пенсов или сколько шиллингов в двадцати гинеях, это бы меня ободрило. Я бы сам оправился, да и насчет вашего душевного состояния был бы спокойнее.

Не давая прямого ответа на такое заявление, она сидела так смирно, после того как он потихоньку поднял ее с колен и посадил в кресло, и ее руки, не отрывавшиеся от его руки, дрожали настолько менее прежнего, что мистер Джервис Лорри до некоторой степени тоже успокоился.

— Это хорошо, очень хорошо! Мужайтесь. Мы о деле рассуждаем. И вам предстоит заняться делом, полезным делом. Мисс Манетт, мать ваша так и поступила относительно вас. И когда она скончалась, кажется от разрыва сердца, до самого конца не переставая тщетно разыскивать вашего отца, вам было от роду два года, и вот вы росли спокойно и счастливо и расцвели, как прекрасный цветок, не ведая мучительной заботы о том, умер ли ваш отец, истощив свои силы в тюрьме, или еще жил там многие годы.

Говоря это, он смотрел на нее сверху вниз с нежной жалостью, любуясь ее пышными золотистыми волосами и как бы думая, что и они могли преждевременно подернуться сединой.

— Вам известно, что у ваших родителей не было большого состояния; а что было, то закреплено за вашей матерью и за вами. С тех пор ничего нового не открыли ни по части денег, ни другого имущества; только...

Он почувствовал, что она крепче сжала его руку. Выражение ее лица с приподнятыми бровями, с первого взгляда поразившее его своей оригинальностью, застыло теперь в припадке скорбного ужаса.

— Только он... он сам отыскался. Он жив. По всей вероятности, сильно изменился; возможно, что захирел... хотя, будем надеяться, не совсем. Но все-таки жив. Ваш отец перевезен в дом одного старого слуги в Париже; и мы поедем туда; я — с тем, чтобы, буде возможно, признать его личность, а вы — возвратить его к жизни, любить, покоить и всячески утешать.

Дрожь пробежала по ее телу, а через нее сообщилась и ему. Она произнесла тихо, внятно, благоговейно, как будто говорила во сне:

— Я увижу лишь его призрак... Это будет его призрак, а не он.

Мистер Лорри тихонько похлопывал по ручкам, впившимся в его руку.

— Ну вот, ну вот... Теперь хорошо... И отлично. Теперь вы все знаете, и лучшее и худшее. И вы на пути к бедному пострадавшему папеньке; и вот, коли Бог даст благополучно переправиться за море да благополучно совершить сухопутный переезд, вы скоро, очень скоро будете с ним.

Она произнесла тем же тоном, переходившим теперь в шепот:

— А я-то все время жила на воле, была счастлива, и никогда мне не являлся его призрак!

— Еще вот что я вам скажу, — молвил мистер Лорри значительно, желая отвлечь ее внимание от мучительных представлений, — он найден под другим именем; его собственная фамилия или давно позабыта, или ее скрывали; теперь уж более чем бесполезно справляться, позабыли ли его в тюрьме или с намерением держали так долго; более чем бесполезно наводить какие бы то ни было справки: это опасно. Лучше совсем не упоминать об этом обстоятельстве, нигде и никогда не делать никаких намеков на него и увезти его, по крайней мере на некоторое время, из Франции. Даже и я сам, даром что английский подданный, притом служащий в Тельсоновом банке, что дает мне особый вес на французской почве, ни единым словом не смею намекнуть на эти обстоятельства, не везу ни единого писаного клочка, имеющего отношение к этому предмету. Мне дали поручение под строжайшим секретом; а все мои полномочия, памятные записки и рекомендательные письма заключаются в одной строке: «Возвращен к жизни», которую можно истолковать как угодно... — Но что же это такое? Она и не слышит, что я говорю!.. — Мисс Манетт!

Она сидела совершенно неподвижно и прямо, даже не откинувшись на спинку кресла, точно окостенела под его рукой, без чувств, с открытыми глазами, уставившись на него все с тем же скорбным и напряженно-испуганным выражением, как бы высеченным или выжженным у нее на лице. Она так крепко стиснула ему руку, что он боялся отцепить ее пальцы, опасаясь повредить ей, а потому громко стал звать на помощь прислугу, не трогаясь с места.

Прежде всех вбежала в комнату безумного вида женщина. Невзирая на встревоженное состояние своего духа, мистер Лорри невольно заметил, что лицо у нее все сплошь красное, волосы тоже красные, платье необыкновенно плотно обтягивает всю ее фигуру, а на голове у нее какая-то удивительная шляпка, похожая не то на гренадерскую деревянную манерку обширных размеров, не то на большой стильтонский сыр. Ринувшись вперед и оставив далеко за собой сбегавшихся слуг, она разом порешила вопрос об отцеплении его от бедной молодой девушки и дала ему в грудь такого тумака своей здоровенной рукой, что он отлетел и ударился спиной о ближайшую стену.

«Это, должно быть, мужчина!» — решил про себя мистер Лорри в момент своего столкновения со стеной.

— Да что же вы стоите? — гаркнула эта особа, обращаясь к трактирной прислуге. — Чем стоять да глядеть на меня разинув рты, пошли бы да принесли, что нужно. Что вы на меня уставились? Ступайте же, несите нюхательного спирту, холодной воды, уксусу! Ну, живо! Не то вот я вам задам!

Прислуга мигом разбежалась в разные стороны за означенными медикаментами, а она бережно отнесла пациентку на диван, уложила ее очень искусно и нежно, называя «сокровище мое, птичка моя», и не без гордости тщательно расправила по плечам ее роскошные золотистые волосы.

— Эй, вы, коричневый кафтан! — обратилась она к мистеру Лорри с большим негодованием. — Разве нельзя было сказать ей того, что вы ей говорили, не перепугав ее до смерти? Взгляните-ка на это милое бледное личико и на холодные ручки... И *это* у вас называется служить в банке?!

Столь затруднительный вопрос так озадачил мистера Лорри, что он мог лишь смиренно стоять и издали следить сочувственным оком — следить за тем, как эта мощная женщина, разогнав слуг таинственной угрозой *задать* им чего-то, если они немедленно не перестанут глазеть и не уберутся вон, постепенно привела девушку в чувство и уговорила ее положить ослабевшую головку к ней на плечо.

— Теперь, надеюсь, она совсем оправится, — сказал мистер Лорри.

— Коли оправится, то не по вашей милости, коричневый кафтан!.. Милочка моя, бесценная.

— Надеюсь, — сказал мистер Лорри, помолчав некоторое время с видом смирения и беспомощной симпатии, — что вы изволите сопровождать мисс Манетт во Францию?

— Ну нет, покорно благодарю! — ответила мощная женщина. — Если бы Богу было угодно, чтобы я плавала по соленым водам, разве Он дозволил бы мне родиться на острове?

На этот вопрос было еще труднее ответить, и мистер Джервис Лорри удалился в свою комнату, чтобы как следует обдумать его.

Глава V

ВИННАЯ ЛАВКА

Большая бочка с вином упала и разбилась среди улицы. Это случилось в ту минуту, когда бочку снимали с телеги: она с грохотом вывалилась на мостовую, обручи лопнули, бочка расселась перед самыми дверями винной лавки и рассыпалась наподобие ореховой скорлупы.

Все ближайшее население побросало свои дела и безделье и сбежалось к этому месту пить вино. Грубые, неотесанные камни мостовой, торчавшие остриями во все стороны и как бы нарочно приспособленные к тому, чтобы увечить каждого из проходящих, образовали вместилища, где вино задерживалось в виде лужиц, и вокруг каждой такой лужицы собрались тесные кучки людей. Мужчины, стоя на коленях, зачерпывали вино горстями и пили его прямо из руки или пытались поить женщин, которые тянулись через их плечи и пили, пока вино не уходило между пальцев. Другие мужчины и женщины черпали из лужиц глиняными черепками от битой посуды или, сорвав платок с женской головы, пропитывали его вином и выжимали досуха во рты маленьким детям. Третьи устраивали из уличной грязи крошечные плотины, чтобы задержать бегущее вино, а зрители, высовываясь из окон верхних этажей, кричали им оттуда, куда потекла новая струя, и они бросались в ту сторону и ловили ее там. Некоторые занялись исключительно обломками бочки с насевшими на них подонками, облизывали их и жадно сосали кусочки дерева, пропитанные винной жидкостью. Никаких приспособлений для уличных стоков не было на этой улице, вино не уходило в почву и все было выпито; но вместе с ним было проглочено столько грязи, что посторонний человек, незнакомый с местными нравами, мог бы вообразить, что улицу только что вычистили, чего никогда не бывало.

Все время, пока происходила эта винная забава, на улице раздавались пронзительный смех и веселые возгласы. Грубой толкотни не было; общее настроение было только шутливое и радостное. Заметна была большая общительность и стремление к товариществу, желание с кем-нибудь сблизиться; у тех, кому жилось полегче или кто был от природы беспечнее, это выражалось в том, что они обнимались, провозглашали тосты, пожимали друг другу руки или даже, сцепившись руками, танцевали группами человек по двенадцать.

Когда вина больше не осталось и те места, где оно скоплялось всего обильнее, были так чисто выцарапаны пальцами, что на них образовался решетчатый узор, все эти проявления прекратились так же быстро, как начались. Дровяник, занимавшийся пилкой дров и оставивший пилу среди полена, воротился к своему делу и снова начал пилить: женщина, поставившая у порога горшок с горячей золой, надеясь утолить ею ноющую боль своих исхудалых пальцев или согреть продрогшего ребенка, пошла к тому же порогу и унесла свой горшок; мужчины с засученными рукавами, всклокоченными волосами и изможденными лицами, вышедшие из подвалов на свет зимнего дня, опять спустились в свои подвалы; на все окружающее налегла печать мрачного уныния, казавшаяся здесь гораздо более на месте, нежели солнечный свет и веселье.

Вино было красное и окрасило этим цветом мостовую узкой улицы в предместье Сент-Антуан[1], в Париже, где разбилась эта бочка с вином. Также окрасило оно много рук и лиц, босых ног и деревянных башмаков. Руки людей, пиливших дрова, оставили красные пятна на поленьях; у женщины, нянчившей ребенка, весь лоб был красный от той старой тряпки, которую она мочила в вине, а потом опять повязала себе на голову. Те, кто сосал деревянные клепки разбитой бочки, ходили точно тигры, вымазанные вокруг рта винной гущей, а один из них, шутник высокого роста, в грязном ночном колпаке, свесившемся длинным концом совсем на сторону, набрав грязных подонков на палец, вывел на стене: *Кровь*.

Недалеко было то время, когда и этому вину предстояло окрасить мостовую, обагряя собой многих.

И вот мрачное предместье Сент-Антуан, на минуту озарившееся случайным лучом света и радости, снова погрузилось в обычное состояние, и водворились в нем холод, грязь, болезни, невежество и нищета — могущественные приспешники, — но всех сильнее была нищета. Все эти люди побывали в ужаснейших переделках; их мололи и перемалывали на мельнице, но, конечно, не на той сказочной мельнице, из которой старые люди выходят молодыми; они дрогли у каждого угла, входили и выходили из каждой двери, выглядывали из всех окошек, трепетали на ветру под лохмотьями и грязным тряпьем. Та мельница, в которой они перемалывались, из молодых

---

[1] *Сент-Антуан* — рабочий квартал в Париже; центр революционного брожения в конце XVIII в. и в XIX в.

выделывала стариков. У малых ребят были старческие личики и угрюмые голоса, и на всех, в каждой заостренной черте и в каждой морщинке, была особая печать — печать голода. Он господствовал над всеми и над всем. Голод вылезал из окон высоких домов, развеваясь на палках и шестах в виде нищенских клочьев одежды; он затыкал стенные щели и оконные дыры пучками соломы, тряпья, деревянными чурками и бумагой. Голод повторялся в каждом куске скудного запаса дров, которые распиливались так скупо; он выглядывал из печных труб, из которых не валил дым, и из куч уличного мусора, в которых невозможно было отыскать никаких признаков съестного. Голод виднелся на полках булочной, в каждом куске маленьких хлебов самого плохого качества, и в колбасной лавке, где продавались сосиски из мяса дохлых собак. Голод потрясал своими иссохшими костями в железных жаровнях, где пеклись каштаны; он испарялся из каждой убогой миски, в которую накладывалась крошечная порция овощей, едва поджаренных в нескольких каплях оливкового масла.

Окружающая обстановка ничем не противоречила этому впечатлению всеобщего голода. Улица была узкая, извилистая, грязная, вонючая; разветвлялась она на несколько точно таких же улиц, и все население ходило в лохмотьях и ночных колпаках, и всюду стоял запах лохмотьев и ночных колпаков, и на всем лежала печать изнурения и страдания. Люди имели вид загнанный и зверский, но в них все-таки проглядывало смутное сознание того, что когда-нибудь можно и огрызнуться. Как ни были они измучены и принижены, среди них не было недостатка в таких, глаза которых горели внутренним огнем; их плотно сжатые побелевшие губы изобличали силу того, о чем они умалчивали; их брови хмурились и лбы морщились наподобие висельных веревок, насчет которых они еще были в недоумении: быть ли им самим повешенными или приниматься вешать других.

На вывесках — а их было столько же, сколько и лавок, — нагромождены были все те же признаки нищеты. У мясника изображались только самые тощие части говядины или свинины; у пекаря — одни сухие ломти хлеба. У винных погребков красовались грубые изображения посетителей, сидевших над скудными порциями жидкого вина или пива и с грозными лицами сообщавших друг другу какие-то секреты. Ничто не представлялось в исправном или цветущем состоянии, исключая рабочих инструментов и оружия, но зато у продавца металлических изделий ножи и топоры так и блестели, молотки были тяжеловесные, а огнестрельные снаряды убийственные.

Шероховатые камни мостовой лежали неровно, образуя множество резервуаров для воды и грязи; тротуаров совсем не было. Зато сточная канава тянулась по самой середине улицы и только тогда действительно служила для стока воды, когда выпадал проливной дождь; и тогда нередко случалось, что нечистоты, переполняя канаву, стекали прямо в дома. Поперек улицы, на значительном друг от друга расстоянии, висели на протянутых веревках с блоками неуклюжие фонари. По вечерам фонарщик спускал их, заправлял, зажигал, поднимал сызнова, и над головами прохожих печально и тускло мигали эти пучки тонких светилен, качавшихся, словно ладьи на море. Да и у всех вообще почва под ногами колебалась наподобие волн морских, и над самим кораблем и над командой собиралась буря.

Приближалась та пора, когда изголодавшиеся, изможденные пугала этих мест, вдоволь насмотревшись на неискусную работу фонарщика, вздумали воспользоваться его приспособлениями и с помощью тех же блоков и веревок вздергивать не фонари, а людей, чтобы те осветили их тьму. Но то время еще не пришло, и ветер понапрасну развевал и потрясал во всей Франции тряпки и лохмотья, навешанные на эти пугала: веселые птицы, рядившиеся в яркие перья и распевавшие свои звонкие песни, не пугались, не замечали их.

Винная лавка занимала угловое помещение и казалась лучше и зажиточнее большинства остальных. Хозяин винной лавки стоял у дверей на улице; на нем были желтый жилет, зеленые панталоны, и он в качестве простого зрителя наблюдал происшествие с разбитой бочкой и поглощением пролитого вина.

— Это меня не касается, — заметил он, пожав плечами, — виноваты извозчики, привезшие бочку с рынка. Пускай привезут мне другую.

Тут он случайно заметил долговязого шутника, выводившего на противоположной стене свою зловещую шутку, и закричал ему через улицу:

— Слушай-ка, Гаспар, что ты там написал?

Долговязый парень с величайшим самодовольством пояснял ему свою шутку, по обычаю шутников этого рода, но не достиг своей цели и потерпел полное поражение, что также нередко с ними случается.

— Что ты? С ума, что ли, спятил? — сказал хозяин винного погреба и, перейдя через улицу, захватил полную горсть грязи и замазал ею начертанные буквы. — Разве можно писать на стенах проезжей улицы? А главное, скажи-ка мне: разве нет другого места, где гораздо удобнее записывать такие слова?

Говоря это, он, может быть случайно, а может быть, и нет, положил ему на сердце ту руку, что почище. Парень постучал и собственным кулаком по тому же месту, подпрыгнул вверх и встал в позу фантастического плясуна, стряхнув с ноги один из своих грязных башмаков и подхватив его в протянутую руку. И было в ту пору у него чрезвычайно свирепое, чисто волчье выражение лица.

— Перестань, перестань, — молвил лавочник, — надевай башмак на ногу, а вино зови вином.

Преподав такой совет, он отер выпачканную руку об одежду шутника, нисколько не церемонясь, так как из-за него же и набрал грязи в ладонь, затем он снова перешел через улицу и вошел в свою лавку.

Хозяин винного погреба был человек с бычачьей шеей и воинственной осанкой, от роду лет тридцати и, вероятно, очень горячего темперамента, судя по тому, что в такую стужу пиджак у него не был надет, а наброшен внакидку только на одном плече. Рукава его рубашки были засучены, и смуглые руки оголены по самые локти; на голове тоже ничего не было, кроме собственных, коротко подстриженных курчавых черных волос. Он был смуглый брюнет с красивыми глазами, достаточно широко расставленными.

Общее выражение его лица было, пожалуй, добродушное, но непреклонное: было очевидно, что он человек решительный и знает, чего хочет, и что плохо будет тому, кто с ним встретится лицом к лицу на узкой тропинке с бездонными пропастями по сторонам: не уступит дороги.

Жена его, мадам Дефарж, сидела в лавке за конторкой, когда он вошел. Мадам Дефарж была женщина одного с ним возраста, плотного телосложения, с зоркими глазами, которые редко на что-либо смотрели прямо, с крупными руками, множеством перстней на пальцах, с резкими чертами, холодным выражением лица и необыкновенным спокойствием манер. Ее особа производила такое впечатление, что она только редко могла ошибиться в тех расчетах, какие приходилось ей делать. Мадам Дефарж была чувствительна к холоду и потому куталась в меховую кофточку, а голова ее была повязана пестрым платком так, однако же, что ее уши с украшавшими их длинными серьгами были на виду. Ее вязанье лежало перед ней на конторке, и она в эту минуту ковыряла у себя в зубах спицей, подпирая правый локоть левой ладонью. Когда муж вошел, мадам Дефарж ничего не сказала, а только один раз тихо кашлянула и при этом слегка подняла свои резко очерченные черные брови. Этого было достаточно, чтобы муж догадался, что нелишне будет хорошенько осмотреться вокруг и взглянуть на новых посетителей, которые могли войти в лавку, пока он отлучался на улицу.

Хозяин погребка повел глазами вокруг стен и действительно приметил пожилого господина и молодую девушку, сидевших в углу. Были и другие посетители: двое играли в карты, двое играли в домино и еще трое стояли у прилавка, стараясь как можно дольше прихлебывать небольшие порции вина. Проходя за прилавок, Дефарж заметил, что пожилой господин глазами указал на него своей соседке, как бы желая сказать: «Вот он!»

«Желал бы я знать, что вам нужно здесь? — подумал про себя мсье Дефарж. — Я вас сроду не видывал».

Однако он притворился, что не видит этих незнакомых людей, и вступил в разговор с тремя посетителями, попивавшими вино у прилавка.

— Ну как идет дело, Жак? — молвил один из троих, обращаясь к Дефаржу. — Все ли пролитое вино выпили?

— Все до капли, Жак, — отвечал господин Дефарж.

После такого обмена одним и тем же христианским именем мадам Дефарж, не переставая ковырять спицей в зубах, опять тихо кашлянула и подняла брови еще крошечку повыше.

— Да, — сказал другой из троих посетителей, также обращаясь к Дефаржу, — многим из этих жалких скотов не часто приходится отведывать вина, они только и знают вкус черного хлеба да голодной смерти. Не так ли, Жак?

— Именно так, Жак, — отвечал господин Дефарж.

Вторично произошел обмен христианским именем. Мадам Дефарж, все так же орудуя спицей, еще раз кашлянула и еще немножко подняла брови.

Третий посетитель поставил на прилавок свой пустой стакан, почмокал губами и сказал в свою очередь:

— Ах, что и говорить! Горький вкус во рту у этих бедняков, и тяжко им живется, Жак! Правду ли я говорю, Жак?

— Чистую правду, Жак, — отвечал мсье Дефарж.

Как только они в третий раз произнесли то же имя, мадам Дефарж перестала ковырять в зубах, но, все еще подняв брови, слегка завозилась на своем месте.

— Ага... правда! — пробормотал ее супруг себе под нос. — Господа, тут жена моя!

Все трое посетителей, пившие вино, сняли шляпы и раскланялись с мадам Дефарж. Она отвечала на их приветствие, слегка кивнув им и быстро взглянув на каждого поочередно. Потом она спокойно обвела глазами всю лавку, взяла вязанье и тотчас углубилась в свое рукоделие с самым безмятежным видом.

— Господа, — сказал Дефарж, все время не спускавший с жены своих блестящих глаз, — позвольте пожелать вам доброго утра. Та меблированная комната, устроенная на холостую ногу, про которую вы спрашивали, пока я отлучался из дому, еще не занята, и вы можете ее посмотреть, коли угодно. Она в пятом этаже. Вход на лестницу со двора, вот тут, налево, возле моего окна, — продолжал он, указывая рукою. — Да впрочем, помнится, один из вас уже побывал там, так он и покажет дорогу. Доброго утра, господа!

Они заплатили за вино и ушли. Мсье Дефарж смотрел на жену, углубленную в вязание; пожилой джентльмен выступил из своего угла и, подойдя к хозяину, попросил позволения сказать ему несколько слов.

— К вашим услугам, сударь, — сказал Дефарж, спокойно отходя к двери.

Беседа была очень короткая, но решительная. Почти с первого слова мсье Дефарж встрепенулся и выказал глубочайшее внимание. Не прошло и минуты, как он кивнул и вышел. Пожилой джентльмен сделал знак молодой девушке, и они также вышли. Мадам Дефарж продолжала проворно шевелить спицами, но бровью не повела и ничего не видала.

Мистер Джервис Лорри и мисс Манетт, выйдя вслед за хозяином, отправились через двор в ту самую дверь, куда он только что указал вход троим посетителям.

Дворик был тесный, вонючий, обставленный высокими домами с очень густым населением. Войдя в мрачные сени, выстланные черепицей и ведшие на мрачную лестницу из того же материала, мсье Дефарж преклонил колено перед дочерью своего прежнего барина и поцеловал ее руку. Поступок был любезный, но вид у него был при этом далеко не любезный. В несколько секунд он весь точно преобразился: куда девалось открытое и веселое выражение его лица? Теперь это был скрытный, обозленный, опасный человек.

— Очень высоко придется вам влезать, да и лестница крутая. Начинайте полегоньку, — сказал мсье Дефарж суровым голосом мистеру Лорри, пройдя первые ступени.

— Он там один? — шепнул ему мистер Лорри.

— Один. Оборони бог, кому же с ним быть-то? — отвечал Дефарж так же тихо.

— Значит, он всегда один?

— Всегда.

— По собственному желанию?

— По необходимости. Каким я застал его в тот день, как меня разыскали и спросили, согласен ли я взять его к себе и ради собственной безопасности держать под секретом, — каким застал его тогда, такой же он и теперь.

— Сильно изменился?

— Изменился!

Хозяин винного погребка приостановился, стукнул кулаком в стену и пробормотал ужаснейшее проклятие. Трудно было представить себе более выразительный ответ. Мистер Лорри чувствовал, что на душе у него становилось все тяжелее по мере того, как они поднимались все выше. В старых кварталах Парижа, наиболее населенных, подобная лестница, с обычной для нее обстановкой, и теперь еще представляет собой довольно неприятное явление; но в те времена это было нечто ужасное, особенно для непривычных или брезгливых людей. Из каждого жилья внутри этого громадного и грязного гнезда, то есть из каждой двери, выходившей на одну общую лестницу высокого дома, вываливали на площадку всякий мусор и нечистоты, помимо тех нечистот, которые выбрасывались из окошек прямо во двор или на улицу. Постоянное и безнадежное накопление таких мусорных куч и гниение их на месте, во всяком случае, заражает воздух; но, помимо этого, он был отягчен теми неуловимыми миазмами, которые исходят от бедности, и обе причины, действуя сообща, образовали нечто совершенно невыносимое. В такой-то атмосфере приходилось влезать по крутой полутемной лестнице на самый верх. Уступая собственным расстроенным чувствам и очевидному волнению своей маленькой спутницы, мистер Джервис Лорри дважды останавливался передохнуть. Эти передышки делались у печальных отверстий, заделанных решетками, через которые, казалось, уносились последние следы чистого воздуха, а снаружи вползали испарения всевозможной заразы. Среди заржавленных перекладин решетки скорее можно было уловить запахи, нежели виды тесно скученных окрестных зданий; и ни вблизи ни вдали не видно было ни единого намека на возможность чистого воздуха и здоровой жизни, за исключением двух высоких башен собора Парижской Богоматери.

Взобравшись на верхнюю площадку, они еще раз остановились отдохнуть. Отсюда еще более узкие и крутые ступеньки вели выше, в чердачное помещение. Хозяин винной лавки, все время шедший впереди и державшийся со стороны мистера Лорри как бы из страха, что молодая девушка задаст ему затруднительный вопрос, прислонился к стене и, нащупав карманы сюртука, висевшего у него на плече, вытащил оттуда ключ.

— Стало быть, вы запираете дверь, мой друг? — сказал удивленный мистер Лорри.

— Как же! Всегда, — смущенно ответил мсье Дефарж.

— Считаете нужным все-таки держать несчастного джентльмена взаперти?

— Считаю нужным запирать дверь на ключ.

Эти слова Дефарж прошептал ему на ухо и при этом страшно нахмурился.

— Почему так?

— А потому, что так долго он жил взаперти, что испугался бы, стал бы биться о стены, пришел бы в бешенство, пожалуй умер бы, наделал бед, если бы оставить его дверь раскрытой.

— Может ли быть! — воскликнул мистер Лорри.

— И даже очень может, — сказал Дефарж с горечью. — Да, нечего сказать, в хорошее времечко мы живем, коли возможны такие вещи, да мало ли и других, им подобных! И все это не только возможно, оно и случается, всякий божий день случается, изволите видеть, среди бела дня... Черт возьми! Ну, идем дальше.

Эти переговоры происходили так тихо, что ни одно слово не достигло ушей молодой девушки. Тем не менее она так дрожала от внутреннего волнения и лицо ее выражало такую глубокую тревогу и, главное, такой страх и ужас, что мистер Лорри счел своей обязанностью ободрить ее и успокоить:

— Мужайтесь, дорогая мисс! Вооружитесь твердостью. Дело житейское! Еще минута — и конец. Вот сейчас войдем, и самая тяжкая часть дела будет сделана. А потом уж пойдет другое: подумайте, сколько добра вы ему сделаете, какую отраду, какое счастье принесете с собой. Позвольте и нашему любезному спутнику поддержать вас с другой стороны. Вот так, друг Дефарж. Так-то лучше будет. Ну вот и отлично. Дело житейское!

Они поднимались медленно и осторожно. Ступеней было не много, и они скоро очутились наверху. Но тут площадка внезапно заворачивала в сторону, и они сразу увидели перед собой троих людей, которые, сомкнувшись головами, стояли, наклонившись перед дверью, и пристально смотрели внутрь комнаты, приставив глаза к щелкам и дырам в стене. Услыхав за собой шорох, все трое обернулись, выпрямились и оказались теми самыми посетителями, которые пили вино в лавке и назывались одним и тем же именем.

— Я о них и позабыл, так вы меня озадачили вашим посещением, — объяснил Дефарж мистеру Лорри. — Уходите отсюда, ребятушки, у нас здесь дело есть.

Те проскользнули мимо них и, ни слова не говоря, стали спускаться с лестницы.

Так как другой двери на этой площадке не было, то хозяин погребка направился прямо к ней, и, как только они остались одни, мистер Лорри довольно сердитым шепотом спросил у него:

— Что же, это вы нарочно показываете публике господина Манетта?

— Да, я его показываю вот точно так, как вы сейчас видели, но только некоторым избранным лицам.

— И по-вашему, это хорошо?

— *По-моему*, хорошо.

— Кто же эти избранные? Что руководит вашим выбором?

— Я выбираю из среды настоящих людей, одного со мной имени — меня зовут Жак — и таких, которым полезно это видеть. Впрочем, чтó об этом говорить. Вы англичанин; это совсем иное дело. Посторонитесь, пожалуйста, и постойте здесь минутку.

Пригласив их рукой отойти немного в сторону, он нагнулся и сквозь щель в сене посмотрел внутрь чердака. Потом, выпрямившись, раза два или три стукнул в дверь, очевидно затем только, чтобы произвести некоторый шум. С той же целью он несколько раз шаркнул ключом поперек двери, неуклюже потыкал им в замочную скважину, наконец вставил ключ и повернул его как можно громче.

Дверь медленно растворилась внутрь, он заглянул туда и сказал что-то. В ответ ему послышался слабый голос. С обеих сторон произнесено было чуть ли не по одному слову.

Дефарж оглянулся через плечо и поманил их за собой.

Мистер Лорри крепко обвил рукой вокруг пояса молодую девушку и поддерживал ее, чувствуя, что иначе она сейчас упадет.

— Это визит деловой, деловой... — бормотал мистер Лорри, между тем как по щеке его скатилась капля влаги совсем не делового характера.

— Пойдемте, пойдемте.

— Я боюсь, — прошептала она, вздрагивая.

— Чего вы боитесь? Кого?

— Его боюсь... отца!

Видя ее в таком положении, а с другой стороны, заметив, как настойчиво манил их за собой мсье Дефарж, мистер Лорри с отчаянной решимостью перекинул себе на шею ее руку, дрожавшую на его плече, приподнял ее за талию и протащил через порог. Он поставил ее к стене рядом с дверью и продолжал крепко держать, между тем как она сама уцепилась за него.

Дефарж вынул ключ, затворил дверь и запер ее изнутри, потом опять вынул ключ и не выпускал его из руки. Все это он проделал методически, нарочно производя как можно больше шума и стукотни. Наконец он мерным шагом прошел через комнату в тот конец, где находилось окно. Тут он остановился и повернулся лицом к двери.

Чердак, предназначенный для хранения дров и хозяйственных запасов, очень слабо освещался. Единственное слуховое окно было, в сущности, дверью, выходившей на крышу; над ним было устроено нечто вроде блока или журавля для подъема тяжестей с улицы. Окно было без стекол, растворялось на две половинки, как почти все окна и двери во Франции, и защищено изнутри ставнями. Ради защиты от холода одна половина была плотно затворена, а другая чуть-чуть открыта. Через эту щель так мало света проникало на чердак, что в первую минуту казалось, будто там совсем темно и ничего не видно; только долговременная привычка могла дать человеку возможность постепенно научиться что-либо делать и даже довольно искусно работать в такой темноте. Однако же на этом чердаке производилась такая работа.

Спиной к входной двери и лицом к окну, под которым остановился Дефарж, сидел на низкой скамейке совершенно седой человек; подавшись всем телом вперед и понурив голову, он был очень занят: тачал башмаки.

Глава VI

Башмачник

— Доброго утра, — молвил мсье Дефарж, глядя сверху вниз на седую голову, низко наклонившуюся над работой.

Седая голова приподнялась на минуту, и очень слабый голос прозвучал как бы издали, отвечая на приветствие:

— Доброго утра!

— Вы, я вижу, все так же усердно работаете?

После долгого молчания голова опять приподнялась на минуту, и голос произнес: «Да, работаю», но на этот раз блуждающий взгляд на секунду обратился на собеседника, потом снова поник.

Слабость этого голоса возбуждала жалость и страх. То была не только физическая слабость: долгое заключение в тюрьме и плохая пища тоже играли здесь роль; главной и наиболее поразительной особенностью голоса была порожденная одиночеством отвычка говорить и слушать. Этот голос был похож на слабое эхо давно-давно минувшего звука. Из него до такой степени исчезли и жизненность, и звучность человеческой речи, что он производил впечатление когда-то яркого и красивого цвета, вылинявшего до едва заметного бледного пятна. Он был так сдавлен и глух, как будто выходил из-под земли, представлял воображению существо до того безнадежное, изнемогающее и одинокое, что, если бы отощалый путник, сбившийся с дороги среди далекой пустыни, лег на землю умирать, таким именно голосом должен был он вспомнить родной дом и проститься с далекими друзьями.

Несколько минут он молчал, продолжая работу, потом снова поднял свои блуждающие глаза — не из любопытства, нет, но с машинальным намерением взглянуть, тут ли его единственный посетитель или уже ушел.

— А я, — сказал Дефарж, не спускавший глаз с башмачника, — хочу вот впустить сюда побольше свету. Вам ничего, если будет посветлее?

Башмачник перестал работать; прислушиваясь с рассеянным видом, он взглянул на пол, направо от себя, потом посмотрел налево и наконец перевел глаза на Дефаржа.

— Вы что сказали? — молвил он.

— Я спрашиваю, можете ли вы переносить свет, коли я впущу его побольше?

— *Должен* перенести, коли вы впустите. (На первом слове он сделал нечто вроде ударения.)

Дефарж растворил ставень немного шире и укрепил его на время в этом положении. Широкий луч света скользнул в чердачное помещение и озарил прекратившего свое занятие башмачника с неоконченной работой на коленях. Кое-какие простые инструменты и обрезки кожи лежали у его ног и рядом с ним на скамейке. У него была седая борода, грубо подстриженная, но не длинная, исхудалое лицо и необыкновенно блестящие глаза. Из-под черных бровей и спутанных седых волос эти глаза казались огромными благодаря крайней худобе его лица; они были велики от природы, но теперь производили впечатление неестественной величины. Пожелтевшая изодранная рубашка была расстегнута у горла, и в прорехе виднелось изможденное, тощее тело. И сам он, и его старая холщовая куртка, и слишком просторные, спустившиеся вниз чулки, и все эти жалкие лохмотья были так долго лишены непосредственного действия света и воздуха, что приняли однообразно тусклый желтоватый оттенок пергамента, и трудно было сказать, где тело и где одежда.

Он заслонил глаза рукой от хлынувшего в комнату света, и казалось, что даже кости этой руки прозрачны. Он все сидел в одном положении, пристально устремив в пространство безучастный взор и приостановив работу. Перед тем как взглянуть на стоявшего перед ним человека, он озирался по сторонам, как будто потерял привычку согласовать занимаемое человеком место с его голосом. Оттого он говорил так медленно, а иногда и совсем не говорил.

— Вы хотите сегодня же окончить эту пару башмаков? — спросил у него Дефарж, сделав мистеру Лорри знак подойти ближе.

— Что вы сказали?

— Вы думаете сегодня окончить эту пару башмаков?

— Не могу сказать, чтобы думал. Вероятно, да. Я не знаю.

Однако вопрос напомнил ему о башмаках, и он принялся за работу.

Мистер Лорри молча подошел, оставив молодую девушку у двери. Он уже стоял минуты две подле Дефаржа, когда башмачник оглянулся на них. Он не удивился, увидев другого гостя, но дрожащими пальцами одной руки провел по своим губам (и губы, и ногти были у него одного и того же бледно-свинцового оттенка), потом его рука опять упала на колени, и он углубился в свою работу. Все это продолжалось не более минуты.

— К вам гость пришел, видите? — сказал господин Дефарж.

— Что вы сказали?

— Гость пришел.

Башмачник опять взглянул на него, но не оторвался от работы.

— Послушайте-ка, — сказал Дефарж, — вот этот господин знает толк в хорошо сшитой обуви. Покажите ему башмак вашей работы. Возьмите у него башмак, мсье.

Мистер Лорри взял в руки башмак.

— Вы скажите этому господину, какого сорта эта обувь и кто ее сделал.

Молчание длилось еще долее прежнего, и башмачник сказал наконец:

— Я позабыл, о чем вы спрашивали. Что вы сказали?

— Я сказал, не можете ли объяснить этому господину, что это за башмак?

— Это дамский башмак... Для молодой девушки... на гулянье. Нынче такая мода... Я моды не видал... Но у меня была модель.

Он посмотрел на башмак с оттенком мимолетной гордости.

— А как же зовут мастера? — сказал Дефарж.

Теперь, когда у него в руках не было работы, башмачник стал зажимать правые пальцы в левую ладонь, затем левые пальцы в правую, потом провел рукой по бороде, и так несколько раз подряд, не переставая передвигать руками. Побороть его рассеянность, пробудить внимание, отвлекавшееся в сторону каждый раз, как он произносил что-нибудь, было почти так же трудно и хлопотливо, как приводить в чувство человека, находящегося в обмороке, или добиться определенного ответа от умирающего.

— Вы про мое имя спрашивали?

— Конечно. Скажите, как вас зовут?

— Сто пять, Северная башня.

— И больше ничего?

— Сто пять, Северная башня.

Из груди его вырвался не то вздох, не то стон, и он снова вернулся к своей работе, но через некоторое время молчание было опять прервано.

— Вы не всегда были башмачником по ремеслу? — спросил мистер Лорри, пристально на него глядя.

Блуждающие глаза обратились на Дефаржа как бы с желанием предоставить ему ответить на вопрос, но Дефарж не пришел ему на помощь, и глаза, устремившись сначала на пол, направо и налево, в конце концов взглянули на говорившего.

— Был ли я башмачником по ремеслу? Нет, по ремеслу я не был башмачником. Я... я здесь научился. Самоучкой. Просил позволения...

Он замолк и в течение нескольких минут все так же бесцельно шевелил руками. Потом глаза его медленно обратились на собеседника; увидев его, он вздрогнул, точно внезапно пробуждаясь от сна, и, уловив нить своей фразы на том слове, где остановился, договорил ее:

— Просил позволения учиться... долго ждал ответа... позволили с большим трудом... и с тех пор вот... шью башмаки.

Он протянул руку за башмаком, который у него взяли, а мистер Лорри, пристально глядя ему в лицо, сказал:

— Господин Манетт, вы меня совсем не помните?

Башмак упал на пол, и старик уставился на мистера Лорри.

— Господин Манетт, — сказал мистер Лорри, положив руку на руку Дефаржа, — вы и этого человека не помните? Посмотрите на него. И на меня посмотрите. Не возникает ли в вашем уме воспоминание о старом банкире, о старых делах, о старом служителе, о старых годах, господин Манетт?

Узник, пробывший в заключении так долго, попеременно смотрел то на мистера Лорри, то на Дефаржа, и, пока он смотрел, на его челе начали проступать давно исчезнувшие признаки умственной деятельности, когда-то чрезвычайно сильной и живучей, точно лучи света, проникавшие сквозь густой туман. Так же постепенно они бледнели, проходили, исчезли... но они пробуждались, они были тут. И это выражение всякий раз отражалось на лице молодой девушки, которая потихоньку подвинулась вдоль стены до такого места, откуда ей было видно его. Она стояла и смотрела на него, сначала подняв руки с выражением испуганной жалости и даже иногда заслонялась ими от этого непосильного зрелища, но потом протянула эти руки вперед, вся дрожа от стремления заключить в свои горячие объятия эту мертвенную голову, отогреть ее на своей юной теплой груди и своей любовью и ласками воротить к жизни и надеждам. И так отражалось на ее лице выражение его лица (только в более сильной степени), что казалось, будто это выражение, подобно скользящему лучу, перешло с него на нее.

На него опять нашло затмение. Все рассеяннее становился его взгляд, обращенный на обоих посетителей; потом он опять по-прежнему оглянулся на пол, впал в унылое раздумье, испустил глубокий вздох, поднял башмак и возобновил работу.

— Узнали вы меня, мсье? — шепотом спросил Дефарж.

— Да, на одну минуту. Сначала я думал, что на это нечего рассчитывать, но потом, несомненно, признал на несколько секунд то самое лицо, которое когда-то так хорошо знал. Тсс... Отойдем немного назад. Тсс...

Она прокралась от стены чердака и была теперь совсем близко от скамейки, где он сидел. Было что-то ужасное в его полном неведении ее близости: она могла бы достать его протянутой рукой, а он сидел согнувшись и не подозревал ее присутствия.

Никто не проронил ни слова, тишина была полнейшая. Она стояла возле него, точно бесплотный дух, а он низко склонился над своей работой.

Случилось наконец, что ему понадобилось отложить инструмент, бывший в его руке, и взять ножик, лежавший на скамейке, не с той стороны, где она стояла. Он взял его, снова наклонился, но в эту секунду увидел на полу подол ее платья, поднял глаза и увидел ее лицо. Оба зрителя разом ринулись вперед, но она остановила их движением руки: ей было не страшно, что он ударит ее своим ножом, а они именно этого и боялись.

Он уставился на нее испуганным взглядом, и через некоторое время губы его пытались произнести какое-то слово, но звука не было слышно. Потом послышалось его учащенное дыхание и наконец слова:

— Что это?

Слезы градом лились по ее лицу, она приложила обе руки к своим губам и посылала ему воздушные поцелуи, потом сложила их на груди, как бы желая прижать к себе его седую голову.

— Вы не дочь ли тюремщика?

Она вздохнула:

— Нет!

— Кто же вы?

Не доверяя твердости своего голоса, она села на скамейку рядом с ним. Он съежился и отпрянул, но она положила руку на его руку. Странный трепет пробежал по всему его телу. Он тихо положил ножик и смотрел на нее.

Длинные локоны ее золотистых волос, торопливо откинутые назад, рассыпались по ее спине. Медленно подвигая руку вперед, он взял один из висевших локонов и посмотрел на него. Смотрел, задумался, потерял нить своих мыслей, глубоко вздохнул и снова принялся за башмачную работу.

Но ненадолго. Она выпустила его руку и положила свою ему на плечо. Раза два или три он покосился на нее неуверенно, как бы сомневаясь, точно ли тут лежит эта рука; отложил работу и снял со своей шеи почерневший шнурок с привешенным к нему свернутым клочком тряпки. Положив этот сверточек себе на колени, он бережно развернул его, и там оказалось небольшое количество волос; их было очень мало, всего, может быть, один или два длинных волоса золотистого цвета, которые он когда-то, вероятно, намотал вокруг своего пальца.

Он опять взял кончик ее локона и стал вглядываться в него, бормоча:

— Те самые, те самые... Как это может быть! Когда это было? Как это... как это!

По мере того как лоб его морщился от напряженного усилия сосредоточить свои мысли, он как будто понял, что и на ее лице выражается то же самое. Тогда он повернул ее к свету и стал всматриваться в ее черты.

— Она положила голову на мое плечо в тот вечер, когда меня вызвали из дому... она боялась моего ухода, а я не боялся... и, когда меня привели в Северную башню, вот что они нашли у меня на рукаве... «Оставьте мне эти волосы! Ведь они мне не помогут убежать телесно, только душа моя будет посредством их улетать на волю!..» Так я сказал им в то время... я запомнил каждое слово.

Эту речь он несколько раз произносил губами беззвучно, прежде нежели ему удалось ее произнести. Но когда он нашел для нее подходящие слова, он выговорил их вполне осмысленно, хотя медленно:

— Как это случилось?.. Разве *это были вы?*

Оба зрителя опять разом рванулись вперед — так ужасающе быстро он повернулся к ней. Но она оставалась в его руках тиха и спокойна и только сказала им тихим голосом:

— Умоляю вас, добрые джентльмены, не подходите к нам, помолчите и не трогайтесь с места!

— Ах! — вскрикнул он. — Чей это голос?

Он выпустил ее из рук, схватился за голову и в припадке отчаяния рванул себя за волосы. Но этот порыв миновал так же скоро, как проходили все другие его впечатления, за исключением башмачного ремесла. Он сызнова свернул свою тряпочку с волосами и силился спрятать этот пакетик себе за пазуху, но продолжал смотреть на дочь, угрюмо покачивая головой.

— Нет, нет, нет. Вы слишком молоды, слишком цветущи. Не может этого быть. Посмотрите на узника, начто он похож! Разве это те руки, которые она знала? Разве это то лицо? Такой ли голос привыкла она слышать? Нет, нет. Она была... да и *он* был давно, давно, до этих долгих годов в Северной башне... целые века назад... Как вас зовут, мой милый ангел?

Ободренная его смягченным тоном и манерой, его дочь стала перед ним на колени и положила умоляющие руки на его грудь:

— О сэр, я в другой раз, после скажу вам свое имя, и кто была моя мать, и кто отец мой, и почему я никогда не слыхала о их тяжкой-тяжкой судьбе. Но теперь я не могу вам этого сказать, да и нельзя это здесь. Одно только я теперь же скажу вам: вот сейчас, тут, дотроньтесь до меня сами и благословите меня... Поцелуйте меня, поцелуйте! О мой милый, дорогой мой!

Его холодная седая голова приникла к ее сияющим кудрям, которые обдали его теплом и светом, как будто его внезапно озарило лучом свободы.

— Если в моем голосе есть что-нибудь такое — я этого не знаю наверное, но надеюсь, что так, — если в моем голосе вам чудится сходство с тем голосом, что был когда-то сладкой музыкой для вашего слуха, то плачьте о нем, плачьте! Если, трогая мои волосы, вы вспоминаете любимую голову, лежавшую на вашей груди, когда вы были молоды и свободны, плачьте об этом, плачьте! И если вы услышите, что мы поедем домой и там я всегда буду при вас, буду служить вам всей моей любовью и покорностью, а вы тогда вспомните о другом домашнем очаге, давно опустевшем, о котором столько лет тосковало ваше бедное сердце, — плачьте о нем, плачьте!

Она обвила его шею своей рукой и, крепче прижав к своей груди, тихонько покачивала, как ребенка.

— Милый мой, бесценный, кончена ваша мука, я пришла взять вас отсюда; мы поедем в Англию, там будет нам хорошо и спокойно; а если это напомнит вам, что ваша полезная жизнь пропала даром, что наша родная Франция обошлась с вами жестоко, плачьте об этом, плачьте! А когда я вам скажу свое имя и то, что отец мой жив, а мать умерла, и вы узнаете, что я должна преклонить колени перед моим отцом и умолять его простить меня за то, что я для него не работала целые дни, не оплакивала его целые ночи, потому что материнская любовь скрыла от меня, как он мучился... поплачьте о нем, поплачьте! Плачьте о нем и обо мне тоже... Добрые джентльмены, слава богу, я чувствую его священные слезы на моем лице и его рыдания отдаются в моем сердце. О, посмотрите! Поблагодарите Бога за нас, слава Богу!

Он склонился к ней на руки, приникнув лицом к ее груди. Зрелище было потрясающее, но до того ужасное по той массе страдания и вопиющей несправедливости, которые ему предшествовали, что оба посторонних зрителя этой сцены закрыли руками свои лица.

На чердаке водворилась полная тишина. Рыдания, потрясавшие его грудь и слабое тело, наконец унялись, и он стих и смолк, как смолкает всякая буря — явная эмблема того покоя и тишины, которые наступают для человека после той бури, что зовется жизнью; тогда двое свидетелей подошли с намерением поднять с полу отца и дочь. Он постепенно сполз со скамейки на пол и лежал в изнеможении, истощенный пережитыми волнениями. Она примостилась возле него, подложив ему под голову руку, а ее волосы свесились над ним как занавес, защищая его от света.

— Нет, не тревожьте его, — сказала она, протянув руку мистеру Лорри, склонившемуся над ними после многократного сморкания. — Нельзя ли так устроить, чтобы нам сегодня же уехать из Парижа и прямо из этих дверей увезти его прочь?..

— Рассудим прежде, может ли он перенести путешествие? — сказал мистер Лорри.

— Я думаю, что ему все-таки легче будет в дороге, чем в этом городе, где он так ужасно пострадал.

— Это правда, — сказал Дефарж, ставший на колени, чтобы лучше видеть и слышать, — и я даже так скажу, что для господина Манетта во всех отношениях лучше поскорее уехать из пределов Франции. Хотите, я схожу нанять карету и почтовых лошадей?

— Начинается дело, — молвил мистер Лорри, тотчас переходя в свой обычный, аккуратный тон, — но, раз дело дошло до практической стороны, лучше мне самому сходить за каретой.

— В таком случае, — сказала мисс Манетт просительным тоном, — будьте так добры, оставьте нас здесь вдвоем. Вы сами видите, как он стал спокоен, стало быть, вам нечего бояться оставлять меня с ним. И чего же бояться? Вы только, уходя, заприте дверь снаружи, чтобы наверное никто не вошел к нам, и тогда по возвращении я не сомневаюсь, что вы его застанете таким же тихим, как и теперь. Во всяком случае, я позабочусь о нем, пока вы не вернетесь, а потом мы прямо отсюда двинемся в путь.

Такой оборот не нравился ни мистеру Лорри, ни Дефаржу: оба были того мнения, что лучше одному из них пойти, а другому остаться на всякий случай. Но так как нужны были не одни лошади и карета, а предстояло выправить и кое-какие бумаги на дорогу и так как времени оставалось немного — день приходил к концу, — то кончилось тем, что, наскоро поделив между собой необходимые хлопоты, оба поспешили уйти.

Стало смеркаться. Дочь прилегла головой к жесткому полу возле отца и смотрела на него. Тьма сгущалась, стало совсем темно, а они все так же тихо лежали, пока сквозь щели в стене не блеснул свет.

Мистер Лорри и Дефарж выполнили все приготовления к путешествию и принесли с собой, помимо дорожных плащей и одеял, хлеба и мяса, вина и горячего кофе. Мсье Дефарж поставил всю эту провизию и фонарь на скамью башмачника (другой мебели не было на чердаке, кроме соломенной постели), потом с помощью мистера Лорри разбудил узника и помог ему встать.

Ни один человеческий ум не мог бы прочесть на его испуганном и удивленном лице того, что совершалось в тайнике его души. Понял ли он то, что случилось, помнил ли то, что ему говорили, знал ли, что он свободен, — этих загадок не разрешил бы никакой мудрец.

Пробовали разговаривать с ним, но он был так растерян, так медленно отвечал, что они побоялись еще больше ошеломить его и решили, что пока лучше оставить его в покое. По временам он как-то дико и растерянно хватался за голову, чего прежде не имел привычки делать, однако заметно было, что ему приятен звук голоса его дочери, и каждый раз, как она говорила, он оборачивался к ней.

С безучастной покорностью человека, давно привыкшего все делать по принуждению, он ел и пил все, что ему давали, и беспрекословно надел дорожный плащ и прочее платье. Когда дочь взяла его под руку, он с большой готовностью поддался этому движению и, взяв ее руку, удержал в своих руках.

Начали спускаться с лестницы. Дефарж пошел впереди с фонарем, мистер Лорри замыкал шествие. Пройдя несколько ступеней длинной главной лестницы, узник вдруг остановился и, вытаращив глаза, стал озираться на стены и вверх, на потолок.

— Вы помните это место, папа? Помните, как входили сюда?

— Что вы сказали?

Но прежде чем она успела повторить вопрос, он как будто расслышал его и прошептал в ответ:

— Помню ли? Нет, не помню. Это было так давно.

Для всех было очевидно, что он не имел никакого представления о том, как из тюрьмы попал в этот дом. Они слышали, как он бормотал: «Сто пятый, Северная башня» — и, озираясь, по-видимому, дивился, где же те толстые крепостные стены, в которых он пребывал столько лет. По выходе на двор он машинально замедлил шаг как бы в ожидании спуска подъемного моста, и, когда увидел, что никакого моста нет, а вместо того на обыкновенной улице стоит перед ним карета, он выпустил руку дочери и опять схватился за голову.

У ворот никого не было. Ни в одном из многочисленных окошек не видать было ни души; даже ни одного случайного прохожего не было на улице. Везде было необычайно тихо и пусто. Только одна живая душа и была свидетельницей этого зрелища, именно мадам Дефарж;

но она стояла, прислонившись к косяку, продолжала свое вязание и ничего не видала.

Узник сел в карету, и дочь последовала за ним; но едва мистер Лорри занес ногу на подножку, как он жалобным голосом стал просить, чтобы захватили его инструменты и неоконченные башмаки. Мадам Дефарж крикнула мужу, что она сейчас сама сходит наверх и все принесет; не переставая вязать, она быстро пошла через двор и скрылась в темноте. В самом скором времени она воротилась, передала все вещи в карету, немедленно встала опять, прислонившись к косяку, и принялась вязать как ни в чем не бывало. Она ничего не видела.

Дефарж влез на козлы и скомандовал: «К заставе!» Ямщик хлопнул бичом, и карета покатилась, грохоча по мостовой, при слабом свете висячих фонарей, мерцавших над улицей.

Висячие фонари качались в воздухе, разгораясь ярче в лучших частях города и снова мерцая в худших; карета неслась под зыбкими фонарями мимо освещенных лавок, мимо веселящейся толпы, мимо сиявших огнями кофеен, ресторанов и театров, и так до ворот одной из столичных застав. Из караульни вышли солдаты с фонарями:

— Ваши бумаги, господа путешественники!

— Вот извольте смотреть, господин офицер, — сказал мсье Дефарж, соскочив с козел и с серьезным видом отводя в сторону караульного начальника. — Это бумаги того господина с седыми волосами, что сидит внутри кареты. Они мне переданы, равно как и он сам, в...

Тут он понизил голос до шепота; среди фонарей произошло движение, один из них просунулся внутрь кареты вместе с чьей-то рукой в мундирном рукаве, глаза из-под военной фуражки взглянули совсем необычным взглядом на седоволосого господина, и официальный голос произнес: «Хорошо, все в порядке. Трогай!»

— Прощайте! — крикнул Дефарж.

Еще несколько фонарей, все слабее и слабее мерцавших над дорогой, и они выехали из столицы под покров великой звездной ночи.

Черные тени расстилались кругом под сводом этих неподвижных и вечных светил. Некоторые из этих светочей так далеки от нас, что ученые говорят, будто их лучи еще не достигли до нашей планеты и не ведают о существовании в необъятном пространстве этого маленького мирка, на котором кто-то страдает и что-то делается. И в течение всей этой холодной и тревожной ночи мистер Лорри, сидевший напротив человека, заживо погребенного и теперь отрытого, раздумывал и соображал, какие из душевных способностей утрачены им навеки и какие еще могут со временем восстановиться; а ночные тени между тем снова нашептывали ему прежние слова:

— Надеюсь, что вы с охотой возвращаетесь к жизни?

И слышался ему прежний ответ:

— Не могу сказать; не знаю.

ЧАСТЬ ВТОРАЯ
ЗОЛОТАЯ НИТЬ

Глава I

Пять лет спустя

Тельсонов банк, что у Темплских ворот, был старинным учреждением даже и в тысяча семьсот восьмидесятом году. Дом был очень тесен, очень темен, очень некрасив и очень неудобен. Был он также очень старомоден, в том отношении, что участники фирмы гордились его теснотой, гордились его темнотой, гордились его безобразием, гордились его неуютностью. Они даже хвастались тем, что все эти качества были ему присущи в высшей степени, ибо свято верили, что, будь он менее темен, тесен, безобразен и неудобен, он был бы и менее почтенным учреждением. И это было с их стороны не пассивным образом мыслей, но мощным орудием, которым они размахивали по адресу других, более удобно обставленных деловых контор. Тельсону (говорили они) ни к чему заводить себе больше простору; Тельсону не нужно больше свету и никаких украшений не требуется. Может быть, какой-нибудь «Нокс и Кº» нуждаются в подобных вещах или «Братья Снукс», но Тельсон — слава богу!

Если бы какому-нибудь сыну одного из сотоварищей фирмы вздумалось завести речь о перестройке Тельсонова банка, родной отец немедленно лишил бы его наследства. В этом отношении банк держался совершенно тех же воззрений, как и Британское государство: оно частенько отрекается от своих сынов в том случае, когда они предлагают улучшения законов и обычаев страны; и хотя бы сама страна давно признавала полную несостоятельность и вредоносность этих законов и обычаев, но считается, что они-то и придают ей высшую степень почтенности.

Таким образом и случилось, что по части неудобства Тельсонов банк достиг образцовой степени совершенства. Дверь отворялась чрезвычайно туго и с особым хриплым звуком, напоминающим клокотание в горле; когда вам удавалось победить ее дурацкое упорство и отворить ее, вы падали через две ступеньки вниз, а очнувшись, оказывались в жалкой лавчонке с двумя маленькими прилавками, за которыми сидели старые-престарые старички; в их руках ваши чеки колыхались и трепетали, как на сильном ветру, а для проверки подписи они подносили бумажки к самому тусклому окну, какое только можно себе представить: его постоянно окачивало грязью с мостовой Флит-стрит, да, кроме того, оно осенялось и собственными железными решетками и тяжеловесной стеной Темплских ворот. Если по свойству вашего дела вам требовалось повидаться с главой фирмы, вас впускали в нечто вроде карцера за конторой, и там вы могли на досуге размышлять о своих грехах, покуда не появлялся «глава»; он стоял перед вами, засунув руки в карманы, а вы едва были в состоянии рассмотреть его в этом сумрачном помещении.

Ваши деньги сохранялись в старых выдвижных ящиках, до того источенных червями, что, когда вы их двигали или захлопывали, мелкие частицы древесины, отделяясь от них, взлетали на воздух и попадали вам в нос и рот. Извлекаемые оттуда ассигнации отличались затхлым запахом, точно они начали разлагаться и скоро опять превратятся в тряпье. Если вы сдавали на хранение свою серебряную посуду, ее относили в подвальные склады по соседству с выгребными ямами, и от этого уже дня через два весь лоск сходил с ее красивой поверхности и она покрывалась пятнами. Ваши документы содержались за крепкими замками в каких-то странных шкафах, очевидно бывших прежде принадлежностью кухни или кладовой, и весь жир, заключавшийся в пергаменте, испаряясь из деловых актов, насыщал воздух банкирской конторы. Шкатулки с фамильными бумагами более легкого содержания уносились наверх, в большой зал, среди которого стоял громадный обеденный стол, но на котором никто никогда не обедал; зато в тысяча семьсот восьмидесятом году только

70

что отменен был обычай выставлять на Темплских воротах отрубленные головы казненных людей; а прежде эти головы приходились прямо против окон этого зала, а следовательно, глазели на шкатулки, в которых, может быть, вы хранили первые письма своей возлюбленной или ваших маленьких детей. Это бессмысленное жестокое варварство, достойное Абиссинии или ашантиев, прекратилось лишь незадолго перед тем.

Впрочем, смертная казнь была в то время чрезвычайно популярным лекарством во всех слоях общества, в том числе и у Тельсона. Законодательство в этом случае руководствовалось примером природы, которая, как известно, всякие явления улучшает и совершенствует смертью. А потому казнили смертью за подлог, за произнесение бранных слов, за беззаконное вскрытие чужого письма, за кражу сорока шиллингов и шести пенсов; казнили уличного мальчишку, который взялся подержать лошадь у дверей Тельсонова банка и вздумал на ней ускакать; казнили фальшивомонетчика — словом, казнили за три четверти тонов всей гаммы преступлений. Нельзя сказать, чтобы это приносило хотя бы малейшую долю пользы в смысле предупреждения провинностей; и даже достойно замечания, что действие было как раз обратное; но, по крайней мере, в каждом данном случае таким способом сбывалась с рук лишняя забота, и, насколько дело касалось здешнего мира, ею кончалась ответственность за вредного члена общества. Таким образом, один Тельсонов банк, не считая других, современных ему и более значительных учреждений, отправил на тот свет так много народу, что, если бы головы казненных продолжали выставлять на Темплских воротах, в конторе нижнего этажа не оставалось бы и тех проблесков света, которыми она освещалась теперь, и настала бы там зловещая тьма.

И вот, скорчившись в каких-то шкафчиках и клетках, сидели старые старички и с важным видом занимались конторскими делами Тельсонова банка. Иногда бывало, что на службу принимался и молодой человек, но его куда-то запрятывали до тех пор, пока он не состарится. Его, должно быть, держали в темноте, как свежий сыр, и дожидались, покуда он получит настоящий тельсоновский привкус и подернется голубоватым налетом. Только тогда его выпускали из заточения, и всякий мог видеть, как он сидит в очках над большущими счетными книгами и одним видом своих коротких штанов и высоких штиблетов придает вес общему характеру этого тяжеловесного заведения.

У дверей Тельсона, но только отнюдь не внутри конторы (исключая тех случаев, когда его нарочно призывали), держали рассыльного, род добровольца-комиссионера, исполнявшего разные поручения и служившего живой вывеской учреждения. Во все часы, когда банк не был заперт, он никогда не отлучался, кроме как по делам конторы, и тогда вместо него дежурил у двери сын его, мальчишка лет двенадцати крайне непривлекательного вида — живой портрет своего отца. Предполагалось, что контора Тельсона с высоты своего величия дозволила рассыльному тут присутствовать. С незапамятных времен кто-нибудь да исполнял подобные обязанности при конторе, и вот, с течением времени и обстоятельств, очутился тут этот самый человек по фамилии Кренчер. В те отдаленные дни, когда в восточной части Сити, на улице Гаундедитч[1], в приходской церкви совершалось над ним таинство святого крещения, ему дали, сверх того, и христианское имя Джерри.

Место действия: частная квартира мистера Кренчера в переулке Висящего Меча, в квартале Уайт-Фрайерс[2]. Время: раннее утро одного бурного дня в марте месяце тысяча семьсот восьмидесятого года, Anno Domini, половина восьмого утра. (Мистер Кренчер обычно говорил «Анна Домино»: он, должно быть, полагал, что христианская эра считается с того самого дня, как какая-то Анна изобрела игру в домино.)

Квартира мистера Кренчера находилась далеко не в чистоплотной местности и состояла всего из двух комнат, даже если считать за комнату чулан с окошечком в одно стекло. Но содержались они очень прилично. Невзирая на

---

[1] Гаундедитч (Песий Овраг) был когда-то частью рва, окружавшего лондонский Сити.

[2] Уайт-Фрайерс, т. е. «Белые Братья». Так назывался нищенствующий монашеский орден кармелитов, обосновавшийся в Лондоне в XIII в.

столь ранний час этого бурного мартовского утра, комната, где лежал хозяин, была чистенько прибрана; простой дощатый стол был прикрыт белоснежной скатертью, и на нем были аккуратно расставлены чашки и тарелки, приготовленные для завтрака.

Мистер Кренчер покоился на кровати под одеялом, сшитым из множества пестрых лоскутков, точно арлекин на побывке. Сначала он крепко спал, но потом начал вертеться, выдираться из-под простыни и наконец поднялся и сел на постели, причем его гвоздеобразные волосы так торчали, что казалось, будто они неминуемо должны были рвать наволочки в клочья. Оглянувшись кругом, он воскликнул разгневанным тоном:

— Черт меня возьми! Она опять!

Опрятная женщина, по всем признакам домовитая хозяйка, стоявшая на коленях в углу, торопливо встала и своим испуганным видом показала, что именно к ней относилось это воззвание.

— Вот как! — сказал мистер Кренчер, наклоняясь с кровати в поисках сапога. — Ты опять за свое?

После этого вторичного приветствия он приступил к третьему, состоявшему в том, что, схватив с полу сапог, он швырнул им в женщину. Сапог был сильно замазан грязью, и, кстати, можно упомянуть мимоходом, что в хозяйственном обиходе мистера Кренчера замечалось очень странное явление: он часто возвращался домой из банка в чистых сапогах, а на другое утро, вставая, заставал их покрытыми грязью.

— Что же это такое?! — сказал мистер Кренчер, не попав в цель и пробуя выразить свои попреки другими словами: — Ты это чем же занимаешься, заноза ты этакая?!

— Я читала молитвы.

— Молитвы читала! Нечего сказать, хороша! Как же ты смеешь хлопаться на пол, да еще молиться *против* меня?!

— Я против тебя не молюсь; я молюсь *за* тебя.

— Врешь! А коли и так, я тебе не давал на то позволения и не потерплю. Гм!.. Вот какая у тебя мать, слышишь, ты, малый Джерри? Взяла да и ну молиться против моей удачи. Да, сынок, такая уж у тебя выдалась послушная маменька. Благочестивая мамаша, что и говорить. Грохнется на пол да и молится, как бы у единственного сына отнять изо рта хлеб с маслом!

Юный Кренчер (еще стоявший в одной рубашке) принял это известие с большим неудовольствием и, обратившись к матери, стал горько упрекать ее в том, что она молится с целью лишить его еды.

— И что ты только думаешь, упрямая баба, — сказал мистер Кренчер, сам не замечая своей непоследовательности. — Не воображаешь ли ты, что твои молитвы так уж действительны. Ну-ка, говори, много ли они стоят?

— Мои молитвы идут от сердца, Джерри; другой цены у них нет.

— Другой цены у них нет, — повторил мистер Кренчер, — ну и правда, что они не дорого стоят. Как бы то ни было, я тебе не велю молиться против меня, так и знай. Это мне не по карману. Не хочу я быть несчастен через твое кувыркание. Коли хочешь бухаться об пол, бухайся *на пользу* мужу и сыну, а не во вред им. Кабы у меня была не такая строптивая жена, а у этого бедного парня не такая строптивая мать, я бы на той неделе заработал порядочные деньги; а вместо того она мне под руку молитвы читает и так меня обрабатывает своим богомольем, что нет мне удачи ни в чем, да и только! Пр-р-ровалиться мне на месте, — продолжал мистер Кренчер, все время занимаясь своим туалетом, — от этого самого богомолья, за что ни примусь, все помехи, все одни задержки, и во всю неделю хоть бы единый разок что-нибудь удалось мне, бедняге, честному ремесленнику! Эй, ты, юнец, одевайся скорее — я стану сапоги чистить, а ты тем временем поглядывай на мать и, ежели увидишь, что она собирается опять бухнуться, кликни меня... Да помни ты у меня, — снова обратился он к жене, — я не позволю тебе таким манером становиться мне поперек дороги. Вот, едва на ногах стою, качает меня, словно колымагу, и дремлется, как от сонного зелья, и в голове такой стон стоит, что и не разобрал бы, я ли это или кто другой, и при всем том в кармане никакой прибыли нет; и я так подозреваю, что ты тут с утра до ночи только о том и хлопотала, чтобы ничего не перепало мне в карман, заноза ты этакая, несносная баба... Ну-ка, что ты на это скажешь?

Продолжая рычать на нее и бросая по временам короткие фразы вроде: «Как же! Уж известно, какая ты богомольщица. Ну да! Разве ты пойдешь наперекор своему мужу и сыну? Как бы не так!» — мистер Кренчер, осыпая жену жгучими искрами своего остроумия, принялся чистить свои сапоги и вообще приводить себя в готовность к дневным трудам. Тем временем его сынок, голова которого была тоже украшена торчащими колючками (только помельче), а глаза были поставлены очень близко друг к другу, как и у его отца, зорко наблюдал за своей матерью, как ему было приказано. Он также совершал свой туалет в собственной спальной каморке и от времени до времени выскакивал оттуда и пугал свою мать, выкрикивая: «Сейчас бухнется... Батюшка, смотрите!» — и, подняв такую ложную тревогу, он удалялся обратно в каморку, непочтительно ухмыляясь.

Расположение духа мистера Кренчера нисколько не смягчилось и в ту минуту, как они сели завтракать. Особенно вскипел он гневом, когда его жена вздумала прочесть молитву.

— Молчать, заноза! Ты что это? Ты опять за свое?

Жена объяснила, что хотела только призвать на трапезу благословение Божие.

— Не смей этого делать! — сказал мистер Кренчер, озираясь кругом и, очевидно, ожидая, что вот-вот, молитвами его супруги, хлеб исчезнет со стола. — Не хочу я, чтобы меня этими благословениями выживали из дому; мне вовсе не желательно, чтобы по твоей милости у меня еда шарахнулась с тарелки. Сиди смирно!

Его глаза были так красны, а лицо такое сердитое, как будто он всю ночь провел на пирушке, а ушел оттуда несолоно хлебавши; уподобляясь четвероногой твари в зверинце, он не то чтобы ел, а как-то рвал и теребил свой завтрак, не переставая рычать. Однако ж к восьми часам он до некоторой степени успокоился, привел свою внешность в менее взъерошенный вид и, придав себе самую деловитую и приличную осанку, какая была совместима с его природными качествами, отправился из дому.

Хоть он и звал себя «честным торговцем», но занятие его вряд ли можно было назвать торговлей. Все его торговое учреждение состояло из деревянной табуретки, бывшей когда-то стулом; но стул сломался, спинку его отпилили, и он, таким образом, обратился в табурет, который руками юного Джерри, шедшего рядом с отцом, относился каждое утро к зданию Тельсонова банка и ставился под окном конторы, ближайшим к Темплским воротам. Как только мимо них проезжала какая-нибудь телега, они спешили утянуть из нее охапку соломы и, рассыпав ее себе под ноги ради сухости и тепла, устраивались так на весь день.

Пребывая на этом посту, мистер Кренчер был так же всем известен в окрестностях Темпла и Флит-стрит, как и самые Темплские ворота, и представлял собой почти столь же безобразное зрелище.

Джерри утверждался на своем табурете без четверти девять, как раз вовремя, чтобы почтительно прикладывать руку к своей треугольной шляпе, по мере того как старые старички начинали появляться на улице и исчезать в дверях Тельсоновой конторы. Так и в это бурное мартовское утро он сидел на своем месте, а юный Джерри стоял рядом с ним, изредка устремляясь под ворота, дабы наносить телесные и духовные обиды проходящим мальчикам, если они были настолько малы, что не могли еще давать ему сдачи. Отец и сын, похожие друг на друга как две капли воды, молча взирали на обычную утреннюю жизнь Флит-стрит, сдвинувшись головами так же близко, как были сдвинуты между собой глаза каждого из них, и в этом положении имели разительное сходство с парой обезьян. Это сходство усиливалось еще тем случайным обстоятельством, что старший Джерри то и дело откусывал и выплевывал соломинки, а юный Джерри своими блестящими глазенками беспрерывно наблюдал как отца, так и все вообще, что делалось на улице.

Дверь в контору Тельсона приотворилась, оттуда высунулась голова одного из клерков, который крикнул:

— Нужен посыльный!

— Ур-ра! Батюшка, вот как рано наклюнулось дело для почина!

Проводив родителя таким приветствием, юный Джерри сам сел на табурете, взял в зубы соломинку и, покусывая ее с тем же сосредоточенным вниманием, какое выказывал его отец, раздумывал про себя.

«Всегда ржавчина! Все пальцы выпачканы ржавчиной! — бормотал юный Джерри. — И где только батюшка набирает всю эту железную ржавчину? Здесь нигде не видать ржавого железа».

Глава II

Зрелище

— Вы, конечно, знаете, где находится суд Олд-Бейли?[1] — спросил один из старейших в мире клерков у посыльного Джерри.

— Гм... знаю, сэр, — отвечал Джерри несколько мрачно. — Во всяком случае, найду дорогу, сэр.

— Хорошо, а знаете вы мистера Лорри?

— Мистера Лорри, сэр, я знаю лучше, чем суд Олд-Бейли. И уж кому, конечно, лучше, — произнес Джерри несколько обиженным тоном, — чем честному торговцу, как я, желательно знать Олд-Бейли.

— И отлично. Отыщите там ту дверь, в которую пропускают свидетелей, и предъявите сторожу вот эту записку к мистеру Лорри. Тогда он вас пропустит.

— В зал суда, сэр?

— Да, в зал суда.

Глаза мистера Кренчера еще немного сдвинулись, как бы обмениваясь вопросом: как тебе это покажется?

— Прикажете мне оставаться там, в суде, сэр? — осведомился он.

— Я вам сейчас объясню. Сторож передаст эту записку мистеру Лорри, а вы постарайтесь каким-нибудь движением привлечь внимание мистера Лорри, чтобы он знал, что вы тут. А потом ваше дело только в том и будет заключаться, чтобы оставаться в зале и ждать, пока вы ему понадобитесь.

---

[1] Олд-Бейли — старинное здание суда в Лондоне. В начале XX в. оно было снесено и на месте его построено новое.

— Только и всего, сэр?

— Только и всего. Он желает иметь под рукой посыльного. В этой записке я его уведомляю, что вы тут.

Старенький клерк не спеша сложил и подписал записку, а мистер Кренчер молча смотрел на него, пока дело не дошло до высушивания надписи пропускной бумагой; тогда Джерри сказал:

— За подлоги, что ли, сегодня судят?

— Нет, дело о государственной измене.

— Стало быть, четвертовать будут. Ужас какой!

— Так следует по закону, — заметил старичок, с удивлением глядя на него через очки, — по закону!

— Ужасно жестокий это закон, чтобы рвать человека на части. Я так думаю, что и убивать-то его тяжело, а всего испортить — еще того хуже, сэр.

— Нисколько, — отвечал старичок, — а вы отзывайтесь о законе с уважением. Заботьтесь побольше о своем здоровье и голосе, друг мой, а законы оставьте в покое, они уж сами о себе позаботятся. Послушайтесь моего совета.

— Это от сырости, сэр, у меня грудь заложило и голос такой сиплый, — сказал Джерри. — Сами извольте посудить, каково мне зарабатывать себе пропитание на такой сырости.

— Ладно, ладно, — молвил старичок-клерк, — все мы так или иначе должны зарабатывать себе пропитание: одному приходится сыро, другому сухо, а работать все же надо. Вот вам записка. Ступайте.

Джерри взял записку, почтительно поклонился и совсем непочтительно пробормотал себе под нос: «Эх, ты, тощий сухарь!» Мимоходом он сказал сыну, куда его послали, и пошел своей дорогой.

В те дни казни через повешение совершались на Тайберне[1], а потому улица перед Ньюгетской тюрьмой еще не пользовалась той позорной знаменитостью, какую приобрела с тех пор. Но здание тюрьмы было омерзительное

---

[1] *Тайберн* — небольшой приток Темзы, в настоящее время текущий под землей. В старину на берегу Тайберна (в черте города) производились казни, причем вокруг виселицы устраивались места для публики, сдававшиеся за высокую плату.

место: там царствовали самые подлые, разнузданные нравы, там водились ужаснейшие болезни, которые вместе с узниками являлись в зал суда и иногда прямо со скамьи подсудимых устремлялись на самого лорда верховного судью и низлагали его с председательского места. Нередко случалось, что судья, надевая черную шапочку, единовременно произносил смертный приговор и себе, и преступнику и даже умирал прежде его.

Вообще здание Олд-Бейли было известно как некое преддверие смерти: оттуда постоянно вывозили в телегах и в каретах бледных узников, переселявшихся на тот свет; им приходилось переезжать около двух с половиной миль по разным улицам и площадям, и на этом пространстве они очень редко встречали таких добрых граждан, в которых их участь возбуждала бы ужас. Такова сила привычки, и это показывает, между прочим, как важно с самого начала прививать хорошие привычки. Олд-Бейли была также знаменита своим *позорным столбом* — мудрым старинным учреждением, подвергавшим людей наказанию, пределы коего нельзя предугадать; был там и другой столб, к которому привязывали для бичевания, — тоже милое старинное учреждение и, должно быть, немало способствовавшее смягчению нравов среди зрителей; был еще род биржи, где в обширных размерах практиковался дележ добычи после казненных, так называемая цена крови, что систематически вело к совершению ужаснейших преступлений из-за чисто корыстных целей. Одним словом, Олд-Бейли в то время служила блистательным подтверждением того правила, что «все существующее — разумно», и нет сомнения, что этот ленивый и покладливый афоризм утвердился бы навеки, если бы из него же не вытекал тот неизбежный и досадный вывод, что не было и нет ничего неразумного.

Посланный пробирался сквозь развращенную толпу, битком набившую это ужасное место; с хладнокровным искусством человека, привычного всюду находить дорогу, он отыскал надлежащую дверь и просунул письмо в проделанное в ней отверстие. В те времена публика платила деньги за зрелища, происходившие в Олд-Бейли, так же как платили и за право любоваться на зрелище в Бедламе, — только в суде платили дороже. А потому все двери

Олд-Бейли были тщательно охраняемы, за исключением тех общественных ворот, через которые преступники попадали в здание: эти были всегда настежь раскрыты.

После некоторой задержки и воркотни дверь с брюзгливым хрипом отворилась на самую малость, и мистер Джерри Кренчер мигом проник через эту щель в зал суда.

— Что тут делается? — спросил он шепотом у ближайшего соседа.

— Пока еще ничего.

— А что же будет?

— За государственную измену будут судить.

— Четвертовать, значит?

— Как же! — отвечал сосед, заранее наслаждаясь предстоящим удовольствием. — Сначала его привезут на тележке и повесят, только не совсем; потом снимут с веревки и станут резать на части перед его собственным носом; потом вынут его внутренности и на его глазах сожгут их; потом отсекут ему голову и разрубят туловище начетверо. Вот какой будет приговор.

— То есть если признают его виновным? — молвил Джерри в виде поправки.

— О, конечно признают виновным! — сказал тот. — Уж на этот счет будьте покойны.

Тут внимание мистера Кренчера было отвлечено видом сторожа, пробиравшегося с письмом в руке к мистеру Лорри.

Мистер Лорри сидел у стола в ряду других джентльменов в париках. Неподалеку от него сидел джентльмен в парике, имевший перед собой целую кучу бумаг; это был защитник подсудимого. А напротив них сидел еще один джентльмен в парике, засунув руки в карманы и, насколько мог судить мистер Кренчер, во все время заседания смотревший только на потолок. Джерри несколько раз громко кашлянул, почесывал себе подбородок, взмахивал рукой в воздухе и с помощью этих сигналов успел наконец привлечь внимание мистера Лорри, который привстал с места, чтобы наверное узнать, где он стоит, спокойно кивнул ему и снова сел.

— А *он* здесь в какой же должности состоит? — спросил сосед мистера Кренчера.

— Вот уж этого не знаю, — отвечал Джерри.

— Ну а вы же тут при чем, если позволительно об этом спросить?

— И этого также не знаю, — сказал Джерри.

Разговор был прерван приходом судьи и последовавшим затем великим передвижением и рассаживанием в зале. Всеобщий интерес сосредоточился на скамье подсудимых, находившейся за особой решетчатой перегородкой. Двое тюремщиков, стоявших там до этой минуты, вышли, потом ввели подсудимого и поставили его у решетки.

Каждый из присутствовавших впился в него глазами, за исключением джентльмена в парике, продолжавшего смотреть в потолок. Все, что было живого в зале, устремилось в ту сторону, и дыхание множества людей понеслось туда же, перекатываясь, как волны, как ветер, как огненные языки. Внимательные лица тянулись из всех закоулков, из-за колонн, из-за соседей, чтобы только взглянуть на него. Зрители задних рядов вставали, чтобы хорошенько рассмотреть его; публика, стоявшая на полу зала, опиралась на плечи передних рядов, подскакивала в воздух, становилась на цыпочки, влезала на стенные полки, чтобы хорошенько видеть подсудимого. В числе зрителей выдающуюся роль играл и Джерри, олицетворявший собой утыканную гвоздями стену Ньюгетской тюрьмы; и он усиленно дышал на узника испарениями той кружки пива, которую хватил на перепутье сюда, и его дыхание смешивалось с волнами другого пива, водки, чая, кофе и мало ли каких еще испарений, успевших распространить в зале туман, а на больших окнах позади публики осесть в виде грязных капель.

Предметом такого напряженного глазения был молодой человек лет двадцати пяти, высокого роста, красивой наружности, с загорелым лицом и темными глазами. Он принадлежал к дворянскому сословию: он был одет в простое платье черного или очень темного оттенка серого цвета; его длинные черные волосы были собраны пучком и перевязаны лентой на затылке больше ради удобства, нежели в виде украшения. Как всякое душевное волнение проявляется сквозь всякую телесную одежду, так и бледность, обусловленная его положением, проступала на его щеках сквозь покрывавший их загар, показывая, что дух сильнее солнца. Впрочем, он держал себя с полным самообладанием, поклонился судье и тихо встал у решетки.

Интерес, возбуждаемый этим человеком в окружающей публике, был далеко не высокого сорта. Если бы ему угрожал не такой чудовищный приговор, если бы можно было предполагать, что хоть одна из жестоких подробностей этого приговора будет смягчена, — ровно настолько же уменьшилась бы привлекательность события. Потому и глазели на него так усиленно, что его тело предназначалось к беспощадному терзанию: оттого и ощущалось это напряженное любопытство, что вот это самое бессмертное существо будут мучить и рвать на части. Каким бы глянцем ни старались зрители покрывать свою любознательность, согласно личной способности каждого к самообману, проявляемый ими интерес был, в сущности, интересом людоедов.

— Тише там, молчать! Вчерашнего числа Чарльз Дарней не признал себя виновным по обвинению (составленному в самых кудрявых и напыщенных выражениях) в государственной измене против нашего всепресветлого, державного, великого государя и короля, учиненной им тем, что он неоднократно и различными способами помогал Людовику, королю Французскому, воевать против его величества, нашего всепресветлого, державного и прочее, а именно разъезжая постоянно между владениями его величества, нашего всепресветлого, державного и прочее, и владениями упомянутого французского короля Людовика, обманными, лукавыми, предательскими и всякими вообще предосудительными способами разузнавал и доносил означенному французскому королю Людовику о том, какими силами располагает и сколько войска намеревается высылать в Канаду и Северную Америку наш всепресветлый, державный, великий государь и прочее.

По мере того как Джерри выслушивал этот обвинительный акт, гвоздеобразные вихры на его голове становились дыбом, и он с живейшим наслаждением уразумел, что вышеозначенный и многократно упомянутый Чарльз Дарней предается суду, что присяжные приводятся к присяге и что господин генеральный прокурор сейчас начнет говорить.

Подсудимый знал, что́ ему угрожает, и видел, что каждый из присутствующих мысленно уже вешает его, а потом обезглавливает и четвертует, но не выказывал волнения и не принимал театральной позы. Он стоял спокойно и внимательно, прислушивался к речам серьезно и вдумчиво, и руки его так неподвижно покоились на доске, положенной сверх перил, что не потревожили ни одного листочка, ни травки, которыми покрыта была доска. В зале суда всюду были рассыпаны ароматические травы, покропленные уксусом, в виде предохранительной меры против тюремного воздуха и тюремной горячки.

Над головой подсудимого укреплено было зеркало, наводившее на него усиленный свет. Какие толпы преступных и несчастных отражались в нем и сколько было таких, которые, перестав отражаться на его поверхности, исчезали и с лица земли! И какие вереницы страшных призраков появились бы в этом гнусном месте, если бы это зеркало могло отдать обратно миру все, что в нем отражалось, подобно тому как океану суждено со временем отдать своих мертвецов. Быть может, в уме подсудимого промелькнула мысль о том, ради каких позорных целей помещалось тут это зеркало. По крайней мере, когда он слегка обернулся и свет ударил ему в лицо, он невольно взглянул вверх и увидел свое отражение; тогда он покраснел, и правая рука его сдвинула травку с доски.

Случилось так, что этим движением он повернулся влево и взглянул перед собой: там, в углу судейской скамьи, сидели двое людей, вид которых сразу приковал его внимание; он смотрел на них так пристально и при этом в выражении его лица произошла такая заметная перемена, что все глаза, устремленные только на него, обратились в тот угол.

Зрители увидели там молодую девушку, лет около двадцати, и джентльмена, очевидно бывшего ее отцом; наружность его была очень замечательна тем, что волосы у него были совершенно белые, а выражение лица необыкновенно напряженное, но не в смысле внешней деятельности, а, напротив, сосредоточенное в какой-то внутренней работе ума. Пока на его лице оставалось выражение, он казался дряхлым стариком, но, как только оно нарушалось, оживлялся и он — как было в эту минуту, когда он обратился к своей дочери и что-то говорил ей, — и превращался в красивого мужчину средних лет.

Дочь сидела с ним рядом, одну руку продев под его руку, а другой держась за нее. Она прижималась к отцу, в испуге оттого, что происходило кругом, в порыве жалости к узнику. На ее лице выражалось столько ужаса и сострадания, она была так очевидно подавлена опасностью, угрожавшей подсудимому, что зрители, глазевшие на него без всякой жалости, были тронуты ее сочувствием. В толпе раздавался шепот: «Это кто?»

Джерри, посыльный, все подмечавший и толковавший по-своему, все слушавший с таким напряженным вниманием, что по рассеянности сосал себе пальцы и чуть не слизал с них всю ржавчину, изо всех сил вытягивал шею, стараясь расслышать, кто они такие. Ближайшие к нему соседи шепотом передавали друг другу этот вопрос, который дошел наконец до передних рядов, задан был одному из сторожей, и тем же путем, только еще с большей расстановкой, получился ответ; наконец и Джерри услышал:

— Свидетели.

— С какой стороны?

— С противной.

— Против кого же они показывают?

— Против подсудимого.

Судья также посмотрел в ту сторону, куда все смотрели, потом перевел глаза на человека, жизнь которого была в его руках, и, откинувшись на спинку кресла, вперил в него пристальный взор, пока вставший у стола господин генеральный прокурор свивал веревки, точил секиру и скреплял гвоздями мысленно воздвигаемый им эшафот.

Глава III

Разочарование

Господин генеральный прокурор сообщил присяжным заседателям, что стоящий перед ними подсудимый хотя молод годами, но уже очень давно занимается предательскими интригами, которые ныне караются смертной казнью. Сношения его с врагами отечества начались не со вчерашнего дня и длятся не с нынешнего года и даже не с прошлого. Положительно установлен тот факт, что подсудимый с давнего времени разъезжает из Англии во Францию и обратно по секретным делам, объяснить каковые чистосердечно он не может. Так что, если бы изменническим делам суждено было процветать в этом мире (чего, по счастью, никогда не бывает), могло бы случиться, что и сии злобные и преступные поступки оставались бы неизвестными. Но Провидению угодно было внушить одному человеку, не ведающему ни страха, ни упрека, мысль доискаться истинного смысла действий сего преступника и, ужаснувшись оного, донести о том господину первому министру его величества, а также высокопочтенному Государственному совету. Означенный патриот своевременно предстанет перед судом присяжных. Положение его, а равно и поведение превыше всяких похвал. Он был другом и приближенным подсудимого, но в один счастливый и в то же время недобрый час решил, что не может долее сохранять в своей груди привязанность к этому человеку, и, убедившись в его гнусности, поверг его на алтарь священной любви к отечеству. Если бы в пределах Великобритании существовал обычай воздвигать статуи благодетелям общества, как то делалось в Древней Греции и Риме, нет сомнения, что и этому достойному гражданину воздвигли бы статую. Но так как у нас такого обычая нет, то вероятно, что ему таковой не воздвигнут. Между тем добродетель, по справедливому замечанию поэтов (многие изречения которых, по глубокому убеждению господина прокурора, господа присяжные готовы хоть сейчас привести наизусть, слово в слово, тогда как, судя по лицам господ присяжных, ясно было, что они и не слыхали о таких поэтических изречениях, в чем и признавали себя виновными), — добродетель бывает, так сказать, заразительна; тем более такая добродетель, как патриотизм, сиречь любовь к отечеству. Таким образом, случилось, что высокий пример сего безупречного и бескорыстного свидетеля — одно упоминание коего можно считать за особую честь — вдохновил лакея подсудимого, внушив ему благочестивую и достохвальную решимость перерыть карманы и выдвижные ящики стола своего барина, извлечь оттоле его бумаги и представить оные куда следует. Господин генеральный прокурор заявил вслед за тем, будто ожидает услышать некоторое порицание таковому образу действий этого превосходного лакея, но что до него лично, то он (то есть сам господин прокурор) склонен любить его пуще родных братьев и сестер, а почитает больше, чем собственных (прокурорских) отца с матерью. И вот он взывает к господам присяжным заседателям, приглашая и их сделать то же. Далее он говорил, что показания этих двух свидетелей, в связи с находящимися при деле документами, покажут, что подсудимый доставал списки военных сил его величества, равно как планы их расположения и степень боевой готовности как на море, так и на суше, и что нет ни малейшего сомнения в том, что таковые списки он имел обыкновение каждый раз передавать в руки враждебной державы. Нельзя доказать, чтобы списки эти писаны были его собственной рукой, но это все равно, и даже, пожалуй, еще лучше, ибо доказывает, сколь хитер и осторожен был подсудимый в своих действиях. И вот уже пять лет, как он занимается такими зловредными делами, и занимался ими за несколько недель до того дня, когда состоялась первая стычка британских войск с американцами. А потому господа присяжные заседатели, будучи людьми добросовестными (как то доподлинно известно ему, господину прокурору) и облеченными притом великой ответственностью (что не менее известно им самим), должны неминуемо признать его безусловно *виновным* и подвергнуть смертной казни, как бы это ни казалось им прискорбно; в противном случае, никогда они со спокойной совестью не смогут положить головы на свои подушки и никогда не допустят, чтобы их жены опустили головы на свои подушки, и им противно будет подумать, чтобы их дети когда-нибудь клали головы на свои подушки; короче говоря, ни для них, ни для их семейств не будет больше возможности покоиться на подушках, если голова подсудимого останется на его собственных плечах. Эту самую голову господин генеральный прокурор формально потребовал теперь во имя всего, что только мог уложить в закругленные фразы, и притом торжественнейшим образом заверил господ присяжных, что, со своей стороны, считает подсудимого как бы уже казненным и умершим.

Когда умолк господин генеральный прокурор, по залу прошли гул и жужжание, как будто поднялась целая туча больших синих мух-стервятниц и закружилась вокруг подсудимого, заранее смакуя мысль о том, во что он скоро должен превратиться. Когда же стихло их жужжание, на скамье свидетелей появился безукоризненный патриот.

Тогда поднялся с места господин стряпчий по делам казны и начал допрашивать патриота.

Имя его — Джон Барсед, дворянин. История его непорочной души была вполне тождественна с тем, как ее описывал господин генеральный прокурор, и описал, быть может, с избытком точности. Когда он выложил из своего благородного сердца все, что его тяготило, он бы охотно и скромно удалился из зала, но тут в дело вступился джентльмен в парике, имевший перед собой кучу бумаг и сидевший неподалеку от мистера Лорри; он попросит позволения, со своей стороны, задать несколько вопросов свидетелю.

Другой джентльмен в парике, сидевший напротив него, продолжал все так же смотреть в потолок.

— Не служил ли сам свидетель шпионом?

— Нет, ему и слушать противно, что его подозревают в такой низости.

— Чем он, собственно, живет?

— Доходами со своего имения.

— А где находится его имение?

— Наверное не может припомнить.

— Из чего состоит это имение?

— До этого никому дела нет.

— Что же, оно ему в наследство досталось?

— Да, в наследство.

— От кого?

— От дальней родни.

— Очень дальней?

— Да, пожалуй.

— Свидетель сидел в тюрьме?

— Конечно нет.

— Как! И в долговой тюрьме не сиживал?

— Это не имеет отношения к делу.

— Так и в долговой тюрьме не бывал?.. Ну-ка, еще раз попробуем. В долговой сиживал?

— Да.

— Сколько раз?

— Раза два или три.

— А не пять или шесть?

— Может быть.

— Из какого сословия?

— Джентльмен.

— Бывал ли бит когда?

— Могло статься.

— А часто ли?

— Нет.

— И с лестницы спускали?

— Нет. Раз как-то было, что столкнули с верхней ступени, а свалился с лестницы сам, добровольно.

— Это в тот раз, как сплутовал в игре в кости?

— Что-то в этом роде говорил тогда толкнувший его пьяница, но это все враки.

— Может ли он поклясться, что это была неправда?

— Сколько угодно.

— А не жил ли он тем, что вел нечистую игру?

— Никогда.

— И вообще не наживался игрой?

— Не больше того, как и другие джентльмены.

— Не брал ли денег взаймы у подсудимого?

— Брал.

— А возвращал ли долги?

— Нет.

— Не была ли его дружба с подсудимым просто знакомством и не старался ли свидетель навязываться ему при случайных встречах, например в почтовых каретах, в гостиницах, на кораблях?

— Нет.

— Уверен ли он, что видел у подсудимого эти самые списки?

— Уверен.

— А что еще известно свидетелю насчет списков?

— Ничего.

— Не сам ли он доставлял их подсудимому?

— Нет.

— Ожидает ли что-нибудь получить за эти показания?

— Нет.

— Не состоит ли на постоянном жалованье от казны за расставление политических ловушек?

— О нет! Как можно!

— Или за другие услуги?

— Нет! Как можно!

— И готов присягнуть в этом?

— Сколько угодно.

— Так что все делает единственно из патриотизма?

— Единственно.

Второй свидетель, добродетельный лакей Роджер Клай, присягает с превеликим усердием. Оказывается, что он поступил в услужение к подсудимому года четыре назад, к полной невинности души. Встретив подсудимого на корабле, шедшем в Кале, он осведомился, не нужен ли ему в лакеи ловкий парень, и подсудимый нанял его. Он не просил подсудимого взять его к себе на службу из милости и даже не думал просить. Поселившись у него, он вскоре возымел подозрения и стал наблюдать за хозяином. Укладывая его платье в дорогу, он много раз замечал в его карманах точно такие списки. Такие же списки вытащил он из выдвижного ящика его стола. Нет, он предварительно не клал их туда. Видел, как подсудимый показывал эти самые листы французским джентльменам в Кале; и хотя не эти, но точно такие же листы показывал другим французским джентльменам как в Кале, так и в Булони. Свидетель горячо любит свою родину, а потому не мог этого вытерпеть и донес. Правда, его обвиняли в краже серебряного чайника; подозревали как-то, и, конечно, понапрасну, в утайке горчичницы, да и та оказалась не серебряная, а только накладного серебра. С предыдущим свидетелем знаком лет семь или восемь, и совершенно случайно. Не находит, чтобы эта случайность была *особенно* любопытным совпадением. Совпадения до некоторой степени всегда любопытны. Не находит любопытного совпадения и в том, что руководствуется *также* чистейшим патриотизмом. Он истинный британец и надеется, что таких найдется довольно но много.

Опять зажужжали синие мухи, и господин генеральный прокурор вызвал мистера Джервиса Лорри.

— Мистер Джервис Лорри, вы состоите конторщиком Тельсонова банка?

— Точно так.

— В ноябре тысяча семьсот семьдесят пятого года, в пятницу вечером, не проезжали ли вы по делам фирмы из Лондона в Дувр в почтовом дилижансе?

— Проезжал.

— Были ли в том дилижансе другие пассажиры?

— Двое.

— Не выходили ли они из кареты в течение ночи?

— Выходили оба.

— Мистер Лорри, посмотрите на подсудимого. Не был ли он одним из этих двух пассажиров?

— Этого я никак не могу сказать.

— Не похож ли он на которого-нибудь из тех пассажиров?

— Оба они так плотно были закутаны, а ночь была так темна и все мы так сторонились друг друга, что даже и этого я не могу сказать.

— Мистер Лорри, взгляните опять на подсудимого. Если закутать его так, как были одеты те пассажиры, не кажется ли вам, что он ростом и фигурой напоминает одного из них?

— Нет.

— Однако вы не присягнете в том, что он не был одним из них, мистер Лорри?

— Нет.

— Стало быть, вы, по крайней мере, можете сказать, что он *мог* быть одним из них?

— Да. С той лишь оговоркой, что я помню, как они — а также и я сам — боялись разбойников, а у подсудимого вид совсем не робкий.

— Случалось ли вам, мистер Лорри, быть свидетелем притворной робости?

— Без сомнения, случалось.

— Мистер Лорри, посмотрите еще раз на подсудимого. Можете ли вы наверное сказать, что когда-нибудь видели его?

— Да, видел.

— Где?

— Через несколько дней после того я возвращался из Франции, и, когда сел на корабль в Кале, подсудимый также пришел с берега на тот же корабль и вместе со мной приплыл в Англию.

— В какую пору он пришел на корабль?

— Немного позже полуночи.

— Стало быть, в глухую полночь. Был ли он единственным пассажиром, явившимся на корабль в такое исключительное время?

— Да, случилось так, что он был единственным.

— Не ваше дело разбирать, было ли это *случайностью*, мистер Лорри. Следовательно, он был единственным пассажиром, явившимся на корабль в глухую полночь?

— Точно так.

— Вы одни путешествовали, мистер Лорри, или еще кто-нибудь был с вами?

— У меня было двое спутников: джентльмен и леди. Вот они здесь.

— Они здесь. Вы о чем-нибудь разговаривали с подсудимым?

— Едва ли. Погода была бурная, море очень неспокойное, мы плыли долго, и я почти все время лежал на диване, от начала и до конца путешествия.

— Мисс Манетт!

Молодая девушка, на которую недавно все смотрели и теперь снова уставились глазами, встала со своего места. Ее отец встал вместе с ней, продолжая держать ее под руку.

— Мисс Манетт, взгляните на подсудимого.

Встать на очную ставку с таким воплощением сострадания, с такой юностью и красотой, с таким глубоким сочувствием, струившимся из ее глаз, оказалось для подсудимого гораздо труднее, нежели встать на очную ставку со всей этой злобной толпой. Он вдруг почувствовал себя стоящим вместе с нею на краю своей собственной могилы, и это его так потрясло, что, невзирая на устремленные на него со всех сторон любопытные и жадные глаза, он не мог победить своего волнения и нервно перебирал правой рукой рассыпанные перед ним травинки, из которых в его воображении рисовался цветущий сад. Он старался не дышать так ускоренно и так прерывисто, и от этого усилия вся кровь его отхлынула к сердцу, губы побледнели и задрожали. Большие синие мухи зажужжали опять.

— Мисс Манетт, видели ли вы подсудимого?

— Да, сэр.

— Где именно?

— На почтовом корабле, о котором здесь сейчас было упомянуто, сэр, и при тех же обстоятельствах.

— Вы и есть та молодая леди, о которой сейчас было упомянуто?

— О, к несчастью, это я!

Жалобная мелодия ее голоса потонула в жестокой интонации судьи, который произнес не без ярости:

— Извольте отвечать на предлагаемые вопросы и не делать никаких замечаний! Мисс Манетт, разговаривали вы с подсудимым во время этого переезда через канал?

— Разговаривала, сэр.

— Припомните и повторите вашу беседу.

Среди глубокой тишины она начала слабым голосом:

— Когда этот джентльмен пришел на корабль...

— Вы говорите о подсудимом? — перебил ее судья, нахмурив брови.

— Точно так, милорд.

— Так и зовите его *подсудимым*.

— Когда подсудимый пришел на корабль, он заметил, что отец мой (тут она любящими глазами взглянула на стоявшего возле нее отца) сильно утомился и вообще слабого здоровья. Отец мой был так изнурен, что я побоялась лишать его свежего воздуха и постлала ему постель на палубе, у лесенки, ведущей в каюты, а сама села возле него на пол, чтобы удобнее за ним наблюдать. В ту ночь на корабле не было иных пассажиров, кроме нас четверых. Подсудимый был так добр, что попросил позволения показать мне, как получше защитить моего отца от дождя и ветра, чего я сама не умела сделать. Я не знала, как устроиться, потому что не понимала, откуда будет ветер, когда мы выйдем из гавани. А он знал это и устроил нас как следует. Он выразил большое участие к состоянию моего отца, и я уверена, что он в самом деле был так добр, как показался мне. С этого и начался наш разговор.

— Позвольте прервать вас на минуту. Когда он пришел на корабль, он был один?

— Нет.

— Кто же был с ним?

— Двое джентльменов, французы.

— Беседовали они между собой?

— Беседовали до последней минуты, пока тем джентльменам не потребовалось сойти обратно в лодку и отчалить к берегу.

— Обменялись они между собой бумагами, похожими вот на эти списки?

— Какие-то бумаги они передавали друг другу, но какие именно, мне неизвестно.

— А по форме и величине они были сходны с этими?

— Может быть, но я этого, право, не знаю, хотя они стояли от меня совсем близко и разговаривали шепотом, — потому что они подошли к самой лесенке, ведущей в каюты, под свет висевшего там фонаря; но фонарь горел тускло, говорили они очень тихо, я не слыхала ни одного слова, видела только, что они рассматривали какие-то бумаги.

— Ну, теперь передайте нам ваш разговор с подсудимым, мисс Манетт.

— Подсудимый держал себя так же просто и откровенно со мной, как был, по причине моей неумелости и беспомощного положения, добр и внимателен к моему отцу. Надеюсь (тут она вдруг заплакала), что за все его добро я не отплачу ему сегодня никаким вредом.

Синие мухи зажужжали.

— Мисс Манетт, если подсудимый не понимает, что вы в высшей степени неохотно даете показания, которые, однако, вы обязаны дать и дадите непременно, то он в этом зале единственный человек такой непонятливый. Прошу вас продолжать.

— Он говорил мне, что путешествует по делам трудного и деликатного свойства, которые могут вовлечь в неприятности других лиц, а потому ездит под вымышленным именем. Говорил, что по этим делам он был теперь во Франции, но через несколько дней опять туда поедет и, может быть, довольно долго еще будет от времени до времени ездить туда и обратно.

— Не говорил ли он чего насчет Америки, мисс Манетт? Рассказывайте подробнее.

— Он старался мне разъяснить, из-за чего вышла эта война, и указал, что, насколько он может судить, со стороны Англии глупо и несправедливо было затевать ссору. Потом стал шутить и сказал, что, может быть, со временем Джордж Вашингтон будет в истории так же знаменит, как и король Георг Третий[1]. Только он это несерьезно говорил, а так, смеялся, чтобы как-нибудь провести время.

Когда на сцене происходит что-нибудь особенно интересное и главный актер резко выражает лицом какое-нибудь сильное чувство, у внимательных зрителей бессознательно появляется на лицах то же самое выражение. На лице девушки заметно было болезненное напряжение и глубокая тревога как в те минуты, когда она давала показание, так и в те промежутки, пока судья записывал их, а она смотрела на адвокатов той и другой стороны, желая угадать, какое впечатление производят на них ее слова. Среди зрителей во всех концах зала замечалось то же выражение, так что на большей части лбов в публике видна была та же напряженная складка, когда судья оторвал глаза от своих заметок и бросил вокруг себя негодующий взор при столь странном и неприличном намеке на Джорджа Вашингтона.

Тут господин присяжный стряпчий доложил милорду, что в видах предосторожности и ради соблюдения формы он считает нужным вызвать для дачи свидетельских показаний отца этой молодой девицы, доктора Манетта.

Его вызывают.

— Доктор Манетт, взгляните на подсудимого. Видели ли вы его когда-нибудь?

---

[1] *Джордж Вашингтон* (1732—1799) — первый президент Северо-Американских Соединенных Штатов. Стоял во главе североамериканских войск во время войны с Англией, где в это время царствовал Георг III.

— Один раз. Он приходил ко мне на квартиру в Лондоне. Тому назад года три... или три с половиной.

— Признаете ли вы его за то лицо, которое вместе с вами переплывало Британский канал на почтовом корабле, и можете ли вы подтвердить показания вашей дочери насчет его разговора с нею?

— Нет, сэр, ни того ни другого я сделать не могу.

— Нет ли какой особой причины, почему вы не в состоянии этого сделать?

Он отвечал тихим голосом:

— Да, есть.

— Правда ли, что вы имели несчастье подвергнуться продолжительному заключению в тюрьме — без суда и даже без объяснения причин — там, у себя на родине, доктор Манетт?

Он отвечал таким тоном, который проник во все сердца:

— Да, я долго сидел в тюрьме.

— И вы только что были выпущены на волю в то время, о котором теперь идет речь?

— Да, говорят, что так.

— Разве сами вы не сохранили об этом воспоминаний?

— Никаких. Я ничего не помню с тех пор... я даже не знаю, с каких пор... помню только, что в тюрьме я занимался шитьем башмаков, а потом очутился в Лондоне с моей милой дочерью. Я успел привыкнуть к ней к тому времени, как Милосердный Господь возвратил мне умственные способности, но даже и теперь не умел бы сказать, каким образом я к ней привык. Я не помню, как это происходило.

Господин присяжный стряпчий сел на свое место, и отец с дочерью последовали его примеру.

Тогда дело приняло странный оборот. Предстояло доказать и выяснить, что подсудимый, ехавший за пять лет назад в ноябре месяце из Лондона в Дувр в почтовой карете вместе с каким-то другим товарищем, который не разыскан, вышел, не доезжая Дувра, ночью из кареты, но сделал это из хитрости и, дойдя до какого-то селения, поехал назад, миль за двенадцать или более того, остановился в городе, где был военный гарнизон и адмиралтейское управление, и там собирал сведения. Вызван был свидетель, признавший подсудимого тем самым лицом, которое он в то время видел в ресторане гостиницы в том городе, где были гарнизон и адмиралтейство, и узнал, что этот человек дожидался там кого-то другого. Адвокат подсудимого произвел этому свидетелю перекрестный допрос, но ничего не добился, исключая показания, что свидетель никогда больше не видел подсудимого. В эту минуту джентльмен в парике, до сих пор смотревший в потолок, оторвался от этого занятия и, написав слова два на клочке бумаги, перекинул этот клочок через стол защитнику. В следующий перерыв защитник развернул бумажку, прочел, что там было написано, и с величайшим вниманием и даже любопытством стал рассматривать подсудимого.

— Так вы говорите, что совершенно уверены в тождественности того человека с личностью подсудимого?

Свидетель повторил, что он совершенно уверен.

— А не случалось вам видеть кого-нибудь очень похожего на подсудимого?

Не настолько, по мнению свидетеля, чтобы не отличить одного от другого.

— Посмотрите-ка хорошенько вот на этого джентльмена, моего почтенного собрата, — сказал адвокат, указывая на того, кто перебросил ему бумажку, — а потом еще раз посмотрите на подсудимого. Как вы скажете? Очень они схожи друг с другом?

Помимо того что наружность почтенного собрата была довольно неопрятна, неряшлива и даже изобличала нетрезвое поведение, они были до того схожи, что это обстоятельство поразило и свидетеля, и всех присутствующих с той минуты, как на это было обращено всеобщее внимание. Когда же к милорду обратились с просьбой дозволить почтенному собрату снять парик, на что милорд очень неохотно дал свое согласие, то сходство оказалось еще более разительным.

Милорд, то есть судья, обратился к мистеру Страйверу (защитнику подсудимого) с вопросом, не думает ли он и мистера Картона (почтенного собрата) привлечь к суду по подозрению в государственной измене. Но мистер Страйвер отвечал милорду, что никоим образом не имеет этого в виду; он только желает спросить у свидетеля, возможно ли, чтобы то, что случилось однажды, случилось и дважды; так же ли уверенно давал бы он свое показание, если бы раньше заметил то, что теперь было для него очевидно, и может ли теперь, при такой очевидности, повторить свое прежнее показание. В конце концов он разбил показания этого свидетеля, точно глиняный сосуд, и превратил его участие в деле в кучу негодного мусора.

Тем временем мистер Кренчер, усердно следя за ходом судоговорения, сгрыз со своих пальцев почти всю ржавчину. Теперь его внимание обратилось на речь мистера Страйвера, который так обращался с господами присяжными заседателями, точно примерял на них пару платья, сшитого как раз по мерке. Он доказывал им, что этот патриот Барсед не что иное, как подкупленный шпион, предатель, бессовестный торговец человеческой кровью и один из величайших негодяев со времен окаянного Иуды, на которого он действительно смахивал, по правде сказать. Он доказывал также, что добродетельный слуга Клай, его закадычный приятель и сотрудник, вполне достоин этого звания, что бдительные очи обоих этих ложных свидетелей и клятвопреступников избрали своей жертвой подсудимого на том основании, что он был родом француз и, будучи вынужден по некоторым семейным делам совершать такие переезды через Британский канал, не может, из деликатности к людям ему дорогим и близким, объяснить, какого рода эти дела, даже если бы его собственная жизнь зависела от разоблачения этих семейных секретов. Что до показаний, насильно вымученных от этой молодой леди (а уж кажется, всем было ясно, до чего она страдала, давая свои ответы), — все это сущий вздор и пустяки, не более как невинные любезности и приятные разговоры, неизбежные в тех случаях, когда судьба сталкивает молодого человека с молодой девушкой при подобных обстоятельствах; исключение составляет разве только отзыв о Джордже Вашингтоне; но сам по себе он так нелеп и неправдоподобен, что нельзя его рассматривать иначе как неудачную шутку. Со стороны правительства было бы просто слабодушием взыскивать с человека за подобную попытку приобрести популярность, это было бы потворством низшим инстинктам и антипатиям толпы; потому господин коронный стряпчий так и распространялся на эту тему; а между тем все обвинение построено единственно на подлых и гнусных доносах, нередко придающих подобным процессам совсем извращенный характер, чему мы видели немало примеров в уголовных судах нашего отечества по обвинению в государственных преступлениях...

Но тут вступился милорд и, состроив такую серьезную физиономию, точно это не было чистейшей правдой, заметил, что не может дозволить, чтобы в его присутствии делались подобные оскорбительные намеки.

Мистер Страйвер вызвал немногих свидетелей в пользу подсудимого, после чего мистер Кренчер слушал, как господин коронный стряпчий вывертывал наизнанку все новое платье, только что напяленное на присяжных заседателей стараниями мистера Страйвера, доказывая, что Барсед и Клай еще во сто раз лучше того, чем он думал вначале, а подсудимый еще во сто раз хуже. Затем милорд произнес заключительную речь, выворачивая то же платье то налицо, то наизнанку, но с тем расчетом, чтобы в конце концов из него вышел гробовой саван для подсудимого.

После этого присяжные удалились для совещания, а синие мухи опять поднялись и загудели.

Мистер Картон, так долго сидевший уставив глаза в потолок, не тронулся с места и не переменил позы даже в эту животрепещущую минуту. Между тем как его почтенный собрат мистер Страйвер приводил в порядок нагроможденные перед ним бумаги, перешептывался с ближайшими соседями и тревожно оглядывался в ту сторону, куда ушли присяжные; между тем как все зрители более или менее волновались, переходили с места на место, образуя новые группы; между тем как даже сам милорд встал со своего места и медленно прохаживался взад и вперед по помосту, так что среди присутствующих зародилось подозрение, будто он находится в лихорадочном состоянии, — один только мистер Картон сидел развалясь; его оборванная мантия наполовину слезла с его плеч, а парик, кое-как нахлобученный на голову, после того как он его снимал, сидел на нем криво, руки были засунуты в карманы, а глаза по-прежнему уставлены в потолок. В его манере держаться было что-то особенно неряшливое и беспечное, что не только придавало ему неблагонадежный вид, но значительно ослабляло сходство его с подсудимым, хотя это сходство было несомненно и поразительно в ту минуту, когда их сличали на суде и когда он смотрел на публику с более сосредоточенным выражением на лице. Зато теперь, глядя на него, многие из зрителей замечали друг другу, что вот трудно даже подумать, чтобы они были так похожи.

То же и мистер Кренчер сказал своему соседу, прибавив:

— Готов заложить полгинеи, что *этот* от судейской службы не наживется. Он не из тех, которым поручают обделывать важные дела. А? Как по-вашему?

Однако этот самый мистер Картон видел все, что делалось кругом, и подмечал даже больше других. Когда голова мисс Манетт беспомощно упала на грудь ее отца, он первый заметил это и явственно произнес:

— При́став, обратите внимание на молодую леди. Помогите джентльмену вынести ее из зала. Разве вы не видите, что она сейчас упадет?

Пока ее уносили, публика выражала великую жалость к ней и сочувствие к ее отцу. Было очевидно, что для него было крайне тяжело воспоминание о своем тюремном заключении. Он сильно волновался, пока допрашивали его дочь, и с той минуты в его лице утвердилось то скорбное и напряженно-вдумчивое выражение, которое омрачало его, подобно черной туче, и придавало ему такой старческий вид. Когда он вышел, присяжные вернулись, и после минутного молчания их старшина обратился к судье с просьбой.

Оказалось, что присяжные не согласны между собой и просят позволения удалиться и подумать, прежде нежели они окончательно сговорятся. Милорд (у которого все еще, быть может, не выходил из ума Джордж Вашингтон) несколько удивился тому, что они не согласны, однако милостиво разрешил им удалиться, конечно под охраной сторожей, и удалился сам. Судоговорение заняло весь день, и в зале начали зажигать лампы. Носились слухи, будто присяжные будут совещаться долго. Зрители понемногу стали расходиться перекусить чего-нибудь, а подсудимый отошел к задней стене своей загородки и там сел на скамью.

Мистер Лорри, уходивший из зала, когда уводили молодую леди и ее отца, теперь вернулся и поманил к себе Джерри. Толпа значительно поредела, и Джерри легко прошел вперед.

— Джерри, если вы проголодались, можете пойти закусить. Но не уходите совсем; будьте непременно к тому времени, когда войдут присяжные. Ни минуты не опоздайте, потому что, когда произнесут приговор, я пошлю вас немедленно в банк с известием, что дело кончилось. Вы самый расторопный из всех посыльных и успеете дойти до Темплских ворот гораздо скорее меня.

Джерри кивнул в знак того, что понимает, в чем дело, а также и в знак благодарности за врученный ему при этом случае шиллинг. В ту же минуту подошел мистер Картон и тронул мистера Лорри за плечо:

— Как себя чувствует молодая леди?

— Она ужасно горюет, но отец всячески утешает ее, и ей теперь все-таки лучше, потому что она ушла из зала суда.

— Я передам эти сведения подсудимому. Было бы, может быть, неприлично, знаете ли, если бы такой почтенный банковский деятель, как вы, публично вступал в беседу с ним.

Мистер Лорри покраснел, как бы сознаваясь, что и сам об этом думал, а мистер Картон пошел из-за судейской решетки к ограде для подсудимых. Так как выход из зала приходился с той же стороны, Джерри не утерпел и остановился послушать, насторожив глаза, уши и свои гвоздеобразные вихры.

— Мистер Дарней!

Подсудимый тотчас встал и подошел.

— Вы, натурально, интересуетесь личностью свидетельницы, мисс Манетт. Она ничего, оправилась. Вы были свидетелем худшего момента ее припадка.

— Глубоко сожалею, что был его причиной. Не можете ли вы передать ей это от меня вместе с выражением моей признательности?

— Могу. И сделаю это, если вы попросите.

Мистер Картон вел себя так небрежно, что был почти нахален. Он стоял вполоборота к подсудимому, упершись локтем в решетку.

— Я прошу вас об этом. Примите мою искреннюю благодарность.

— А что, — молвил Картон, все так же стоя к нему боком, — чего вы ожидаете, мистер Дарней?

— Худшего.

— Да, пожалуй, всего умнее ожидать худшего; да оно и вероятнее. Однако же мне кажется, что это продолжительное совещание в вашу пользу.

Так как долго стоять у решетки не дозволялось, Джерри вынужден был уйти и больше ничего не слышал; а они остались, так сходные между собой чертами, так несходные в манерах, они стояли рядом и оба отражались в зеркале, укрепленном над их головами.

Полтора часа тяжело и медленно прошли в нижних сенях и коридорах, битком набитых ворами и мошенниками, которые тем временем развлекались и подкреплялись пирожками с бараниной и пивом. Напитавшись, в свою очередь, этими яствами, посыльный кое-как примостился на лавке и задремал; вдруг он очнулся от громкого говора и быстрого движения в толпе, устремившейся вверх по лестнице в зал суда. Туда же устремился и он.

— Джерри, Джерри! — кричал мистер Лорри, уже стоявший в дверях.

— Я здесь, сэр! Никак не проберешься в такой толпе. Вишь, как напирают. Я тут, сэр!

Мистер Лорри через головы идущих протянул ему бумажку.

— Скорее! Ухватили, что ли?

— Ухватил, сэр. На бумажке было наскоро написано только одно слово: «Оправдан».

— Вот если бы теперь велели сказать, что «возвращается к жизни», — бормотал Джерри, отправляясь в путь, — так я бы на этот раз понял, в чем дело.

Но ему некогда было не только говорить, но и думать о чем-либо, пока он окончательно не выбрался из здания Олд-Бейли: народ повалил оттуда с такой стремительной поспешностью, что его едва не сшибли с ног, и на улице долго еще слышалось жужжание и гудение, как будто синие мухи ошиблись в расчете и, видя, что тут нечем поживиться, полетели дальше искать другой падали.

Глава IV

Поздравительная

Последние остатки паров, весь день кипевших в этом человеческом котле, вырывались наружу по коридорам и переходам судебного здания, когда в одном из таких, очень скудно освещенных, закоулков собралась небольшая группа людей: тут были доктор Манетт, Люси Манетт, его дочь, мистер Лорри, стряпчий со стороны подсудимого, и адвокат его, мистер Страйвер; все они окружили мистера Чарльза Дарнея, только что выпущенного на свободу, и поздравляли его с избавлением от смертного приговора.

Доктор Манетт держался так прямо и лицо его было так осмысленно, что даже и при более ярком освещении трудно было признать в нем того башмачника, что когда-то тачал дамскую обувь на парижском чердаке. И однако, кто видел его хоть раз, непременно оборачивался, чтобы взглянуть еще раз, хотя бы даже не имел случая слышать печальной музыки его тихого низкого голоса, ни наблюдать той рассеянности, которая внезапно находила на него без всякой видимой причины. Была, однако, одна внешняя причина, неминуемо вызывавшая со дна его души именно такое состояние; так было и сегодня на суде; но и помимо этой причины, в его натуре была наклонность к подобной отвлеченности; она сама собой овладевала им и налагала на него мрачную тень, столь же необъяснимую для окружающих, как если бы они увидели на нем среди ясного летнего дня тень от настоящей парижской Бастилии, находившейся от него за триста миль.

Одна только дочь его имела власть освобождать его душу от этих мрачных чар. Она была той золотой нитью, которая связывала его далекое прошлое с настоящей минутой, минуя весь страшный период его мучительного тюремного заключения; звук ее голоса, вид ее светлого лица, прикосновение ее руки оказывали на него благотворное влияние и почти всегда имели власть над ним. Бывали случаи, когда и ее влияние оказывалось бессильным, но это случалось редко, притом в слабой степени и уже давно не повторялось. Она думала, что и не повторится больше.

Мистер Дарней с горячей признательностью поцеловал ее руку и, обратясь к мистеру Страйверу, усердно благодарил его. Мистеру Страйверу было с небольшим тридцать лет, но он казался на двадцать лет старше. Это был дюжий, толстый, громогласный человек, с багровым лицом и решительными манерами; он никогда не стеснялся никакими деликатными соображениями и так бесцеремонно втирался во всякое общество и вмешивался во всякие разговоры, что заранее можно было поручиться, что он себе проложит дорогу в свете. Он все еще был в парике и мантии и, подойдя к упомянутой группе, так подбоченился, что сразу нечаянно вытеснил из группы собеседников неповинного мистера Лорри.

— Я рад, что с честью выпутал вас из дела, мистер Дарней, — сказал Страйвер. — Это было преподлое обвинение, прямо, можно сказать, гнусное, но именно по этой причине оно имело все шансы быть успешным.

— Вы меня обязали на всю жизнь, и даже в двух смыслах, — сказал его недавний клиент, взяв его за руку.

— Сделал все, что мог, в вашу пользу, мистер Дарней, и полагаю, что справился со своей задачей не хуже кого другого.

Ясно, что на такие слова кому-нибудь следовало сказать: «Конечно, гораздо лучше!»

И мистер Лорри взял на себя произнесение этого замечания; может быть, не совсем бескорыстно, а с той корыстной целью, чтобы опять втиснуться в ту же группу.

— Вы думаете? — молвил мистер Страйвер. — Что ж, вы целый день тут присутствовали, можете судить. К тому же вы сами — человек практический.

— И в качестве такового, — сказал мистер Лорри, обратно втиснутый в эту группу мощным плечом искусного законоведа тем же самым порядком, как был оттерт сначала, — в качестве такового я обращаюсь к доктору

Манетту с ходатайством распустить собрание и нас всех разослать по домам. Мисс Люси имеет нездоровый вид, мистеру Дарнею выдался из рук вон тяжелый день, и все мы измучены вконец.

— Говорите за себя, мистер Лорри, — сказал Страйвер, — мне предстоит еще весь вечер поработать. Говорите за себя.

— Я и говорю за себя, — отвечал мистер Лорри, — а также за мистера Дарнея, за мисс Люси и... Мисс Люси, как вы думаете, можно ли то же сказать *о нас всех?*

Он задал этот вопрос с особым ударением, мельком указав глазами на ее отца.

Лицо старца как будто застыло с выражением напряженного любопытства в глазах: он смотрел на Дарнея, и пристальный взгляд его все более омрачался оттенками антипатии, недоверия и даже как будто страха. С этим странным выражением на лице, он, очевидно, совершенно позабывал все окружающее.

— Папа, — сказала Люси, тихонько тронув его за плечо.

Он медленно стряхнул с себя набегавшую тень и оглянулся на нее.

— Пойдем домой, папа?

Он глубоко вздохнул и промолвил:

— Да.

Оправданный подсудимый полагал, что едва ли будет выпущен из тюрьмы в тот же вечер; он так и сказал своим друзьям, и под этим впечатлением они расстались с ним. В коридорах почти все огни были потушены, железные ворота со скрипом и грохотом запирались; унылое здание опустело, но опустело лишь до следующего утра: назавтра сызнова пробудится интерес к виселице, к позорному столбу, к публичному бичеванию и клеймению каленым железом, и, следовательно, толпа снова хлынет в это здание. Люси Манетт, идя между отцом и мистером Дарнеем, вышла на улицу. Кликнули извозчичью карету, и отец с дочерью уехали.

Мистер Страйвер отстал от них еще в коридоре и, проталкиваясь в обратном направлении, прошел в ту комнату, где должностные лица судебного ведомства переодевались, меняя свои официальные одежды на обыкновенное платье. Зато другой человек, не принадлежавший к группе, ни с кем из них не обменявшийся ни одним словом, все время стоял в самом темном углу; потом, вслед за доктором и его дочерью, он молча вышел на улицу и смотрел на них, пока не уехала карета. Тогда он подошел к мистеру Лорри и мистеру Дарнею, стоявшим на мостовой.

— Вот как, мистер Лорри! — сказал он. — Стало быть, теперь и деловым людям не возбраняется побеседовать с мистером Дарнеем?

Никому не пришло в голову заметить, каково было участие, принятое мистером Картоном в событиях этого дня; никто даже и не знал об этом. Он уже успел переодеться, но наружность его от этого нисколько не выиграла.

— Если бы вы знали, мистер Дарней, — продолжал он, обращаясь к Дарнею, — какая жестокая борьба происходит в уме делового человека, когда, с одной стороны, его одолевают человеческие благородные чувства, а с другой — он находится под гнетом деловых соображений, — вы бы, право, позабавились!

Мистер Лорри покраснел и сказал с горячностью:

— Вы уже не в первый раз на это намекаете, сэр! Мы, деловые люди, служащие известной фирме, не можем считать себя вполне свободными в своих действиях. Мы обязаны думать о фирме гораздо больше, чем о себе.

— Я знаю, я-то знаю! — беззаботно подхватил мистер Картон. — Ну, не кипятитесь, мистер Лорри. Вы такой же, как и все остальные, не хуже, в этом я уверен, даже лучше многих других.

— А я, сэр, — продолжал мистер Лорри, не обращая внимания на его слова, — я, право, не знаю, какое вам до этого дело. Вы меня извините, тем более что я гораздо старше вас и, кажется, имею право выражать свое мнение... но я решительно нахожу, что это не ваше дело.

— Еще бы! Господь с вами, конечно! Вообще никакого дела у меня во всем свете нет, — сказал мистер Картон.

— Весьма сожалею об этом, сэр...

— Вот и я тоже сожалею.

— ...потому что, — продолжал мистер Лорри, — будь у вас настоящее, собственное дело, вы бы им и занимались.

— Э, бог с вами, нет! Все равно не занимался бы, — сказал мистер Картон.

— Что же, сэр! — воскликнул мистер Лорри, окончательно выведенный из себя его беспечным тоном. — Дела, деловые занятия — очень хорошая и очень почтенная вещь. И если случается, сэр, что деловые соображения налагают на человека некоторую узду, понуждая его к сдержанности и молчанию, наверное, мистер Дарней, как молодой и благородный джентльмен, сумеет по достоинству оценить такое обстоятельство. Мистер Дарней, доброй ночи, Господь с вами, сэр! Надеюсь, что Бог для того сохранил вам сегодня жизнь, чтобы вы ее прожили счастливо и благополучно. Эй, носилки!

Досадуя на юриста, а может быть, и на себя самого, мистер Лорри поспешно залез в носилки, и его понесли к Тельсонову банку. Картон, от которого пахло портвейном, да и на вид он казался не совсем трезвым, рассмеялся и обратился к Дарнею:

— Удивительно, как это судьба столкнула нас с вами. Вам, должно быть, страшно очутиться сегодня на уличной мостовой наедине с вашим двойником?

— Я все еще не могу опомниться, — отвечал Чарльз Дарней, — и уверить себя в том, что действительно существую в этом мире.

— И неудивительно; давно ли вы были на пути к совсем иному миру? Вы и говорите чуть слышно, точно умирающий.

— Я начинаю думать, что в самом деле я ослабел.

— Так какого же черта вы не обедаете? Вот я так успел пообедать... воспользовался тем временем, когда эти болваны обсуждали вопрос, жить ли вам в этом мире или отправляться в другой... Пойдемте, я вам покажу ближайший трактир, где можно хорошо поесть.

Он взял его под руку и повел по Людгет-Хилл на Флит-стрит, а там, войдя в крытые ворота, повернул в харчевню. Им отвели особую каморку, и Чарльз Дарней вскоре принялся подкреплять свои силы простыми, но хорошими яствами и добрым вином. Картон уселся против него за тем же столом, запасшись своей особой бутылкой портвейна и не расставаясь со своей странной, довольно нахальной манерой.

— Ну что, мистер Дарней, чувствуете вы, что снова заняли свое место в нашей части света?

— Касательно времени и места у меня в голове страшная путаница, а по части остального, кажется, начинаю понимать что следует.

— Какое это, должно быть, отрадное чувство!

Картон произнес эти слова с горечью и снова налил себе полный стакан. Он пил из стакана большого размера.

— Что до меня, я более всего на свете желал бы позабыть, что принадлежу к этому миру. Для меня ничего в нем нет хорошего, за исключением вот такого вина... я ни для чего не гожусь... Так что в этом отношении мы с вами несходны... Да и вообще, если хорошенько пораздумать, между нами во всех отношениях очень мало сходства.

Ошеломленный волнениями этого дня, Чарльз Дарней как сквозь сон сознавал себя в обществе своего грубого двойника и решительно не знал, что отвечать на такие речи; в конце концов он просто промолчал.

— Ну, теперь вы кончили обедать, — сказал Картон, — что же вы не провозглашаете никакого тоста? Почему вы не пьете ни за чье здоровье, мистер Дарней?

— Какой тост?.. Чье здоровье?..

— Да ведь оно у вас на языке вертится... По крайней мере, должно бы вертеться... Да наверное, так и есть; я готов поклясться, что так!

— Ну, так... здоровье мисс Манетт!

— То-то же и есть; за здоровье мисс Манетт!

Глядя прямо в лицо собеседнику, покуда тот выпивал рюмку, Картон швырнул свой стакан через плечо в стену и разбил его вдребезги, потом позвонил и приказал подать себе другой.

— А ведь хорошо, должно быть, в сумерки провожать такую молоденькую барышню до кареты, мистер Дарней? — сказал он, наполняя новый стакан.

Тот слегка нахмурился и отрывисто произнес:

— Да!

— Хорошо и то, когда такая молоденькая барышня пожалеет тебя, да еще поплачет о тебе... Желал бы я знать, что при этом чувствует человек? Стоит ли подвергаться уголовному суду и рисковать жизнью, чтобы стать предметом такого сочувствия и удостоиться такой жалости... а, мистер Дарней?

Дарней опять промолчал.

— Как она обрадовалась, когда я передал ей ваше поручение! Впрочем, она ничем не обнаруживала своей радости; только я и сам догадался.

Этот намек вовремя напомнил Дарнею, что его неприятный собеседник по собственной доброй воле оказал ему сегодня существенную услугу во время суда. Дарней тотчас свернул разговор на эту тему и выразил ему свою благодарность.

— Не нужно мне благодарности, да и не за что благодарить, — возразил Картон беспечно. — Во-первых, то, что я сделал, был сущий пустяк, а во-вторых, я сам не знаю, зачем я это сделал... Слушайте, мистер Дарней, позвольте задать вам вопрос.

— Сделайте одолжение, я рад хоть чем-нибудь отплатить вам за добрую услугу.

— Не думаете ли вы, что я к вам чувствую особое расположение?

— Извините, мистер Картон, — сказал Дарней, не на шутку смущаясь, — я еще и самому себе не задавал такого вопроса.

— А вот *я* теперь спрашиваю вас об этом.

— Ваши действия как будто намекали на такое особое расположение... но не думаю, чтобы вы его чувствовали.

— И я тоже не думаю, чтобы чувствовал, — сказал Картон, — зато я начинаю думать, что вы чрезвычайно догадливы.

— Тем не менее, — продолжал Дарней, вставая и протягивая руку к звонку, — надеюсь, что это не помешает мне заплатить по счету и расстаться с вами без взаимного неудовольствия.

Картон отвечал:

— О, конечно!

И Дарней позвонил.

— Вы как намерены рассчитаться, мой счет тоже берете на себя? — спросил Картон.

Дарней ответил утвердительно.

— В таком случае, человек, принеси мне другую пинту этого самого вина и приди разбудить меня ровно в десять часов.

Заплатив по счету, Чарльз Дарней встал и пожелал ему спокойной ночи. Картон также встал, не отвечая на пожелание, и, глядя на него не то с вызывающим видом, не то с угрозой, сказал:

— Еще одно слово, мистер Дарней; вы думаете, что я пьян?

— Я думаю, что вы... пили, мистер Картон.

— Чего тут думать, вы *знаете*, что я пил.

— Раз вы сами этого хотите... да, я это знаю.

— Так знайте же, отчего я пью. Я пропащий человек, неудачник, сэр. Ни до кого на свете мне дела нет, и ни одна душа на свете не тужит обо мне.

— Это очень жаль. Вы могли бы лучше употребить свои способности.

— Может быть, так, мистер Дарней, а может быть, и нет. А впрочем, не слишком любуйтесь на свою трезвую физиономию: еще неизвестно, куда она вас заведет. Спокойной ночи!

Оставшись один, этот странный человек взял свечу и, подойдя к висевшему на стене зеркалу, начал пристально смотреться в него.

— Нравится тебе этот господин? — бормотал он, вперив глаза в свое собственное отражение. — С чего бы ощущать особое расположение к человеку за то, что он на тебя похож. В тебе ведь нет ничего столь же симпатичного, и ты это знаешь. Ах, чтоб тебя!.. Как же ты себя изуродовал! Нечего сказать, хороша причина для особого расположения к человеку, когда видишь по нему, как низко ты пал и чем бы ты мог быть. Поменяйся-ка с ним местами, тогда и увидишь, посмотрят ли на тебя те голубые глазки так, как на него смотрели, и станет ли из-за тебя так волноваться то сострадательное личико?.. Ну что тут пустяки болтать, признавайся начистоту... Ты просто ненавидишь того господина!

Он обратился за утешением к поданной ему пинте вина, выпил ее до капли в несколько минут и заснул, положив голову на руки. Волосы его разметались по столу, а свеча оплыла, и светильня низко свесилась над ним, обдавая его сальными каплями.

Глава V

Шакал

То были времена сильного пьянства, и многие мужчины пили непомерно. С тех пор нравы наши до такой степени улучшились, что если в точности определить, сколько именно вина и пунша поглощал в течение вечера один человек того времени, нимало не теряя репутации вполне порядочного и приличного джентльмена, это может показаться смешным преувеличением в наши дни. Ученые-законоведы той эпохи, конечно, не отставали от других профессий в своих вакхических стремлениях; также и мистер Страйвер не отставал от своих сотоварищей: с равным успехом он пробивал себе путь к широкой известности, к выгодной практике и предавался обильным возлияниям.

Становясь любимым детищем суда присяжных при Олд-Бейли, а также надежной опорой окружных сессий, мистер Страйвер осторожно устранял со своего пути те первые ступени общественной лестницы, по которой он постепенно поднимался. Зато теперь и суд присяжных, и окружные сессии призывали своего любимца с распростертыми объятиями; он старался как можно чаще попадаться на глаза лорду главному судье, и цветущий лик мистера Страйвера всякий день можно было встретить в палате Королевской Скамьи[1], где он, подобно крупному подсолнечнику, ежедневно расцветал из кущи судейских париков, повертывая свою физиономию только к солнцу.

---

[1] *Суд Королевской Скамьи* — Верховный суд в Англии. Первоначально судебное разбирательство производилось под председательством короля.

В суде и прежде было замечено, что мистер Страйвер был человек развязный, ничем не стеснявшийся, смелый и бойкий на язык, но что у него не было способности схватывать на лету сущность свидетельских показаний и выделять из целой кучи хлама то, что было действительно ценно и пригодно в данном случае; а между тем это талант наиболее важный и необходимый для каждого адвоката. Но с некоторого времени мистер Страйвер сделал замечательные успехи по этой части. Чем больше поручали ему дел, тем сильнее развивалась у него, по-видимому, способность в короткое время добираться до самой сути; и, как бы поздно ни засиживались они по вечерам с Сидни Картоном, выпивая одну бутылку за другой, наутро мистер Страйвер знал все пункты дела как свои пять пальцев.

Сидни Картон, величайший шалопай и бездельник, был важнейшим сподвижником Страйвера. В том количестве спиртных напитков, что они вдвоем поглощали, считая с январской сессии и до Михайлова дня[1], можно было утопить любой королевский корабль. Где бы ни был Страйвер и какое бы дело ни взялся он защищать, Сидни Картон был непременно тут: засунув руки в карманы, он сидел в зале суда и смотрел в потолок. Они всегда вместе объезжали округ и даже во время сессий продолжали все так же кутить по ночам; говорили, что Картон иногда среди бела дня украдкой и неверными шагами пробирался к своей квартире наподобие беспутного кота. Наконец люди, заинтересованные в таких вопросах, порешили между собой, что хотя Сидни Картон никогда не будет львом в своей профессии, но зато из него образовался превосходнейший шакал, и в этом скромном звании он оказывал Страйверу неисчислимые услуги и содействие.

— Десять часов, сэр, — доложил трактирный слуга, которому он поручил разбудить себя. — Десять часов, сэр!

— Что случилось?

— Десять часов било, сэр.

— Это что же значит? Десять часов вечера, что ли?

— Точно так, сэр. Вы изволили приказать мне разбудить себя.

---

[1] *Михайлов день* — начало осенней сессии.

— О-о! Да, помню. Хорошо, хорошо.

Он попробовал еще несколько раз приловчиться и вздремнуть, но слуга каждый раз препятствовал этому, начиная возиться кочергой в камине; наконец он не отрываясь погремел кочергой минут пять сряду, так что Картон проснулся окончательно, встал, надел шляпу и вышел на улицу. Повернув в Темпл, он два раза прошелся по мостовой мимо Королевского суда и Судебного архива и, достаточно освежившись, вошел в квартиру Страйвера.

Клерк Страйвера никогда не присутствовал на этих юридических совещаниях и был уже отпущен домой. Страйвер сам отпер дверь. Он был в туфлях, в халате и с голой шеей ради большего удобства. Его глаза, с постоянно воспаленными веками, отличались тем несколько диким, напряженным выражением, которое замечается у всех кутил этого сорта, начиная с портрета Джеффриса[1] и кончая всеми портретами пьяниц, как бы художники ни старались смягчить эту неизбежную в них черту.

— Маленько запоздали, мистер Мемори[2], — сказал Страйвер.

— Как всегда; если опоздал, то никак не больше как на четверть часа.

Они прошли в комнату мрачного вида, с книжными полками по стенам и с ворохами бумаг повсюду; в камине пылал огонь, над очагом висел на крючке кипящий котел, а из-за кучи бумаг возвышался стол, на котором находился обильный запас вина, водки, рому, а также сахар и лимоны.

— Вы пропустили все-таки бутылочку... оно и видно, Сидни.

— Даже две, кажется. Я обедал с сегодняшним нашим клиентом, то есть смотрел, как он обедал... Но это все едино.

— А ведь ловко вы подпустили этот пункт насчет отождествления личности. Как это вам пришло в голову? Когда вы надумались?

---

[1] *Джеффрис* (1648—1689) — знаменитый английский судья, а впоследствии государственный канцлер.

[2] *Мемори* — память *(англ.).*

— Сначала просто думал, что он довольно красивый малый, а потом подумал, что вот каким бы я мог быть, если бы не горькая моя судьба.

Мистер Страйвер рассмеялся так, что всколыхнулось его преждевременное брюшко.

— Туда же, с горькой судьбой!.. Принимайтесь-ка за работу, Сидни, принимайтесь за работу!

Шакал довольно угрюмо расстегнулся, прошел в соседнюю комнату и принес оттуда кувшин с холодной водой, таз и пару полотенец. Намочив полотенце в воде, он слегка выжал его, обмотал им голову, что вышло очень безобразно, присел к столу и сказал:

— Я готов.

— На нынешний вечер не больно много нам стряпни, Мемори, — сказал мистер Страйвер, весело перебирая лежавшие перед ним бумаги.

— А сколько всего?

— Только и есть два дела.

— Дайте мне сперва то, что похуже.

— Вот вам, берите. Ну, Сидни, валяйте!

И лев, повалившись на спину, растянулся на диване по одну сторону питейного стола, между тем как шакал расположился по другую его сторону на другом конце, заваленном бумагами; впрочем, бутылки и стаканы были у него под рукой. Оба юриста прибегали к этому развлечению с одинаковым усердием, но на разный манер: лев большей частью лежал, засунув руки за пояс, глядя на огонь или прочитывая какой-нибудь документ более легкого содержания; шакал же сидел, нахмурив брови с сосредоточенным видом, и так углублялся в занятия, что не отрывая глаз от бумаг, протягивал руку за стаканом и часто по целой минуте, и даже дольше, ощупью искал его по столу. Раза два или три запутанное дело становилось так сбивчиво, что шакал был вынужден вставать из-за стола и сызнова намачивать полотенце холодной водой. Возвращался он из этих походов с такими диковинными сооружениями из мокрого тряпья на своей голове, что описать невозможно; и эти уборы были тем уморительнее, что он сам оставался напряженно-серьезным.

Наконец шакал состряпал для льва сытную трапезу и преподал ее в готовом виде. Лев принял пищу осторожно, смаковал ее внимательно, выбрал, что было ему особенно по вкусу, высказал несколько замечаний по этому поводу, а шакал во всем ему помогал. Покончив с этим блюдом, лев снова засунул руки за пояс, улегся на диван и предался размышлениям. Тогда шакал подкрепил свои силы стаканом вина, сызнова обмотал голову мокрыми полотенцами и принялся за изготовление второго блюда. Провозившись с ним, сколько было нужно, он по-прежнему подал его льву, и они так же сообща обсудили его со всех сторон; вся эта работа кончилась не прежде, чем на городских колокольнях прозвонило три часа утра.

— Ну, теперь дело в шляпе, Сидни. Налейте-ка мне стакан пунша, — сказал Страйвер.

Шакал снял с головы полотенца, от которых пошел пар, потянулся, зевнул, повел плечами и повиновался.

— Отлично вы сегодня ставили вопросы свидетелям, Сидни; чрезвычайно разумно было подстроено: каждое слово попадало в цель.

— Я всегда разумно ставлю вопросы, вы не находите?

— Нет, с этим я не спорю. Только отчего вы не в духе? Выпейте пуншу, авось он смягчит ваше настроение.

Шакал пробурчал какое-то извинение и выпил.

— Все тот же прежний Сидни Картон, как был в шрусберийской школе[1], так и остался, — сказал мистер Страйвер, покачивая головой и разглядывая своего собеседника дней настоящих и минувших. — Что ни час, то новое настроение: сейчас был весел, а через минуту заскучал; только что шутил — и вдруг затуманился!

— Ах да, — молвил Картон со вздохом, — все тот же Сидни, и все та же моя горькая судьба. Ведь даже и тогда, в школе, я часто писал сочинения для товарищей, а своих почти никогда не писал.

— Это почему же?

— Бог ведает. Должно быть, таков уж я от природы.

---

[1] *Шрусберийская школа* — одна из лучших английских школ; находится в г. Шрусбери.

Он сидел заложив руки в карманы, вытянув ноги и глядя на огонь.

— Картон... — сказал его приятель, усаживаясь против него в самой решительной и задорной позе, как будто каминный очаг был тем самым горнилом, где вырабатываются похвальные усилия, а долг дружбы повелевал ему схватить прежнего Сидни Картона и ввергнуть его насильно в это горнило, — Картон, вам всегда недоставало силы характера и теперь недостает. У вас нет ни энергии, ни твердо намеченной цели. Посмотрите на меня!..

— Ох, увольте, пожалуйста! — молвил Сидни, рассмеявшись немного спокойнее и веселее. — Уж не вам бы разводить нравоучения.

— А как же я добился того, чего достиг? — сказал Страйвер. — Как я поступаю и что делаю?

— Да вот, во-первых, платите мне за то, чтобы я работал за вас... Да впрочем, напрасно вы трудитесь взывать ко мне или к Небесам по этому поводу. Вы поступаете, как вам желательно, вот и все. Вы всегда были в первом ряду, а я всегда позади.

— Но мне нужно же было пробиться в первый-то ряд; ведь я не от рождения там очутился.

— Не знаю, я при вашем рождении не присутствовал, но коли на то пошло, то, по-моему, вы и родились в первом ряду, — сказал Картон, рассмеявшись, после чего оба принялись хохотать.

— И до Шрусбери, и в Шрусбери, и после Шрусбери, — продолжал Картон, — вы шли в своем ряду, а я в своем. Даже в ту пору, как мы с вами были студентами в Латинском квартале, упражнялись во французском языке, изучали французские законы и некоторые другие стороны французской жизни, от которых особенного толку для нас не вышло, даже и тогда вы из этого всегда что-нибудь извлекали для себя, а я — ничего.

— А кто был виноват в этом?

— Ей-богу, мне что-то кажется, что виноваты были вы. Вы вечно куда-то стремились, продирались, суетились и столько хлопотали, что я уставал смотреть на вас и мне ничего больше не оставалось, как отдыхать и сидеть смирно. Однако ужасно скверная вещь — поминать свое прошлое, когда начинает светать. На прощание дайте, пожалуйста, другое направление моим мыслям.

— Ну ладно! Предлагаю тост... Выпьем за здоровье хорошенькой свидетельницы, — сказал Страйвер, подняв стакан. — Надеюсь, ваши мысли приняли приятное направление?

По-видимому, нет, потому что он снова принял угрюмый вид.

— Хорошенькая свидетельница!.. — пробормотал он, глядя в свой стакан. — Будет с меня свидетелей... надоели уж за целые сутки... Кто же такая ваша хорошенькая свидетельница?

— А дочка-то живописного доктора, мисс Манетт.

— Разве она хорошенькая?

— А то как же!

— Нет.

— Да что вы, опомнитесь! Весь суд на нее залюбовался!

— Очень мне нужно его любование! С каких это пор суд присяжных берется судить о красоте? Просто кукла с желтыми волосами, и больше ничего.

— А знаете ли, Сидни, — сказал мистер Страйвер, пытливо глядя на него и медленно проводя рукой по своему красному лицу, — знаете ли, мне в то время показалось, что вы восчувствовали симпатию к желтоволосой кукле и даже очень скоро подметили, что с ней приключилось.

— Скоро подметил? Еще бы не подметить! Если девочка — все равно, кукла она или не кукла, — падает в обморок перед самым моим носом, это поневоле увидишь, даже и без подзорной трубки. Выпить за ее здоровье я могу, но с тем, что она красавица, я не согласен. И не хочу больше пить, просто пойду спать.

Когда хозяин взял свечу и проводил его на лестницу, холодный дневной свет уже пробивался сквозь тусклые окна. Картон вышел на улицу. Воздух был холоден и печален, небо серо и пасмурно, река чернела сквозь туман, и все казалось пустынно и безжизненно. Утренний ветер крутил уличную пыль, как будто где-то далеко, в настоящей пустыне, поднялся песчаный вихрь и, достигнув Лондона, начинает заметать его.

Чувствуя в себе понапрасну растраченные силы, а вокруг себя видя одну лишь голую пустыню, этот человек остановился на минуту среди безмолвной площадки и умственным взором увидел впереди мираж — благородного честолюбия, самоотвержения, настойчивости... В этом видении мелькнул перед ним какой-то изумительный город с воздушными галереями, с которых на него глядели образы любви и красоты, роскошные сады, где созревали плоды жизни и сверкали на солнце светлые воды счастливых надежд... Через минуту видение исчезло.

Подойдя к группе домов, образовавших между собой нечто вроде колодца, он полез в самый верхний этаж, не раздеваясь бросился на свою измятую постель, и вскоре подушка его оросилась бесплодными слезами.

Грустно, печально вставало солнце; из всех картин, освещенных им, самое печальное зрелище представлял этот даровитый человек, способный и на хорошие дела, и на добрые чувства, но неспособный управлять ими как следует, не способный ни устроить свою жизнь, ни устроить свое собственное счастье, — и он живо чувствовал свое унижение, но не оказывал ему никакого противодействия и знал, что порок погубит его неминуемо.

Глава VI

Сотни всякого народу

Спокойная квартира доктора Манетта помещалась в угловом доме тихой улицы неподалеку от сквера Сохо. В один прекрасный воскресный день, через четыре месяца после того, как происходил суд по делу о государственной измене, — и, следовательно, публика успела давно позабыть об этом, — мистер Джервис Лорри шел по освещенным солнцем улицам из Клеркенуэла, где он жил, к жилищу доктора — обедать. Неотложные дела не раз мешали мистеру Лорри укреплять это знакомство, но мало-помалу он подружился с доктором, и эта квартира в угловом доме стала солнечной стороной его жизни.

В этот воскресный день мистер Лорри шел в квартал Сохо в довольно ранний час, после полудня, по трем причинам: во-первых, потому, что по воскресеньям в хорошую погоду он часто гулял перед обедом вместе с доктором и Люси; во-вторых, в нехорошую погоду он привык все-таки приходить к ним как друг дома, проводя время в разговорах, за чтением или просто сидя у их окна и глядя на улицу; в-третьих, ему пришли в голову некоторые сомнения, которые ему очень хотелось разрешить, и он знал, что теперь самый подходящий час, чтобы получить в доме доктора некоторые существенные для него сведения.

Во всем Лондоне не было уголка милее и оригинальнее того закоулка, где жил доктор. Дом был непроходной, и окна фасада докторской квартиры выходили на коротенькую глухую улицу с приятным видом вдаль, что придавало ей характер уединения и простора. В то время к северу от Оксфордской дороги строений было мало; там росли лесные деревья, трава пестрела полевыми цветами, и цветущий боярышник благоухал на лугах, ныне вовсе исчезнувших. По этой причине сельский воздух свободно разгуливал по стогнам квартала Сохо, как добрый сосед, а не как жалкий пришлец, нечаянно пробравшийся в чужой приход и не находящий там себе ни привета, ни пристанища; в этой местности немало было и прочных кирпичных стен, обращенных на юг, где в свое время вызревали персики.

В раннюю пору дня летнее солнце ярко освещало этот закоулок, но, как только на улицах становилось жарко, там была тень, хотя оттуда было видно пространство, залитое светом. Место было прохладное, тихое, но веселое, удивительно приспособленное для отголосков всякого рода и в высшей степени отрадное для того, кто попадал туда из шумных и пыльных улиц.

В такой спокойной гавани следовало ожидать присутствия спокойной ладьи, и она там была. Доктор занимал два этажа большого тихого дома, где, судя по вывескам, занимались разными искусствами и ремеслами, но днем о них было почти не слышно, а по ночам и вовсе никого не было в отведенных им помещениях. За домом был двор, среди которого росло старое дерево, чинара, тихо шелестевшая своими крупными зелеными листьями; а в заднем конце двора помещалось здание, где, казалось, фабриковались церковные органы, плавили серебро и чеканили золото, и все это, очевидно, проделывал какой-то таинственный великан, просунувший свою гигантскую золотую руку сквозь стену главных сеней, над самой парадной дверью; этой рукой он как будто хотел показать свое искусство превращать труд в золото, угрожая посетителям совершить такое же превращение и над ними.

Были слухи, что наверху жил какой-то одинокий постоялец, а внизу была контора обойщика городских экипажей, но ни торговли, ни мастерских, ни обитателей почти никогда не было ни видно, ни слышно. Изредка встречался в главных сенях одинокий работник, на ходу надевавший куртку, или появлялся за справкой совсем чужой человек; от времени до времени раздавалось на весь двор отдаленное звяканье металла или мерное постукивание молотком со стороны золотого великана. Но все эти исключения только лишний раз подтверждали то общее правило, что как воробьи, проживавшие на дворе в ветвях чинары, так и отголоски, имевшие свое местопребывание на площадке перед домом, беспрепятственно владели этой местностью с утра воскресенья до субботнего вечера.

Доктор Манетт принимал здесь своих пациентов, шедших к нему на основании его прежней репутации или же вследствие таинственных слухов о его судьбе. Его научная подготовка, внимательность и умение производить остроумные опыты доставляли ему достаточное количество работы, и он получал столько доходу, сколько ему было нужно.

Мистеру Джервису Лорри известны были все эти обстоятельства, и он думал именно о них, когда взялся за ручку колокольчика и позвонил у дверей тихого дома в закоулке в этот прекрасный воскресный день.

— Доктор Манетт дома?

— Скоро вернется.

— Мисс Люси дома?

— Тоже сейчас вернется.

— А мисс Просс дома?

Может быть, и дома, но горничная даже и приблизительно не может поручиться, как мисс Просс пожелает отвечать на этот вопрос.

— Ну так я и сам здесь как дома, — молвил мистер Лорри и пошел наверх.

Докторская дочка ничего не знала о своей родине, но как будто почерпнула откуда-то врожденное искусство малыми средствами достигать крупных результатов, которое составляет одну из самых полезных и приятных особенностей французского духа. Меблировка была простая, но, сопровождаясь множеством мелких украшений, которые ничего не стоили, изобличала такой изящный вкус и такое богатое воображение, что в общем производила прелестное впечатление. Вся обстановка, как в крупных вещах, так и в малых, их окраска, фасон и расположение показывали такое тонкое умение подбирать цвета и пользоваться эффектными противоположностями, что занимались этим, как видно было, такие нежные руки, такие ясные глаза и такое вообще здравомыслящее существо, что все это, помимо удовольствия для глаза, живо напоминало саму хозяйку. Мистер Лорри, стоя в этой обстановке, с удовольствием озирался вокруг, и ему казалось, что столы и стулья взирают на него с тем самым выражением, с некоторых пор особенно знакомым ему и понятным, которое означает: «Как вам это нравится? Довольны ли вы?»

В этом этаже было три комнаты в ряд; все двери из одной в другую были растворены настежь, чтобы лучше их проветрить, и мистер Лорри, улыбаясь подмеченному сходству, прохаживался из комнаты в комнату и все озирался по сторонам.

Первая комната была самая нарядная: тут были птицы Люси, ее цветы, книги, письменный стол, рабочий столик и станок для рисования акварелью; вторая комната была приемная, где доктор принимал своих пациентов, но тут же и обедало его семейство. Третья комната, на стенах которой тень от чинары, трепетавшей на дворе своей листвой, проводила разнообразные изменчивые упоры, была спальня доктора, и тут в одном из углов стояла старая скамейка башмачника и тот самый подносик с инструментами, которые находились когда-то на чердаке, в пятом этаже унылого дома, рядом с винным погребом, в предместье Сент-Антуан в Париже.

— Удивляюсь, — промолвил вполголоса мистер Лорри, остановившись перед этим углом, — к чему он хранит это воспоминание о своих страданиях, да еще притом вечно у себя на глазах!

— Чему же вы удивляетесь? — послышался резкий оклик, заставивший его вздрогнуть и обернуться.

Оклик шел со стороны мисс Просс, той краснолицей дамы дикого вида и тяжелой на руку, с которой он впервые познакомился в гостинице «Король Георг» в Дувре.

— Я бы так полагал... — начал мистер Лорри.

— Ну вот еще! Чего тут полагать? — перебила его мисс Просс, и мистер Лорри мгновенно умолк. — Как поживаете? — произнесла она вдруг хотя и очень резко, но с явным желанием показать, что она не питает к нему неприязненных чувств.

— Довольно хорошо, покорно вас благодарю, — кротко отвечал мистер Лорри, — а вы как?

— Ну, мне похвастаться нечем, — сказала мисс Просс.

— Неужели?

— Да. Уж очень я тревожусь насчет моей птички.

— Неужели?

— Что вы заладили «неужели», да «неужели»... ведь этак можно до смерти надоесть! — объявила мисс Просс, особенностью которой (независимо от ее роста и размеров) была сжатость речи.

— Так вот как! — молвил мистер Лорри в виде поправки.

— «Вот как» тоже плохо, но все же лучше! — заметила мисс Просс. — Да, я очень расстроена.

— Нельзя ли узнать, чем именно?

— Не люблю, когда люди, не сто́ящие и мизинца моей птички, шляются сюда целыми дюжинами и ходят за ней хвостом, — сказала мисс Просс.

— Неужели целыми дюжинами являются для этой цели?

— Сотнями, — сказала мисс Просс.

Другой особенностью этой дамы (да и многих других, насколько мне известно) было то, что, когда насчет ее заявлений выражали сомнение, она повторяла их в преувеличенном виде.

— Боже мой! — промолвил мистер Лорри, считая это восклицание наименее опасным.

— Жила я с моей милочкой с ее десятилетнего возраста, или, лучше сказать, *она* со мной жила и платила мне за это... чего уж, конечно, не случилось бы, если бы мне было на что содержать себя и ее даром... в этом смело можете присягу принять... И каково же мне все это переносить после этого!

Не видя из этой речи, что именно так тяжело было переносить, мистер Лорри продолжительно покачал на всякий случай головой.

— Всякий народ, ни крошечки недостойный моей пташки, вечно лезет сюда, — сказала мисс Просс. — С тех пор как вы затеяли всю эту музыку...

— Я затеял, мисс Просс?

— А то как же! Кто вернул к жизни ее отца?

— О! О! Если вы это называете музыкой...

— Так что же это, по-вашему, пляска, что ли?.. Так вот я говорю, когда вы это затеяли, плохо стало мое житье. Не то чтобы я осуждала самого доктора Манетта, нет, я только нахожу, что он не стоит такой дочери, и это ему не в укор, потому что где же найти такого отца, который был бы ее достоин. Но что мне еще вдвое и втрое тяжелее переносить, так это то, что вслед за ним налезают целые толпы всякого сброду и каждый норовит отнять у меня частицу птичкиной привязанности!

Мистер Лорри знал, что мисс Просс ужасно ревнива, но он знал также, что под ее шероховатой и чудаковатой внешностью кроется одно из тех созданий, лишенных всякого эгоизма, какие встречаются только между женщинами, и до того переполнены любовью и преданностью, что добровольно отдают себя в рабство молодости, когда прошла их собственная молодость; красоте, которой сами никогда не обладали; талантам, которых не имели счастья в себе развить, и светлым надеждам, никогда не озарявшим их собственного тусклого жизненного пути. Мистер Лорри настолько знал толк в житейских делах, чтобы понимать, что ничего в мире нет ценнее преданного сердца, и сам он был настолько чист сердцем и чужд своекорыстия, что относился к такому служению с величайшим уважением. Делая мысленную оценку настоящему факту, как все мы более или менее склонны производить подобные оценки, он ставил мисс Просс несравненно ближе к ангельскому чину, нежели многих других дам, гораздо богаче ее одаренных природой, обладающих искусством и притом имевших собственные капиталы в Тельсоновом банке.

— Не было на свете, да и не будет никогда, человека, достойного моей птички, — сказала мисс Просс, — за исключением одного только брата моего, Соломона, и то, если бы он не сделал в жизни одной крупной ошибки.

И тут опять была та же история: мистер Лорри наводил справки касательно личной истории мисс Просс и, несомненно, установил тот факт, что брат ее Соломон был бездушный негодяй, обобравший ее до нитки: он пустил ее деньги в какие-то неудачные предприятия, довел ее до полного разорения и без зазрения совести бросил на произвол судьбы. В глазах мистера Лорри эта преданная вера в брата Соломона была очень серьезная вещь и немало содействовала тому высокому мнению, которое он себе составил насчет мисс Просс.

— Раз мы с вами сегодня наедине, и притом оба люди практические, — сказал мистер Лорри, когда они вместе прошли в гостиную и расположились там довольно дружелюбно, — позвольте спросить: в своих беседах с Люси упоминает ли доктор о том времени, когда он шил башмаки?

— Никогда.

— А все-таки держит тут эту скамейку и сапожный инструмент?

— Ах, — молвила мисс Просс, качая головой, — про себя-то он, может быть, и размышляет об этом.

— Как вы думаете, много он об этом думает?

— Много, — сказала мисс Просс.

— Вообразите же себе... — начал мистер Лорри, но мисс Просс перебила его замечанием:

— Не могу. У меня вовсе нет воображения.

— Благодарю за поправку. Итак, предположим... Ведь вы, надеюсь, допускаете предположения?

— Иногда, — отвечала мисс Просс.

Мистер Лорри взглянул на нее смеющимися, блестящими глазами и с самым приветливым выражением продолжал:

— Нельзя ли предположить, что у доктора Манетта составилась своя собственная теория касательно причины его долговременного заключения в тюрьме; быть может, он знает даже имя своего гонителя?

— Я ничего не предполагаю, кроме того, что говорила мне птичка.

— А что же она говорила вам?

— Она думает, что он знает.

— Ну... вы, пожалуйста, не гневайтесь на меня за то, что я все пристаю с расспросами; это потому, что я уж такой скучный, практический человек; да и вы женщина практическая.

— И скучная? — безмятежно подсказала мисс Просс.

Мистер Лорри испугался, что у него вырвалось такое неосторожное слово, и поспешил поправить его, воскликнув:

— О нет, нет, конечно нет! Но возвратимся к нашему предмету. Не достойно ли замечания, что доктор Манетт, очевидно и бесспорно не совершавший никакого преступления, никогда не касается этого вопроса? Я уж не говорю о том, что он этого не касается в беседах со мной, невзирая на то, что много лет назад мы с ним были в деловых сношениях, а теперь даже совсем подружились; но ведь он не говорит и со своей милой дочерью, даром что так сильно к ней привязан, да и она к нему не менее привязана! Поверьте, мисс Просс, я не из простого любопытства поднимаю этот вопрос, но из самого искреннего участия.

— Ладно. Что же мне сказать? По моему крайнему разумению, — сказала мисс Просс, несколько смягченная принятым им виноватым тоном, — он просто боится затрагивать этот предмет.

— Боится?

— Ясное дело. И даже очень понятно, почему боится. Воспоминание само по себе ужасное. К тому же через это самое он и себя потерял. Он ведь не знает, как случилось, что он себя потерял и как потом опять нашел, а потому никогда не может быть уверен, что опять не случится того же. Я полагаю, одного этого достаточно, чтобы отвадить его от разговоров насчет такого предмета.

Это неожиданно глубокое замечание поразило мистера Лорри.

— Правда, — сказал он, — страшно даже и думать об этом. Однако знаете ли, мисс Просс, какое сомнение меня смущает: хорошо ли это, что доктор Манетт постоянно держит на уме такие секретные и тяжелые мысли? Я сильно сомневаюсь в этом, а потому, собственно, и затеял настоящий приятный разговор.

— Ничего не поделаешь, — сказала мисс Просс, качая головой. — Попробуйте затронуть эту струну, ему же тотчас будет от этого хуже. Лучше оставьте его в покое. Да впрочем, хочешь не хочешь, приходится оставлять все как есть. Иной раз встанет он среди ночи, а мы там наверху слышим, как он ходит взад и вперед, взад и вперед по своей комнате. Птичка уж догадалась, что в эту пору он мысленно расхаживает взад и вперед по прежней своей тюрьме. Тотчас она бежит к нему, возьмет под руку и ходит с ним так-то рядом взад и вперед, пока он не успокоится, и все-таки он ей ни разу не сказал настоящей причины, почему он тревожится, а она находит, что лучше не расспрашивать. Так они и гуляют молча, прижавшись друг к дружке, взад и вперед, взад и вперед, пока ее ласка и присутствие не приведут его в здравый разум.

Мисс Просс хоть и говорила, что у нее нет воображения, но едва ли это было справедливо, судя по тому, как живо ей представилась тоска человека, преследуемого однообразной и печальной мыслью, и как выразительно она повторяла эти слова: *взад и вперед, взад и вперед.*

Закоулок, как уже было упомянуто выше, был удивительно приспособлен для отголосков всякого рода. Звук приближающихся шагов отдавался там так звонко, что стоило лишь заговорить об унылом хождении взад и вперед, как отголоски словно начинали повторять их.

— Ну вот они идут! — молвила мисс Просс, вставая в знак того, что прекращает совещание. — А вслед за ними вскоре пожалуют и сотни всякого народа!

Закоулок был одарен такими странными акустическими свойствами, так чутко и так капризно отзывался на каждый звук, что мистеру Лорри, стоявшему у окна в ожидании отца и дочери и ясно слышавшему их шаги, казалось, что они никогда не дойдут до дому. Не только отголоски их шагов замирали в отдалении, как будто они уже прошли мимо, но вместо них возникали звуки других шагов, которые быстро приближались и потом вдруг окончательно замолкали. Тем не менее отец с дочерью подошли наконец, и мисс Просс встретила их у входной двери.

Приятно было смотреть на мисс Просс, когда, невзирая на свой дикий вид, красное лицо и грозный нрав, она сняла шляпку с головы своей любимицы, обдула с нее пыль, пошлепала по полям шляпки концами собственного носового платка, сложила ее плащ, все убрала, а потом подошла и стала поправлять ее роскошные волосы с такой гордостью, как будто это были ее собственные и как будто она сама красавица, и притом большая кокетка. Приятно было смотреть на ее любимицу, когда она стала обнимать мисс Просс, целовала ее, благодарила и говорила, что напрасно она так много о ней хлопочет... Конечно, это было сказано в шутку, потому что, если бы произнести такие слова серьезно, мисс Просс была бы кровно обижена, ушла бы в свою комнату и там залилась бы слезами. Приятно было смотреть и на доктора, который, глядя на них, уверял, что мисс Просс совсем избаловала Люси, хотя тон его голоса и глаза ясно выражали, что он и сам не прочь баловать ее, даже больше, чем мисс Просс, если это возможно. И на мистера Лорри тоже было приятно посмотреть: он с сияющей улыбкой смотрел на всех и внутренне благодарил судьбу, на старости лет пославшую ему, холостяку, такой приветливый семейный дом. Однако «сотни всякого народа» так и не приходили любоваться этими видами, и мистер Лорри тщетно поджидал исполнения пророческих слов мисс Просс.

Сели обедать, и все еще никого не было. По части кухонных дел всем в доме распоряжалась мисс Просс и выполняла эту обязанность в совершенстве. Ее очень скромные обеды были всегда так превосходно приготовлены, так хорошо сервированы и так мило обставлены, частью на английский, а частью на французский манер, что ничего лучшего нельзя было желать. Так как преданность мисс Просс имела в высшей степени практический характер, то она исходила все предместье Сохо и сопредельные ему области в поисках за обедневшими французскими эмигрантами и, наделяя их шиллингами и полукронами, выманивала у них различные кулинарные секреты. От этих бедствующих сынов и дочерей Франции она научилась таким удивительным штукам, что судомойка и горничная, составлявшие весь штат домашней прислуги, считали ее просто колдуньей или крестной маменькой Золушки: пошлет на рынок купить курицу или кролика, велит принести из огорода какой-нибудь овощ да и превращает эти продукты во что угодно.

По воскресеньям мисс Просс обедала за докторским столом, в остальные же дни недели упорно кушала в неопределенное время или внизу на кухне, или у себя в комнате наверху, в голубой спальне, куда никто, кроме ее птички, не имел доступа. В настоящем случае, во внимание к приятному личику своей птички и к очевидному желанию птички угодить ей, мисс Просс была в смягченном настроении, и обеденное время прошло чрезвычайно приятно.

Погода была жаркая и душная; после обеда Люси предложила вынести вино под чинаровое дерево и всем расположиться там, на вольном воздухе. Так как она была центром этого маленького мирка и все делалось по ее желанию, все тотчас встали и пошли под дерево, а она сама понесла вино специально для мистера Лорри. С некоторых пор она приняла на себя звание виночерпия при мистере Лорри, и, пока они сидели и разговаривали под деревом, она то и дело подливала ему в стакан. Таинственные задние стены и углы каких-то домов выглядывали на них из-под древесных ветвей, а чинара над их головами нашептывала им что-то на своем языке.

Но сотен людей так и не было видно. Мистер Дарней действительно пришел после обеда и присоединился к компании, сидевшей под деревом; но он был только *один*.

Доктор Манетт принял его приветливо, так же поступила и Люси. Но у мисс Просс приключилось вдруг болезненное подергивание в голове и во всем теле, и она ушла в дом. Такие случаи бывали с ней нередко, и, упоминая о них в интимном кругу, она, обыкновенно, говорила, что на нее «находит дергач».

Доктор был в самом приятном расположении духа и казался удивительно моложавым. В такие дни особенно заметно было сходство его с дочерью. Они сидели рядом; она прислонилась к его плечу, а он положил руку на спинку ее стула, и приятно было проследить в эту минуту, до какой степени велико было их взаимное сходство.

Целый день он был чрезвычайно разговорчив и с оживлением касался многих вопросов. Наконец зашла речь о лондонской старине и о замечательных зданиях старинной архитектуры.

— Скажите, доктор, — обратился к нему мистер Дарней, — вы осматривали когда-нибудь Тауэр?[1]

— Мы с Люси были там, но только мимоходом. Впрочем, настолько успели осмотреть, чтобы знать, что там бездна интересного, но видели далеко не все.

— Я там был, как вам известно, — сказал Дарней, улыбнувшись, но покраснев довольно сердито, — только не в качестве любознательного туриста; моя роль там была не такова, чтобы мне показывали все достопримечательности. Однако, пока я был там, мне рассказали нечто любопытное.

— Что такое? — спросила Люси.

— Производя там какие-то перестройки, каменщики наткнулись на подъемную темницу очень старинной постройки, но заброшенную или позабытую. На всех камнях внутренних стен были надписи, нацарапанные узниками: тут были записаны числа, имена, жалобы, молитвы. В самом углу, на крайнем камне, какой-то заключенный, вероятно перед отходом на казнь, начертал три буквы — это была его последняя работа. Они были нацарапаны каким-то очень несовершенным инструментом, притом второпях, нетвердой рукой. Сначала думали, что эти три буквы — Р. О. И., но, присмотревшись ближе, увидели,

---

[1] *Тауэр* — старинная лондонская крепость на берегу Темзы. Служила сначала королевским дворцом, а затем местом заключения для знатных лиц, обвиняемых в измене. Там же производились и казни.

что третья буква была «и краткое»[1]. Не могли припомнить ни одного узника, имя и фамилия которого начиналась бы с этих букв, никаких преданий на этот счет тоже не было, и долго не могли догадаться, что это значит. Наконец догадались, что это совсем не инициалы, а просто одно слово — *рой*. Стали очень внимательно осматривать пол под этой надписью, разобрали каменные плиты или черепицы и под одной из них нашли в земле пепел от сожженной бумаги, смешанный с пеплом небольшого кожаного мешочка или сумки.

Что именно написал там неизвестный узник — никто никогда не узнает, но что-то он написал и спрятал, чтобы не попалось на глаза тюремному сторожу.

— Папа! — воскликнула Люси. — Тебе худо?

Он внезапно вскочил с места и схватился за голову. Его взгляд и выражение лица были так ужасны, что все напугались.

— Нет, душа моя, мне не худо. А только дождь пошел так неожиданно, что я вздрогнул. Пойдемте лучше в комнаты.

Он почти мгновенно опомнился. Дождь действительно пошел крупными, редкими каплями, и старик показал свою руку, омоченную дождем. Но он ни слова не сказал насчет открытия в башне, а когда все вошли в дом, мистеру Лорри показалось, что опытные глаза его подметили на лице доктора, смотревшего на Дарнея, тот самый странный взгляд, который уже был им подмечен в коридорах Олд-Бейли после суда.

Впрочем, доктор так быстро оправился и пришел в себя, что сам мистер Лорри усомнился в своей проницательности. Рука золотого великана, торчавшая в сенях над дверью, была не более тверда и хладнокровна, чем доктор, когда он, остановившись под этой рукой, сказал присутствовавшим, что каждая неожиданность до сих пор еще пугает его и, вероятно, всегда будет пугать, а на этот раз причиной его испуга был дождь.

---

[1] По-английски буквы другие: сначала их приняли за D. I. C., но потом, присмотревшись, увидели, что последняя буква g. Получается слово Dig, т. е. «рой-копай».

Настало время пить чай, и мисс Просс председательствовала за чайным столом, и опять на нее «напал дергач», а сотен всякого народа все не было. Только мистер Картон зашел ненароком, но он был по счету всего лишь *второй* гость.

Вечер был такой душный, что хотя они сидели с раскрытыми дверями и окнами, но задыхались от жары. Покончив с чаем, все сгруппировались у одного из окон, глядя на улицу, где наступали тяжелые сумерки. Люси сидела возле отца; мистер Дарней возле нее; мистер Картон стоял, прислонившись к окну. Оконные занавески, длинные и белые, от времени до времени подхватываемые напором бурного ветра, врывавшегося в закоулок, взвивались к потолку и развевались по комнате наподобие призрачных крыльев.

— Дождь все еще только капает редкими и крупными каплями, — сказал доктор Манетт. — Как медленно надвигается гроза!

— Медленно, но верно, — сказал Картон.

Они говорили вполголоса, как говорят большей частью люди, совместно чего-либо ожидающие, и как всегда говорят люди, собравшиеся в темной комнате, наблюдающие наступление грозы и ждущие молнию.

На улицах заметно было торопливое движение, люди спешили укрыться в домах, пока еще не разразилась гроза; закоулок оглашался множеством шагов, шедших во всех направлениях, а между тем поблизости никого не было.

— Какая масса народу и вместе с тем какое полное уединение! — молвил мистер Дарней после минутного молчания и видя, что все прислушиваются.

— Не правда ли, как это поразительно, мистер Дарней? — сказала Люси. — Я иногда сижу здесь по вечерам, и мне начинает чудиться... впрочем, сегодня все так темно и торжественно, что даже и такие глупые фантазии заставляют меня вздрагивать...

— Что же, и мы будем вздрагивать. Можно узнать, в чем дело?

— Вам это покажется сущим вздором. Подобные фантазии, я думаю, производят впечатление только на тех, кому они приходят в голову, другому они не передаются. По вечерам я иногда сижу здесь одна, прислушиваясь к этим отголоскам, и мне все кажется, что я слышу шаги людей, которые постепенно будут вступать в нашу жизнь.

— Коли так, много же народу ворвется в нашу жизнь! — промолвил Сидни Картон свойственным ему угрюмым тоном.

Шаги слышались без малейшего перерыва, и торопливость их все усиливалась. Закоулок был переполнен этими отголосками: казалось, что некоторые раздаются под самым окном, другие даже в комнате, одни приближались, другие удалялись, иные вдруг останавливались: все это происходило в дальних улицах, а тут никого не было.

— Как же, мисс Манетт, все эти шаги предназначены вступать в жизнь всех нас сообща или мы должны поделить их между собой?

— Не знаю, мистер Дарней. Ведь я же вам говорила, что это моя глупая фантазия, и вы сами на нее напросились. Когда она пришла мне в голову, я была совсем одна, и мне казалось, что это шаги людей, которым суждено играть роль в моей жизни и в жизни моего отца.

— Я принимаю их и в свою жизнь, — сказал Картон, — ни о чем не расспрашиваю, никаких условий не ставлю. Мисс Манетт, слышите, какая толпа врывается в нашу жизнь?.. Я даже вижу ее... при свете молнии!

Последние слова он произнес после того, как блеснула ослепительная молния, осветившая его фигуру у окна.

— А теперь я их слышу! — прибавил он, когда грянул гром. — Вон они идут... бегут, разъяренные, буйные!

Эти слова относились к шуму и гулу проливного дождя, заставившего его замолчать, потому что все равно нельзя было сквозь этот шум расслышать человеческий голос. Вместе с ливнем разразилась страшнейшая гроза, сверкала молния, грохотал гром, дождь лил как из ведра, и продолжалось это без перерыва до восхода луны, которая показалась после полуночи.

Большой колокол церкви Святого Павла пробил час пополуночи, и звук этот гулко прокатился в очищенном воздухе, когда мистер Лорри направил свои стопы в обратный путь к Клеркенуэлу в сопровождении Джерри, с фонарем и в высоких сапогах. Между предместьями Сохо и Клеркенуэлом немало было улиц совершенно пустынных, и мистер Лорри, побаиваясь разбойников, всегда запасался провожатым в лице Джерри; в обыкновенное время, впрочем, он уходил из дома доктора двумя часами раньше.

— Вот погодка-то разыгралась сегодня, — говорил мистер Лорри. — Знаешь, Джерри, в такую ночь, говорят, покойники встают из могил.

— Не видал я таких ночей, — ответствовал Джерри, — и кто там встает или не встает, мне это ни к чему.

— Спокойной ночи, мистер Картон, — сказал мистер Лорри.

— Спокойной ночи, мистер Дарней! Доведется ли нам пережить вместе еще другую такую же ночь!

Может быть, и доведется. Может быть, они увидят еще и те скопища людей, которые с ревом и шумом ворвутся в их жизнь.

Глава VII

Господин маркиз в городе

Светлейший герцог, один из самых важных и влиятельных придворных сановников, назначил у себя прием два раза в месяц, в собственном своем огромном дворце. Сам герцог изволил пребывать во внутренних покоях, на которые многочисленные почитатели, толпившиеся в анфиладе парадных зал, взирали как на некое святилище. Его светлость собирался пить утренний шоколад. Он имел способность многое глотать совершенно свободно (злые языки утверждали даже, что он скоро проглотит всю Францию), но утренний шоколад не иначе мог найти доступ в глотку его светлости как с помощью четырех дюжин молодцов, помимо повара.

Да, для того чтобы шоколад имел счастье проникнуть в уста светлейшего герцога, нужно было содействие четырех человек, из которых главный носил не иначе как двое золотых часов в карманах в подражание скромному и благородному обычаю, введенному в моду самим светлейшим герцогом. Один лакей нес в святилище кувшин с шоколадом; другой все время размешивал и вспенивал этот шоколад особым инструментом; третий подавал любимую салфетку монсеньора; четвертый (тот, что с двумя золотыми часами) наливал шоколад в чашку. Герцог никак не мог обойтись без этих четырех должностных лиц при питье шоколада, чтобы не уронить своего достоинства перед небожителями, вероятно с умилением взиравшими на него с небес; если бы ему пришлось пить шоколад с помощью только трех человек прислуги, он бы считал свой фамильный герб опозоренным, а если бы при нем осталось лишь два лакея, он бы не мог этого пережить.

Накануне вечером герцог присутствовал на маленьком ужине, где было также театральное представление, состоявшее наполовину из восхитительной комедии, наполовину из прекрасной оперы. Герцог почти все свои вечера проводил на таких маленьких ужинах, и всегда в наилучшем обществе. Он был до того тонко воспитан и так восприимчив, что, когда занимался скучными вопросами государственного управления или государственными тайнами, он гораздо более внимания уделял опере и комедии, нежели нуждам всей Франции. По всей вероятности, это было чрезвычайно лестно для Франции, как было бы лестно и для всякой другой страны в подобных обстоятельствах, чему примером могла служить Англия в былые — увы! невозвратные — дни развеселого Стюарта[1], который продал ее.

Насчет общего хода государственных дел герцог держался того поистине благородного воззрения, что пускай все идет своим порядком; в частности же, он был того, не менее благородного, мнения, что все должны плясать под его дудку, подчиняться его власти и набивать его карманы. О своих удовольствиях вообще и в частности герцог благородно полагал, что мир на то и создан, чтобы доставлять ему удовольствия. Его девизом был библейский текст с одной маленькой поправкой, а именно: «Земля и все ее сокровища принадлежат *Мне*, — сказал владыка».

Однако постепенно оказалось, что как в частные, так и в общественные дела его светлости вкрались некоторые

---

[1] *Стюарт* — король Англии Карл II, который продавал интересы своей родины французскому правительству.

вульгарные непорядки, и для устранения оных герцог поневоле должен был породниться с откупщиком. Это было необходимо по двум причинам: во-первых, касательно общественных финансов — герцог ни с какой стороны не мог подступиться к ним, и, следовательно, надо было иметь под рукой такого человека, для которого общественные карманы были бы доступны; во-вторых, в частности, герцог знал, что откупщики бывают очень богаты, а сам он, благодаря пышности и роскошеству своих предков, становился беден. На этом основании герцог распорядился взять из монастыря свою сестру, покуда ее не успели еще облечь в монашеский костюм (самое дешевое одеяние для девицы знатного происхождения), и выдал ее замуж за очень богатого откупщика совсем незнатного рода.

Этот самый откупщик, имея в руке присвоенный его званию жезл, увенчанный золотым шариком, находился теперь в числе избранной компании лиц, ожидавших в парадных залах выхода его светлости, и вся присутствующая публика очень низко кланялась откупщику, за исключением только тех существ высшей породы, которые от рождения принадлежали к светлейшей фамилии герцога: эти существа — в том числе и его собственная жена — смотрели на него свысока и обращались с ним очень презрительно.

Откупщик жил великолепно; держал тридцать лошадей на своей конюшне, двадцать четыре лакея сидели у него в передней, шесть горничных состояли в услужении у его супруги. Но так как его ремесло в том и состояло, чтобы грабить и обирать всюду где можно, этот откупщик, независимо от вопроса о том, насколько его брачные отношения были полезны для общественной нравственности, был, по крайней мере, самым реальным лицом из всех лиц, ожидавших сегодня в парадных залах выхода его светлости.

Красивое зрелище представляли эти залы, убранные и разукрашенные всем, что мог придумать наиболее богатого и изящного утонченный вкус того времени; но было в них что-то ненадежное, непрочное, хрупкое. Если посмотреть на него с точки зрения тех пугал в лохмотьях и ночных колпаках, которые ютились на другом конце города и даже совсем недалеко отсюда, так что сторожевые башни собора Парижской Богоматери, стоявшие на полдороге от одних к другим, могли с одинаковым удобством созерцать их единовременно, — прочность всей этой роскоши казалась еще более сомнительной, только в доме герцога никому не было до этого ровно никакого дела. Тут были военные чины, не имевшие никаких сведений по части воинского искусства; гражданские чины, не имевшие понятия о гражданских делах; морские чины, в глаза не видевшие ни одного корабля; духовные лица с самыми светскими наклонностями, с полным отсутствием совести, с медными лбами и чувственными глазами, распутные на словах и еще более распутные на деле. Все они и каждый из них были совершенно непригодны для того дела, к которому были приставлены, все лгали и притворялись, будто на что-то годятся, но все более или менее принадлежали к тому кругу, где вращался светлейший герцог, а потому им раздавали все общественные должности, сопряженные с какими-либо доходами и привилегиями. Таких лиц можно было насчитать многие десятки среди упомянутого общества. Немало тут было и таких, которые ничем не были связаны ни с герцогом, ни с государством, ни с каким путным делом в мире, — люди, которые всю свою жизнь шли окольными путями к самым скверным целям. Были тут доктора, составившие себе крупное состояние изобретением легких и верных лекарств от небывалых болезней; они вертелись среди придворной знати и с улыбкой старались почаще попадаться на глаза своим важным пациентам. Были тут господа, изобретавшие всевозможные средства для врачевания маленьких невзгод, от которых страдало государство: одно только средство никогда не приходило им в голову, а именно серьезно приняться за дело и вырвать с корнем хотя бы одно из общественных зол. И они тоже расхаживали по этим залам, излагая свои вздорные проекты каждому, кто только расположен был выслушивать их. Тут же были неверующие философы, пытавшиеся перестроить мир словами и воздвигавшие вавилонские башни из карточных домиков с намерением долезть до неба; они беседовали с неверующими химиками, которые только о том и думали, чтобы превращать в чистое золото всякие другие металлы. Тут

были изящнейшие джентльмены самого тонкого воспитания, которое в те замечательные времена (как и поныне)
состояло в том, чтобы пропитать человека глубочайшим
равнодушием ко всем естественным человеческим интересам. И эти отборные экземпляры человечества находились
в залах его светлости, являя собой образцы изящной рас-
слабленности. Каждый из них имел в высшем кругу парижской знати собственный отель, где проживало его собственное семейство; но среди ангелов этой высокой сферы
едва ли нашлась бы хоть одна жена, которую по общему
виду и манерам можно было признать за чью-нибудь мать.
В числе приспешников, ожидавших выхода его светлости,
немало было шпионов; они составляли, в сущности, добрую половину всей компании, однако и им не удалось
бы отыскать в тогдашнем семейном доме ни одной матери. И в самом деле, произвести на свет какого-нибудь
несносного пискуна еще не значит быть матерью, и вообще в модных кругах того времени это был вовсе не мод-
ный титул. Несносные пискуны отдавались на попечение
крестьянских баб, которые их выкармливали и воспиты-
вали, а в обществе нередко встречались шестидесятилет-
ние бабушки, которые все еще кокетничали, наряжались,
как двадцатилетние, и разъезжали по маленьким ужинам.

Все человеческие существа, толпившиеся в залах герцога, заразились этим общим характером пустоты и ненуж-
ности. В первом зале, у самого выхода из дворца, держались человек шесть совсем особого пошиба. Им с некоторого времени начинало казаться, что дела вообще пошли
скверно. И вот чтобы поправить их, трое из них не нашли
ничего лучшего, как присоединиться к секте «конвульсио-
нистов», и в этот самый час раздумывали про себя, не
повалиться ли на пол и, беснуясь и рыча с пеной у рта, не
довести ли себя до каталептического состояния в надежде,
что герцог примет такое проявление с их стороны за про-
роческий перст и поручит им руководство судьбами отечества. Помимо этих дервишей, тут было еще трое, принадлежавших к другой секте и придумавших бороться против
всех зол посредством высокопарной чепухи о «Центре Истины». Они утверждали, что человек отбился от Центра
Истины (что было несомненно), но еще не вышел из ее

окружности, и все дело в том, чтобы снова гнать его и подталкивать к центру, для чего необходимо поститься и вызывать духов. Легко себе представить, что эти господа только и делали, что вызывали духов и беседовали с ними; из такого занятия они извлекали для себя много удовольствия, но еще не видали от того ни малейшего толка.

Одно было утешительно: все присутствовавшие в герцогском отеле были одеты на заглядение! Если бы можно было наперед знать, что в день Страшного суда всем будет велено явиться в парадных костюмах, эта компания, наверное, угодила бы прямо в рай. Головы у них были до того аккуратно завиты, взбиты, напудрены, лица так нежны, так хорошо сохранились или так искусно раскрашены; все имели на боку такие на вид хорошенькие шпаги и испускали такой приятный для обоняния аромат, что одних этих свойств было достаточно, чтобы убедиться, что все идет превосходно и будет так же идти во веки веков. Изящные джентльмены самого тонкого воспитания носили множество висячих брелоков, которые при каждом томном движении деликатно позвякивали; золотые цепи звучали, точно драгоценные колокольчики; и весь этот звон, и все это бряцание вместе с шелестом шелковых тканей, парчи, тончайшего белья и кружев производили в воздухе легкое трепетание, отгонявшее прочь всякую мысль о том, что существует на свете предместье Сент-Антуан, населенное голодающими людьми.

Парадный костюм был тем надежным талисманом, тем магическим средством, которое поддерживали общественный строй и порядок. Это был бесконечный маскарад, на который все шли, разрядившись по установленной форме. От Тюильрийского дворца и герцогских палат маскарад обнимал собой все чины двора, всех членов парламента, все судебные установления, все общество, за исключением тех пугал, что ходили в лохмотьях и доходили, таким образом, до палача, который обязан был при исполнении своей должности быть «в буклях, в пудре, в камзоле с золотыми галунами, в белых шелковых чулках и в башмаках с бантами». В таком изящном туалете Господин Парижский, как величали его собратья по ремеслу (смотря по округу, в котором они действовали, они назывались

Господин Парижский, Господин Орлеанский и т. д.), производил казнь через повешение или через колесование — в то время головы рубили очень редко. И кому же из общества, собравшегося в герцогском дворце в тысяча семьсот восьмидесятом году от Рождества Христова, могло прийти в голову, что возможна гибель государственной системы, которая зиждется на напудренном и завитом палаче в камзоле с золотыми галунами, да еще и в белых шелковых чулках! Ясно, что такая система должна была длиться, покуда стоит мир.

Между тем его светлость освободил своих четырех лакеев от их драгоценной ноши, выкушал чашку шоколада, повелел раскрыть двери святилища и вышел в приемные комнаты. Тут начались перед ним нижайшие поклоны, подобострастные комплименты, всякое подличанье и заискивание. Все так усердно падали ниц перед герцогом, так поклонялись ему и телом и духом, что для Бога у них ничего не оставалось: может быть, по этой причине поклонники его светлости никогда и не обращались к Богу.

Расточая направо и налево милостивые слова, обещания и улыбки, осчастливив одного из поклонников фразой, произнесенной шепотом, другого — только мановением руки, герцог тихими шагами прошел через все залы вплоть до отдаленных пределов, где находились приверженцы «Центра Истины»; оттуда он повернул назад и тем же порядком проследовал обратно во внутренние покои; шоколадные приспешники затворили двери святилища, и его светлость исчез из глаз его обожателей.

Спектакль кончился, трепетание в воздухе приняло бурный характер, драгоценные брелоки зазвенели вовсю, и публика устремилась вниз по лестнице. Вскоре из всей толпы в залах остался один только человек. Он постоял, держа свою шляпу под мышкой, а табакерку в руке, потом медленно пошел между двойного ряда зеркал к выходу.

Остановившись у самой последней двери, он обернулся лицом к святилищу и произнес:

— Ну и убирайся ко всем чертям!

С этими словами он отряхнул со своих пальцев нюхательный табак, будто отряхивал прах с ног своих, и спокойно отправился вниз.

То был человек лет шестидесяти, великолепно одетый, с надменной осанкой. Его лицо было похоже на красивую маску. Оно было бело и бледно до прозрачности, все черты тонко вырисованы, выражение определенное, твердо установившееся. Нос изящной формы был слегка сдавлен у верхушек ноздрей, и в этих мелких впадинах гнездились единственные изменения, каким когда-либо подвергалось выражение этого лица. Иногда они меняли цвет, иногда слегка раздувались и опять съеживались, как бы от едва заметного внутреннего биения крови; и это придавало всей его физиономии необыкновенно предательский и жестокий вид. При ближайшем рассмотрении можно было проследить, что такому выражению немало способствовали очертания рта и глазных впадин, которые были слишком прямы в горизонтальном направлении и слишком узки; тем не менее это лицо было положительно красиво и притом оригинально.

Обладатель его сошел во двор, сел в свою карету и уехал. На приеме у герцога не многие с ним разговаривали; он стоял особняком, держался поодаль от других и находил, что его светлости надлежало бы выказать по отношению к нему побольше теплоты. А оттого ему, как видно, приятно было давить народ на улице и видеть, как чернь кидается в стороны, давая дорогу его лошадям. Кучер его так погонял их, как будто они шли в атаку на неприятеля, и эта бешеная скачка не вызвала ни перемены в лице, ни одного гневного восклицания со стороны барина. От времени до времени даже и в этом глухом городе и даже в те бессловесные времена раздавались жалобы на безжалостное обыкновение важных бар во весь опор скакать по узким улицам, лишенным тротуаров, и калечить простой народ. Но эти жалобы скоро забывались, да на них, по обычаю того времени, мало обращали внимания, предоставляя простому народу изворачиваться и спасаться, как знает сам.

Карета со звоном и грохотом неслась по улицам с такой чудовищной беззаботностью к интересам ближнего, какая в наши дни совершенно немыслима, огибая углы и неожиданно врываясь в перекрестные улицы, так что женщины с криками отскакивали к стене, а мужчины хватались друг за друга и выхватывали детей из-под лошадиных копыт. Наконец, заворачивая вскачь в боковую улицу мимо фонтана, карета на что-то наскочила одним колесом, ее слегка встряхнуло, послышался крик нескольких голосов, лошади шарахнулись в сторону и остановились.

Если бы они этого не сделали, карета, вероятно, преспокойно покатилась бы дальше; сколько раз случалось, что такие кареты оставляли за собой изувеченных людей и нисколько об этом не беспокоились. Но тут испуганный лакей соскочил с козел, и двадцать рук задержали лошадей под уздцы.

— Что случилось? — послышался спокойный голос изнутри кареты, и хозяин ее выглянул из окна.

Человек высокого роста, в ночном колпаке, схватил из-под колес какой-то узелок, положил его на окраину фонтана и, бросившись на колени в мокрую грязь, выл и ревел над ним, как дикий зверь.

— Извините, господин маркиз, — сказал один из простолюдинов, человек смиренного вида и в лохмотьях, — ребенка зашибли.

— С чего же он поднял такой отвратительный шум? Разве это его ребенок?

— Извините, господин маркиз... такая жалость! Точно так, это его ребенок.

Фонтан находился на некотором расстоянии от кареты, так как перекресток расширялся в площадку шириной десять или двенадцать ярдов. Человек высокого роста вдруг вскочил на ноги и с такой поспешностью бросился к карете, что господин маркиз машинально ухватился за шпагу.

— Убит! — вскричал высокий человек диким голосом, отчаянно вскинув обе руки вверх и глядя на него вытаращенными глазами. — Мертвый!

Толпа обступила карету, и все смотрели на маркиза. Все глаза устремились на него, но выражая только сосредоточенное внимание; ни гнева, ни угрозы в них не было заметно. Никто ничего не говорил; после первых возгласов все замолчали и продолжали безмолвствовать. Голос того смиренного бедняка, который отвечал маркизу, был чуть слышен по своей безмерной покорности.

Господин маркиз окинул их глазами, точно смотрел на крыс, которые вылезли из своих нор. Он вытащил кошелек с деньгами.

— Удивительное дело, — молвил он, — как вы не можете уберечь ни себя, ни своих детей! То один, то другой — вечно кто-нибудь попадается под ноги. Почем я знаю, может быть, вы же мне теперь лошадей испортили. Эй, передай ему... вот это.

Он швырнул своему лакею золотую монету, и все шеи вытянулись вперед, глядя, куда она упадет. Высокий человек опять разразился нечеловеческим воплем, повторяя одно слово: «Убит!»

Его остановил другой человек, быстро прошедший сквозь толпу, которая почтительно расступилась перед ним. Увидев его, несчастный отец упал головой на его плечо, плача, рыдая и указывая рукой по направлению к фонтану, где несколько женщин бесшумно хлопотали вокруг неподвижного узелка. Впрочем, и они так же молчали, как и мужчины.

— Я знаю, все знаю, Гаспар! — сказал новопришедший. — Мужайся, друг! Такая смерть для бедного малютки гораздо лучше жизни. Он умер мгновенно, без страданий. А мог ли он хоть один час прожить так благополучно?

— Да вы, я вижу, философ? — сказал маркиз, улыбаясь. — Как вас зовут?

— Меня зовут Дефарж.

— Чем промышляете?

— Господин маркиз, я торгую вином.

— Ну-ка, ловите, философ, торгующий вином! — молвил маркиз, бросая ему другую золотую монету. — Ловите и тратьте как знаете. Эй, что же лошади? В порядке они?

Не удостоив вторично оглянуться на толпу, господин маркиз откинулся на подушки своей кареты и поехал было дальше, с видом джентльмена, случайно разбившего чью-то незатейливую утварь и щедро заплатившего за убыток, потому что имеет средства за все платить, как вдруг в окно кареты влетела монета и со звоном шлепнулась к его ногам.

— Стой! — крикнул маркиз. — Остановить лошадей! Кто это бросил?

Он взглянул на то место, где за минуту перед тем стоял виноторговец Дефарж, но на этом самом месте лежал ничком на грязной мостовой несчастный отец, а возле него стояла смуглая плотная женщина с вязаньем в руках.

— Собаки! — молвил маркиз ровным голосом и не меняясь в лице, за исключением тех двух впадинок у ноздрей. — Я бы охотно через всех вас переехал и стер бы вас с лица земли. Если бы я знал, который негодяй осмелился швырять в мою карету, и если бы он попался мне на дороге, я бы нарочно раздавил его колесами.

Так забиты были эти люди, так давно тяготел над ними этот гнет и так они знали по опыту, на что способен был подобный человек и по закону, и вне закона, что никто не пикнул, никто не шевельнулся, даже глаз не поднимал; то есть никто из мужчин; одна только женщина, стоявшая с вязаньем, твердо и пристально смотрела в лицо маркизу. Но с его достоинством несовместно было обратить на нее внимание; презрительный взгляд его скользнул по ней так же, как по всем остальным крысам; он снова откинулся на подушки и крикнул:

— Пошел!

Карета помчалась; вслед за ней проехало с такой же быстротой много других карет: были тут министры и прожектеры, откупщики и доктора, юристы и духовные лица, Большая Опера и Комедия — словом, весь маскарадный бал блестящим вихрем прокатился мимо. Крысы вылезли из нор и глазели на них по нескольку часов кряду; военные отряды и полицейские команды часто становились между ними и блистательным зрелищем, образуя преграду, за которой крысы прятались и украдкой выглядывали оттуда.

Отец давно поднял на руки узелок, лежавший на окраине фонтана, и куда-то скрылся, унеся его с собой; женщины, хлопотавшие вокруг фонтана, теперь сидели у его подножия, глядя на быстро бегущие струи и на мелькающие мимо маскарадные кареты; одна только женщина, стоявшая с вязаньем в руках, осталась все на том же самом видном месте и упорно продолжала вязать, неколебимая, как сама Судьба.

Вода из фонтана бежала; воды реки быстро катились, день убегал в вечность; некоторое количество жизней, по обыкновению, уносилось смертью из недр великого города; время и прилив никого не ждут; крысы уснули, тесно скученные по своим темным норам; маскарадный бал осветился огнями, маски сели за ужин, и все шло своим чередом.

Глава VIII

Господин маркиз в деревне

Живописная местность среди нив и лугов; рожь необильна, но блестит своими золотистыми колосьями. Во многих местах вместо ржи клочки земли, поросшей чахлыми злаками; вместо пшеницы участки тощего гороха и бобов или самых грубых овощей. И в неодушевленной природе, и в людях, занимающихся ее обработкой, заметна преобладающая неохота жить: видно, что все прозябает через силу и предпочло бы не расти, а засохнуть окончательно.

Господин маркиз в дорожной карете (которая могла бы быть и полегче), на четверке почтовых лошадей с двумя форейторами, взбирался на крутой холм.

На лице господина маркиза играл яркий румянец, невзирая на тонкость его воспитания; но румянец происходил не от внутренних причин, а от чисто внешнего обстоятельства, от него не зависящего, а именно от заходящего солнца.

Заходящее солнце такими яркими лучами пробилось внутрь дорожной кареты в тот момент, когда она достигла вершины холма, что сидевший в ней окрасился вдруг багровым цветом.

«Это ничего, — подумал маркиз, взглянув на свои руки, — сейчас пройдет».

И точно, солнце было уже так низко, что тотчас же окончательно скрылось за горизонтом. Когда тяжелый тормоз прицепили к колесу и карета стала скользить с горы, распространяя вокруг себя запах гари и облако пыли, красный отблеск заката быстро потух; солнце и маркиз одновременно спустились вниз, и к тому времени, когда тормоз отцепили, никакого блеска больше не осталось.

Но все-таки впереди оставалась холмистая местность, широкими и смелыми линиями уходившая вдаль; у подножия холма раскинулась деревушка, за ней опять подъем в гору; дальше — колокольня, ветряная мельница, луг для охоты и скала, а на скале — укрепленная башня, служившая тюрьмой. Но мере того как темнело, все эти предметы обрисовывались силуэтами на фоне неба, а маркиз вглядывался в них с видом человека, подъезжающего по знакомым местам к своему дому.

Деревушка состояла из единственной бедной улицы с дрянной пивоварней, дрянным заводом для выделки и дубления кож, с дрянным постоялым двором и конюшней для перемены почтовых лошадей и с дрянным колодцем — словом, все тут было дрянно и бедно. И народ, живший тут, был беден. Все население состояло из бедняков; из них многие сидели у своих дверей, крошили тощие луковки и тому подобную дрянь себе на ужин, другие были у колодца, перемывая кое-какие травки и листочки, собранные на тощей земле и годные в пищу.

Не было недостатка и в указаниях на то, почему они были так бедны. Во многих местах по всей деревне выставлены были доски с торжественным расписанием всего, что было обложено налогами и за что следовало немедленно вносить плату, и столько тут было государственных пошлин, церковных налогов, оброков помещику и всяких податей, местных и общих, что можно было подивиться, как еще сама деревня стояла на месте.

На улице было мало ребятишек, а собак вовсе не было. Что до взрослых мужчин и женщин, их доля была ясно начертана во всем, что их окружало: живи тут, под горой, на самые скудные средства, только чтобы кое-как поддерживать свое существование, или же ступай в тюрьму и околевай там, на вершине скалы.

Предшествуемый верховым курьером и хлопаньем бичей, которыми форейторы взмахивали, образуя в вечернем воздухе подобие извивающихся змей, маркиз, как бы преследуемый фуриями, подкатил в своей дорожной карете к воротам постоялого двора. Колодец был тут же, рядом, и крестьяне прервали свои занятия, чтобы поглядеть на барина. Он тоже взглянул на них и увидел на их изнуренных лицах и исхудавших телах постепенное превращение в скелеты, породившее известный английский предрассудок насчет худобы, которая будто бы составляет отличительный признак всей французской нации, — предрассудок, не искоренившийся даже и поныне, почти целое столетие спустя.

Господин маркиз обвел глазами покорные лица, склонившиеся перед ним, как сам он и его собратья склонялись перед герцогом на придворном приеме, с той разницей, что здешние бедняки ничего не выпрашивали своими поклонами, а только выражали смиренное страдание; в эту минуту подошел побелевший от пыли рабочий, занимавшийся починкой дороги, и также присоединился к толпе.

— Подать мне сюда этого парня! — сказал маркиз своему курьеру.

Парня подвели. Он стоял перед дверцей кареты с шапкой в руке, а остальные парни столпились вокруг совершенно на тот же лад, как было в Париже у фонтана.

— Ты был на дороге, когда я проехал мимо?

— Точно так, ваше сиятельство, я имел честь быть на дороге, когда вы изволили проезжать.

— Все время был тут, и на подъеме в гору, и при спуске с горы?

— Точно так, ваше сиятельство

— На что же ты глазел так пристально?

— А я, ваше сиятельство, на того человека смотрел.

И, слегка наклонившись, парень указал своей поношенной синей шапкой под кузов кареты. Все окружающие тоже наклонились и заглянули туда.

— На какого там человека? Чего ты под карету смотрел, свинья?

— Извините, ваше сиятельство, он висел там на цепи... за тормоз держался.

— Кто держался? — спросил маркиз.

— А этот самый человек, ваше сиятельство.

— Черт бы побрал этих идиотов! Как же зовут этого человека? Ведь ты всех знаешь в здешней стороне. Говори, кто это был?

— Помилуйте, ваше сиятельство. Это был, наверное, не здешний, я его сроду в глаза не видывал.

— Как же он держался на цепи? Отчего он не задохся?

— С позволения сказать, вот и я тому же удивлялся, ваше сиятельство. Он голову-то и свесил вниз, вот так...

С этими словами парень изогнулся боком к коляске, откинулся на спину лицом вверх, а голову свесил назад и вниз. Потом опять встал, отряхнул свою шапку и отвесил маркизу низкий поклон.

— А каков он был на вид?

— Белее мельника, ваше сиятельство. Весь как есть в пыли, бледный как мертвец и такой длинный, высокий... точно привидение...

Такое описание произвело на толпу сильнейшее впечатление, и все, точно сговорившись, уставились глазами на маркиза. Быть может, им хотелось посмотреть, нет ли у него на совести такого мертвеца.

— Хорош, нечего сказать! — молвил маркиз, по счастью думавший, что на подобную козявку не стоит обращать внимания. — Видишь, что к моей карете прицепился вор, и даже пасти не разинул, чтобы предупредить меня! Эх ты! Отпустите его, мсье Габель.

Мсье Габель был почтмейстер, соединявший в себе еще какие-то должности, сопряженные со взиманием пошлин; он прибежал подобострастно, дабы присутствовать при допросе, и все время с официальным видом придерживал подсудимого за рукав.

— Ну, ступай, — сказал мсье Габель.

— Слушайте, Габель, задержите того не здешнего, если он сегодня попросится ночевать где-нибудь на деревне, и непременно выясните, с какими намерениями он забрел сюда.

— Ваше сиятельство, я всегда готов служить, даже за честь почитаю!

— Что же, он убежал, что ли?.. Куда девался этот проклятый болван?

Болван в это время успел залезть под карету в обществе шестерых добрых знакомых и, размахивая своей синей шапкой, показывал им и цепь, и тормоз. Полдюжины других приятелей проворно извлекли его из-под кареты и представили перед очи господина маркиза.

— Болван! Куда девался тот человек, убежал, что ли, он, когда мы остановились прицеплять тормоз?

— Он бросился с горы вниз, ваше сиятельство, так и кинулся головой вперед, вот как с берега в реку бросаются.

— Ну, Габель, распорядитесь там. Эй, пошел!

Шестеро добрых знакомых, любовавшихся на цепь, все еще лежали между колес на земле, сбившись головами, как бараны, когда колеса покатились так быстро, что они едва успели спасти свои косточки; и хорошо, что у них, кроме кожи да костей, ничего не оставалось, иначе едва ли они могли бы уцелеть.

За деревней начался подъем на противоположную гору, и потому карета, с места помчавшаяся во весь опор, должна была замедлить быстроту езды. Мало-помалу лошади стали шагом взбираться на крутизну, и тяжелый экипаж тихо покачивался из стороны в сторону, вступая в атмосферу благовонной летней ночи. Форейторы спокойно расправляли запутавшиеся концы своих бичей, и не фурии вились над их головами, а только рой полупрозрачных мошек; лакей шел рядом с лошадьми; впереди, на некотором расстоянии, слышен был топот лошади курьера, терявшегося в темноте.

На самом крутом месте подъема было маленькое кладбище, на нем большой крест с новой, недавно приделанной фигурой распятого Спасителя; это было бедное, деревянное изваяние работы какого-нибудь грубого деревенского художника, но, очевидно, деланное с натуры, быть может с себя самого, судя по тому, что фигура была необычайной худобы и страшно изможденная.

У подножия этой эмблемы великого страдания, сила которого все увеличивалась, но еще не достигла своей высшей точки, на коленях стояла женщина. Когда карета поравнялась с ней, она обернулась, быстро вскочила и подбежала к дверце кареты:

— Это вы, господин маркиз? Ваше сиятельство, просьба!

У маркиза вырвалось нетерпеливое восклицание, но с тем же неизменным лицом он выглянул из окошка:

— Что там еще? Чего тебе? Вечные просьбы!

— Ваше сиятельство! Ради самого Бога! Муж мой... лесной сторож...

— Ну что из того, что твой муж — лесной сторож? Вечно пристают с одним и тем же. Наверное, какие-нибудь недоимки?

— Он все уплатил, ваше сиятельство. Он умер.

— Ну, значит, успокоился. Не могу же я его воскресить.

— Ох нет, ваше сиятельство! Но он лежит вон там, под кучкой тощего дерна.

— Ну?

— Ваше сиятельство, их там так много, таких же кучек тощего дерна!..

— Ну так что же?

Это была молодая женщина, но на вид совсем старуха. Ее горе имело страстный характер; она попеременно то всплескивала с выражением дикой энергии худыми, жилистыми руками, то клала одну руку на дверцу кареты умоляющим ласковым движением, как будто это была не дверца, а человеческая грудь, способная восчувствовать нежность ее прикосновения.

— Ваше сиятельство, послушайте! Ваше сиятельство, примите мое прошение! Мои муж умер от нищеты: у нас много народу мрет с голоду... И еще многие перемрут с голоду...

— Ну что же? Разве я могу их накормить?

— Ваше сиятельство, про то один Бог знает, но я не о том прошу. Я прошу о дозволении отметить могилу моего мужа каким-нибудь камнем или хоть куском дерева с надписью его имени. Иначе это место скоро позабудется, и никто не сумеет разыскать его, когда я умру от той же болезни и меня схоронят где-нибудь в другом месте, под другой кучкой дерна. Ваше сиятельство, этих кучек так много, они размножаются так скоро, нужда так велика!.. Ваше сиятельство! Ваше сиятельство!..

Лакей оттащил ее от дверец, карета покатилась быстрее, форейторы погнали лошадей, оставив женщину далеко позади, а маркиз, за которым опять погнались фурии, помчался дальше, так как ему оставалось проехать еще две мили до собственного родового замка.

Благоухания летней ночи поднимались кругом, подобно благодатному дождю, одинаково распространяясь на всех: и на маркиза, окруженного своими приспешниками, и на ту кучку пыльных, оборванных, истомленных работой людей, что остались там, у колодца, и на парня, чинившего дорогу, который стоял все там же и с помощью своей неизбежной синей шапки продолжал распространяться насчет виденного им человека, высокого и белого как привидение, и рассказывал до тех пор, пока у слушателей хватало терпения его слушать. Мало-помалу они стали расходиться поодиночке, постепенно во всех лачугах зажглись огоньки; потом, но, мере того как эти огни погасали, на небе зажигались звезды, и казалось, что то были те же огоньки, которые угасали не на земле, а только уносились в небеса.

Тем временем перед маркизом обрисовался темный силуэт большого дома с высокой крышей и множество старых развесистых деревьев; потом вдруг блеснул резкий свет зажженного факела; карета остановилась, и большие ворота замка растворились перед нею.

— Я ожидаю господина Шарля, приехал ли он из Англии?

— Никак нет, ваше сиятельство, еще не приезжал.

Глава IX
Голова горгоны[1]

Замок господина маркиза был тяжелой постройки; спереди был обширный каменный двор, и два каменных крыльца сходились на широкой каменной террасе главного подъезда. Тут все было каменное: тяжелые каменные балюстрады, каменные вазы, каменные цветы, каменные лица людей и каменные головы львов. Как будто голова горгоны обозревала здание, когда оно было закончено постройкой за двести лет назад, и своим взором превратила все в камень.

---

[1] *Горгона* — мифическая женщина, ее взгляд превращал человека в камень.

Маркиз вышел из кареты и поднялся по отлогим ступеням широкой лестницы, предшествуемый факелом, настолько нарушая окружавшую темноту, что вызвал громкий протест со стороны совы, гнездившейся под крышей просторных конюшен, в тени высоких деревьев. Повсюду была такая тишина, что оба факела — и тот, что несли наверх, и тот, что остался у главных ворот, — горели ровным пламенем, как будто были не на дворе, а внутри парадной гостиной. Помимо возгласов совы, только и слышно было журчание фонтана, ниспадавшего в каменный бассейн. То была одна из тех теплых, темных ночей, когда по целым часам воздух оставался в полной неподвижности, потом испускал долгий тихий вздох и снова впадал в оцепенение.

Тяжелая дверь подъезда захлопнулась за маркизом, и он прошел через обширные сени, украшенные грозными арматурами из медвежьих рогатин, мечей и охотничьих ножей, но еще грознее казались висевшие тут же тяжелые бичи и хлысты, которыми под сердитую руку помещики угощали своих вассалов[1], прежде чем несчастные попадали в благодетельные объятия смерти.

Минуя неосвещенные парадные залы, которые были крепко заперты на ночь, маркиз, с факельщиком впереди, поднявшись по лестнице, повернул к двери в коридор. Дверь распахнулась, и маркиз вошел в свои собственные покои, состоящие из спальни и двух других комнат.

Комнаты были высокие, потолки со сводами, гладкие полы без ковров ради большей свежести, на каминных очагах большие бронзовые собаки, на которых зимой раскладывали дрова для топки, и вся обстановка обличала роскошь и великолепие, приличные в обиходе знатного человека того роскошного времени и той роскошной страны. Меблировка была во вкусе Людовика XIV — из той династии Людовиков, которая давно установилась во Франции, и, по-видимому, так прочно, что ей не предвиделось конца, — но в подробностях богатой обстановки немало было предметов, относившихся к наиболее старинным временам французской истории.

---

[1] *Вассалы* — подданные.

В третьей комнате был накрыт стол для ужина на два прибора; эта комната, помещавшаяся в одной из четырех остроконечных башен, стоявших по углам замка, была небольшая, круглая, очень высокая, с одним окном, стеклянная оконница которого была раскрыта, а деревянные жалюзи спущены, так что они казались состоящими из узких поперечных полос: серых — окрашенных под цвет камня, и черных — в которых сквозила чернота темной ночи.

— Что же мой племянник? — сказал маркиз, взглянув на приготовления к ужину. — Говорят, он не приехал?

— Нет еще, не приезжал, но его ожидали вместе с его сиятельством.

— Ага! Едва ли он поспеет сегодня, однако же оставьте стол как есть. Я буду готов через четверть часа.

Через четверть часа маркиз вышел и один сел за стол, великолепно сервированный самыми отборными яствами. Его стул помещался против окна. Он скушал суп и только что взялся за стакан с бордоским вином, как опять поставил его на стол.

— Это что такое? — спросил он, спокойно и внимательно глядя на поперечные линии серого и черного цветов.

— Где, ваше сиятельство?

— Там, за окном. Подними жалюзи.

Жалюзи были подняты.

— Ну?

— Ваше сиятельство, там ничего нет. Только и видны деревья да темная ночь.

Слуга, говоривший это, сначала выглянул в раскрытое окно, потом, стоя на фоне пустого и темного пространства, обернулся, ожидая, что будет приказано дальше.

— Хорошо, — молвил хозяин невозмутимо. — Теперь спусти жалюзи.

Слуга повиновался, и маркиз продолжал ужинать. На половине трапезы он снова остановился, со стаканом в руке, и прислушался. Издали явственно раздавался стук колес, быстро приближавшихся к замку. Экипаж остановился у парадного подъезда.

— Поди узнай, кто приехал.

То был племянник его сиятельства. Он с самого полудня ехал вслед за маркизом, в нескольких милях расстояния, очень торопился, но все-таки не мог догнать его сиятельство. На почтовых дворах ему везде говорили, что маркиз только что проехал дальше.

Маркиз приказал сказать племяннику, что ожидает его к ужину и просит прийти тотчас. Через несколько минут он пришел. В Англии его знали под именем Чарльза Дарнея.

Маркиз поздоровался с ним любезно, но руки они друг другу не подали.

— Вы вчера выехали из Парижа, сэр? — сказал племянник, садясь за стол.

— Да, вчера, а вы?

— Я — прямым трактом.

— Из Лондона?

— Да.

— Долго же вы ехали, — сказал маркиз, улыбаясь.

— Напротив, я ехал очень скоро.

— Извините! Я разумею не то, что вы долго были в дороге, а то, что долго не пускались в путь.

— Меня задержали... — Племянник запнулся и прибавил: — Различные дела.

— Не сомневаюсь, — учтиво ответил дядя.

Пока в комнате были слуги, господа не обменялись больше ни единым словом. Наконец им подали кофе и они остались одни. Племянник взглянул на дядю и, встретившись с ним глазами, начал беседу. Тонкое лицо маркиза сохраняло свою изящную неподвижность.

— Вы, вероятно, угадали, сэр, что я вернулся с той же целью, с какой уезжал. Эта цель вовлекла меня в великие и неожиданные опасности, но она для меня священна, и, если бы ради нее пришлось умереть, я надеюсь, что нашел бы в себе силы и для этого.

— Зачем же умирать, — молвил дядя, — о смерти говорить незачем.

— Я думаю, сэр, — продолжал племянник, — что, если бы из-за моих убеждений я очутился на краю могилы, вы не потрудились бы оттащить меня прочь.

Изящные черты жестокого и тонкого лица слегка вытянулись, впадины над ноздрями углубились, оно приняло зловещее выражение, однако же дядя легким и грациозным движением протестовал против предположения, хотя видно было, что это делается единственно из вежливости, а потому ничего успокоительного в этом не было.

— Я даже не знаю, сударь, — продолжал племянник, — не вы ли озаботились придать еще более подозрительный характер окружавшим меня обстоятельствам, которые и без того могли подать повод к подозрениям.

— О нет, как можно! — промолвил дядя игриво.

— Как бы то ни было, — сказал племянник, глядя на него с глубоким недоверием, — мне известно, что ваша дипломатия пустила бы в ход все средства помешать мне и притом не остановилась бы ни перед какими средствами.

— Друг мой, я предупредил вас об этом, — сказал дядя, и ноздри его начали мерно подергиваться, — потрудитесь припомнить: это самое я вам говорил уже давно.

— Я помню.

— Благодарю вас, — молвил маркиз как нельзя более любезно.

Голос его прозвучал как настоящая музыка.

— В сущности, сударь, — продолжал племянник, — я так полагаю, что, если я до сих пор не попал во французскую тюрьму, виной в этом мое счастье, а также и ваше несчастье.

— Я не совсем понял вашу мысль, — произнес дядя, прихлебывая свой кофе маленькими глотками. — Смею ли просить вас объясниться обстоятельнее?

— Я думаю, что, если бы вы не были в немилости при дворе и если бы это обстоятельство уже много лет кряду не омрачало вашей жизни, вы бы непременно выхлопотали высочайшее повеление сослать меня в какую-нибудь крепость на неопределенное время.

— Это возможно, — ответил дядя с полным спокойствием. — Ради поддержания фамильной чести я бы действительно мог решиться причинить вам некоторое неудобство. Уж не взыщите!

— Я вижу, что, к счастью для меня, на вчерашнем приеме при дворе вас, по обыкновению, приняли холодно, — заметил племянник.

— Я не сказал бы, что это «к счастью», друг мой, — отвечал дядя с утонченной вежливостью, — едва ли это выражение применимо в настоящем случае. Уединение дало бы вам повод к размышлениям, а это, быть может, имело бы несравненно лучшее влияние на вашу судьбу, нежели ваши измышления на воле. Впрочем, нечего углубляться в этот вопрос. Я, как вы справедливо заметили, не в милости. Все эти маленькие способы исправления, эти мягкие пособия к упрочению могущества и чести знатных фамилий, эти мелкие любезности правительства, которые могли бы причинить вам некоторое беспокойство, нынче даруются не иначе как по протекции, да и то с большими проволочками. Многие их добиваются, а достаются они, сравнительно говоря, очень немногим. Прежде бывало не то. Франция изменилась к худшему. Наши предки еще не так давно имели право жизни и смерти над своими вассалами. Немало таких псов из этой самой комнаты было послано на виселицу. В соседней комнате — в моей спальне — был убит кинжалом один дерзкий простолюдин, который вздумал выказать какую-то щепетильность по отношению к своей дочери, *его* дочери... Да, мы лишились многих привилегий; новая философия вошла в моду, и поддерживать престиж нашего сословия становится все труднее. Нынче это может даже вовлечь в большие затруднения. Я не говорю, что вовлечет, но может вовлечь. Да, все это плохо, очень плохо.

Маркиз захватил крошечную щепотку табаку из своей табакерки и покачал головой со всевозможным изяществом, выражая свое неудовольствие страной, все-таки служившей обиталищем ему самому, следовательно, не совсем еще потерянной.

— Мы так хорошо поддерживали свой престиж как в старое время, так и в нынешнее, — угрюмо проговорил племянник, — что наше имя стало чуть ли не самым ненавистным из всех существующих во Франции.

— Будем надеяться, что так! — молвил дядя. — Ненависть к высшим есть невольный знак благоволения со стороны низших.

— Во всем здешнем краю, — продолжал племянник прежним тоном, — я не встретил ни одного лица, которое взглянуло бы на меня с уважением! Все смотрят исподлобья — видимо, ощущают только страх и свое личное унижение.

— Это доказывает только величие нашего рода, — заметил маркиз, — а также изобличает способы, которыми наша фамилия поддерживала свое величие. Лестное доказательство!

С этими словами маркиз деликатно захватил пальцами новую крохотную понюшку и переложил ногу на ногу.

Но когда племянник, облокотившись на стол, печально и задумчиво заслонил глаза рукой, тонкое лицо дяди стало искоса на него поглядывать с таким сосредоточенным выражением подозрительности и отвращения, которое было совсем несовместно с его личиной благовоспитанного равнодушия.

— Единственная здравая философия заключается в угнетении, — сказал маркиз. — Мрачная почтительность, которая коренится в страхе и сознании своего унижения, обеспечивает нам покорность этих псов, друг мой, и из опасения розог они будут повиноваться до тех пор (тут маркиз поднял глаза к потолку)... до тех пор, пока эта крыша будет заслонять от нас небо.

Маркиз и не подозревал, что это могло случиться в самом скором времени. Если бы ему показали в тот вечер картину его замка в том виде, каким он окажется через несколько лет, а также полсотни других замков, какими они сделаются за тот же короткий период времени, он, пожалуй, не мог бы отличить, которая из этих развалин, закопченных огнем и обезображенных грабежом, похожа на его наследственное жилище, а которая из них чужая. Что до крыши, заслонявшей от него небо, он увидел бы тогда, что она производит ту же операцию совсем другим способом, а именно: из свинцовых крыш впоследствии стали отливать пули, и эти пули, выпускаемые из сотен тысяч мушкетов, частенько попадали в глаза бывших помещиков и, таким образом, навеки заслоняли от них всякие зрелища.

— Тем временем, — сказал маркиз, — я берусь охранять честь и спокойствие нашей фамилии, если вы не желаете этого. Но вы, вероятно, устали. Не пора ли прекратить сегодняшний разговор?

— Еще одну минуту.

— Хоть час, если вам угодно.

— Сударь, — сказал племянник, — мы делали зло и пожинаем плоды этого зла.

— *Мы* делали зло? — переспросил дядя с улыбкой, деликатно указывая пальцем сначала на племянника, потом на самого себя.

— То есть наша фамилия; эта благородная фамилия, честь которой нам обоим так дорога, только в совершенно различных направлениях. Даже при жизни моего отца мы причиняли неисчислимое зло каждому человеку, становившемуся между нами и нашими прихотями. Впрочем, к чему говорить о моем отце? Ведь его время было и вашим временем? Зачем отделять моего отца от его брата-близнеца, сонаследника и совладельца?..

— Смерть совершила это. Она разлучила нас, — сказал маркиз.

— А меня, — продолжал племянник, — оставила связанным с такой системой, которая для меня ужасна, потому что ответственность за нее падает на меня, а сопротивляться ей я лишен всякой возможности. Стремлюсь исполнить последний завет, произнесенный на смертном одре моей бесценной матерью, хочу повиноваться последнему взгляду ее глаз, моливших о милосердии, об искуплении, и терзаюсь тем, что не могу добиться ни содействия, ни власти.

— Будьте уверены, любезный племянник, — сказал маркиз, притрагиваясь указательным пальцем к его груди (они стояли теперь у камина), — что если вы станете этого добиваться от меня, то никогда ничего не добьетесь.

Каждая тонкая черта его правильного, белого и бледного лица получила выражение сосредоточенной жестокости и коварства, пока он стоял таким образом, спокойно глядя на племянника и держа в руке раскрытую табакерку. Еще раз он притронулся к его груди, как будто тонкий палец его был кончиком острой шпаги, которой он мысленно проткнул его насквозь, и с утонченным изяществом прибавил:

— Друг мой, я с тем и умру, что буду поддерживать ту систему, при которой жил.

Сказав это, он взял последнюю понюшку табаку, захлопнул табакерку и опустил ее в карман.

— Лучше бы действовать как существо разумное, — продолжал он, позвонив в колокольчик, стоявший на столе, — и брать жизнь согласно с велениями вашей судьбы. Но я вижу, что вы пропащий человек, господин Шарль.

— Это поместье и Франция для меня потеряны, — грустно отвечал племянник, — я отрекаюсь от них.

— А разве они ваши, что вы от них отрекаетесь? Франция, может быть, вам принадлежит, не спорю, но поместье-то разве ваше? Это, конечно, пустячная подробность, но все-таки ведь оно не ваше?

— Я и не думал этими словами выражать притязания на право собственности. Если бы я унаследовал его от вас хоть завтра утром...

— Смею надеяться, что это невозможно...

— ...или хотя бы через двадцать лет...

— Много чести, — ввернул маркиз, — но последнее предположение более лестно, и потому я предпочитаю его.

— ...я бы отказался от него и стал жить на другой лад и в другом месте. Впрочем, и жертва была бы невелика, так как тут ничего нет, кроме нищеты и разорения!

— Гм-гм!.. — произнес маркиз, оглядываясь на роскошное убранство комнаты.

— Здесь-то оно довольно красиво и приятно для глаз, но если смотреть на этот дом среди бела дня и видеть вещи в настоящем свете, что же это, как не воплощение расточительности, вымогательства, залогов, долговых обязательств, голодания, лохмотьев, всяческих прижимок и страданий?

— Гм!.. — повторил маркиз тоном полного удовольствия.

— Если когда-нибудь это имение достанется мне, я помещу его в такие руки, которые лучше меня сумеют постепенно освободить его, если это окажется возможным, от гнетущей его тяготы; пускай наконец этот несчастный народ, который не может покинуть здешнего края и доведен до последней степени отчаяния, пускай он хоть немного отдохнет и хоть в следующем поколении будет меньше страдать; но не мне суждено этим заняться! Проклятие тяготеет над ним, да и над всем краем.

— А вы... — сказал дядя, — извините меня за нескромный вопрос... с этой вашей новейшей философией как вы изволите поступить: намерены ли вы остаться в живых или нет?

— Я буду жить и поступлю так же, как будут вынуждены поступить со временем другие мои соотечественники, хотя бы благороднейшего происхождения: буду работать.

— В Англии, например?

— Да, в Англии. Там, сэр, фамильная честь из-за меня не пострадает. Только во Франции я известен под своим настоящим именем.

Когда маркиз позвонил в колокольчик, это означало, что он приказывает осветить свою спальню. Это было исполнено, и через полуотворенную дверь был виден там яркий свет. Маркиз взглянул на дверь и прислушался к удаляющимся шагам прислуги...

— Должно быть, Англия имеет для вас особую привлекательность, хотя вы там не слишком преуспеваете, — заметил он, с улыбкой обращая к племяннику свое спокойное лицо.

— Я уже говорил, что за свое тамошнее преуспевание я считаю себя обязанным вам. А впрочем, я там нашел пристанище.

— Да, я знаю; англичане хвастаются тем, что многие ищут у них пристанища. Вы познакомились с одним соотечественником, который также нашел там пристанище? С доктором, кажется?

— Да.

— А у доктора есть дочь?

— Да.

— Да, — молвил маркиз. — Вы устали. Спокойной ночи!

Он произнес эти слова с таким таинственным видом и так загадочно улыбался, раскланиваясь на прощание самым изысканным образом, что племянник невольно был поражен его тоном и взглядом. В то же время прямой разрез его глаз, узкие губы и впадины у ноздрей шевельнулись ядовитой насмешкой, придавшей его лицу что-то сатанинское.

— Да-а, — повторил маркиз. — С доктором и его дочкой. Гм... Да! Вот где корень новейшей философии... Вы утомились... Спокойной ночи!

Вглядываясь в его физиономию, так же трудно было бы прочесть на ней какое-либо чувство, как и на любом из каменных лиц, изваянных на фасаде замка. Племянник тщетно смотрел ему в лицо — оно опять окаменело.

— Спокойной ночи, — сказал дядя. — Полагаю, что буду иметь удовольствие видеть вас завтра поутру. Приятного сна! Эй, проводите моего племянника в его спальню!.. «И можете сжечь его живьем, когда уснет», — прибавил он мысленно, позвонив в колокольчик, призывавший в спальню его собственного лакея.

Лакей явился, исполнил все свои обязанности и снова исчез. Маркиз, облаченный в просторный халат, начал перед сном прохаживаться взад и вперед по комнате. Ночь была тихая и душная. Шелестя шелковым халатом, он беззвучно ступал по полу в мягких туфлях и был похож на кровожадного тигра — одного из тех сказочных тигров, которые принимают то ту, то другую форму, и трудно было решить, превратился ли он только что в маркиза или сейчас будет тигром.

Прохаживаясь из конца в конец по своей роскошной спальне, он невольно перебирал в уме мелкие происшествия этого дня; в его мозгу возникали непрошеные картины сегодняшнего путешествия. Вот он медленно едет в гору на закате солнца, вот и вечерняя заря, спуск с горы, мельница, тюрьма на скале, деревушка в лощине, крестьяне у колодца, парень, чинивший дорогу и своей синей шапкой указывающий на цепь под кузовом кареты... Потом мысль перескочила к фонтану в Париже, и он снова увидел маленький сверток на окраине фонтана, женщин, нагнувшихся к этому свертку, и высокого человека, поднявшего руки вверх, с воплем: «Убит!»

— Ну, теперь я достаточно освежился, — сказал себе господин маркиз, — можно ложиться в постель.

Оставив на широкой каминной полке только одну горящую свечу и потушив остальные, он опустил прозрачный тюлевый полог вокруг своей кровати, улегся в постель и, засыпая, слышал в ночной тишине глубокий вздох бодрствующей природы.

В течение трех тяжелых часов каменные лица на стенах замка таращили незрячие глаза в черную ночь; в течение трех тяжелых часов лошади на конюшне топтались в стойлах; на заднем дворе лаяли собаки, да изредка вскрикивала сова, и этот крик был совсем непохож на звуки, приписываемые ей поэтами. Но эти упрямые твари почти никогда не делают того, что им приписывают.

Три часа кряду каменные головы — львиные и человечьи — незрячими глазами смотрели со стен замка в темную ночь. Мертвящая тьма окутывала окрестные виды, мертвая тьма притупляла звуки на мягкой пыли окрестных дорог. На кладбище было так темно, что нельзя было отличить одну от другой кучки чахлого дерна; и если бы распятая фигура сошла с креста, и этого не было бы видно. В деревушке все спало; и сборщики пошлин, и те, с кого они собирали подати и пошлины, — все спали. Быть может, им грезились сытые пиры, как часто бывает с теми, кто засыпает впроголодь, и снились им довольство и отдых, как снятся они забитому невольнику и загнанному волу; как бы то ни было, истощенные и худые обитатели деревни спали крепко и во сне были сыты и свободны.

Невидимо и неслышно текла вода в деревенском колодце; никто не видел и не слышал, как журчал фонтан во дворе замка; водяные капли уходили, испарялись, так же как уходили мгновения невозвратного времени; и так прошли эти три часа. И когда они миновали, струи фонтана стали обозначаться бледными чертами в предрассветном сумраке и каменные лица по стенам начали открывать глаза.

С каждой минутой становилось светлее; наконец солнце позолотило верхушки тихих деревьев и озарило склон холма. Тогда вода фонтана окрасилась кровавым цветом, и каменные лица стали багровыми. Пение птиц высоко и громко разносилось в воздухе, а на потемневший от времени и непогод подоконник широкого окна в спальне господина маркиза слетела маленькая птичка, изо всей мочи распевая самую свою сладкую песенку. От такой дерзости ближайшая к окну каменная харя в изумлении выпучила

160

глаза: ее разинутый рот и отпавшая нижняя челюсть выразили благоговейный ужас.

Солнце окончательно вынырнуло из-за горизонта, и в деревушке под горой началось движение. Окошки отворялись, с ветхих дверей снимались засовы, обитатели домов выходили на улицу, вздрагивая и ежась от первых впечатлений свежего воздуха. Понемногу начинался обычный дневной труд, неизбежный для каждого, притом круглый год. Одни шли к колодцу, другие в поле; там мужчины и женщины принимались рыть и копаться в земле, тут выводили на пастбище кое-какую скотину, вели в поводу тощих коров и старались найти, чего бы им пощипать у дороги. В церкви и на кладбище виднелись две-три коленопреклоненные фигуры; у креста молящаяся фигура, и тут же корова, кормившаяся травкой, выросшей у подножия креста.

В замке проснулись позднее, как и следует более важным особам; просыпались постепенно, в некотором установленном порядке. Сперва, как водилось исстари, проснулись охотничьи ножи и медвежьи рогатины, выставленные по стенам в глубине больших сеней: солнце сначала окрасило их пурпуром, потом отточило и вызолотило; потом стали отворяться окна и двери. Лошади в стойлах оглядывались через плечо, приветствуя свежий воздух и свет, врывавшийся к ним через отверстые двери; зеленые листья заблестели и зашелестели, задевая за железные решетки окошек; собаки гремели цепями, нетерпеливо дожидаясь, чтобы их пустили на волю.

Все эти мелкие подробности составляли обычную принадлежность ежедневного обихода и повторялись каждое утро. Новостью было только то, что в замке вдруг зазвонили в большой колокол; по лестницам поднялась беготня то вниз, то вверх; на террасе появились тревожные фигуры — некоторые слуги поспешно обувались в длинные сапоги, наскоро седлали коней и мчались со двора.

Не утренний ли ветер сообщил ту же поспешность и вчерашнему парню, чинившему дорогу и еще до свету сидевшему за работой на вершине холма за деревней; рядом с ним, на куче щебня, лежало в узелке его дневное пропитание, но оно было так скудно, что, право, не стоило вороне клевать этот узелок. Или, может быть, вороны, пролетая над его головой, уронили ему какую-нибудь весть, что он вдруг вскочил и опрометью пустился бежать с горы и до тех пор бежал, по колени в пыли, пока не очутился у колодца посреди деревни.

Все жители деревни собрались у колодца, стоя в обычных своих унылых позах; они тихо перешептывались между собой, не выражая на лицах ничего, кроме удивления и мрачного любопытства. Коровы, приведенные обратно с поля и наскоро привязанные к чему попало, лишь бы не убежали, глупыми глазами оглядывались на своих хозяев или же, лежа на земле, пережевывали какую-то жвачку, хотя очень немногим удалось поживиться во время короткой прогулки на привязи.

Некоторые из слуг, живших в замке, часть тех, что жили на постоялом дворе и при почтовой станции, а также все сборщики податей и должностные лица были более или менее вооружены и толпились на противоположной стороне улицы с бесцельным видом людей, решительно не знающих, что делать.

Между тем парень, чинивший дорогу, успел проникнуть в толпу, состоявшую из полусотни его закадычных друзей, и бил себя в грудь своей синей шапкой. Что же означали все эти необычные явления? И почему вдруг мсье Габель вскочил на лошадь, на которой уже сидел верховой служитель из замка, и оба они, невзирая на двойную ношу, погнали коня вскачь, осуществляя как бы новую версию немецкой баллады о Леноре?[1]

Это означало, что в замке оказалось сегодня одно лишнее каменное лицо.

В эту ночь горгона, очевидно, опять осматривала замок и прибавила еще одно каменное лицо вдобавок к прочим изваяниям... Этого лица она дожидалась уже чуть ли не двести лет кряду.

Оно лежало теперь на подушке господина маркиза, в его собственной спальне. Оно было похоже на изящную

---

[1] В балладе «Ленора» немецкого поэта Бюргера обманутый жених является в полночь к своей невесте, сажает ее на коня позади себя и мчится в бешеной скачке на кладбище, где оба исчезают в могиле.

маску с тонкими чертами, внезапно разбуженную, прогневанную и окаменевшую. В груди окаменевшей фигуры, прямо против сердца, торчал нож: рукоятка ножа была обернута полоской бумаги, и на бумаге было написано:

«Скорее стащите его в могилу. Это тебе от Жака».

Глава X
Два обещания

С того дня прошло еще двенадцать месяцев. Мистер Чарльз Дарней жил в Англии в качестве преподавателя французского языка, знакомого с французской литературой. В наши дни он назывался бы профессором, но в то время он был просто учителем. Он занимался с молодыми людьми, имевшими досуг и охоту к изучению живого языка, на котором говорили во всех концах света, и сам много читал, имея вкус к научным и поэтическим богатствам, накопленным французами. Кроме того, он свободно владел английским языком: мог правильно писать о них по-английски и переводить их на английский язык. Такие учителя в то время были редкостью; тогда бывшие принцы и будущие короли еще не давали уроков, и еще не существовал тот класс обедневших дворян, которые из высокородных клиентов Тельсонова банка вдруг превращались в поваров и плотников. Итак, в качестве высокообразованного преподавателя, с которым заниматься было так же приятно, как и полезно, а также в качестве изящного переводчика, умевшего не ограничиваться голой передачей слов подлинника, молодой мистер Дарней вскоре получил известность и некоторое поощрение. Сверх того, он был хорошо знаком с нынешними судьбами своей родины, а эти судьбы с году на год становились интереснее. Он обладал большой настойчивостью, неутомимым трудолюбием, и дела его процветали.

Поселясь в Лондоне, он не думал, что будет загребать золото лопатой, и не ожидал, что ему предложат отдыхать на розах. Если бы он питал подобные мечты, нечего было бы и думать об успехе. Он ожидал работы, нашел работу и выполнял эту работу наилучшим образом. В этом и состоял его успех.

Некоторую часть своего времени он проводил в Кембридже, где давал уроки студентам и где на него взирали как на некоего контрабандиста, незаконно провозившего через педагогическую таможню новейшие европейские языки вместо греческого и латинского товара. Остальное время он проводил в Лондоне.

С тех самых пор, как в земном раю было вечное лето, и до наших дней, когда стоит большей частью зима, жизненный путь мужчины пролегает всегда одинаково — в том смысле, что ему суждено полюбить женщину. То же случилось и с Чарльзом Дарнеем.

Он полюбил Люси Манетт с того часа, когда ему угрожала смертельная опасность. Никогда он не слышал музыки приятнее и милее ее сострадательного голоса, никогда не видел ничего трогательнее ее прелестного лица в ту минуту, когда ее поставили на очную ставку с ним на краю приготовленной ему могилы. Но он никогда еще не говорил ей о своем чувстве. Кровавая расправа в жилище его предков случилась давным-давно — с тех пор опустел мрачный замок, там, далеко, за широкими пространствами волнующегося моря и длинных, пыльных дорог, и сами стены его превратились в туманные грезы, — и целый год прошел с той поры, а Чарльз Дарней ни одним словом не намекал еще любимой девушке о своей любви.

На то были у него веские причины, и он в полной мере сознавал их важность. Снова был ясный летний день, когда он, только что возвратившись из Кембриджа в Лондон, отправился в тихий закоулок в Сохо с намерением объясниться с доктором Манеттом. День клонился к вечеру, и он знал, что Люси в эту пору уходит гулять вместе с мисс Просс.

Он застал доктора в кресле у окна с книгой в руках. Мало-помалу к доктору вернулась вся его прежняя энергия, в старые годы помогавшая ему переносить столько страданий и даже обострявшая его восприимчивость к ним. Теперь это был человек, преисполненный сил, твердый в достижении намеченной цели, решительный на словах и энергичный в своих действиях. По временам все это проявлялось немного резко и капризно, подобно остальным его качествам, постепенно возвращавшимся к нормальному состоянию, но такие неровности проявлялись нечасто и становились все реже.

Он много занимался наукой, мало спал, легко переносил усиленный труд и был постоянно в благодушном настроении. Увидев входившего Чарльза Дарнея, он отложил книгу и с веселым видом протянул ему руку:

— Чарльз Дарней! Очень рад вас видеть. Мы рассчитывали на ваш визит уж три или четыре дня тому назад. Вчера у нас были мистер Страйвер и Сидни Картон, и оба дивились, что вы так долго глаз не кажете.

— Премного обязан им за любезное внимание, — отвечал он немножко сухо по отношению к упомянутым лицам, но очень горячо по отношению к самому доктору. — А мисс Манетт...

— Она здорова, — сказал доктор, видя, что он запнулся, — и все будут в восторге оттого, что вы воротились... Она ушла куда-то по хозяйству, но, наверное, скоро придет домой.

— Доктор Манетт, я знал, что ее нет дома, и нарочно воспользовался этим случаем, чтобы попросить позволения переговорить с вами.

С минуту длилось полное молчание. Наконец доктор проговорил с очевидным усилием:

— Вот как? Ну так придвиньте стул и говорите.

Дарней придвинул стул, но говорить, по-видимому, оказалось не так-то легко.

— Вот уже полтора года, доктор, — начал он наконец, — как я имею счастье быть в вашем доме таким близким человеком, что едва ли тот предмет, о котором я намерен говорить теперь, будет для вас...

Доктор внезапным движением руки остановил его. Несколько секунд он оставался с поднятой рукой, потом опустил ее и спросил:

— Вы будете говорить о Люси?

— Да, о ней.

— Всякий разговор о ней труден для меня, но если надо его вести в том тоне, который вы принимаете... это будет еще труднее, Чарльз Дарней.

— Я могу говорить о ней не иначе как с пламенным благоговением, с искренним уважением и глубокой любовью, доктор Манетт, — сказал молодой человек почтительно.

Прошло еще несколько минут молчания, прежде чем отец был в состоянии сказать:

— Этому я верю... я отдаю вам справедливость... верю вам.

Он с таким усилием произнес эти слова и его нежелание говорить об этом предмете было так очевидно, что Чарльз Дарней колебался.

— Прикажете продолжать, сэр?

Опять водворилось молчание.

— Да, продолжайте.

— Вы догадываетесь о том, что́ я хочу сказать вам, но не можете знать, как долго я думал об этом и как глубоко мое чувство, потому что не знаете всех тайн моего сердца, ни тех надежд, ни тех тревог и опасений, которые давно тяготят его. Дорогой доктор Манетт, я люблю вашу дочь, люблю нежно, страстно, бескорыстно и преданно. Если бывает на свете истинная любовь, то это именно моя любовь. Вы сами любили... вспомните свою молодость, и пусть она говорит за меня!

Доктор сидел отвернувшись и вперив глаза в пол, но при этих словах он снова стремительно поднял руку и воскликнул:

— Только не об этом, сэр! Не касайтесь этого предмета! Прошу вас не упоминать о нем!

Тон его голоса был такой страдальческий, что Чарльз Дарней был поражен, и еще долго потом ему чудилось, что он опять слышит его. Доктор слегка замахал своей протянутой рукой, как бы желая, чтобы Дарней помолчал. Тот понял это движение именно в таком смысле и умолк.

Через несколько минут доктор сказал упавшим голосом:

— Извините, пожалуйста; я нисколько не сомневаюсь, что вы любите Люси, в этом вы можете быть вполне уверены.

Он повернулся в кресле и сел к нему лицом, но не взглянул на него и не поднимал даже глаз. Упершись на руку подбородком, он потупился, и его седые волосы осенили его лицо.

— Вы уже говорили с Люси?

— Нет еще.

— И не писали к ней?

— Никогда.

— Я понимаю, что такая деликатная сдержанность с вашей стороны произошла из уважения к ее отцу; несправедливо было бы не признавать этого. Ее отец благодарит вас за внимание.

Он протянул ему руку, но так и не поднял глаз.

— Я знаю, — почтительно сказал Дарней, — да и как же мне не знать, изо дня в день видя вас вместе!.. Я знаю, что обоюдная ваша привязанность так необыкновенна, так велика и трогательна и так соответствует тем исключительным обстоятельствам, среди которых она возникла, что ничего подобного, вероятно, нельзя встретить во всем мире, даже между родителями и детьми. Я знаю также и то, что к привязанности, которую она чувствует к вам как взрослая дочь, примешивается частица чисто младенческой доверчивости и любви. Так как в детстве она росла сиротой, то в своем настоящем возрасте она привязалась к вам со всей преданностью своей горячей юности и вместе с тем полюбила вас тем ребяческим чувством, которое не находило себе применения в те ранние годы, когда она была лишена вас. Я знаю, что, если бы вы вернулись к ней действительно с того света, едва ли ваша особа могла быть для нее более священна, чем теперь. Я знаю, что, когда она обнимает вас, в ее лице льнут к вам зараз и маленький ребенок, и девочка, и взрослая женщина. Любя вас, она видит и любит в вас и свою мать в молодости, и вас самих в моем возрасте; любит мать в несчастье, с разбитым сердцем и вас любит в пору жестоких испытаний и в том благоговейном периоде, когда вы возвратились к ней. Я все это знаю и помню и день и ночь об этом думаю, с того часа, как увидел вас в вашей домашней обстановке.

Ее отец сидел молча, поникнув головой. Он дышал несколько быстрее обыкновенного, но подавлял всякие иные признаки своего волнения.

— Дорогой доктор Манетт, я всегда это знал, всегда видел вас и ее в таком сиянии святости и чистоты и молчал, терпел... так долго, как только может выносить человеческая натура. Я чувствовал, да и теперь понимаю, что поставить между вами любовь постороннего человека, даже такую любовь, как моя, — значит внести в вашу жизнь нечто менее великое и ценное, чем она сама. Но я ее люблю! Бог мне свидетель, что я люблю ее!

— Верю, — отвечал отец печально. — Я сам так думал и не сомневаюсь.

— Но вы не думайте, — продолжал Дарней, на которого унылый тон доктора произвел впечатление живого упрека, — не думайте вот чего: если бы судьба моя так сложилась, что я имел бы счастье когда-нибудь назвать ее своей женой, и для этого понадобилось бы разлучить вас с нею, не думайте, что я осмелился бы заикнуться о том, что говорю вам теперь. С одной стороны, я уверен, что это была бы попытка безнадежная, а с другой — сознаю, что это была бы подлость. Если бы я хотя бы в глубине души моей питал подобные мысли, лелеял такие надежды, если бы хоть раз промелькнула у меня в голове такая мечта — я не решился бы после этого прикоснуться к вашей руке.

С этими словами он взял руку доктора.

— Нет, дорогой доктор. Я такой же, как и вы, добровольный изгнанник из Франции; я ушел оттуда, как и вы, гонимый ее беспорядками, угнетением, разорением; подобно вам, я стараюсь жить вдали от родины и кормиться собственным трудом в ожидании более счастливой будущности; и главное мое стремление — делить с вами судьбу, разделять вашу жизнь, принадлежать к вашей семье и до самой смерти не расставаться с вами. Я и не помышлял разлучать вас с Люси, не имею ни малейшей претензии лишать вас ни ее любви, ни ее постоянного общества, ни преданных забот; напротив, мне бы хотелось только помогать ей во всем и еще сильнее скрепить ваш союз, если это возможно.

Он продолжал держать за руку отца; доктор пожал ему руку как бы мельком, тотчас отнял свою и, положив локти на ручки кресла, в первый раз от начала беседы поднял голову и взглянул на него. На лице доктора выражалась сильная борьба и по временам проскальзывал прежний оттенок мрачной подозрительности и страха.

— Вы говорите так горячо и так мужественно, Чарльз Дарней, что благодарю вас от души и, так и быть, открою вам свое сердце... отчасти, по крайней мере. Имеете ли вы основание думать, что Люси любит вас?

— Нет. До сих пор не имею никакого основания.

— Не для того ли вы сообщили мне о своих чувствах, чтобы с моего ведома иметь право убедиться в состоянии ее сердца?

— Даже и этого не могу сказать. Быть может, пройдет еще много времени, прежде чем я решусь на это; а может быть, какой-нибудь благоприятный случай завтра же придаст мне такую смелость.

— Желаете вы, чтобы я направлял ваши действия?

— Я не прошу о руководстве, сэр, но считал возможным, что вы не откажете мне в совете, если сочтете это приличным и своевременным.

— Ожидаете вы от меня какого-нибудь обещания?

— Да, ожидаю.

— А какого именно?

— Я вполне понимаю, что без вашего содействия мне не на что надеяться. Понимаю, что даже в том случае, если бы в настоящее время мисс Манетт думала обо мне в глубине своего невинного сердца, на что я, конечно, не дерзаю иметь никаких претензий, — все-таки любовь к отцу пересилила бы в ней всякое другое чувство.

— Если так, то вы понимаете, к чему это ведет?

— Да, но, с другой стороны, я понимаю, что одно слово отца, сказанное в пользу того или другого поклонника, будет иметь для нее более веское значение, нежели она сама и все прочее в мире. А потому, — прибавил Дарней скромно, но с твердостью, — я бы не попросил этого слова ни за что на свете, хотя бы от этого зависела моя жизнь.

— В этом я уверен, Чарльз Дарней; близкие привязанности часто порождают такую же потребность в секретах, как и полный разрыв. Только в первом случае секреты бывают чрезвычайно щекотливого и тонкого свойства, и проникнуть в них крайне трудно. В этом отношении моя дочь Люси представляет для меня полнейшую тайну. Я даже и приблизительно не имею понятия о том, что у нее на сердце.

— Позвольте спросить, сэр, как вы думаете: есть ли у нее...

Он запнулся, и отец докончил вопрос:

— Вы хотите знать, есть ли у нее другие претенденты?

— Да, я именно это хотел спросить.

Доктор подумал с минуту, потом ответил:

— Вы сами видели здесь мистера Картона. Иногда у нас бывает также мистер Страйвер; если и есть у нее другой претендент, то, может быть, один из этих двух.

— Или оба, — молвил Дарней.

— Не думаю, чтобы оба; по-моему, едва ли даже один из них. Но вы хотели взять с меня какое-то обещание. Говорите, какое именно.

— Вот какое. Если бы когда-нибудь случилось, что мисс Манетт придет к вам и, со своей стороны, сообщит вам нечто вроде того, что сегодня я осмелился вам сообщить, я прошу вас передать ей то, что вы слышали, и поручиться за искренность моего заявления. Надеюсь, что вы настолько хорошего обо мне мнения, что не станете употреблять свое влияние против меня. Вот и все, о чем я прошу. За это вы, без сомнения, вправе поставить свои условия, и я заранее обязуюсь беспрекословно подчиниться им.

— Это я вам обещаю без всяких условий, — сказал доктор. — Я вполне верю, что цель ваша именно такова, как вы мне ее высказали. Верю, что вы желали бы не ослабить, а укрепить узы, соединяющие меня с самым драгоценным для меня существом. Если она когда-нибудь скажет мне, что вы необходимы для ее полного счастья, я отдам ее вам. Если бы и были... Чарльз Дарней... если бы и существовали...

Молодой человек с благодарностью взял его за руку, и, пока доктор говорил, они держали друг друга за руки.

— ...если бы и существовали какие-нибудь фантастические предположения, предубеждения или вообще причины к неудовольствию против человека, которого она полюбит, лишь бы он сам был ни в чем не виноват, — ради нее ни одна из таких причин не будет принята во внимание. Ведь она для меня важнее всего на свете: важнее перенесенных страданий, важнее пережитой обиды, важнее... Ну да что тут толковать! Это все пустяки.

Странно было видеть, как его горячая речь вдруг оборвалась, как его взгляд потух и глаза пристально уставились в одну точку. Дарней почувствовал, что его собственная рука похолодела, когда доктор безучастно и бессознательно выпустил ее из своей.

— Вы мне что-то сказали? — молвил вдруг доктор Манетт, очнувшись и улыбаясь. — О чем вы говорили?

Дарней растерялся и не знал, что на это сказать, однако вспомнил, что говорил об условии, и тотчас перевел разговор опять на эту тему.

— Ваше доверие ко мне располагает и меня к полнейшему доверию, — сказал он. — Я должен вам сказать, что ношу теперь не свою фамилию, а слегка измененную фамилию моей покойной матери. И я намерен объявить вам настоящее мое имя, а также объяснить причину моего пребывания в Англии.

— Погодите! — воскликнул доктор из Бове.

— Я желаю быть достойным доверия, которое вы мне оказываете, и не хочу иметь от вас никаких секретов.

— Погодите!..

Доктор поднял руки и на минуту даже заткнул себе уши, а потом подался вперед и обеими руками зажал рот Дарнею.

— Вы мне все это скажете, когда я сам спрошу, а теперь не надо, — сказал доктор Манетт. — Если ваше искательство будет успешно, если Люси полюбит вас, вы мне сообщите свой секрет поутру в день свадьбы. Согласны ли вы?

— Охотно соглашаюсь.

— Дайте же руку. Вот так. Она сейчас вернется домой, но лучше, если сегодня она не застанет нас с вами вместе, а потому уходите. До свидания! Да благословит вас Бог!

Было уже темно, когда Чарльз Дарней ушел от него, а через час стало еще темнее, когда Люси вернулась домой. Она поспешила одна в гостиную (мисс Просс прошла прямо наверх) и удивилась, не видя отца на обычном месте — в кресле у окна.

— Папа! — позвала она его. — Папочка, милый!

Никто не ответил, и ей послышалось вдруг из его спальни глухое постукивание молотком. Быстро пройдя среднюю комнату, она заглянула в спальню, отпрянула назад и с испуганным видом убежала, бормоча про себя: «Что мне делать! Что мне делать!» — и чувствуя, что кровь стынет в ее жилах.

Но она недолго пребывала в нерешимости. Через минуту она прибежала назад, тихонько постучалась к нему в дверь и окликнула отца. При звуке ее голоса постукивание молотком прекратилось; он вышел к ней, и они долго прохаживались вместе взад и вперед по комнатам.

В ту ночь она опять приходила из спальни посмотреть, как он спит. Он спал крепким, тяжелым сном, а лоток с башмачным инструментом и неоконченная старая работа стояли в углу, как всегда.

То же, но на иной лад

— Сидни, — сказал мистер Страйвер своему шакалу в тот же вечер, — приготовьте-ка другую миску пунша: мне надо сообщить вам одну вещь.

Сидни с некоторых пор каждую ночь проделывал двойное количество работы, очищая архив мистера Страйвера и верша его дела перед началом долгой вакации. И вот наконец все бумаги были просмотрены, запоздалые дела приведены в ясность, и можно было отдохнуть до ноября, когда настанут осенние туманы и туманы юридические и опять начнется то же вечное таскание по судам.

Обилие труда не произвело на Сидни ни живительного, ни отрезвляющего действия. Напротив, в течение ночи понадобилось несколько лишних раз смачивать полотенце холодной водой, а перед началом этой операции поглотить изрядное количество вина сверх обычной порции; так что к тому времени, когда Сидни стащил с головы мокрые тряпки и бросил их в таз, в котором многократно намачивал их в течение последних шести часов, он был в довольно плачевном состоянии.

— Занялись вы новым пуншем или нет? — спросил Страйвер, величественно лежа на диване, засунув руки за пояс и оглядываясь на товарища.

— Занялся.

— Ну так слушайте! Я вам скажу сейчас нечто такое, что вас разудивит, и, может быть, после этого вы подумаете, что я вовсе не такой мудрец, каким вы меня всегда считали. Я намерен жениться.

— Вот как!

— Да, и притом не на деньгах. Что вы на это скажете?

— Я не расположен обсуждать этот вопрос. Кто она такая?

— Угадайте.

— Да разве я ее знаю?

— Угадайте.

— Не стану я угадывать в пять часов утра, когда и без того голова трещит. Коли хотите, чтобы я угадал, пригласите меня обедать.

— Ну хорошо, так и быть, я вам скажу, — сказал Страйвер, медленно принимая сидячее положение. — Боюсь только, что вы меня не поймете, Сидни, потому что вы уж такой бесчувственный пес.

— Сами-то вы куда как чувствительны и поэтичны! — вставил Сидни, продолжая размешивать пунш.

— А что же! — подхватил Страйвер, самодовольно засмеявшись. — Хоть я и не имею претензии на особенную романтичность (потому что, надеюсь, я выше этого), однако я все-таки много помягче вас.

— То есть вы хотите сказать, что вы удачливее меня.

— Нет, я совсем не то хочу сказать. Я, видите ли, думаю, что я человек несравненно более... более...

— Галантный, что ли? — подсказал Картон.

— Ну да! Пожалуй, и галантный. Я считаю, — продолжал Страйвер, пыжась перед приятелем, пока тот приготовлял пунш, — я считаю себя человеком, который желает быть приятным, который несравненно больше старается об этом и лучше умеет быть приятным в дамском обществе, нежели вы.

— Продолжайте, — сказал Сидни Картон.

— Продолжать-то я буду, — сказал Страйвер, самодовольно кивая, — но сперва выскажу вам всю правду... Вот, например, мы с вами бываем в доме у доктора Манетта, и вы даже чаще, нежели я. А ведь мне просто стыдно за вас, так угрюмо вы себя держите у них! Вы там до того молчаливы, так мрачны и пришиблены, что вот ей-богу, Сидни, я стыдился за вас!

— Слава богу, что при такой обширной адвокатской практике вы еще сохранили способность стыдиться, — сказал Сидни. — Вы должны бы за это быть признательны.

— Не увиливайте! — сказал Страйвер, упрямо возвращаясь к своей теме. — Нет, Сидни, в самом деле, я обязан вам сказать... и скажу, прямо в лицо скажу, авось это вас образумит... что вы чертовски непригодный парень для женского общества. Вы пренеприятный собеседник.

Сидни выпил стаканчик только что приготовленного пунша и рассмеялся.

— Вы посмотрите на меня, — сказал Страйвер, подбоченясь. — Уж кажется, мне можно бы поменьше вашего стараться быть приятным, так как я создал себе независимое положение, а между тем я все же стараюсь. Как вы думаете, зачем я стараюсь?

— Я что-то не видывал, чтобы вы это делали, — проворчал Картон.

— Затем, что соблюдаю политику; я это делаю из принципа... И вот, смотрите на меня: преуспеваю!

— А насчет своих брачных намерений вы так ничего и не сказали, — отвечал Картон беспечным тоном. — Вы бы лучше об этом поговорили. Что до меня... неужели вы еще не видите, что я неисправим?

Он произнес эти слова довольно презрительно.

— Совсем не пристало вам заявлять о своей неисправимости! — проговорил его друг далеко не примирительным тоном.

— Мне и жить-то на свете не пристало... — сказал Сидни Картон. — Кто она такая?

— Я вам сейчас скажу; только опасаюсь, Сидни, как бы вы не сконфузились, узнав ее имя, — сказал мистер Страйвер, с хвастливым дружелюбием подготовляя свое признание, — потому что я ведь знаю, вы не думаете и половины того, что говорите; а если бы и вправду таково было ваше мнение, это было бы не важно. Я потому пускаюсь в такие оговорки, что вы один раз в моем присутствии отзывались неодобрительно об этой девице.

— Я отзывался?..

— Ну да, вы, и в этой самой комнате.

Сидни Картон взглянул на пунш и посмотрел на своего самодовольного приятеля, выпил пуншу и опять посмотрел на своего приятеля.

— Вы отзывались о девице, говоря, что это кукла с золотыми волосами. Девица не кто иная, как мисс Манетт. Будь вы человек хоть сколько-нибудь деликатный и чувствительный к подобным предметам, Сидни, я мог бы быть на вас в претензии за такое определение, но вы именно не такой человек: вы совершенно лишены восприимчивости и деликатности чувства, а потому я и не сержусь на вас, как не стал бы сердиться на человека, не понимающего живописи, если бы ему не понравилась принадлежащая мне картина; или опять не стал бы сердиться, если бы музыку моего сочинения бранил человек, ничего не смыслящий в музыке.

Сидни Картон истреблял пунш с необыкновенной быстротой, осушая стакан за стаканом и поглядывая на приятеля.

— Ну вот, теперь я вам во всем признался, Сидни, — сказал мистер Страйвер. — Я не ищу богатой невесты; с меня довольно и того, что она прелестное создание; я просто хочу доставить себе удовольствие; полагаю, что имею довольно средств и могу наконец пожить в свое удовольствие. Она во мне найдет человека, уже составившего себе порядочное состояние; я на хорошей дороге, быстро подвигаюсь вперед, имею видное положение и некоторую известность; это большое счастье для нее, но она достойна большего счастья; ну что же, вы очень удивлены?

Картон, продолжая отхлебывать пунш, отвечал:

— Чему же тут удивляться?

— И стало быть, одобряете?

Картон, все так же поглощая пунш, промолвил:

— Отчего же не одобрить?

— Ладно! — сказал его друг Страйвер. — Вы это приняли гораздо легче, нежели я думал, и проявили менее корыстных видов, чем я ожидал; впрочем, вам ли не знать, что ваш старый товарищ одарен изрядной силой воли и раз он что-нибудь решил, то не отступит. Да, Сидни, будет с меня такой жизни — слишком уж однообразно она проходит. По-моему, должно быть приятно человеку иметь свой собственный семейный дом и отправляться туда, когда захочешь; а не захочешь, так ведь можно и не ходить домой. А мисс Манетт, по-моему, во всяком состоянии будет вполне приличной особой и ни в каком случае меня не осрамит. Так что я уж совсем решился. А теперь, Сидни, старый дружище, мне хочется поговорить о вас и о вашей будущности. Знаете, вы ведь на очень плохом пути; право же, нельзя так жить: деньгам вы счета не знаете, пьете ужасно много — того и гляди, на днях свалитесь с ног и очутитесь в бедности и в хвором состоянии; пора вам подумать о няньке, которая присмотрела бы за вами.

Его снисходительный и покровительственный вид и обидный тон его речи делали их вдвое неприятнее.

— Советую вам, — продолжал Страйвер, — посмотреть на эти вещи прямо; со своей точки зрения, и я на них смотрю прямо и вам рекомендую сделать то же, с вашей собственной точки зрения. Женитесь. Поищите себе женщину, которая позаботилась бы о вас. Нечего смотреть на то, что вы не любите женского общества и толку в нем не знаете и не умеете себя держать при женщинах. Поищите себе жену. Попробуйте поискать порядочную женщину с некоторым достатком — что-нибудь вроде содержательницы меблированных комнат, какую-нибудь квартирную хозяйку — да и женитесь на ней; на черный день все же лучше. И самое было бы для вас подходящее дело. Подумайте-ка об этом, Сидни.

— Я подумаю, — сказал Сидни.

Глава XII

Деликатный человек

Мистер Страйвер, приняв великодушное решение осчастливить навек докторскую дочку, порешил также уведомить ее о предстоящем ей благополучии, перед тем как уехать из Лондона на все время летних вакаций. Пораздумав о предмете со всех сторон, он пришел к тому заключению, что лучше скорее покончить с предварительными церемониями, а потом уже, на досуге и сообща, постановить, когда именно он сведет ее к алтарю — за неделю или за две до Михайлова дня или в течение короткой зимней вакации между Рождеством и Масленицей.

Что касается шансов на успех, ему и в голову не приходило сомневаться в том, что все пойдет как по маслу. Дело представлялось ему в таком простом, несложном виде и основывалось на таких солидных и существенных житейских соображениях (а какие же еще соображения стоит принимать в расчет?), что, по его мнению, не могло быть на его пути, как говорится, ни сучка ни задоринки. Он сам предъявит иск, представит свидетельства неопровержимые, так что стряпчие противной стороны поневоле должны будут отказаться от защиты, а присяжные произнесут утвердительный приговор, даже не удаляясь в совещательную комнату. Кажется, ясно как день. Мистер Страйвер решил, что дело крайне несложное и задумываться не о чем.

Став на такую точку зрения, мистер Страйвер положил отпраздновать начало летних вакаций, пригласив с собой мисс Манетт прогуляться в публичный сад Воксхолл; а коли это не удастся, сводить ее в Ранлаф[1]; а если, паче чаяния, и это не выгорит, самолично явиться в Сохо и там сообщить о своем благородном решении.

Итак, мистер Страйвер отправился в Сохо, покидая стены Темпла в самые первые, так сказать младенческие, часы летней вакации. Всякий, кому довелось бы посмотреть, как победоносно он проталкивался в толпе, направляясь в Сохо через Сент-Дунстанский квартал Темплских ворот, и как бесцеремонно он устранял со своего пути слабейшие экземпляры человеческого рода, мог бы засвидетельствовать, что вот идет человек сильный и надежный. Путь его пролегал мимо Тельсонова банка, и, так как он держал свои капиталы у Тельсона и знал притом, что мистер Лорри в большой дружбе с семейством Манетт, мистер Страйвер вздумал зайти в банк и сообщить мистеру Лорри, какие блистательные горизонты готовит он для Сохо. Он отворил дверь, издававшую удушливый хрип,

---

[1] Сады Воксхолл и Ранлаф были любимыми местами прогулок и развлечений в XVIII в.

споткнулся о две ступеньки, спускавшиеся вниз, прошел мимо обоих старичков-кассиров и протиснулся в затхлую каморку, где мистер Лорри, склонившись над увесистыми счетными книгами, разграфленными для вписывания цифр на каждой странице, восседал у тусклого окна, как будто разграфленного железными прутьями тоже для вписывания цифр, словно под небесами не было ничего, кроме цифр!

— Ого! — громогласно произнес мистер Страйвер. — Как поживаете? Надеюсь, что здоровы!

Одной из особенностей Страйвера было то, что он во всяком месте казался слишком велик и решительно загромождал своей особой все пространство. У Тельсона от него стало вдруг так тесно, что из отдаленных закоулков банка старые клерки стали выглядывать на него с укоризной, как будто он всех прижал к стене. Сам глава фирмы, величественно читавший газету в самом дальнем конце перспективы, взглянул на него негодующим оком, как будто Страйвер сунулся головой в его чреватую ответственностью жилетку.

Скромный мистер Лорри произнес умеренным голосом, как бы подавая пример, как следует здесь говорить:

— Как поживаете, мистер Страйвер, здоровы ли вы, сэр? — и протянул ему руку для пожатия.

Надо заметить, что как мистер Лорри, так и все остальные клерки Тельсонова банка совсем особенным образом пожимали руки посетителям в присутствии главы фирмы: они это делали как бы не сами от себя, а от имени Тельсона и компании.

— Чем могу служить, мистер Страйвер? — спросил мистер Лорри тем же деловым тоном.

— Да ничем, мистер Лорри, покорно вас благодарю; я не по делу пришел, а так, по знакомству. Хотел перемолвиться с вами словечком.

— Ах вот что, — сказал мистер Лорри, преклоняя ухо к посетителю, но все-таки обращая взор к видневшемуся в отдалении главе фирмы.

— Я, видите ли... — сказал мистер Страйвер, конфиденциально укладывая свои локти на письменный стол — большой двойной стол и очень просторный, но с появлением мистера Страйвера показавшийся совсем маленьким, — я, видите ли, собираюсь сегодня свататься к вашей миловидной приятельнице, мисс Манетт.

— Ох, боже мой! — воскликнул мистер Лорри, потирая свой подбородок и сомнительно поглядывая на гостя.

— Как «боже мой»! Почему «боже мой», сэр? — повторил мистер Страйвер, отпрянув от него. — Что вы хотите этим сказать, мистер Лорри?

— Что я хочу сказать? — отвечал практический делец. — Само собой разумеется, что я расположен к вам весьма дружелюбно, высоко ценю ваш выбор, нахожу, что он делает вам честь... Ну, словом, мое мнение отнюдь не оскорбительно для вас. Но, с другой стороны, мистер Страйвер, право же, как хотите...

Тут мистер Лорри запнулся, тряся головой, как будто поневоле хотел сказать: «Разве вы не знаете, что ей с вами чересчур тесно будет жить на белом свете?»

— Ну, — произнес Страйвер, хлопая своей обширной ладонью по столу, тараща глаза на собеседника и испуская мощный вздох, — хоть вы меня повесьте, мистер Лорри, я ничего не могу понять!

Мистер Лорри обеими руками надвинул на уши свой паричок и закусил кончик своего гусиного пера.

— Кой черт, сэр, — сказал Страйвер, вытаращив глаза, — или я не гожусь в женихи?

— Ох, боже мой, конечно годитесь, — сказал мистер Лорри. — Коли на то пошло, вы жених хоть куда!

— И уж кажется, завидный? — сказал Страйвер.

— О, что до этого, какое же сомнение в том, что завидный, — сказал мистер Лорри.

— И делаю карьеру?

— Ну, что до карьеры, — сказал мистер Лорри в восхищении оттого, что еще раз можно не перечить гостю, — кто же может усомниться в вашей карьере?

— Так о чем же вы толкуете, мистер Лорри, скажите на милость? — спросил Страйвер, видимо сбитый с толку.

— Да видите ли, я... Вы, может быть, теперь туда направляетесь? — спросил мистер Лорри.

— Прямым трактом! — сказал Страйвер, стукнув кулаком по столу.

— Ну вот, будь я на вашем месте, я бы не пошел туда.

— А почему? — спросил Страйвер, грозя ему своим цепким адвокатским пальцем. — Вы человек деловой и потому обязаны ничего не делать без уважительной причины. Ну-ка, объясните причину, почему бы вы туда не пошли?

— А потому, — отвечал мистер Лорри, — что, идя за таким делом, я бы сперва справился, имею ли я шансы на успех.

— Кой черт! — крикнул мистер Страйвер. — Это уж вовсе из рук вон!

Мистер Лорри взглянул сначала вдаль, на главу фирмы, потом на разгневанного Страйвера.

— Вы деловой человек и пожилой человек, и опытности у вас должно быть довольно... сами в банке служите, — говорил Страйвер, — и сами же признали три важнейшие причины для полного успеха и вдруг говорите, что у меня нет шансов на успех! И вот что удивительно, ведь у вас голова на плечах!

Страйвер, по-видимому, считал бы менее удивительным тот факт, если бы мистер Лорри говорил, вовсе не имея головы.

— Когда я говорю о шансах на успех, я имею в виду успех у молодой девицы; и, когда я говорю о причинах сомневаться в успехе, я думаю только о том, как молодая девица посмотрит на ваше сватовство. Молодая девица, любезный мой сэр, — сказал мистер Лорри, мягко похлопывая Страйвера по плечу, — молодая девица, понимаете ли? Я только ее и принимаю во внимание.

— Не хотите ли вы этим сказать, мистер Лорри, — сказал Страйвер, становясь фертом, — что, по крайнему вашему разумению, эта самая молодая девица — набитая дура?

— Н-нет, не совсем, — сказал мистер Лорри, сильно покраснев. — Напротив, мистер Страйвер, я хочу сказать, что ни от кого не потерплю ни одного непочтительного слова насчет этой самой девицы; и если бы я знал человека... только таких, надеюсь, не найдется среди моих знакомых... человека с такими грубыми вкусами, с таким вспыльчивым нравом, что он не умел бы удержаться от непочтительного отзыва об этой молодой девице, вот у этого самого стола... даже уважение к Тельсоновой фирме не могло бы помешать мне высказать ему мое мнение начистоту!

Теперь настала очередь сердиться мистеру Страйверу, и необходимость проявлять свой гнев в сдержанном тоне так напрягла его жилы, что они готовы были лопнуть. Мистер Лорри тоже разгорячился почти в такой же степени, даром что его кровь издавна была приучена вращаться смирно и методично.

— Вот что я, собственно, хотел вам сказать, сэр, — закончил свою речь мистер Лорри. — Я говорю без обиняков и надеюсь, что не подаю повода к недоразумениям.

Мистер Страйвер забрал в рот конец линейки и, пососав ее некоторое время, стал с помощью того же инструмента насвистывать сквозь зубы какую-то мелодию, от чего у него, вероятно, зубы разболелись. Потом он нарушил неловкое молчание следующими словами:

— Признаюсь, мистер Лорри, для меня это совершенно новая точка зрения. Итак, вы решительно и определенно советуете мне не ходить в Сохо и не предлагать свою руку... понимаете ли, руку Страйвера, того самого, что составил себе имя в королевском суде присяжных?

— Вы спрашиваете моего совета, мистер Страйвер?

— Да, спрашиваю.

— Ну хорошо; так я даю вам тот самый совет, который вы сейчас формулировали вполне правильно.

— А я на это могу сказать только, — заметил Страйвер с натянутым смехом, — что это самая удивительная вещь в прошедшем, настоящем и будущем... ха-ха!

— Позвольте минуту, — продолжал мистер Лорри. — В качестве вполне практического делового человека я, собственно, не имею права голоса в этом вопросе, потому что с деловой точки зрения мне ничего об этом не известно. Но я вам высказал свое мнение просто как старик, носивший на руках мисс Манетт, пользующийся дружбой и доверием ее отца и ее собственным дружеским расположением и горячо привязанный к ним обоим. Помните, что не я начал этот разговор, я не напрашивался на вашу откровенность. Но вы, может быть, думаете, что я ошибаюсь?

— Нет, — молвил Страйвер, продолжая насвистывать, — я не могу ручаться за здравомыслие других лиц, отвечаю только за себя. Я предполагаю присутствие здравого смысла у некоторых лиц, вы же предполагаете там возможность какого-то жеманного вздора. Все это ново для меня, но я тем не менее признаю, что вы, вероятно, правы.

— Позвольте мне, мистер Страйвер, *своими* словами выражать мои предположения. И прошу заметить, сэр, — продолжал мистер Лорри, снова покраснев, — что я никому не позволю, даже здесь, у Тельсона, приписывать мне такие слова, которых я не произносил.

— Ну-ну! Прошу извинения! — сказал Страйвер.

— Так-то лучше. Благодарю вас. Кстати, мистер Страйвер, вот что еще я хотел вам сказать. Для вас было бы ведь очень неприятно, если бы оказалось, что вы ошиблись; и доктору Манетту было бы неприятно просвещать вас на этот счет; а в особенности для мисс Манетт было бы крайне неприятно рассуждать с вами о таком предмете. Между тем вам известно, в каких отношениях я имею честь и счастье состоять при этом семействе. Если желаете, я, нимало вас не компрометируя и ни в каком смысле не выставляя себя вашим уполномоченным, попробую проверить свои предположения на месте, порасспрошу там кое о чем и постараюсь исследовать почву именно с этой стороны. Если результаты моих исследований не удовлетворят вас, можете проверить их лично; если же они покажутся вам доказательными, пускай все остается как есть, а вы и другие лица, по крайности, избегнете лишних неприятностей. Что вы на это скажете?

— А долго ли вы из-за этого задержите меня в городе?

— О, с этим вопросом можно покончить в несколько часов. Я могу сегодня же вечером сходить в Сохо, а оттуда зайду на вашу квартиру.

— Ну так ладно, — сказал Страйвер, — значит, теперь я туда не пойду, да и особого стремления не чувствую; делайте как знаете, а вечерком я буду вас поджидать. Доброго утра.

Мистер Страйвер повернулся и, стремительно бросившись к выходу, произвел в воздухе такой вихрь, что старенькие кассиры насилу устояли на ногах, откланиваясь ему на прощание. Эти почтенные и дряхлые старцы только и делали, что раскланивались, и публика полагала, что они на всякий случай кланяются беспрерывно, даже и в пустой конторе, потому что если ушел один клиент, может войти другой.

Законовед тотчас догадался, что банковский клерк не стал бы так упорно поддерживать своего мнения, если бы не имел твердого внутреннего убеждения в правоте своих взглядов. Страйвер совсем не ожидал, чтобы ему пришлось глотать такую горькую пилюлю, однако проглотил ее.

«Но только вот что, — сказал про себя мистер Страйвер, погрозив своим крючковатым пальцем всему Темплу вообще, — я-то из этого вывернусь, да еще вас же оставлю в дураках!»

То был один из излюбленных тактических приемов уголовного судопроизводства, и такой поворот мыслей доставил ему несказанное удовольствие.

«Не вы меня подсидите, милая барышня, а я сам вас подсижу!» — говорил про себя мистер Страйвер.

В тот же вечер, не ранее десяти часов, мистер Лорри зашел к нему на квартиру и застал мистера Страйвера среди целого вороха книг и бумаг, нарочно для этого случая всюду разбросанных: по всему было видно, что Страйвер и думать забыл о предмете их утренней беседы. Он выказал немалое удивление при виде мистера Лорри и казался вообще рассеянным.

— Ну-с, — молвил благодушный посол, в течение получаса тщетно старавшийся навести его на этот предмет, — я был сегодня в Сохо...

— В Сохо? — безучастно повторил мистер Страйвер. — Ах да, конечно! А я было и забыл совсем!

— И у меня не осталось ни тени сомнения в том, что я был прав, — продолжал мистер Лорри. — Мои предположения подтвердились, и мой совет вам остается в прежней силе.

— Уверяю вас, — отвечал Страйвер самым дружелюбным тоном, — что я весьма сожалею об этом ради вас самих и ради ее бедного отца. Я знаю, как тяжелы бывают для семейства подобные случаи; ну, не будем больше говорить об этом.

— Я вас не понимаю, — сказал мистер Лорри.

— Я так и думал, — подхватил Страйвер, успокоительно кивая, — но это ничего, не беда, коли не понимаете.

— Как же «ничего», — настаивал мистер Лорри, — должен же я понять...

— Ничуть не должны; никакой надобности в этом нет, уверяю вас. Я думал, что есть здравый смысл там, где его нет; предполагал похвальное честолюбие там, где его тоже нет; значит, ошибся — и вся недолга. Не беда! Молодые девицы нередко проделывают подобные глупости, а потом горько каются в них, впадая в бедность и в зависимое положение. С точки зрения отвлеченной и бескорыстной мне жаль, что дело не выгорело, потому что с житейской точки зрения другим было бы от этого гораздо лучше; но для меня лично я рад, что оно не выгорело, потому что с житейской точки зрения мне от этого не было бы никакой корысти: нечего и говорить, что я бы ничего не выиграл подобным браком. Стало быть, никакой беды не вышло. Я еще не сватался к молодой девице и, между нами сказать, еще не знаю наверное, по зрелом размышлении решился бы я на это в конце концов или нет. Эх, мистер Лорри, трудно ладить с жеманством, тщеславием и легкомыслием пустоголовых девушек, и ничего с этим не поделаешь. Лучше и не пробуйте, все равно не удастся. И пожалуйста, не будем больше говорить об этом. Повторяю: весьма сожалею о других, которым от этого будет хуже, но очень рад за самого себя. Я вам очень обязан за то, что вы позволили мне откровенно побеседовать с вами, очень благодарен за совет; вы лучше меня знаете эту молодую девицу и были вполне правы: для меня это неподходящая партия.

Мистер Лорри был так ошеломлен, что одурелыми глазами смотрел на мистера Страйвера, пока тот подталкивал его к двери с таким видом, как будто осыпал его виновную голову цветами своего великодушия, благородства и благоволения.

— Постарайтесь с этим примириться, любезный мой сэр, — говорил Страйвер, — вперед нечего и упоминать об этом. Еще раз благодарю вас за дозволение порасспросить вас. Спокойной ночи!

Мистер Лорри не помнил, как очутился на темной улице, а мистер Страйвер тем временем разлегся на диване и, глядя в потолок, хитро подмигивал сам себе.

Глава XIII

Неделикатный человек

Сидни Картону если и случалось где-нибудь блистать, то случалось это, нет сомнения, не в доме доктора Манетта. Он бывал там очень часто в течение целого года и неизменно являлся все тем же угрюмым и унылым гостем, как вначале. Иногда он бывал разговорчив и говорил хорошо, но ему как будто ничто не мило было на свете, и это вечное равнодушие набрасывало на него роковую тень, сквозь которую редко проникали лучи его внутреннего света.

А между тем, должно быть, ему были милы улицы, прилегавшие к этому дому, и даже бесчувственные камни окружавшей мостовой. Часто по ночам он неопределенно и тоскливо бродил по этим местам, когда выпитое вино не доставляло ему хотя бы временного ободрения и радости. Часто в предрассветном сумраке виднелась там его одинокая фигура и все еще блуждала по тем же переулкам, когда первые лучи солнца начинали озарять верхушки церковных башен и высоких зданий, резко выделяя незаметные до сих пор их архитектурные красоты; и, может быть, в эту раннюю и тихую пору дня ему вспоминались далекие ощущения первой юности, давно забытые и невозвратные. В последнее время он все реже прибегал к той измятой постели, что стояла в его неопрятной квартире на Темплском подворье. Случалось, что он приходил домой, бросался на кровать, но через несколько минут снова вставал и опять уходил блуждать по тем же местам.

Однажды в августе, после того как мистер Страйвер перенес свою деликатную особу в Девоншир, предварительно заявив своему *шакалу*, что «передумал насчет женитьбы», по всем улицам города разливался запах цветов; и этот аромат, и сам вид цветов имели такое благотворное действие, что в душе худших людей пробуждали нечто доброе, больным навевали облегчение, а дряхлым старикам напоминали молодость; и в эту пору Сидни Картон бродил по тем же мощеным переулкам. Сначала он бродил бесцельно и нерешительно, потом, повинуясь внутреннему побуждению, сами ноги привели его к подъезду докторского дома.

Его попросили наверх, и он застал Люси одну за работой. Она всегда несколько стеснялась в его присутствии и теперь немного смутилась, когда он присел к ее столу. Но, обмениваясь обычными приветствиями, она взглянула ему в лицо, и ей показалось, что оно сильно изменилось.

— Вы, кажется, не совсем здоровы, мистер Картон?

— Нет, ничего; только та жизнь, какую я веду, не приводит к здоровью, мисс Манетт. Чего же и ждать хорошего от таких беспутных людей, как я!

— Какая жалость!.. Простите, это нечаянно вырвалось у меня... Но неужели нельзя вести иную, лучшую жизнь?

— Да, я знаю, что моя жизнь позорна!

— Так зачем же вы ее не измените?

Подняв на него свой кроткий взор, она удивилась и опечалилась, заметив на глазах его слезы. И в голосе его слышались слезы, когда он ответил ей:

— Теперь уж слишком поздно. Я никогда не стану лучше, чем теперь. Буду падать все ниже, становиться все хуже.

Он оперся локтем на ее стол и прикрыл глаза рукой, и стол тихо сотрясался, пока длилось их обоюдное молчание.

Она никогда не видела его в таком смягченном настроении и совсем растерялась и огорчилась. Он это знал и, не глядя на нее, сказал:

— Пожалуйста, мисс Манетт, простите меня. Я заранее теряю мужество перед тем, что собираюсь вам сказать. Согласны ли вы меня выслушать?

— Да, мистер Картон, если это сколько-нибудь облегчит вас. Если бы это могло сделать вас счастливее, я была бы так рада!

— Благослови вас Бог за ваше милое сострадание!

Через некоторое время он отнял руку от лица, выпрямился и заговорил тверже и спокойнее:

— Не опасайтесь меня выслушать. Не бойтесь того, что я скажу. Я ведь все равно что умер в молодости; вся моя жизнь в прошлом.

— Нет, мистер Картон. Я убеждена, что лучшая часть вашей жизни еще может быть впереди; я уверена, что вы можете сделаться гораздо достойнее себя самого.

— Лучше бы вы сказали: достойнее вас, мисс Манетт, и хотя я знаю, что этого быть не может, потому что в глубине своего жалкого сердца я знаю самого себя, а все-таки я этого никогда не забуду!

Она была бледна и дрожала. Он решился по возможности облегчить ее трудную роль и стал говорить о себе с такой полнотой безнадежного самоотречения, которая придала их беседе совсем небывалый и оригинальный характер.

— Если бы случилось, мисс Манетт, что вы ответили бы взаимностью на любовь человека, которого теперь видите перед собой (а вы знаете, какое это пропащее, никуда не годное пьяное создание), этот человек испытывал бы, разумеется, великое счастье и, невзирая на то, все время сознавал бы как нельзя лучше, что доведет вас до нищеты, до безысходного горя и раскаяния, омрачит вашу жизнь, осрамит вас и увлечет за собой в бездну. Я очень хорошо знаю, что вы не можете питать ко мне нежные чувства, и не прошу об этом, и даже благодарю Бога за то, что их нет.

— Но, помимо таких чувств, мистер Картон, не могу ли я вам помочь? Не могу ли я направить вас, простите еще раз, на лучшую жизнь? Как бы мне вам отплатить за доверие?.. Ведь я знаю: то, что вы мне сказали, должно остаться между нами и никому, кроме меня, вы бы не сказали этого, — прибавила она скромно, слегка запинаясь и начиная плакать. — Может быть, ваше чувство вам же самим принесет некоторую пользу, мистер Картон?..

Он покачал головой:

— Нет, мисс Манетт, никакой пользы оно мне не может принести. Если вы согласитесь еще несколько минут меня выслушать, этим исчерпается все, что вы когда-либо можете для меня сделать. Я хочу, чтобы вы знали, что вы были последней мечтой моей души. При всей моей низости, я еще не вполне утратил восприимчивость сердца, и, видя вас с вашим отцом, видя, какой домашний очаг вы ему устроили, я почувствовал, что это зрелище пробуждает во мне давнишние воспоминания, бледные тени прошлого, которое я считал давно умершим в своей душе. С тех пор как я увидел вас, меня стало мучить раскаяние, а ведь я думал, что давно покончил счеты со своей совестью; и я услышал отголоски давно умолкших голосов, призывавших меня к более возвышенным помыслам. В голове моей стали бродить смутные мысли о возрождении, я хотел начинать жизнь сызнова, стряхнуть с себя всю эту грязь и мерзость и возобновить давно заброшенную борьбу со своими страстями. Но это были мечты, только мечты, без всяких благих последствий, и я очнулся там же, где лег. Но мне хотелось, чтобы вы знали, что вы пробудили во мне эти грезы.

— И неужели от них ничего не останется? О мистер Картон, подумайте еще раз! Попробуйте сызнова!

— Нет, мисс Манетт, я сам заранее знал, что это ни к чему не приведет, потому что я человек пропащий. А все-таки у меня было, да и теперь есть, малодушное желание, чтобы вы знали, каким мощным пламенем зажгли вы меня — меня, кучу негодного пепла, хотя по свойствам моей натуры это пламя ни на что не нужное, ни к чему не приложимое, ничего не освещает, никого не греет, так себе... горит понапрасну!

— Коли такое мое несчастье, мистер Картон, что из-за меня вы стали еще несчастнее, чем были до знакомства со мной...

— Не говорите этого, мисс Манетт; если бы мыслимо было мое спасение, вы одна могли бы меня спасти. Во всяком случае, знакомство с вами не сделает меня хуже того, чем я был.

— Но раз особое состояние вашего духа, как вы его описываете, находится в зависимости от моего влияния... не знаю, так ли я выражаюсь и достаточно ли вам понятна моя мысль... нельзя ли мне употребить свое влияние на пользу вам? Не могу ли я послужить как-нибудь к вашему благу?

— Сегодня, мисс Манетт, я стяжал здесь величайшее из благ, для меня доступных. Позвольте мне во весь остаток моей беспутной жизни сохранить память о том, что из всех людей в мире я вам одной открыл мое сердце и что в ту пору в нем еще уцелело нечто такое, что вы могли оплакивать и о чем удостоили пожалеть.

— Еще раз прошу вас, от всего сердца прошу поверить, что считаю вас способным на лучшее и высшее, мистер Картон!

— Не просите, мисс Манетт, и сами этому не верьте: я себя лучше знаю и сам испытал, что все напрасно. Я вижу, что огорчаю вас, но теперь скоро конец. Могу ли я надеяться, вспоминая о нынешнем дне, что последняя заветная мечта моей жизни останется в вашем чистом и непорочном сердце, что вы сохраните ее там отдельно и не поделитесь ею ни с кем?

— Если это может послужить вам утешением, конечно да.

— Ни с кем, ни даже с тем, кто будет для вас дороже всех на свете?

— Мистер Картон, — ответила она, немного помолчав и в большом волнении, — это ваша тайна, а не моя, и потому обещаю вам свято хранить ее.

— Благодарю вас. И да благословит вас Бог! — Он поцеловал ее руку и собрался уходить. — Не опасайтесь, мисс Манетт, чтобы я вздумал когда-нибудь возобновить этот разговор или хотя бы намекнуть на него единым словом. Когда я буду умирать, единственным хорошим и священным для меня воспоминанием будет то, что мое последнее признание было обращено к вам, что мое имя, мои проступки и несчастья попали в ваше сердце и там хранились. Надеюсь, что во всех других отношениях этому сердцу будет легко и отрадно!

Он стоял у двери и, глядя на нее вполоборота, был так непохож на то, что она привыкла видеть в нем, и так грустно ей было думать, как много в нем хорошего, и так жаль, что день за днем все это гибнет и пропадает даром, что Люси Манетт сидела и горько плакала о нем.

— Утешьтесь! — сказал он. — Я не стою ваших слез, мисс Манетт; часа через два опять меня захватят мои низкие привычки, мои низкие товарищи... Я их презираю, а все-таки поддаюсь им и скоро приду в такое состояние, что буду менее достоин сострадания, нежели последний нищий калека, что ползает по улицам. Утешьтесь! В глубине моей души относительно вас я всегда останусь тем, чем был сегодня; но по внешности я буду опять таким же, каким вы меня знали до сих пор. Умоляю вас верить мне, и это моя предпоследняя просьба к вам.

— Верю, мистер Картон.

— Самая последняя просьба вот какая... Высказав ее, я вас избавлю от такого гостя, с которым, я это вполне сознаю, у вас ничего нет общего и от которого вас отделяет непроходимая бездна... Может быть, всего этого не надо было говорить, но так уж из души вылилось. Для вас и для тех, кто вам дорог, я готов сделать все на свете. Если бы моя деятельность и карьера были высшего сорта, если бы представился мне случай оказывать услуги, жертвовать собой, я бы с радостью принес всякую жертву ради вас и ради тех, кто вам дорог. Впоследствии, в более спокойном настроении, не забывайте этого и постарайтесь думать обо мне так, что вот в этом отношении я всегда вам одинаково предан. Придет время, и даже очень скоро оно придет, когда вокруг вас образуются новые узы... они еще крепче и нежнее привяжут вас к дому, которому вы служите украшением; это будут узы наиболее драгоценные и радостные для вас. О мисс Манетт! Когда вы увидите на маленьком личике живой портрет его счастливого отца, когда отражение вашей собственной красоты и прелести будет играть у ваших ног, вспоминайте иногда, хоть изредка думайте, что есть на свете человек, готовый жизнь свою отдать за то, чтобы все ваши привязанности были целы и благополучны вокруг вас.

Еще раз он сказал: «Прощайте! Да благословит вас Бог!» — и ушел.

Глава XIV

Честный промышленник

Немало интересных зрелищ разнообразнейшего характера приходилось созерцать мистеру Джеремии Кренчеру, неизменно сидевшему на своем переносном табурете, рядом с неприглядным мальчишкой-сыном, на Флит-стрит. Да и кто же мог бы целый день высидеть на чем бы то ни было на Флит-стрит, особенно в оживленные часы будничного дня, и не оглохнуть, не почувствовать головокружения от этих двух бесконечной вереницей тянущихся процессий, из которых одна вечно стремится к востоку, прочь от солнца, а другая к западу вместе с солнцем, и обе всегда устремляются в те пространства, которые гораздо дальше красных облаков, сопровождающих багряную зарю солнечного заката!

С соломинкой во рту сидит мистер Кренчер на своей табуретке и, подобно сказочному поселянину языческих времен, принужденному следить век за веком, как мимо него течет ручей, созерцает оба потока, бегущих мимо него, — с той только разницей, что он не питает ни малейших опасений насчет того, что они могут иссякнуть. Если бы это случилось, такое обстоятельство могло невыгодно отозваться на его финансах, так как некоторую часть своих ежедневных доходов он получал от тех робких и нерешительных особ прекрасного пола (преимущественно пожилых лет и тучного телосложения), которым он помогал переходить через улицу от Тельсонова банка на противоположную сторону. Как ни кратковременно было всякий раз его общение с этими дамами, мистер Кренчер так живо был заинтересован каждой из них, что выражал пламенное желание непременно выпить за ее здоровье. Дамы давали ему обыкновенно средства к осуществлению столь благого намерения, и таким образом он понемногу сколачивал себе за день некоторую сумму.

Было время, когда поэт, сидя на скамейке среди людной площади, думал и размышлял на виду у проходящих. Мистер Кренчер тоже сидел на табуретке в людном месте, но, не будучи поэтом, он думал как можно меньше, а просто зорко поглядывал по сторонам.

Случилось, что он занимался этим в такое время, когда проходящих было не так много, а трусливых женщин еще меньше, и дела его вообще были в таком плохом состоянии, что он начинал сильно подозревать свою жену в том, что она где-нибудь «грохается об пол», нанося ущерб его карману; вдруг на восточном конце Флит-стрит показалась большая толпа людей, направлявшихся в западную сторону.

Вглядевшись пристальнее в тот конец, мистер Кренчер рассмотрел на улице погребальную процессию и понял также, что уличная толпа почему-то препятствует этим похоронам и что по этому поводу поднимается шум и крик.

— Джерри-меньшой, — сказал мистер Кренчер, обращаясь к своему детищу, — а ведь это похороны!

— Ур-ра, батюшка! — сказал Джерри-меньшой.

Сын произнес это восторженное восклицание с особым пафосом; отцу это не слишком понравилось. Он изловчился наградить мальчика увесистой пощечиной.

— Это что значит? Чего ты орешь? Чему радуешься? Как смеешь грубить родному отцу? Ах ты... Мочи моей нет с этим мальчишкой! — говорил мистер Кренчер, оглядывая сына с головы до ног. — Туда же, вздумал кричать «ура!». Смотри у меня, коли я опять услышу твой голос, еще раз побью. Слышишь?

— Чем же я провинился? — хныкал юный Джерри, потирая щеку.

— Перестань! — молвил мистер Кренчер. — Не смей мне перечить! На вот, залезай на табуретку и гляди на улицу.

Сынок послушался. Между тем толпа приближалась; люди вскрикивали и шипели вокруг грязных погребальных дрог и не менее грязной траурной кареты, в которой сидел единственный человек, сопровождавший процессию и одетый в те грязноватые и обтрепанные траурные доспехи, которые считались необходимой принадлежностью его роли в этой церемонии. Роль эта, как видно, была ему вовсе не по сердцу, тем более что окружающая толпа все прибывала, крики становились все более громки и буйны, над ним насмехались, строили ему гримасы, беспрерывно повторяли: «Ага! Шпионы! Тсс! Ага! Шпионы!» — сопровождая эти возгласы многочисленными и не всегда приличными комплиментами.

Похороны во всякое время имели особую привлекательность для мистера Кренчера. Всякий раз, как мимо Тельсонова банка проезжала траурная колесница, он настораживал уши и приходил в волнение. Поэтому вполне естественно, что погребальная процессия столь необычного вида привела его в весьма тревожное настроение, и он обратился к первому наткнувшемуся на него прохожему, бежавшему возле дрог:

— Кого это, братец мой, хоронят? По какому случаю шум?

— Да я не знаю, — ответил тот и побежал дальше, повторяя: — Шпионы! Ага! Тсс! Шпионы!

Он обратился к другому:

— Кого хороните?

— Я не знаю! — отвечал и этот, но тем не менее сложил руки рупором и, приставив к своим губам, заревел с изумительным жаром: — Шпионы!.. Ага! Тсс!.. Тсс!.. Шпионы!

Наконец Джерри случайно напал на человека, лучше других знакомого с обстоятельствами дела, и от этого лица узнал, что хоронят некоего Роджера Клая.

— А он был шпион? — спросил Кренчер.

— Да, из Олд-Бейли, — сказал сведущий человек и завопил: — Ага! Тсс!.. Старотюремные шпионы!

— Ах да, вот что! — воскликнул Джерри, припомнив уголовное судилище, на котором и он присутствовал. — Я его видел. Так он, значит, помер?

— Умер!.. Мертв как колода, — отвечал тот, — и отлично сделал, что умер. Эй, вали их вон, эй! Шпионы!.. Тащи их вон! Шпионы!

Для дикой толпы, скопившейся и бессмысленно бежавшей, эта мысль показалась столь блистательной, что она ее подхватила на лету и, принявшись кричать: «Вали их, тащи их вон!» — так стеснила дроги и карету, что обе колесницы остановились. Дверцы кареты раскрыли с обеих сторон, и единственный провожатый, сам выскочив оттуда, предался в руки толпы, но он оказался таким ловким и проворным и так искусно сумел воспользоваться благоприятным моментом, что через несколько секунд уже опрометью бежал вдоль одного из прилегающих переулков, оставив в руках своих преследователей черный плащ, шляпу, длинный креповый шарф, белый носовой платок и прочие официальные эмблемы неутешной горести.

Народ, овладевший этими предметами, разорвал их в клочки и с величайшим наслаждением развеял по ветру, а лавочники тем временем деятельно принялись запирать свои лавки: народные скопища в те времена ни перед чем не останавливались, и мирные граждане сильно их побаивались. Толпа дошла уж до того, что, раскрыв дроги, стала вытаскивать оттуда гроб, как вдруг кому-то пришла на ум еще более блестящая мысль: водворить гроб на место, проводить его на кладбище всей компанией и отпраздновать похороны как можно веселее.

Только такого совета и ждали, и эта мысль была принята с восторгом. Немедленно для участия в церемонии человек восемь втиснулось внутрь кареты, еще человек двенадцать умостилось снаружи, а на дроги налезло столько народу, сколько возможно было уместить с грехом пополам. В числе первых волонтеров оказался Джерри Кренчер, который скромно спрятал свою шероховатую голову от взоров Тельсонова банка, забравшись в дальний угол траурной кареты.

Гробовщики пытались протестовать против такой внезапной перемены церемониала, но река была совсем близко, а в толпе уже поднялись голоса, рассуждавшие о пользе холодного купания для ослушников народа, а потому протест был краток и неэнергичен. Процессия выстроилась на новый лад и тронулась в дальнейший путь. На козла погребальной колесницы взгромоздился трубочист; рядом с ним для управления лошадьми примостился и настоящий кучер, а траурной каретой заправляли в таком же порядке продавец пирожков с прежним возницей в виде ассистента. Когда процессия потянулась вдоль набережной Темзы, к ней присоединились еще медведь со своим вожаком — в то время весьма обычное явление на лондонских улицах; медведь был черный, чрезвычайно мохнатый и действительно придавал церемониальный характер шествию, в котором он участвовал, тяжело ступая на задних лапах.

По дороге пили пиво, курили трубки, распевали песни, изображали в карикатуре всевозможные виды печали, и таким образом беспорядочная толпа подвигалась вперед, постоянно разрастаясь все новыми участниками и побуждая купцов запирать свои лавки и склады. Конечной целью странствия была старинная церковь Святого Панкратия, стоявшая в то время далеко за городом, почти в чистом поле. Наконец толпа достигла этого места и настояла на том, чтобы ее непременно впустили в кладбищенскую ограду; там она по-своему распорядилась погребением покойного Роджера Клая и схоронила его по собственному вкусу и усмотрению.

Зарыв покойника, она не унялась и жаждала другого развлечения; тогда нашелся еще один остроумный советчик (а может быть, это был тот же самый) и подал мысль хватать случайных прохожих, уличать их в том, что они шпионы из Старой тюрьмы, и учинять с ними соответственную расправу. Началась погоня за прохожими; изловили несколько десятков ни в чем не повинных людей, в глаза не видевших тюрьмы, и ни с того ни с сего сильно помяли им бока и избили ради осуществления какой-то фантастической мести. От таких подвигов совершенно естественно перешли к битью окон камнями, к разбиванию кабаков и выкатыванию на улицу бочек с вином. Побушевав несколько часов и успев повалить несколько беседок и сломать несколько садовых решеток в целях вооружения некоторых особенно воинственных буянов, толпа была вдруг встревожена слухом, что сейчас придет караул. При этом известии бушевавшие люди постепенно разбежались; может быть, и в самом деле шел караул, а может быть, и не шел, но таков уже был обычный порядок подобных происшествий всюду, где только собиралась чернь.

Мистер Кренчер не принимал участия в заключительных забавах; он остался на кладбище погоревать и сочувственно потолковал с гробовщиками. Кладбища всегда производили на него умилительное впечатление. Он достал себе трубку из соседнего трактира и, покуривая, внимательно осмотрел ограду и ближайшие окрестности могилы.

— Джерри, — бормотал мистер Кренчер, по обыкновению рассуждая сам с собой, — ты в тот день видел этого Клая, стало быть, знаешь, что он был парень молодой и сложен как следует быть.

Выкурив трубку и поразмыслив еще немного, он обратился вспять, дабы до закрытия конторы быть на своем месте у Тельсонова банка. Оттого ли, что печальные размышления на кладбище расстроили ему печень, или оттого, что его здоровье и прежде расшаталось, или он просто хотел засвидетельствовать почтение замечательному деятелю — дело в том, что он на обратном пути зашел на короткое время к доктору, весьма известному в то время врачу.

Юный Джерри с почтительной любезностью уступил отцу место на табуретке и доложил, что в его отсутствие никаких дел не было. Банкирская контора вслед за тем покончила свои занятия, престарелые конторщики вышли оттуда, дверь заперлась, обычный караульщик стал на страже, и мистер Кренчер с сыном пошли домой пить чай.

— Ну слушай же, что я тебе скажу! — объявил мистер Кренчер жене, как только пришел домой. — Я честный промышленник, и, если мое сегодняшнее предприятие не удастся, я так и буду знать, что ты тут молилась против меня, и я так тебя отделаю за это, как будто сам видел, что ты грохаешься об пол.

Миссис Кренчер уныло замотала головой.

— Что-о? Ты и вправду перед самым моим носом хочешь приниматься за эти штуки? — закричал мистер Кренчер с гневным опасением.

— Я ничего не говорю.

— Ну ладно, и думать ничего не смей. Еще неизвестно, что хуже: об пол ли грохаться или про себя думать. Ты ведь можешь и так и этак против меня действовать. А я тебе запрещаю, не сметь!

— Хорошо, Джерри.

— То-то, «хорошо, Джерри», — передразнил мистер Кренчер, усаживаясь за чайный стол. — «Хорошо, Джерри»! Знаю я, как «хорошо, Джерри». Говорить-то легко!

Повторяя эти слова, мистер Кренчер не придавал им особого смысла, а просто употреблял их в виде иронических попреков.

— Туда же, «хорошо, Джерри»! — продолжал мистер Кренчер, откусывая хлеба с маслом и так звучно прихлебывая с блюдечка, как будто вместо чая проскочила ему в горло невидимая, но огромная устрица. — Так я тебе и поверил! Как бы не так!

— Ты сегодня пойдешь со двора? — спросила его благопристойная жена, когда он откусил еще раз.

— Пойду.

— Можно мне с тобой, батюшка? — спросил сынок с оживлением.

— Нет, нельзя. Я пойду... твоя мать знает, куда я хожу... Я пойду на рыбную ловлю, вот куда. Рыбу ловить пойду.

— А удочка у тебя, должно быть, заржавела, батюшка, ты не приметил?

— Не твое дело.

— А ты принесешь домой рыбки, батюшка?

— Коли не принесу, тебе завтра есть будет нечего, — отвечал отец, тряся головой. — Ну, довольно с тебя расспросов; я пойду в такую пору, когда ты уж давно будешь спать.

Во весь остальной вечер он неуклонно наблюдал за женой и вел с ней угрюмые разговоры, дабы помешать ей углубляться в размышления и творить такие молитвы, от которых ему может приключиться убыток. Ввиду этого он и сыну велел с ней разговаривать и выискивать всевозможные предлоги для придирок к несчастной женщине, лишь бы не давать ей ни минуты углубиться в собственные мысли! Если бы он был самым богомольным человеком, он не мог бы оказать большего доверия к действительности честных молитв, чем теперь, когда выражал такое опасение насчет молений своей жены. В том же роде бывает, что люди, не верящие в возможность привидений, пугаются сказок, в которых играют роль призраки и привидения.

— Ты помни это, — сказал мистер Кренчер. — Завтра чтобы я не видел твоих гримас! Если я, как честный промышленник, промыслю, например, баранью ногу или две, изволь и ты вместе с нами есть баранину, а не то чтобы жевать один хлеб. И коли я, честный промышленник, могу достать пива для своего обихода, ты у меня не смей пить одну воду. Знаешь пословицу: «В чужой монастырь со своим уставом не ходи». Не то я тебе задам такой устав, что не рада будешь. Я тебе устав, вот и все.

Через несколько минут он снова начал ворчать:

— Еще вздумала воротить нос от собственной еды и питья! Сама же, может быть, и виновата в том, что подчас

в доме пить-есть нечего. А все оттого, что об пол грохаешься, бесчувственная баба. Погляди на сына-то: твое это
детище или нет? Худ как щепка. Ты ему матерью называешься, а того не знаешь, что первейшая материнская
обязанность в том и есть, чтобы сын был толстый, пух-
лый!

Это замечание затронуло самое чувствительное место
в сердце юного Джерри; он стал слезно умолять свою
маменьку выполнять ее первейшую обязанность и, како-
вы бы ни были остальные ее дела и повинности, пуще
всего заботиться об исправлении того материнского дол-
га, на который так деликатно и трогательно указал ей его
родитель.

Так проходил вечер в семействе Кренчер, пока юного
Джерри не послали спать; а потом такой же приказ получила миссис Кренчер и немедленно повиновалась. Мистер
Кренчер коротал ночные часы в одиночестве, выкуривая
одну трубку за другой, а из дому пошел после полуночи.
Был уже почти час ночи — самая глухая и страшная пора, — когда он встал с кресла, вынул из кармана ключ,
отпер им запертый шкафчик и вытащил оттуда холщовый
мешок, большой железный лом, цепь, веревку и некоторые другие рыболовные принадлежности в том же роде.
Нагрузившись этими предметами весьма искусно и быстро, он еще раз на прощание грозно взглянул на миссис
Кренчер, потушил свечку и ушел.

Юный Джерри только притворялся, что разделся и лег
спать: он все время лежал под одеялом совсем одетый, а
потому немедленно вскочил и последовал за отцом. Под
прикрытием темноты он пробрался вслед за ним вон из
комнаты, потом вниз по лестнице, через двор на улицу и
дальше по улицам. Он нисколько не беспокоился о том,
как попасть обратно домой: жильцов было множество
и наружная дверь всю ночь стояла открытая.

Побуждаемый похвальным честолюбием, юный Джерри стремился проникнуть в тайну и изучить честное ремесло своего отца и для этого старался держаться как
можно ближе к стенам домов, прячась за все выступы,
крылечки и закоулки и не теряя из виду своего почтенного родителя. Почтенный же родитель забирал все к се-

веру, и вскоре на пути к нему присоединился попутчик — Исаак Уолтон[1], и они вместе пошли дальше.

Через полчаса ходьбы они зашли за пределы мигавших уличных фонарей и дремавших сторожей и очутились на пустынной дороге. Тут пристал к ним еще один рыболов, и все это совершилось так безмолвно, что, если бы юный Джерри был суеверен, он мог бы вообразить, что первый рыболов просто раскололся надвое.

Трое рыбаков шли впереди, а Джерри-младший крадучись пробирался за ними, пока они не остановились у подножия насыпи или вала, тянувшегося отвесно у самой дороги. Наверху этого вала была выведена низкая каменная стенка, завершавшаяся железной решеткой. В тени этой ограды трое рыболовов свернули за угол, на глухую тропинку, вдоль которой с одной стороны шла тоже каменная стенка, имевшая здесь от восьми до десяти футов вышины. Присев на корточки за углом, юный Джерри выглянул оттуда на тропинку, и первое, что он увидел, была фигура его почтенного родителя, ясно обрисовавшаяся на фоне бледной и затуманенной луны в тот момент, когда эта фигура ловко перелезала через железную решетку ворот. Она очень быстро исчезла за стеной; вслед за ней перелез другой рыболов, потом и третий. Все трое беззвучно спрыгнули на мягкую землю и некоторое время полежали неподвижно, может быть к чему-нибудь прислушивались. Потом на четвереньках поползли дальше.

Тут юный Джерри отважился приблизиться к железным воротам и пополз по тропинке, задерживая дыхание. Достигнув ворот, он опять присел на корточки и, взглянув через решетку, увидел, что трое рыбаков ползут в густой траве, а все памятники на кладбище (внутри ограды было обширное кладбище) стоят и смотрят на них, точно привидения в белых саванах, и церковная башня тоже смотрит, и похожа она на призрак самого страшного великана. Рыболовы ползли недолго: вскоре они остановились, встали на ноги и принялись ловить рыбу.

---

[1] *Исаак Уолтон* — известный рыболов-любитель; автор нескольких классических книг о рыбной ловле.

Сначала они орудовали заступом; потом почтенный родитель приладил какой-то инструмент, похожий на громадный штопор. Работали они разными снарядами, притом очень усердно и прилежно, пока с церковной колокольни не донесся зловещий бой часов; и этот звук привел юного Джерри в такой ужас, что он опрометью пустился бежать и все волосы на его голове встали дыбом, как у отца.

Однако ему так давно и так пламенно хотелось изучить профессию родителя, что он не только остановил свой бег, но даже вернулся назад. Рыбаки продолжали все так же усердно работать, когда мальчик вторично заглянул через решетку, но на этот раз, должно быть, рыба клюнула. Из-под земли раздавался скрипящий, жалобный звук, а все трое стояли согнувшись, в напряженных позах и как будто тащили какую-то тяжесть или груз. Мало-помалу груз вылез из-под земли, осыпавшейся с его поверхности, и показался наружу. Юный Джерри наперед знал, что это будет, но, когда он увидел этот предмет и увидел, что отец начинает сбивать с него крышку, он до того испугался, что снова бросился бежать и не замедлил шага, пока не очутился по крайней мере за милю от кладбища.

Он только потому и остановился, что надо же было перевести дух; а бежал он с единственной целью — как можно скорее попасть домой. Ему чудилось — и он был почти убежден в этом, — что виденный им гроб гонится за ним: ему представлялось, что гроб, упираясь узким концом в землю, все время скачет за ним, иногда почти догоняет, идет рядом с ним, хочет схватить под руку, — и все это было ужасно страшно. Враг был притом какой-то вездесущий и непоследовательный, потому что, с одной стороны, заполнял собой ночную темноту за его спиной, так что, во избежание темных закоулков, мальчик выбирал самую середину дороги, а с другой стороны, боялся, что вот сейчас гроб выскочит откуда-нибудь сбоку и заковыляет перед ним наподобие бумажного змея, только без хвоста и без крыльев. Гроб прятался и в темных подъездах, почесывая свои страшные плечи о дверные косяки, поднимая их к самым ушам и смеясь над мальчиком; залезал во все тени, ложившиеся поперек дороги, и, лукаво лежа на спине, поджидал, пока подойдут ближе. Но в то же время гроб гнался за ним сзади, постукивая узким концом и угрожая вот-вот догнать его; так что, когда мальчик достиг наконец дверей своего дома, он был наполовину мертв от ужаса. Но и тут враг не покинул его, нет! Он пошел за ним наверх, пристукивая каждую ступеньку отдельно, вместе с ним залез в его постель, тяжело бухнулся с ним рядом, а когда мальчик уснул — гроб навалился ему на грудь и душил его.

На рассвете, еще до восхода солнца, юный Джерри пробудился от своего тяжелого и тревожного сна, почуяв присутствие отца в общей семейной комнате. Мистер Кренчер был чем-то сильно расстроен; так, по крайней мере, подумал его сын, судя по тому, что отец держал жену за уши и стукал ее затылком об изголовье кровати.

— Я тебе говорил, что узнаю, вот и узнал, — говорил мистер Кренчер.

— Джерри! Джерри! Джерри! — умоляющим голосом стонала его жена.

— Ты не хочешь, чтобы я заработал деньги, — продолжал Джерри, — оттого и я терплю убытки, и товарищи мои лишаются своих выгод. Ведь ты же перед алтарем клялась меня почитать и повиноваться, на кой же черт ты не повинуешься?

— Уж кажется, я стараюсь быть тебе доброй женой, Джерри! — со слезами возражала бедная женщина.

— Разве добрые-то жены мешают своим мужьям во всех их делах? Разве так почитают мужа, чтобы порочить его ремесло? Разве так его слушаются, чтобы становиться ему поперек горла в самых важных делах?

— Ты в ту пору еще не занимался таким ужасным ремеслом, Джерри.

— Не твое дело! — огрызнулся на нее мистер Кренчер. — Ты жена честного ремесленника, ну и будет с тебя, и нечего тебе своим бабьим умом рассчитывать да разгадывать, чем и когда муж занимается. Коли жена почтительная и послушная, она про эти дела даже и думать не станет. А еще называешься благочестивой женщиной! Коли такие-то бывают благочестивые, по мне, лучше бы ты была безбожницей! У тебя от природы столько же понятия о долге, сколько у реки Темзы понятия о сваях, которые вбивают в ее дно.

Эти пререкания происходили вполголоса и кончились тем, что честный промышленник сдернул с ног и швырнул в угол свои замазанные глиной сапоги, а сам во весь рост растянулся на полу. Поглядев, как он лежит на спине, вместо подушки заложив себе под голову покрытые ржавчиной руки, сын его так же растянулся на своей постели и снова заснул.

За завтраком не было рыбы, и вообще трапеза была скудная. Мистер Кренчер был не в духе, и на столе возле него лежала железная крышка от котелка, которую он намеревался употреблять в виде карательной меры против покушений миссис Кренчер прочитать застольную молитву. В обычный час он был вычищен и умыт и отправился вместе с сыном исправлять свои официальные дневные обязанности.

Юный Джерри, чинно шагавший рядом с отцом, с табуретом под мышкой, по солнечной стороне многолюдной и оживленной Флит-стрит, был вовсе не похож на того юного Джерри, который прошлой ночью, в темноте и одиночестве, удирал от своего страшного врага. Вместе с солнцем пробудилась в нем хитрая сметливость, а угрызения совести исчезли вместе с ночными тенями; и в этом отношении, по всей вероятности, он был похож на многих других, проходивших в это прекрасное утро по Флит-стрит.

— Батюшка, — сказал юный Джерри, степенно шагая по улице и стараясь незаметно заслониться от отца табуретом, — что значит воскреситель мертвых?[1]

Мистер Кренчер остановился как вкопанный и, подумав, проговорил:

— Я почем знаю?

— Я думал, батюшка, что ты все знаешь, — сказал бесхитростно мальчик.

— Гм!.. — крякнул мистер Кренчер, снова пускаясь в путь и приподнимая шляпу, чтобы расправить торчавшие волосы. — Это, видишь ли, такой торговец.

---

[1] Так в Англии назывались люди, добывающие тела покойников для докторов медицины.

— А чем он торгует, батюшка? — спросил любознательный юнец.

— Торгует он таким товаром, который нужен по ученой части,— отвечал мистер Кренчер, поразмыслив с минуту.

— Может быть, мертвыми телами, батюшка? — продолжал смышленый мальчик.

— Должно быть, что-нибудь в этом роде, — сказал мистер Кренчер.

— Ах, батюшка! Когда я вырасту большой, как бы мне хотелось быть вот таким воскресителем.

Мистер Кренчер усмехнулся, однако с сомнением покачал головой и сказал поучительным тоном:

— Это будет зависеть от того, как ты разовьешь свои таланты. Постарайся развивать свои таланты с таким расчетом, чтобы никогда ни при ком не проболтаться ни одним лишним словом, и тогда можешь пойти так далеко, что в настоящее время трудно даже предсказать, чего ты достигнешь.

Получив такое поощрение, юный Джерри отважился пройти несколько шагов вперед, дабы водрузить табурет под сенью Темплских ворот, а мистер Кренчер мысленно обратился к себе самому с такой речью: «Джерри, ты честный промышленник, и есть надежда, что этот мальчик будет тебе отрадой и утешением в награду за все, что ты терпишь от его матери!»

Глава XV

Вязание на спицах

В винной лавке мсье Дефаржа посетители начали сходиться ранее обыкновенного. В шесть часов утра изможденные лица, заглядывая с улицы в его окна за железными решетками, могли рассмотреть внутри лавки другие изможденные лица, уже склоненные над порциями вина. Мсье Дефарж никогда не держал особенно крепких вин; но то вино, которое он продавал в настоящее время, было, вероятно, особенно жидко и притом кисло, судя по тому окисляющему действию, какое оно оказывало на потребителей, неизменно угрюмых и унылых. Не вакхическое пламя вылетало из виноградного сока, продаваемого мсье Дефаржем; нет, этот сок давал темный осадок, на дне которого тлел скрытый огонь.

Уже третье утро подряд посетители сходились в такие ранние часы в виноторговлю мсье Дефаржа. Это началось с понедельника, а сегодня была среда. Впрочем, питья было не так много, как тихих разговоров. С той минуты, как хозяева отпирали дверь своей лавки, в нее набиралось немало такого народу, который расхаживал из угла в угол, шептался, прислушивался, но не мог бы выложить на прилавок даже самой мелкой монеты, хотя бы ради спасения своей души. И эта часть публики ничуть не меньше была заинтересована всем, что тут происходило, чем если бы имела возможность заказывать себе целые бочки вина. Итак, они расхаживали из угла в угол, останавливаясь то здесь, то там и с алчным видом поглощая вместо напитков устные рассказы.

Невзирая на такой наплыв посетителей, хозяина не было в лавке. Никто и не спрашивал его; никто из тех, кто переступал его порог, не дивился тому, что одна мадам Дефарж сидит у своей конторки и сама разливает вино, имея перед собой старую металлическую чашу с мелкими монетами, такими же стертыми и потерявшими свой первоначальный облик, как и те бедняки, которые доставали их из своих обтрепанных карманов.

Все были рассеянны, озабочены и с напряженным интересом чего-то ожидали, что могли заметить и шпионы, заглядывавшие в эту винную лавочку, как заглядывали всюду, начиная от королевского дворца и кончая каморкой, где содержался уголовный преступник. Карточные игры шли вяло, игравшие в домино начинали вдруг складывать башни из костяшек; иные пользовались каплями вина, разбрызганными по прилавку, чтобы писать ими какие-то цифры и фигурки. Сама мадам Дефарж задумчиво выкалывала зубочисткой узор на рукаве своего платья и присматривалась и прислушивалась к чему-то невидимому, неслышному и бывшему где-то очень далеко отсюда.

Таково было настроение в этой винной лавочке Сент-Антуанского предместья до самого полудня. В полдень два человека, покрытые дорожной пылью, шли по улицам этого предместья под висячими фонарями. Один из них был мсье Дефарж, другой — крестьянин в синей шапке, по ремеслу мостовщик шоссе. Истомленные жаждой и пылью, они вошли в лавку. Их прибытие произвело живительное впечатление в предместье, как бы зажгло электрическую нить; почти во всех окнах и у всех дверей тех улиц, где они шли, появлялись возбужденные лица. Однако никто не пошел вслед за ними и никто не произнес ни слова, когда они вошли в лавку, хотя все глаза устремились на них.

— Здравствуйте, господа! — сказал мсье Дефарж.

Все языки развязались разом, как бы по заранее условленному знаку, и все хором отвечали: «Здравствуйте!»

— Скверная погода, господа! — молвил Дефарж, качая головой.

На это каждый переглянулся со своим соседом, потом все опустили глаза и сидели безмолвно, кроме одного, который встал и вышел из лавки.

— Жена, — сказал Дефарж, громко обращаясь к мадам Дефарж, — я прошел несколько миль вот с этим парнем; он чинит дороги, и зовут его Жак. Мы с ним встретились случайно за полтора дня ходьбы от Парижа. Он парень хороший, этот Жак. Дай ему напиться, жена!

Другой человек встал и вышел из лавки.

Мадам Дефарж поставила вино перед хорошим парнем, которого звали Жак. Он снял свою синюю шапку, поклонился всей компании и стал пить. За пазухой его блузы оказался кусок грубого черного хлеба; он вытащил его, закусил и, медленно жуя и прихлебывая вино, стоял у конторки.

Третий человек встал и вышел из лавки.

Дефарж тоже выпил вина, однако меньше, чем было подано новому гостю, так как для него вино не было редким угощением, и, стоя у прилавка, ждал, пока земляк его поедал свой завтрак. Хозяин ни на кого не смотрел, и никто из присутствующих также не смотрел на него, даже мадам Дефарж, которая взяла в руки свое вязанье и углубилась в работу.

— Покончил ты с едой, друг? — спросил Дефарж через некоторое время.

— Покончил, спасибо.

— Так пойдем? Я тебе покажу ту комнату, о которой я тебе говорил. Славная квартирка, как раз для тебя подходящая.

Они вышли из лавки на улицу, с улицы во двор, со двора в дом, на высокую крутую лестницу, которая привела их на чердак... Тот самый чердак, где прежде седой человек сидел на низкой скамейке и, согнувшись, усердно шил башмаки.

Седого человека теперь там не было, но были те трое людей, что поодиночке уходили из винной лавки. И между ними и тем седоволосым человеком, который был теперь далеко отсюда, существовала лишь та связь, что они когда-то смотрели на него сквозь щель в стене.

Дефарж тщательно затворил дверь и сказал, понижая голос:

— Жак Первый, Жак Второй, Жак Третий! Вот свидетель, за которым ходил, по уговору, я, Жак Четвертый. Он вам все расскажет. Говори, Жак Пятый!

Парень, чинивший дорогу, утер свой загорелый лоб синей шапкой и спросил:

— С чего начинать-то, сударь?

— Да начинай сначала, — ответил Дефарж.

— Так вот, господа, — начал парень. — Ровно год тому назад, прошлым летом, увидел я его в первый раз: он висел под каретой маркиза, держась за цепь. Дело происходило так: я только что встал с места, окончив дневную работу; солнце садилось, карета маркиза тихо ехала в гору, а он висел на цепи... вот так!

И парень тотчас принялся сызнова представлять всю сцену в лицах и, вероятно, успел достигнуть совершенства в исполнении, так как в течение целого года занимал и забавлял этим всех обитателей своей деревни.

Жак Первый тут вмешался в дело, спросив, видел ли он прежде этого человека.

— Никогда не видывал, — отвечал парень, снова принимая стоячее положение.

Тогда Жак Третий спросил, почему он позже его узнал.

— По его высокому росту, — сказал парень вполголоса и приложив палец к носу. — Когда господин маркиз спрашивал меня в тот вечер, говоря: «На что он похож?» — я так и сказал: длинный, как призрак!

— Ты бы должен сказать: маленький, точно карлик, — заметил Жак Второй.

— Да почем же я знал! Тогда еще дело не было сделано, и притом ведь он мне не сказал, что он затеял. Заметьте, даже и при тогдашних обстоятельствах я ничего лишнего не сказал. Господин маркиз указал на меня пальцем и говорит: «Эй, подать его сюда! Подведите мне этого негодяя!» Чем же я виноват?

— Он в этом прав, — тихо прошептал Дефарж тому, который прерывал рассказ свидетеля. — Ну, продолжай!

— Ладно! — молвил парень, принимая таинственный вид. — Высокий человек пропал без вести, и его искали... сколько времени?.. Девять, десять, одиннадцать месяцев?..

— Все равно, сколько месяцев, — сказал Дефарж. — Он был хорошо запрятан, но, по несчастью, все-таки его отыскали. Продолжай!

— Ну вот, я опять чинил дорогу на косогоре, и опять было дело на закате солнца. Только что я собрал свои инструменты и хотел идти домой в лощину, где уже совсем стемнело, как поднял глаза и вижу: идут по горе шестеро солдат, а среди них тот самый человек высокого роста, и руки у него привязаны к бокам... вот так!

С помощью своей неизбежной синей шапки парень представлял из себя фигуру человека с локтями, прикрученными к бокам, и связанного веревочными узлами сзади.

— Я посторонился и стал у кучи щебня посмотреть, как пройдут солдаты с арестантом, потому что дорога у нас пустынная, господа, и какое бы ни было зрелище, все стóит на него проглазеть... И сначала, пока они подходили, только мне и видно было, что это шесть солдат да один высокий связанный человек, как черные тени на фоне неба; только с той стороны, где садилось солнце... с того боку все они были словно очерчены красной каймой, господа. А еще видно было, что длинные тени от них легли поперек дороги и через лощину, туда, на противоположный склон горы, гигантские тени! И еще я видел, что они все покрыты пылью и эта пыль вместе с ними подвигается вперед... и они идут как в облаке... трамп, трамп!..

Но когда они поравнялись со мной, я узнал того, высокого, и он меня тоже узнал. Ах, как бы ему хотелось опять броситься головой вниз с горы, как в тот вечер, когда я в первый раз его увидел почти на том же месте!

Он так описывал эту сцену, что видно было, как живо она ему представляется в эту минуту. Быть может, он видел на своем веку мало интересного.

— Однако я виду не показал солдатам, что узнал этого человека, и он притворился, будто не узнает меня, мы оба только глазами сговорились на этот счет. «Вперед, — говорит начальник отряда, указывая солдатам на селение, расположенное в лощине, — вперед! Скорее ведите его к могиле!» И они пошли скорее. Я за ними и вижу, что руки у него вспухли, так они туго связаны, а деревянные башмаки на нем слишком велики и нескладны, и он хромает. Так как он хромает, то, понятно, не может скоро идти, отстает, и за это они его подгоняют вперед, вот так!

Он представил, как они толкают его в спину прикладами ружей.

— С горы вниз они помчались как бешеные, и на ходу он упал ничком. Они хохочут и поднимают его. Все лицо у него в крови, в пыли, но утереться он не может, потому что руки связаны; и они опять хохочут. Приводят его в деревню; вся деревня сбежалась смотреть, что такое. Его ведут мимо мельницы в гору, к тюрьме. И вся деревня видит, как в ночной темноте тюремные ворота растворились и поглотили его... вот так!

Он широко открыл рот и вдруг захлопнул его, звонко стукнув зубами. Видя, что он, рассчитывая на этот эффект, долго не разжимает рта, Дефарж сказал:

— Продолжай, Жак.

Парень привстал на цыпочки и заговорил шепотом:

— Вся деревня расходится по домам; вся деревня шепчется у колодца; потом все ложатся спать, и им снится этот несчастный, которого заперли там, на утесе, и никогда ему не выйти из неволи, пока не поведут на смерть!.. Поутру взял я свои инструменты на плечо и, на ходу пережевывая свой ломоть черного хлеба, пошел на работу; только иду окольным путем, чтобы пройти мимо самой тюрьмы. И вижу я на самой верхушке: сидит он внутри высокой железной решетки, как был накануне, весь в крови и в пыли... Руки у него по-прежнему связаны, он не может мне даже рукой махнуть, а я не смею окликнуть его; и он смотрит на меня безжизненными глазами.

Дефарж и трое других мрачно переглянулись. У всех на лицах было выражение угрюмое, сдержанное, мстительное, а в манере держать себя было нечто таинственное и властное. Это было нечто вроде сурового судилища. Жак Первый и Жак Второй сидели на старой соломенной постели, подперши подбородок ладонями и устремив глаза на рассказчика; Жак Третий слушал не менее внимательно, стоя на одном колене позади них, между тем как нервная рука его беспрерывно разглаживала сетку тонких жилок вокруг его рта и носа; Дефарж стоял между ними и рассказчиком, которого он поставил против света из окошка, то и дело взглядывая то на него, то на них.

— Продолжай, Жак! — сказал Дефарж.

— Он оставался в этой клетке несколько дней кряду. Вся деревня украдкой ходила на него смотреть, потому что все боялись. Но издали все поглядывали на утес, где стоит тюрьма, а по вечерам, когда дневной труд окончен, вся деревня собирается у колодца потолковать и все взоры обращены к тюрьме. Прежде, бывало, всегда смотрели в ту сторону, где почтовый двор; а теперь все только и смотрят на тюрьму. У колодца поговаривали втихомолку, что хотя он приговорен к смерти, но не будет казнен. Говорили, будто в Париже подавали о нем прошения, доказывая, что он взбесился, сошел с ума от горя, что раздавили его ребенка; говорили, будто самому королю подано прошение. Почем я знаю, ведь это возможно. Может быть, этого и не было, а может, и было!..

— Слушай, Жак, — прервал его номер первый. — Знай, что такое прошение было подано королю и королеве. Все мы, здесь присутствующие, кроме тебя, сами видели, как король взял это прошение среди улицы, сидя в своей коляске рядом с королевой. Вот этот самый Дефарж, с опасностью для собственной жизни, бросился перед королевскими лошадьми, остановил коляску и подал прошение.

— И еще вот что послушай, Жак! — молвил номер третий, стоявший на одном колене, с алчным видом поводя рукой по сетчатым жилкам своего лица, выражавшего ненасытную жажду чего-то... только не еды и не питья. — Слушай, Жак! Стража конная и пешая тотчас окружила просителя и стала его бить... Слышишь?

— Слышу, господа.

— Продолжай, продолжай, — сказал Дефарж.

— Ну вот, — снова заговорил земляк, — другие у колодца рассказывали, что его затем и привели в деревню, чтобы казнить на месте преступления, и что он непременно будет казнен. Говорили даже, что так как он убил господина маркиза, а господин маркиз был все равно что родной отец своих подданных или рабов, что ли, то его и казнят как отцеубийцу. Один из стариков у колодца говорил, что убийце вложат в руку нож и эту руку сожгут перед его лицом; потом понаделают ран на его плечах, на груди, на ногах и в эти раны будут лить кипящее масло, расплавленное олово, смолу, воск и серу; а потом разорвут его на части, привязав к четырем сильным лошадям. Старик говорил, будто все это было сделано над одним преступником за то, что он покушался на жизнь покойного короля Людовика Пятнадцатого. А может, он врет. Почем я знаю! Ведь я неученый.

— Еще раз послушай, Жак, — сказал человек с алчными глазами и нервно двигающейся рукой. — Того преступника звали Дамиан, и все это над ним проделали среди бела дня на одной из площадей города Парижа. На это зрелище собралось множество народа всякого звания, а впереди всех сидели рядами знатные и важные дамы и до конца смотрели с большим интересом... До конца, Жак, а конец-то пришелся уж к ночи: в сумерках у него были оторваны обе ноги и одна рука, а он все еще дышал! И все это делалось... постой, сколько тебе лет от роду?

— Тридцать пять, — отвечал крестьянин, которому на вид было шестьдесят.

— Так это все происходило, когда тебе было уже больше десяти лет, и ты бы мог сам видеть это.

— Довольно! — сказал Дефарж с суровым нетерпением. — Черт побери!.. Продолжай, Жак!

— Ну вот, одни говорят так, другие иначе, все шепчутся, и все об одном и том же, только и разговору что об этом. Наконец в ночь под воскресенье, когда всё в деревне спало, из тюрьмы вышло несколько солдат; сошли они с горы в деревню, и слышно было, как их ружья постукивают о мостовую. Нагнали рабочих; те роют землю, стучат молотками, а солдаты смеются и песни поют. Наутро у колодца оказалась виселица футов сорок вышиной, стоит и отравляет воду в колодце.

Рассказчик поднял глаза на низкий потолок и, глядя скорее сквозь него, чем на него, указал пальцем вверх, как бы видя где-то в небесах эту виселицу.

— Все работы приостановлены, все собираются к колодцу, никто не выводит коров в поле, и коровы тут же с народом. В полдень забили в барабаны. Ночью в тюрьму прошли солдаты и маршируют теперь оттуда, и он идет, окруженный множеством солдат. Он связан, как и прежде, а во рту у него затычка, крепко привязанная бечевкой, так что рот растянут и кажется, будто он смеется.

Он вложил пальцы за щеки и оттянул их к ушам, чтобы показать, как это было.

— Наверху виселицы торчит нож острием кверху; и они вздернули его на виселицу на сорок футов над землей... так он висит там, отравляя воду в колодце.

Все переглянулись, пока рассказчик отирал шапкой пот, проступивший у него на лице при воспоминании об этом зрелище.

— Страшно, господа! Как теперь женщинам и детям ходить за водой? Как собираться по вечерам потолковать между собой под такой тенью? Да впрочем, что я говорю про тень! Когда я уходил из деревни в понедельник вечером, на закате солнца, да поглядел назад с горы, так тень-то его протянулась поперек церкви, через мельницу, через тюрьму... кажется, всю землю она покрыла, господа, вплоть до того места, где земля с небом сходится!

Человек с алчным взором переглянулся с остальными и стал грызть себе палец, и все его пальцы дрожали от снедавшей его внутренней жажды.

— Вот и все, господа! Вышел я на закате солнца, как мне было сказано, и шел всю ночь и половину другого дня, пока не встретился на дороге вот с этим товарищем, как было условлено заранее. С ним я пошел дальше, и часть пути мы ехали, часть прошли пешком в течение вчерашнего дня и всю ночь. И вот я пришел сюда!

После нескольких минут мрачного молчания Жак Первый сказал:

— Хорошо! Ты действовал правильно и рассказал все в точности. Теперь подожди нас немного, выйди за дверь.

— Я с охотой подожду! — сказал крестьянин.

Дефарж вывел его на лестницу, посадил там и вернулся к товарищам.

Все трое стояли, близко столкнувшись головами, когда Дефарж снова вошел на чердак.

— Как скажешь, Жак, — спросил номер первый, — включить в список?

— Включить и обречь на истребление, — отвечал Дефарж.

— Великолепно! — прокаркал алчный номер третий. — И за́мок, и всю породу? — спросил первый.

— И замок, и всю породу, — подтвердил Дефарж, — стереть с лица земли.

Алчный человек с восхищением повторил:

— Великолепно! — и стал грызть другой палец.

— Уверен ли ты, — спросил Жак Второй, обращаясь к Дефаржу, — что никаких недоразумений не выйдет из-за нашего способа составлять списки? Спору нет, оно безопасно, потому что, кроме нас, никто не может разобрать наших знаков, но всегда ли мы сами будем в состоянии их разбирать?.. Или, вернее, она-то разберет ли?

— Жак! — сказал Дефарж, выпрямляясь. — Если бы моя супруга взялась держать эти списки только в своей памяти, и то бы она ни словечка не пропустила, ни даже единой буквы. А раз она вязала их своими собственными знаками и петельками, для нее все эти имена ясны как божий день. Положитесь на госпожу Дефарж! Любому трусу легче самому себя уничтожить, нежели уничтожить хоть единую букву своего имени и своих провинностей из вязаной летописи, которую составляет госпожа Дефарж!

Послышался общий ропот одобрения и доверия в ответ на эти слова; потом алчный человек спросил:

— Скоро ли мы отправим назад этого деревенщину? Надеюсь, что он тут недолго проживет. Уж слишком он прост, не опасно ли такого здесь держать?

— Он ничего не знает, — сказал Дефарж, — то есть ничего такого, за что бы мог попасть на такую же высокую виселицу. Я беру его на свое попечение. Оставьте его у меня. Я за ним присмотрю, а потом отправлю его в путь. Ему хочется посмотреть на придворную знать, хочется увидеть короля, королеву, придворных; ну и пускай полюбуется на них в воскресенье.

— Как! — воскликнул алчный, вытаращив глаза. — Разве это хороший признак, что ему так хочется посмотреть на королевскую фамилию и на дворян?

— Жак, — сказал Дефарж, — если хочешь, чтобы кошке захотелось молока, покажи ей его вовремя, и собаке, коли хочешь, чтобы научилась хватать дичь, покажи заблаговременно дичь!

Больше не было никаких пререканий. Выйдя с чердака на лестницу, они застали деревенского парня задремавшим на верхней ступеньке. Они посоветовали ему лечь на соломенную постель и выспаться хорошенько. Он не заставил себя упрашивать, тотчас улегся и вскоре заснул.

Для такого бедняка, каким был тогдашний деревенский батрак, винная лавочка Дефаржа представляла собой вполне удовлетворительное жилище. Если б не постоянный страх перед мадам Дефарж, которой он безотчетно и втайне опасался, жизнь его в Париже была бы преисполнена новых и приятных впечатлений. Но хозяйка целый день сидела за прилавком и так тщательно не обращала на него ни малейшего внимания, так твердо решилась не замечать его присутствия, что он вздрагивал с головы до ног всякий раз, как видел ее. В душе он был уверен, что эта женщина способна задумать и выполнить такие вещи, которых он не в состоянии предвидеть, и что, если бы в ее ярко изукрашенной голове зародилась мысль объявить, что она сама видела, как он убил человека, а потом содрал с него кожу, она бы сумела так представить дело, что он и впрямь оказался бы кругом виноват.

Поэтому, когда настало воскресенье, деревенский парень был не слишком доволен (хоть и выразил свое удовольствие по этому поводу), когда узнал, что мадам Дефарж будет сопровождать его и мужа в Версаль. Немало конфузило его и то обстоятельство, что, когда они туда поехали в омнибусе, мадам Дефарж во всю дорогу вязала на спицах при всей публике, а еще более конфузило его то, что она не выпускала из рук вязанье даже и тогда, когда они стояли в толпе, ожидая проезда королевской коляски.

— Как вы прилежно работаете, сударыня, — сказал ей человек, стоявший рядом с ней в толпе.

— Да, — отвечала мадам Дефарж, — у меня очень много дела.

— А что вы, собственно, делаете, сударыня?

— Мало ли что.

— Например?

— Например, саваны шью, — сказала мадам Дефарж очень спокойно.

Сосед посторонился от нее и при первом удобном случае отошел подальше, а деревенский парень стал обмахиваться своей синей шапкой, находя, что тут невыносимая духота. Если ему для освежения нужно было присутствие короля и королевы, на его счастье, это средство досталось ему очень скоро. Через несколько минут показалась золоченая коляска, в которой сидели широколицый король и красавица-королева, а за ними покатили в колясках все чины двора, длинная вереница смеющихся дам и изящных кавалеров, все нарядные, расфранченные, и столько тут было драгоценных каменьев, шелковых материй, пудры и всякой пышности, столько пренебрежительных гримасок и красивого презрения на лицах благородных особ обоего пола, что наш деревенщина совсем опьянел от благоговейного восторга и так усердно принялся кричать: «Да здравствует король! Да здравствует королева! И да здравствуют все другие прочие!» — как будто никогда и не слыхивал о существовании вездесущего Жака.

Потом пошли сады, дворы, террасы, фонтаны, зеленые лужайки, опять король с королевой, опять дворцовая прислуга, еще больше важных господ и нарядных дам, и сно-

ва: «Да здравствуют они все!» — и парень так расчувство-
вался, что даже всплакнул от умиления. Все это заняло
часа три, и все время он восхищался, благоговел, кричал,
умилялся до слез, и все время Дефарж следовал за ним по
пятам и придерживал его за шиворот, как будто боялся,
как бы он не бросился на предметы своего кратковремен-
ного восторга и не растерзал их на части.

— Браво! — молвил Дефарж, покровительственно по-
трепав его по спине, когда спектакль кончился. — Ты слав-
ный парень!

Парень между тем начинал приходить в себя и серьезно подумывал, что напрасно предавался таким востор-
женным демонстрациям; однако нет!

— Таких-то ребят нам и нужно! — сказал ему на
ухо Дефарж. — Глядя на тебя, эти болваны думают, что
нынешнее положение вещей будет длиться без конца.
Эта уверенность придает им нахальства, а чем они будут нахальнее, тем скорее им конец.

— Эге, — произнес парень, размышляя, — ведь это
правда!

— Эти дураки ничего не понимают, — продолжал Дефарж, — они презирают само наше дыхание и готовы во
всякое время задушить и тебя, и меня, и сотни таких, как
мы; для них жизнь их собак и лошадей во сто раз дороже
нашей, а все-таки они только то и видят, что мы им
показываем. Так пускай же еще немного ошибаются на
этот лад, и чем сильнее будут ошибаться, тем лучше.

Мадам Дефарж надменно взглянула на клиента и утвердительно кивнула.

— Что до вас, — сказала она, — вы ведь станете кричать и проливать слезы ради чего угодно, было бы зрелище да шум. Так ли я говорю? Признайтесь!

— Да, кажется, что так, сударыня...

— Так что, если вам дадут большую кучу кукол и ска-
жут, что вы можете их ломать и обдирать, а все, что останется, взять себе, ведь вы будете выбирать самых нарядных и разодетых кукол, не правда ли? Говорите же!

— Конечно, сударыня.

— Конечно. Ну а если вам покажут стаю пестрых птиц,
которые не могут летать, и велят выщипать перья в вашу

собственную пользу, ведь вы сначала приметесь за тех, у которых перья лучше и красивее, не так ли?

— Так точно, сударыня.

— Ну вот, вы сегодня видели и кукол, и птиц, — сказала мадам Дефарж, указывая в ту сторону, куда удалилось блистательное зрелище, — а теперь ступайте домой!

Глава XVI

За тем же рукоделием

Мадам Дефарж с мужем мирно возвращались домой, в лоно Сент-Антуанского предместья, между тем как деревенский парень в синей шапке пробирался темной ночью по пыльной пешеходной тропинке под тенью деревьев, окаймлявших большую дорогу, медленно подвигаясь в ту сторону, где величавый замок господина маркиза, ныне покоившегося в могиле, прислушивался к шелесту садовых деревьев. Каменные лица на стенах замка столько наслушались всяких рассказов от шептавшейся листвы и журчащего фонтана, что выражение их несколько раз менялось, по смутному свидетельству тех немногих деревенских бедняков, которые в поисках за травой, годной в пищу, и за хворостом, годным на топливо, отваживались доходить до таких мест, откуда видны были большое каменное крыльцо, мощеный двор и террасы величавого замка; этим отощавшим беднякам чудилось, что за этот год каменные лица глядели различно. Среди голодного и тощего люда, окружавшего замок, сложилась даже смутная и бледная легенда, будто бы в ту минуту, как нож вонзился в грудь маркиза, каменные лица, дотоле выражавшие только презрительную надменность, вдруг стали выражать гнев и страдание; а когда на виселице в сорок футов вышиной повисла над деревенским колодцем человеческая фигура, каменные лица опять переменили выражение, выказывая жестокое торжество удовлетворенного мщения, которое отныне останется на них вовеки. На том каменном лице, что красовалось над большим окном спальни, где совершилось убийство, на тонко очерченном носу образовались две легкие впадины, которые все признали теперь, а прежде никогда не замечали. В тех редких случаях, когда два-три смельчака решались пойти посмотреть на окаменевшее лицо господина маркиза, едва лишь один из них отваживался указать на него своим костлявым пальцем, как уж вся компания в ужасе кидалась назад, путаясь во мху и в сухой листве наряду с зайцами и кроликами, судьба которых была счастливее их, потому что они здесь круглый год находили себе пропитание.

Замок и хижины, каменные лица и фигура, качавшаяся на виселице, кровавое пятно на каменном полу спальни и прозрачная вода в деревенском колодце, и тысячи акров земли, принадлежавшей поместью, и вся окрестная провинция, и сама Франция, окутанные ночной темнотой, еле виднелись под ночным небом. Также и весь наш мир, со всем, что в нем есть великого и малого, заключается в пространстве одной мерцающей звезды. И как человеческий разум научился разлагать световой луч и познавать его составные части, так высший разум может разобраться в слабом мерцании нашего земного мира и разложить каждую мысль и каждое действие, всякий порок и всякую добродетель каждого из созданий, ответственных за свои поступки.

Супруги Дефарж при свете звездного неба, громыхаясь в тяжеловесном общественном экипаже, подъехали к той из парижских застав, куда, естественно, вела их дорога из Версаля. Тут произошла обычная остановка у городских ворот, и из сторожевой будки вышли с фонарями сторожа для обычного освидетельствования проезжих. Мсье Дефарж вышел из омнибуса, имея знакомых как среди солдат на гауптвахте, так и среди полицейских чинов. Один из полицейских оказался даже его близким приятелем, так что они очень нежно обнялись.

Когда предместье снова приняло их в свои темные объятия и Дефаржи, выйдя из омнибуса на перекрестке, пешком отправились по переулкам домой, меся ногами уличную грязь и всякие отбросы, мадам Дефарж обратилась к мужу с таким вопросом:

— Ну, друг мой, что ж тебе сообщил сегодня полицейский Жак?

— Да не многое успел сообщить, однако же сказал все, что ему самому известно. Дело в том, что в наш квартал назначили еще одного шпиона; может быть, и не одного, а еще нескольких назначили, но он-то знает только одного.

— Ну хорошо, — сказала мадам Дефарж, подняв брови с деловым видом. — Надо же его внести в список. Как зовут этого человека?

— Он англичанин.

— Тем лучше. Как же его фамилия?

— Барсе́д, — сказал Дефарж, выговаривая английское слово на французский лад; однако же он так старался как можно точнее запомнить составные буквы, что произнес почти совершенно правильно.

— Барсед, — повторила жена, — ладно. А христианское имя?

— Джон.

«Джон Барсед», — повторила она еще раз про себя, а потом вслух:

— Хорошо. Каков же он на вид? Известно ли это?

— Как же! Возраст — лет сорока; росту — около пяти футов и девяти дюймов; черные волосы, смуглый цвет лица; довольно красивая наружность; темные глаза, лицо продолговатое, худощавое; нос орлиный, но неправильный, слегка свернут на левую сторону, что придает ему зловещее выражение.

— Эге, да это целый портрет, ей-богу, — сказала мадам Дефарж, рассмеявшись. — Завтра же я внесу его в список.

Они вошли в свою лавку, которая была заперта, потому что было уже за полночь; хозяйка немедленно заняла свое обычное место за конторкой, пересчитала мелкие деньги, вырученные в ее отсутствие, проверила товар, просмотрела записи в счетной книге, записала что-то своей рукой, отчитала на все лады своего сидельца и, наконец, отослала его спать. Тогда она еще раз высыпала из чашки всю накопившуюся мелочь и принялась завязывать ее в узелки своего платка, чтобы удобнее было сохранить деньги в течение ночи. Между тем Дефарж с трубкой во рту расхаживал взад и вперед по лавке, молча любуясь распорядительностью своей супруги и ни во что не вмешиваясь; впрочем, во всем, что касалось торговли и домашнего хозяйства, он вел себя точно так же в жизни.

Ночь была душная; в лавке, наглухо запертой и помещавшейся в такой неопрятной части города, было жарко и спертый воздух был наполнен вонючими испарениями. Мсье Дефарж далеко не отличался тонкостью обоняния, однако запас вина в его лавке издавал запах гораздо более крепкий, нежели можно было ожидать по его вкусу, и, кроме того, тут сильно пахло ромом, водкой и анисовой настойкой. Дефарж поморщился и фыркнул, отложив в сторону свою докуренную трубку.

— Ты устал, — сказала жена, взглянув на него и продолжая завязывать деньги в узелки, — здесь ничем особенным не пахнет, воздух такой же, как всегда.

— Да, я немного утомился, — сказал ее муж.

— И к тому же немного приуныл, — продолжала жена, быстрые глаза которой успевали и деньги считать, и пристально наблюдать за мужем. — Ох уж эти мужчины!

— Однако же, милая моя...

— Ничего не «однако же», милый мой! — прервала его она, кивая очень решительно. — Не «однако же», а просто ты сегодня нос повесил, вот что!

— Ну что ж, — сказал Дефарж, как будто из его груди насильно вырывали какую-то мысль, — ведь это все так долго тянется!

— Да, очень долго, — молвила жена. — Но что ж, что долго? Для возмездия, для мщения всегда требуется много времени. Иначе нельзя.

— Молнии не много надо времени, чтобы поразить человека, — сказал Дефарж.

— А долго ли собираются тучи, из которых ударит молния? Ну-ка, скажи, — спокойно проговорила жена.

Дефарж задумчиво поднял голову, как бы соображая, что эта мысль довольно верная.

— Вот то же, когда бывает землетрясение, — продолжала мадам Дефарж, — оно в несколько секунд поглощает целый город. А скажи-ка, сколько нужно времени, чтобы подготовить землетрясение?

— Должно быть, много, — сказал Дефарж.

— Но, назрев, оно разом обнаруживается и все уничтожает вконец. А пока назревает, подземная работа все время подвигается, хоть ничего не видать и не слыхать. Тем и утешайся. Подожди.

Сверкая глазами, она связала еще один узелок с такой энергией, как будто затягивала петлю на шее лютого врага.

— Я тебе говорю, — продолжала она, протянув правую руку ради большей выразительности, — хотя дело и долго тянется, но оно все время подвигается вперед. Я тебе говорю, оно идет безостановочно, ни перед чем не отступая, и с каждой минутой приближается. Посмотри кругом, вникни в жизнь всех, кто нас окружает, припомни их лица, их взгляды, сообрази, с какими настрадавшимися и обозленными людьми имеет дело Жакерия[1] и как они с каждым часом становятся нетерпеливее и яростнее. Может ли удержаться такое положение вещей? Вот еще! Конечно нет!

— Бесстрашная моя! — молвил Дефарж, стоя перед ней, слегка наклонив голову и заложив руки за спину, точно прилежный ученик перед учителем. — Это все, несомненно, справедливо, и я не в этом сомневаюсь, но... это длится так давно, и вполне возможно... ведь ты должна сознаться, что это возможно... что если это случится, то не на нашем веку!

— Ну так что же за беда? — спросила мадам Дефарж, затягивая еще один узелок на шее воображаемого врага.

— Только та и беда, — отвечал Дефарж не то жалобно, не то извиняясь и пожав плечом, — только та и беда, что мы не будем свидетелями торжества!

— Зато знаем, что подготовили его, — возразила она, значительно подняв руку. — Все, что мы делаем, делается не понапрасну. Я всей душой верю, что мы будем участвовать в победе и сами увидим торжество. Но если бы и не случилось этого, если бы я наверное знала, что до этого не доживу, только покажи мне аристократа или тирана, дай только добраться до его шеи, и я...

Тут мадам Дефарж стиснула зубы и с такой силой затянула узелок, что страшно было на нее смотреть.

---

[1] *Жакерия* — восстание крестьян во Франции в XIV в., сопровождавшееся пожарами, насилиями и убийствами.

— Постой! — воскликнул Дефарж, слегка покраснев, как будто чувствовал, что его подозревают в трусости. — Ведь и я тоже, милая моя, не остановлюсь ни перед чем!

— Это так, но ты все-таки проявляешь малодушие: для поддержания бодрости тебе нужно от времени до времени посмотреть на твою жертву. А ты старайся обойтись без этого. Когда придет время, спускай с цепи и тигра, и дьявола, но до времени держи и тигра, и дьявола на цепи и не показывай их никому... только смотри, чтобы они всегда были у тебя наготове.

Мадам Дефарж подкрепила этот совет тем, что звонко стукнула набитыми узелками о прилавок, точно хотела размозжить чей-то череп, потом сунула себе под мышку тяжелый платок и преспокойно заметила, что пора спать.

На другой день около полудня эта удивительная женщина сидела в винной лавке на своем обычном месте и прилежно вязала на спицах. Возле нее на конторке лежала роза, и, хотя она иногда взглядывала на цветок, лицо ее не меняло своего обычного выражения хозяйственной озабоченности. В лавке было не много посетителей; одни пили, другие просто сидели или стояли в разных местах. День был очень жаркий, и многочисленные стаи мух, перелетая с места на место, простирали свои любознательные исследования до самого дна липких стаканчиков, расположенных на прилавке перед хозяйкой, и там внезапно умирали. Их смерть, по-видимому, не производила никакого впечатления на остальных мух, гулявших пока на свободе; они смотрели на мертвых собратьев с таким хладнокровием, как будто сами они совсем не мухи, а слоны или что-нибудь столь же непохожее на мух, а потом подвергались той же участи. Любопытно наблюдать, до чего легкомысленны бывают мухи!.. И очень вероятно, что в этот солнечный летний день именно так думали при дворе.

В дверях показался человек; тень от него упала на мадам Дефарж, и она сразу почуяла в нем небывалого посетителя. Не глядя на него, она отложила свое вязанье, взяла розу и стала прикалывать ее к своему головному убору.

Удивительное дело: как только хозяйка взяла в руки розу, посетители перестали разговаривать и начали поодиночке уходить из лавки.

— Доброго утра, сударыня! — сказал новый гость.

— Доброго утра, сударь.

Эти слова она произнесла громко, а про себя прибавила, снова взявшись за вязание: «Ага! Здравствуй, любезный! Возраст около сорока лет, росту пять футов и девять дюймов, черные волосы, красивая наружность, смуглая кожа, темные глаза, длинное лицо, худощав, нос орлиный, но неправильный, слегка свернут налево, что придает лицу зловещее выражение. Здравствуй, голубчик!»

— Будьте так добры, сударыня, дайте мне рюмочку старого коньяка и глоток свежей холодной воды.

Хозяйка с самым любезным видом подала то и другое.

— Какой превосходный у вас коньяк, сударыня!

Этот товар еще первый раз в ее жизни заслужил подобный отзыв, и мадам Дефарж, доподлинно знавшая историю этого напитка, знала, что он не стоит таких похвал. Однако она сказала, что ей лестно это слышать, и опять принялась за вязание.

Посетитель в течение нескольких минут смотрел на ее пальцы, пользуясь случаем в то же время окинуть глазами все заведение.

— Как искусно вы работаете, сударыня.

— Я привыкла к рукоделию.

— И какой хорошенький узор!

— Вам нравится? — молвила она, с улыбкой взглянув на посетителя.

— Очень нравится. Можно узнать, для чего предназначается ваше вязанье?

— Так, для препровождения времени, — отвечала мадам Дефарж, глядя на него с улыбкой и проворно перебирая спицы своими ловкими пальцами.

— Значит, не для употребления?

— Это зависит от обстоятельств. Когда-нибудь, может быть, я найду для него подходящее употребление. Вот если найду, — прибавила она, вздохнув и с суровым кокетством тряхнув головой, — тогда и это вязанье пойдет в дело.

Достойно замечания, что обитатели предместья Сент-Антуан решительно не любили, когда мадам Дефарж носила в своем головном уборе розу. Два посетителя едва

222

заглянули в лавку, притом в разное время, и уж собирались спросить себе вина, но, завидев ее головной убор, замялись на пороге, притворились, что ищут какого-то знакомого, которого в лавке не оказалось, и ушли. Что до тех, которые тут были, когда вошел этот новый посетитель, из них уж ни одного не осталось. Постепенно все разошлись. Шпион внимательно ко всему присматривался, но не мог подметить никакого условного знака. Уходя, каждый из гостей имел такой жалкий, нищенский и пришибленный вид и заходил сюда как будто так случайно и бесцельно, что казалось вполне естественным, чтобы он и убирался так же беспричинно.

«*Джон*, — думала про себя мадам Дефарж, высчитывая петельки узора на своем вязанье и не спуская глаз с незнакомца. — Постой еще немножко, и я при тебе вывяжу — *Барсед*».

— У вас есть муж, сударыня?

— Есть.

— И дети есть?

— Нет, детей нет.

— А дела идут плохо?

— Очень плохо, потому что народ беден.

— Ах да, несчастный, бедствующий народ! И притом такой угнетенный... как вы говорите.

— То есть как *вы* говорите, — поправила его хозяйка, ввязывая в его имя какую-то черточку, не предвещавшую для него ничего хорошего.

— Извините, конечно, это я сказал; но очень естественно, что и вы так же думаете. Это несомненно.

— Я думаю?! — воскликнула хозяйка, возвышая голос. — Нам с мужем некогда раздумывать, дай бог кое-как поддержать торговлю. Мы здесь только о том и думаем, как бы свести концы с концами. Вот и вся наша дума, и будет с нас этой заботы с утра до ночи, и нечего нам ломать себе голову заботами о других. Вот еще! Стану я думать о других! Не на таковскую напали.

Шпион, пришедший сюда с целью попользоваться хоть какими-нибудь малейшими крохами указаний, чувствовал себя совершенно сбитым с толку, однако не хотел выразить этого на своем зловещем лице, а напротив, упершись локтем в конторку, он стоял с галантерейным видом, понемножку прихлебывая из рюмки коньяк.

— А какое ужасное дело, сударыня, эта казнь Гаспара. Ах, бедный Гаспар! — Тут он испустил вздох глубочайшего сострадания.

— Вот еще! — хладнокровно возразила мадам Дефарж. — Раз люди пускают в ход ножи, это не может им пройти даром. Он должен был знать наперед, чем это пахнет. Доставил себе удовольствие — и расплатился за него.

— Я думаю... — сказал шпион, понизив свой мягкий голос до конфиденциального шепота и каждой чертой своего зловещего лица стараясь выразить щепетильность революционера, оскорбленного в своих заветных чувствах, — я думаю, что в здешнем околотке существует сильное возбуждение в пользу несчастного Гаспара. Замечается общее негодование и жалость к нему, не правда ли? Это, конечно, между нами...

— Право, не знаю, — отвечала мадам Дефарж безучастно.

— А разве вы ничего такого не замечали?

— Вот и муж мой! — сказала мадам Дефарж.

Хозяин винной лавки в эту минуту действительно появился в дверях, и шпион, притронувшись к полям своей шляпы, приветливо улыбнулся и сказал:

— Здравствуй, Жак!

Дефарж остановился и вытаращил на него глаза.

— Здравствуй, Жак! — повторил шпион уже не так уверенно и даже начиная конфузиться устремленного на него взгляда.

— Вы ошибаетесь, сударь, — сказал хозяин винной лавки. — Очевидно, вы принимаете меня за кого-то другого. Это совсем не мое имя. Меня зовут Эрнест Дефарж.

— Ну, все равно! — сказал шпион шутливо, но не без смущения. — Все-таки здравствуйте!

— Здравствуйте! — сухо отвечал Дефарж.

— Я имел удовольствие поболтать с вашей супругой и, когда вы вошли только что, говорил ей, что в предместье Сент-Антуан, судя по слухам, замечается (да оно и неудивительно) большая симпатия и сильное негодование по поводу несчастной участи бедного Гаспара!

— Я ни от кого ничего такого не слыхал, — сказал Дефарж, отрицательно качая головой. — В первый раз слышу.

С этими словами он прошел за прилавок и встал, положив одну руку на спинку стула своей жены и через этот оплот глядя в глаза человеку, которого они оба ненавидели и оба с величайшим удовольствием застрелили бы сию минуту.

Шпион, привыкший к таким проделкам, не менял своей непринужденной позы; он осушил рюмочку коньяку, запил его глотком холодной воды и попросил еще рюмочку. Мадам Дефарж налила ему коньяку, взялась опять за свое вязание и начала мурлыкать над ним какую-то песню.

— Вы, как видно, хорошо знакомы с этой частью города, во всяком случае лучше, нежели я? — заметил Дефарж.

— О нет, но я надеюсь познакомиться с ней поближе. Меня заинтересовали несчастные обитатели здешнего околотка.

— Вот как! — пробурчал Дефарж.

— Приятная беседа с вами, господин Дефарж, — продолжал шпион, — напомнила мне, что у меня связаны с вашим именем некоторые интересные воспоминания.

— Неужели? — молвил Дефарж вполне безучастно.

— Как же! Мне известно, что, когда доктор Манетт был выпущен из тюрьмы, вам, его старому слуге, было поручено позаботиться о нем. Вы его приняли с рук на руки. Как видите, все эти обстоятельства мне известны.

— Да, это верно, — подтвердил Дефарж.

Жена его, не переставая вязать и напевать песенку, случайно задела его локтем, давая понять, что благоразумнее будет что-нибудь отвечать, только покороче.

— К вам же приезжала и дочь его, — продолжал шпион, — ее провожал такой чистенький господин в гладком паричке; как бишь его звали?.. Лорри, кажется... еще он служит в конторе Тельсона и компании... И они тогда взяли от вас доктора и увезли его в Англию.

— Да, это верно, — повторил Дефарж.

— Не правда ли, интересные воспоминания? — сказал шпион. — Я был знаком с доктором Манеттом и его дочкой там, в Англии.

— Да? — молвил Дефарж.

— Вы нынче редко имеете о них известия? — сказал шпион.

— Редко, — отвечал Дефарж.

— Вернее сказать, — вмешалась мадам Дефарж, отрываясь от рукоделия и от песенки, — мы совсем ничего о них не знаем. В то время получили известие об их благополучном приезде в Англию, потом было еще одно или два письма, а с тех пор ничего. Они пошли своей дорогой в жизни, мы ведем свою линию и в переписке с ними не состоим.

— Совершенно справедливо, сударыня, — сказал шпион. — А эта барышня собирается выходить замуж.

— Как! Еще только собирается? — сказала мадам Дефарж. — Она была такая хорошенькая, что я думала, она давно замужем. Но вы, англичане, такие холоднокровные!

— О, почем вы знаете, что я англичанин?

— По вашей речи, — отвечала хозяйка. — А у вас выговор английский, стало быть, и порода английская.

Он не мог принять этого замечания за комплимент, но постарался вывернуться посредством любезной шутки. Покончив со второй рюмкой коньяку, он сказал:

— Как же, мисс Манетт выходит замуж. Только не за англичанина; он, так же как и она, французского происхождения. И кстати, о Гаспаре (ах, бедный Гаспар! Ужасная, ужасная казнь!)... Любопытно, что она выходит замуж за племянника господина маркиза, из-за которого Гаспара вздернули на такую высокую виселицу, или, лучше сказать, за теперешнего маркиза. Но он живет в безвестности, в Англии никто не знает, что он маркиз; он там — Чарльз Дарней. Фамилия его матери была Д'Оней.

Госпожа Дефарж продолжала вязать твердой рукой, но на ее мужа эти известия произвели заметное впечатление. Он всячески старался скрыть свое волнение, возился за конторкой, набил себе трубку, высек огня, раскурил ее, но, что ни делал, видно было, что он смущен и руки его дрожали. Шпион не был бы шпионом, если бы всего этого не подметил и не запомнил.

Видя, что наконец попал в цель и что из этого впоследствии можно что-нибудь извлечь, а между тем никаких других посетителей не было и посторонних разговоров заводить было не с кем, мистер Барсед заплатил за свою выпивку и распростился с хозяевами. Перед уходом он с самым любезным видом заявил, что рассчитывает на удовольствие дальнейшего знакомства с мсье и мадам Дефарж.

Когда он вышел из лавки на улицу, муж и жена еще некоторое время оставались в тех же позах, на случай чтобы он не застал их врасплох, если вздумает воротиться.

— Может ли это быть? — тихо сказал Дефарж, стоя с трубкой в зубах и по-прежнему одной рукой опираясь на спинку стула своей жены. — Правда ли, что он сказал насчет мамзель Манетт?

— Раз *он* сказал, вероятно, это вздор, — отвечала она, слегка подняв брови. — А впрочем, может быть, и правда.

— А если правда... — начал Дефарж и замолчал.

— Ну что ж, коли правда? — спросила жена.

— И если случится все, что должно быть, и мы доживем до торжества... надеюсь, ради нее, что судьба не допустит ее мужа вернуться во Францию.

— Что бы ни случилось, — сказала мадам Дефарж с обычным своим спокойствием, — ее муж от своей судьбы не уйдет и кончит тем, чем должен кончить. А больше я ничего не знаю.

— Странно, однако, — по крайней мере теперь мне это кажется очень странным, — продолжал Дефарж, как будто желая поставить жену на свою точку зрения, — что после всего нашего сочувствия к ее отцу и к ней самой, в ту самую минуту, как мы узнали о ее замужестве, ты своей собственной рукой внесла имя ее мужа в число осужденных и поставила его рядом с именем того подлеца, что только что был тут!

— Мало ли будет еще более странных совпадений в тот час, когда на нашей улице будет праздник, — отвечала жена. — Да, они оба у меня тут записаны, это верно. И оба попали сюда по заслугам. А больше мне ничего не требуется.

Она сложила свою работу и стала отшпиливать розу, которая была приколота к косынке, повязанной на ее голове. Почуяло ли население предместья, что это ненавистное украшение снято, или вокруг лавки бродили люди, сторожившие момент его исчезновения, но, как только роза была устранена, посетители отважились снова зайти в лавку, и вскоре она приняла свой обычный вид.

Вечером, когда предместье особенно выворачивалось наизнанку, в том смысле, что всякий или сидел на окне, или присаживался на пороге наружной двери, или стоял на углах и перекрестках грязных улиц и переулков, стараясь дохнуть более свежим воздухом, мадам Дефарж, с вязаньем в руках, имела привычку бродить с места на место, переходя от одной группы к другой и выполняя миссию особого рода. Она была миссионерша, вестовщица, и таких было немало в ту пору; не дай бог, чтобы когда-нибудь в мире они появились опять.

Все женщины что-нибудь вязали на спицах. Рукоделие было самое дрянное, но этот машинальный труд служил механической заменой пищи и питья; руки были заняты, тогда как нечем было занять желудок и челюсти; если бы эти костлявые пальцы не были в движении, пустые желудки давали бы себя чувствовать гораздо резче.

Но пока действовали пальцы, и глаза смотрели живее, и мысль работала упорнее. И по мере того как мадам Дефарж переходила от одной женской группы к другой, все три сорта деятельности оживлялись, и каждая из женщин, с которыми она заговаривала, смотрела яростнее и быстрее перебирала спицами.

Сам Дефарж, с трубкой в зубах, стоял на пороге своей лавки и со стороны любовался на свою жену.

— Вот великая женщина! — говорил он. — Сильная женщина, и какая она величавая... ужас какая величавая!

Между тем стало смеркаться. С церковных башен понеслись звуки колоколов, издали доносился барабанный бой королевской гвардии, а женщины сидели и все перебирали спицами. Наконец совсем стемнело. В то же время тьма иного рода начинала окутывать местность. Наступала та темная пора, когда приятный звук колоколов, звонивших теперь со многих стройных башен во всей Франции, должен был смениться грохотом пушечных выстрелов, а барабанный бой должен был заглушить жалкий голос того, кто в эту минуту был еще могучим воплощением власти и роскоши, свободы и жизни. Близилось время, когда эти самые женщины будут сидеть и все так же вязать, вязать, вязать, группируясь вокруг некоего сооружения, которого никто еще пока не строил, и пальцы их будут все так же проворно двигаться, но они будут считать не петельки своего вязанья, а те человеческие головы, что будут падать одна за другой.

Глава XVII

Одна ночь

Никогда еще заходящее солнце не обдавало более ясным блеском тихого закоулка в квартале Сохо, как в тот достопамятный вечер, когда доктор Манетт и дочь его сидели вдвоем на дворе под тенью чинары. И полная луна никогда не серебрила более мягким сиянием города Лондона, чем в тот вечер, когда она застала их сидевшими все на том же месте и, заглянув на них сквозь древесную листву, озарила их лица.

На завтра назначена была свадьба Люси. Ей захотелось посвятить этот последний вечер своему отцу, и они были одни под деревом.

— Папа, милый, счастливы вы теперь?

— Вполне счастлив, дитя мое.

Они мало говорили, хотя долго сидели так вдвоем. Пока было настолько светло, что еще можно было работать или читать, она не принималась за свое всегдашнее рукоделие и не читала ему вслух. Она всегда в эту пору либо читала ему, либо работала, сидя с ним под этим деревом, но нынешний вечер был совсем особенный, непохожий на прежние вечера.

— И я тоже сегодня очень счастлива, дорогой папа. Глубоко счастлива любовью, которую сам Господь благословил... моей любовью к Чарльзу и его любовью ко мне. Но если бы моя дальнейшая жизнь не посвящалась все-таки вам, если бы мои обстоятельства так сложились, что мое замужество отдалило бы меня от вас хоть на несколько улиц, я не могла бы чувствовать себя счастливой, меня бы совесть мучила так сильно, как не умею выразить. Даже и теперь, при настоящих условиях...

При «настоящих условиях» голос ее оборвался, и она не могла больше говорить.

При печальном свете луны она обвила руками его шею и прижалась лицом к его груди. Лунный свет всегда печален, так же как и солнечный, да и тот свет, что зовется жизнью человеческой, — все они печальны при восходе и при закате.

— Милый мой, бесценный! Можете ли вы теперь еще раз сказать мне, что нисколько не сомневаетесь в том, что никакие новые привязанности, ни мои новые обязанности никогда не станут между вами и мной? Я-то знаю это, но знаете ли вы? В глубине вашей души уверены ли вы в этом?

Отец отвечал тоном такого твердого убеждения и так бодро, что едва ли это могло быть притворно.

— Совершенно уверен, моя душечка! И даже больше того, — прибавил он, нежно целуя ее, — будущее кажется мне гораздо надежнее и радостнее, моя Люси, когда я смотрю на него сквозь призму твоего замужества, а без этого оно бы не было и не могло быть сколько-нибудь светло.

— Ах, если б я могла надеяться, что это так, папа!

— Верь, моя милая, что оно так и есть. Посуди сама, как просто и естественно одно вытекает из другого. Ты так молода, так всецело мне предана, что не можешь себе представить, до какой степени я опасался, чтобы жизнь твоя не пропадала даром...

Она хотела зажать ему рот рукой, но он взял эту руку и, держа ее в своей, повторил:

— Да, именно я боялся, как бы она не пропала даром, как бы ты не вышла из обычной и естественной колеи, и все из-за меня. Ты, по своему бескорыстию, не способна понять, как меня мучили эти соображения, но ты сообрази только, как же я мог быть вполне счастлив, когда твое счастье было неполно?

— Если бы я никогда не встречала Чарльза, папа, я была бы вполне счастлива с тобой одним.

Он улыбнулся ее бессознательному признанию, что, раз встретив Чарльза, она была бы без него несчастна, и сказал:

— Но ведь ты встретила его, и он твой Чарльз. А если бы это не был Чарльз, был бы кто-нибудь другой, но, если бы не было другого, я был бы тому причиной, и тогда мрачная сторона моей жизни распространила бы свою тень за пределы моего существа, и эта тень пала бы на тебя.

С тех пор как они давали показания в суде, в первый раз она услышала из его уст такой намек на период его страдальческого заточения. Эти слова поразили ее как нечто странное и новое, и она долго помнила впоследствии все подробности этого разговора.

— Посмотри, — сказал доктор, подняв руку и указывая на луну, — я смотрел на нее через окно моей тюрьмы, и тогда ее свет был невыносим для меня. Мне была так мучительна мысль, что она где-то освещает все то, что я потерял, что с отчаяния я бился головой о стены тюрьмы. Я смотрел на нее в состоянии такого летаргического отупения, что только и думал о том, сколько поперечных линий может на ней уместиться во время полнолуния и сколько раз можно их пересечь в перпендикулярном направлении...

Он пристально глядел на луну и через минуту прибавил, степенно рассуждая сам с собой:

— Помню, что в обе стороны приходилось по двадцать линий, только двадцатая умещалась с трудом.

Странное волнение, с которым она прислушивалась к этим воспоминаниям минувшего, все увеличивалось по мере того, как он предавался им; впрочем, он говорил об этом так спокойно, что опасаться было нечего. Казалось, что он просто сравнивает свое теперешнее благополучие с теми лютыми бедствиями, которые уже прошли.

— Глядя на эту луну, я тысячи раз думал о нерожденном младенце, от которого меня оторвали. Жив ли он?.. Родился ли живой, или удар, поразивший бедную мать, убил его? Сын ли это, который когда-нибудь отомстит за отца (было время, когда я, сидя в тюрьме, ненасытно жаждал мести)?.. Или это сын, который никогда не узнает истории своего отца и еще, может быть, подумает, что отец скрылся и пропал по собственной инициативе, добровольно? Или это дочь, которая вырастет и будет женщиной?..

Она крепче прильнула к нему и поцеловала его сначала в щеку, потом в руку.

— Я представлял себе эту дочь совершенно позабывшей о моем существовании... скорее даже совсем ничего не знавшей обо мне. Я высчитывал ее возраст, год за годом следя за тем, как она подрастала. Воображал ее замужем за человеком, тоже не имевшим понятия о моей судьбе. Так что для живущих я был уже мертвец, а для следующего поколения совсем ничто.

— Папочка, мне больно слушать, что вы могли так думать даже о несуществовавшей дочери... так больно, как будто я и есть эта самая дочь!

— Ты, Люси?! Ты для меня такое утешение, такая отрада, что я оттого и вспоминаю теперь об этих ужасах... Они невольно проходят передо мной на фоне этой луны, в этот последний вечер... О чем бишь я говорил сейчас?

— Вы говорили, что она ничего не знала о вас... Что она о вас не думала и не любила вас.

— Да, да... Но зато в другие лунные ночи, когда этот печальный свет и полная тишина затрагивали во мне иные струны, навевая на душу грустное и мирное настроение, как и всякое чувство, основанное на печали, я воображал, что она придет в мою келью, возьмет за руку и выведет из этих стен на волю. Я часто видел ее облик в лунном свете, так же ясно, как теперь вижу тебя... только никогда я не держал ее в своих объятиях... Она стояла между решетчатым окошком и дверью... Но ты понимаешь, это была не та дочь, о которой я говорил сначала?

— То есть облик был другой?.. Или вы иначе ее воображали?

— Нет, все было другое... совсем не то. Та представлялась моему расстроенному зрению в виде безжизненной фигуры... она была неподвижна. А тот призрак, который я усиленно вызывал, была другая, более реальная дочь. О ее внешности я знаю только, что она была похожа на мать... У той, другой, тоже было это сходство, как и у тебя, но на другой лад. Понимаешь, Люси?.. Нет, едва ли ты можешь это понять. Надо долго побывать одиноким узником, чтобы понять запутанные оттенки подобных ощущений.

Он был спокоен и вполне владел собой, но тем не менее кровь стыла в ее жилах, когда она слушала, как он подробно разбирает свое давно минувшее состояние.

— В этом более спокойном состоянии я воображал, как она приходила ко мне в лунном свете и уводила меня к себе домой показать, как она живет замужем и как ее жизнь полна нежных воспоминаний о пропавшем отце. Мой портрет висел в ее комнате, и она вспоминала меня в своих молитвах. Ее жизнь была деятельна, полезна и радостна, но все вокруг нее было проникнуто памятью о моей злосчастной истории.

— Эта дочь и была я сама, папа. Хоть и не такая хорошая, как она, но по силе своей любви к вам я на нее похожа.

— Она показывала мне и детей своих, — продолжал доктор, — и они слыхали обо мне, она научила их жалеть меня. Проходя мимо государственной тюрьмы, они всегда держались поодаль от ее мрачных стен и, глядя вверх, на окошки за железными решетками, шептались между собой. Не в ее власти было дать мне свободу, и я представлял себе, что она каждый раз приводила меня обратно в тюрьму, показав мне свой дом и детей. Но после таких видений я обретал благодатную способность плакать, падал на колени и со слезами благословлял свою дочь.

— Надеюсь, что я и есть эта дочь, папа. Милый мой, бесценный, можешь ли ты так же горячо благословить меня завтра?

— Люси, я оттого и вызываю в памяти все эти прошлые печали, что сегодня имею причины любить тебя больше, чем могу выразить, и благодарю Бога за свое великое счастье. Я никогда и не воображал, что возможно такое счастье, какое я узнал с тобой и какого ожидаю в будущем.

Он обнял ее, торжественно призвал на нее благословение Божие и смиренно возблагодарил Бога за то, что Он даровал ему такую дочь. Вскоре после того они вернулись в дом.

На свадьбу никого не приглашали, исключая мистера Лорри; решили обойтись даже без невестиных подруг, заменив их единственной неуклюжей особой — мисс Просс. Ради молодых даже и квартиры не меняли: оказалось, что прежнее помещение можно расширить, заняв те комнаты верхнего этажа, где прежде квартировал никому неведомый и невидимый жилец, а больше им ничего не было нужно.

За ужином доктор Манетт был очень весел. Они сидели только втроем за столом, и третьей была мисс Просс.

Он пожалел, что Чарльз не пришел, даже немножко поворчал на это, не зная, что его отсутствие было вызвано просьбой Люси, и с любовью выпил за его здоровье.

Пришло наконец время пожелать Люси спокойной ночи, и они разошлись по своим комнатам. Но часу в третьем пополуночи, когда все было тихо, Люси опять сошла вниз и прокралась в его спальню, мучимая какими-то смутными опасениями.

Однако все было на месте и в полном порядке: он крепко спал, его седые волосы живописно раскинулись на подушке, а руки спокойно лежали поверх одеяла. Она отставила подальше свою свечу, тихо подошла к его постели и поцеловала его, потом наклонилась к нему и стала на него смотреть.

Красивое лицо его носило горький отпечаток долгого заточения, но он старался стереть эти следы с такой твердой настойчивостью, что даже во сне они не проступали с достаточной резкостью. Это лицо было так замечательно своим выражением спокойной, решительной и осторожной борьбы с невидимым противником, что вряд ли в ту ночь можно было найти во всем обширном царстве сна хоть одно подобное лицо.

Она робко дотронулась рукой до его бесценной груди и внутренне произнесла молитву, чтобы ей пришлось оставаться верной ему до конца жизни, как того требовала ее дочерняя любовь и как того заслуживали его несчастья. Потом она отняла руку, еще раз поцеловала его и ушла наверх.

Солнце взошло, и тень от листвы чинары легла на него и трепетала на его лице так же легко и тихо, как тихо шевелились ее уста, когда она за него молилась.

Глава XVIII
Девять дней

В день свадьбы солнце взошло светло и радостно, и участники церемонии собрались в средней комнате, перед запертой дверью докторского кабинета, где доктор в это время разговаривал с Чарльзом Дарнеем. Все были готовы идти в церковь — и прекрасная невеста, и мистер

Лорри, и мисс Просс, которая с течением времени успела так примириться с неизбежностью, что этот день был бы для нее днем полного блаженства, если бы ее втайне не смущало соображение, что на месте жениха следовало бы быть ее брату Соломону.

— Вот как! — говорил мистер Лорри, который не мог налюбоваться на невесту и несколько раз обошел ее кругом, чтобы не пропустить ни одной подробности ее скромного и красивого наряда. — Итак, моя милая Люси, вот для чего я привез вас через канал вот такую маленькую! Господи помилуй! Вот уж не думал не гадал, чем это кончится! Даже не воображал, что везу такое сокровище для моего друга Чарльза, и не знал, что он будет передо мной в неоплатном долгу!

— Вы ее не для этого везли, — заметила обстоятельная мисс Просс, — и ничего не могли знать заранее. Это все глупости!

— Неужели? Ну хорошо... только вы не плачьте, — сказал благодушный мистер Лорри.

— И не думаю плакать. Это *вы* плачете! — отрезала мисс Просс.

— Я, моя милая?

Мистер Лорри иногда позволял себе теперь немножко любезничать с ней.

— Да, вы. Я сейчас сама видела и не удивилась. Вы им подарили такое отменное серебро, что от такого подарка всякого человека слеза прошибет. Вчера, как принесли от вас ящик да я стала его разбирать, я над каждой вилкой и ложкой так плакала, что под конец ослепла совсем.

— Мне в высшей степени лестно это слышать, — сказал мистер Лорри, — но, клянусь честью, я не с тем посылал эти простенькие вещицы на память, чтобы кто-нибудь от них мог ослепнуть. Боже мой! Вот один из тех случаев, при которых человек поневоле размышляет о том, что́ он в жизни потерял. Да, да, да! Как подумаешь, вот уж почти пятьдесят лет, как могла существовать на свете некая миссис Лорри!

— Нисколько! — фыркнула мисс Просс.

— Вы полагаете, что такая дама никогда не могла существовать? — осведомился мистер Лорри.

— Никогда! — заявила мисс Просс. — Вы с самой колыбели были старым холостяком.

— Ну что ж, — молвил мистер Лорри, с сияющей улыбкой поправляя свой каштановый паричок, — это очень вероятно!

— Вы и на свет родились холостяком, — продолжала мисс Просс. — Это дело было решено еще прежде, чем вы попали в колыбель!

— В таком случае, — сказал мистер Лорри, — я нахожу, что со мной было поступлено скверно и следовало бы спросить моего мнения насчет моего будущего назначения... Но довольно об этом. Ну, моя милая Люси (тут он ласково обнял ее за талию), я слышу, что сейчас придут из той комнаты, и мы с мисс Просс, как люди обстоятельные и деловые, воспользуемся случаем сказать вам еще несколько слов, которые могут вас успокоить. Вы покидаете своего добрейшего отца, душа моя, на такие же усердные и любящие руки, как и ваши собственные. Мы о нем будем всемерно заботиться и всячески за ним ухаживать. В течение предстоящих двух недель, пока вы будете в Уорвикшире, я даже Тельсонов банк заброшу до некоторой степени и на первом плане у меня постоянно будет ваш отец. И когда по истечении двух недель он приедет к вам и вы вместе с ним и с возлюбленным мужем отправитесь еще на две недели погулять в Уэльсе, вы должны будете признать, что мы отпустили его к вам в вожделенном здравии и в наилучшем расположении духа... Но вот я слышу, как кто-то подошел к двери. Дайте же я поцелую мою милую девочку и преподам ей свое стариковское благословение, перед тем как кто-то придет за своей нареченной невестой.

Он взял ее ладонями за обе щеки и, слегка подавшись назад, с минуту смотрел на знакомое выражение ее лица, потом приложился к ее золотистым кудрям с такой искренней и утонченной нежностью, что если она была и старомодна, то скорее стара как мир.

Дверь докторской спальни отворилась, и оттуда вышел доктор вместе с Чарльзом Дарнеем. Он был до такой степени бледен — чего не было в то время, как он запирался там с Чарльзом, — что ни кровинки не видно было на его лице. Но самообладание нисколько не изменило ему, и только опытный глаз мистера Лорри подметил легкие признаки того испуганного и уклончивого выражения, которое леденило его черты, точно его обвеяло холодным ветром.

Доктор взял дочь под руку и повел ее с лестницы к карете, которую мистер Лорри нанял для такого торжества. Остальные поехали в другой карете, и вскоре в одной из соседних церквей, где ни один посторонний глаз не мог их видеть, Чарльз Дарней благополучно сочетался браком с Люси Манетт.

Помимо тех слез, которые пополам с улыбками блестели на глазах у всех участников торжества по окончании этой церемонии, несколько бриллиантов засверкали ярким блеском на руке новобрачной, появившись вдруг из глубины одного из карманов мистера Лорри.

К завтраку все вместе вернулись домой, все сошло прекрасно, и наконец золотистые кудри, смешавшиеся когда-то с седыми волосами бедного башмачника на одном из парижских чердаков, еще раз перемешались в это солнечное утро на пороге родительского дома в минуту расставания.

Тяжело им было расставаться, хоть и ненадолго. Но отец ободрял ее и наконец, нежно освобождаясь от ее объятий, сказал:

— Берите ее, Чарльз! Она ваша.

В последний раз ее дрожащая рука махнула им из окна почтовой кареты, и они уехали.

В закоулке не бывало ни любопытных, ни праздношатающихся, притом приготовления к свадьбе были просты и несложны, и доктор с мистером Лорри и мисс Просс остались совсем одни. В ту минуту, как они вступили обратно в приятную тень прохладных сеней, мистер Лорри заметил вдруг во внешности доктора большую перемену: как будто богатырская золотая рука, торчавшая из стены, нанесла ему тяжелый удар.

В последнее время он сильно сдерживал себя, и можно было ожидать, что, когда повод к сдержанности пройдет, он до некоторой степени даст себе волю. Но мистер Лорри был встревожен тем, что на лице доктора снова появилось старое выражение испуга и недоумения; а когда он растерянно схватился за голову и как-то машинально побрел в свою спальню, как только они вошли наверх, — мистер Лорри невольно вспомнил виноторговца Дефаржа и путешествие в карете под звездным небом.

— Я думаю... — шепнул он на ухо мисс Просс, с тревогой поглядев вслед доктору, — я думаю, лучше будет теперь не заговаривать с ним и совсем не беспокоить его. Мне нужно заглянуть в банк, поэтому я отправлюсь туда сейчас и скоро вернусь; потом мы повезем его прокатиться за город, где-нибудь там пообедаем, и все обойдется отлично.

Но легче оказалось заглянуть в банк, чем выглянуть оттуда. Мистера Лорри задержали часа два. Возвратясь в Сохо, он один поднялся по знакомой лестнице, ни о чем не расспрашивая служанку, но, вступив в приемную доктора, остановился, заслышав глухое постукивание молотком.

— Боже мой милостивый! — промолвил он, вздрогнув. — Что это такое?

Мисс Просс, с испуганным лицом, вмиг очутилась рядом с ним и, ломая руки, говорила:

— Ох, господи! Ох, все пропало!.. Что я теперь скажу птичке? Он меня не узнаёт и шьет башмаки!

Мистер Лорри всячески постарался ее успокоить и сам пошел в комнату доктора. Скамья была повернута к свету, как в ту пору, когда он в первый раз видел башмачника за работой; голова его была низко наклонена, и он трудился очень усердно.

— Доктор Манетт! Мой дорогой друг! Доктор Манетт!

Доктор оглянулся на него не то вопросительно, не то сердито, как бы в нетерпении оттого, что пристают с разговорами, — и опять принялся за работу.

Он был без сюртука и без жилета; рубашка его была расстегнута у ворота, как в прежние времена, когда он занимался тем же ремеслом; он как будто успел похудеть, и лицо его приняло тогдашний бесцветный и осунувшийся вид. Работал он прилежно и торопливо, как бы стараясь наверстать потерянное время.

Мистер Лорри посмотрел, что он делает, и увидел в его руках башмачок прежнего размера и фасона. Другой, уже готовый, лежал тут же. Мистер Лорри взял его и спросил, что это такое.

— Башмак, дамский башмак для гулянья, — пробормотал он, не глядя на него. — Его давно следовало закончить. Оставьте.

— Но... Доктор Манетт... Взгляните на меня!

Старик повиновался машинально и покорно, как прежде, и не отрываясь от работы.

— Вы меня узнаете, мой дорогой друг? Подумайте! Вам неприлично такое занятие. Подумайте, дорогой друг мой.

Ничем нельзя было заставить его сказать хоть что-нибудь. Когда его просили поднять глаза и взглянуть, он каждый раз исполнял просьбу, оглядывая, но не произносил ни единого слова; работал, работал молча, и человеческая речь не находила в нем никакого отголоска. Единственный луч надежды, уловленный мистером Лорри, состоял в том, что он иногда по собственному почину украдкой оглядывался на него, и при этом взгляд его выражал смесь любопытства с недоумением, как будто ему хотелось согласовать в своем уме какие-то противоречия.

Мистер Лорри сразу увидел настоятельную необходимость двух вещей: во-первых, чтобы держать это в секрете от Люси; во-вторых, скрыть от всех знавших доктора. Сговорившись с мисс Просс, он немедленно стал распространять известие, что доктор захворал и нуждается в абсолютном покое. Что же касается до того, как обмануть его дочь, порешили, что мисс Просс ей напишет, будто доктор внезапно отозван к больному, а ей, будто бы наскоро, написал две-три строчки и поручил отправить с той же почтой на имя Люси.

Принять подобные меры было нелишне ни в каком случае, но мистер Лорри продолжал надеяться, что доктор скоро очнется. Если бы это случилось, он имел в виду еще одну комбинацию: он вознамерился посоветоваться о здоровье доктора с таким врачом, которого считал наиболее талантливым и компетентным в этом деле.

В надежде, что он скоро придет в себя и тогда можно будет прибегнуть к выполнению этой третьей меры, мистер Лорри решил наблюдать за ним неусыпно, не подавая и виду, что наблюдает. Ради этого он в первый раз в жизни взял отпуск в Тельсоновом банке и занял место у одного из окон в спальне доктора.

Вскоре он убедился, что заговаривать с ним более чем бесполезно, потому что всякое приставание только мучило его. С первого же дня он оставил всякую попытку заводить беседу, порешив лишь постоянно быть у него на глазах и своим поведением безмолвно опровергать ту фантазию, в которую доктор впал или начинал впадать. Для этого мистер Лорри сидел все время у окна, читал, писал и старался на все лады в приятной и естественной форме показать, что тут не тюрьма, а частная квартира, в которой царствует полная свобода.

В первый день доктор Манетт пил и ел все, что ему давали, и работал до тех пор, пока совсем не стемнело и ничего больше не было видно; однако за полчаса перед тем было настолько темно, что мистер Лорри ни за что в мире не мог бы рассмотреть ни печатного, ни писаного. Когда башмачник сложил и отставил свои инструменты до утра, мистер Лорри встал и спросил его:

— Не хотите ли пройтись?

Доктор совершенно по-старому посмотрел в пол на обе стороны, потом по-старому поднял голову и прежним, глухим голосом повторил:

— Пройтись?

— Ну да, погулять со мной. Отчего бы не пойти?

Он не делал усилия сообразить, отчего бы не пойти, и не отвечал ни слова. Сидя в темноте и совсем согнувшись на скамейке, опершись локтями на колени и положив голову на руки, он задумался, и мистеру Лорри показалось, что он смутно повторяет про себя этот вопрос: «Отчего бы?» Практический человек сообразил, что это хороший признак и что этим можно руководствоваться впоследствии.

Мисс Просс сговорилась с ним сторожить по ночам поочередно и наблюдать за доктором из соседней комнаты. Он долго ходил взад и вперед, прежде чем лечь в постель, но когда улегся, то уснул скоро. Поутру он встал рано, тотчас пошел к скамейке и принялся за работу.

На второй день с утра мистер Лорри бодро поздоровался с ним, назвав его по имени, и стал говорить о знакомых предметах, интересовавших их в последнее время. Доктор ни слова не отвечал, но видно было, что он слышит сказанное и даже обдумывает, хотя очень смутно. Это побудило мистера Лорри пригласить мисс Просс приходить со своим рукоделием, что она и делала по нескольку раз в день. При этих случаях они как ни в чем не бывало преспокойно разговаривали о Люси и об ее отце, сидевшем тут же; все это они проделывали как можно проще, натуральнее, в своем обычном тоне, без всяких особых подготовлений, притом не настолько часто или продолжительно, чтобы это могло быть утомительно для доктора. И добрая душа мистера Лорри находила утешение, воображая, что доктор начинает чаще на них поглядывать и как будто соображать, что за несообразности творятся вокруг него?

Когда снова наступили сумерки, мистер Лорри опять обратился к нему с тем же вопросом:

— Дорогой доктор, не хотите ли пройтись?

И опять он повторил: «Пройтись?»

— Ну да, прогуляться со мной. Отчего бы не пойти?

На этот раз, не получив никакого ответа, мистер Лорри притворился, что ушел гулять, и воротился только через час. Тем временем доктор пересел к окну и все время сидел, глядя на чинаровое дерево, но, как только мистер Лорри вернулся, он перебрался с кресла на свою скамейку.

Время тянулось медленно, надежды мистера Лорри ослабевали, на сердце у него было тяжело и с каждым днем становилось тяжелее. Настал и прошел третий день, потом четвертый, пятый. Прошло шесть, семь, восемь, девять дней.

Надежда постепенно угасала, на сердце становилось все тяжелее, и мистер Лорри переживал поистине трудное время и был в постоянной тревоге.

Секрет сохранялся вполне, Люси ничего не знала и была чрезвычайно счастлива, но мистер Лорри невольно замечал, что башмачник, вначале довольно неловко справлявшийся со своей работой, постепенно становился ужасно искусен и никогда он не трудился так успешно, никогда его пальцы не двигались так ловко и проворно, как в поздние сумерки девятого дня!

Глава XIX

Консультация врача

Измученный тревогой и бессонными ночами, мистер Лорри наконец не выдержал и заснул на своем наблюдательном посту. На десятое утро он был разбужен сиянием яркого солнца в приемной, где крепкий сон объял его среди темной ночи.

Он вскочил, протер глаза, встряхнулся, но тут-то ему и показалось, что он спит и видит сон, потому что, подойдя к двери докторской спальни и заглянув туда, он увидел, что принадлежности башмачного ремесла убраны и отставлены в прежний угол, а сам доктор сидит у окна и читает. Он был одет в свое обычное утреннее платье, и лицо его, очень ясно видное сквозь дверную щелку, хотя все еще очень бледное, было спокойно и выражало разумное внимание к читаемому.

Убедившись, что в эту минуту он не спит, мистер Лорри начал смутно соображать, не во сне ли он видел башмачное мастерство в полном ходу, потому что он теперь своими глазами видел, что друг его не только в своем обычном виде, в привычном платье и, как всегда, занят чтением, но увидел, что вокруг него не было никаких следов того, что происходило во все предыдущие дни и производило на него такое удручающее впечатление.

Но все эти вопросы он задавал себе только спросонья, в первые минуты недоумения. Если бы все предыдущие события только пригрезились ему во сне, без основательных к тому поводов, с какой же стати он сам, Джервис Лорри, попал сюда? С какой стати он уснул, совсем одетый, на диване приемной комнаты доктора Манетта и обсуждает теперь все эти вопросы у дверей докторской спальни в такой ранний утренний час?

Через несколько минут мисс Просс очутилась возле него и начала шептаться. Если бы у него оставалась хоть тень сомнения, ее речи должны были рассеять эту тень, но к этому времени он успел окончательно опомниться и все сообразил. По его совету они решили ничего не предпринимать до того часа, когда обыкновенно в доме подавался завтрак, а потом встретиться с доктором за столом и поздороваться, как будто ничего особенного не происходило. Если он по внешним признакам будет в своем нормальном настроении, мистер Лорри попробует со всевозможной осторожностью попросить указаний и советов, как поступать в будущем в подобных случаях.

Мисс Просс подчинилась его резонам, и они привели в исполнение свой план, все подготовив как можно тщательнее. Имея полнейший досуг справить свой туалет со свойственной ему аккуратностью, мистер Лорри явился к завтраку в безукоризненном белье и с туго натянутыми чулками на своих стройных ногах. Доктору, как обыкновенно, доложили, что кушать подано, и он вышел к завтраку.

Насколько можно было понять, не преступая тех деликатных и постепенных подходов, которые мистер Лорри считал единственно безопасными в настоящем случае, доктор, по-видимому, думал, что свадьба его дочери произошла накануне. Тогда мистер Лорри, как будто случайно, а в сущности, нарочно, упомянул в разговоре о том, какой сегодня день и какое число месяца, и видно было, что доктор задумался над этим, мысленно начал высчитывать, соображать и заметно смутился. Однако же во всех других отношениях он был так спокоен, так совершенно пришел в себя, что мистер Лорри решился попросить его на врачебную консультацию.

Когда завтрак закончился, посуду убрали со стола и они остались вдвоем, мистер Лорри сказал с чувством:

— Мой дорогой Манетт, я бы очень желал посоветоваться с вами по секрету насчет одного любопытного случая, в котором я глубоко заинтересован. Впрочем, он любопытен собственно для меня; с вашей точки зрения, быть может, он покажется менее любопытным.

Посмотрев на свои руки, огрубевшие от работы последних дней, доктор слегка смутился и внимательно взглянул на мистера Лорри. Он уже несколько раз в это утро обращал внимание на свои руки.

— Доктор Манетт, — сказал мистер Лорри, ласково дотрагиваясь до его плеча, — дело в том, что случай этот касается особенно близкого и дорогого мне друга. Пожалуйста, выслушайте меня внимательно и присоветуйте, что нам делать, как ради него самого, так и ради его дочери... Главным образом ради дочери, дорогой мой Манетт.

— Насколько я понимаю, дело идет о каком-нибудь умственном расстройстве? — сказал доктор вполголоса.

— Да!

— Так говорите определенно. И не пропускайте никаких подробностей.

Мистер Лорри увидел, что они поняли друг друга, и продолжал:

— Дорогой Манетт, это случай давнишнего и продолжительного расстройства вследствие резкого и чрезвычайно сильного удара, нанесенного чувствам, привязанностям человека и... и... как вы справедливо выразились, его уму. Именно уму. Под влиянием этого удара пациент страдал долго; не могу оказать, сколько именно времени, так как он и сам, кажется, этого определить не может, а иных указаний на это обстоятельство вовсе не имеется. С течением времени пациент оправился от удара, но каким образом совершался этот процесс оздоровления, он не в состоянии проследить, и один раз в моем присутствии он публично заявил об этом. Он, однако ж, в такой полной мере оправился от своего расстройства, что снова стал человеком в высшей степени интеллигентным, способен к прилежной умственной работе, к значительной физической деятельности и постоянно обогащает свой ум новыми познаниями, хотя и без того он широко образован. Но, по несчастью (тут мистер Лорри запнулся и глубоко вздохнул), с ним недавно случился легкий припадок прежнего недуга.

Доктор спросил, понизив голос:

— А сколько времени он продолжался?

— Девять дней и девять ночей.

— В чем это проявлялось? Вероятно (тут доктор опять посмотрел на свои руки)... вероятно, было возобновление какой-нибудь старой привычки, находившейся в связи с прежним расстройством?

— Так и было.

— Ну, — спросил доктор внятно и спокойно, хотя все так же понижая голос, — а видели вы его за тем же занятием в прежнее время?

— Один раз видел.

— А когда припадок повторился, был ли он во многих отношениях или во всех отношениях похож на то, что было тогда?

— По-моему, во всех отношениях.

— Вы упомянули о его дочери. Известно ли ей, что припадок повторился?

— Нет. От нее скрыли этот случай, и я надеюсь, она никогда не узнает об этом. Про то известно только мне, да еще одной особе, на которую можно положиться.

Доктор схватил его за руку и, крепко пожимая ее, прошептал:

— Спасибо за доброе внимание! Хорошо, что вы об этом позаботились!

Мистер Лорри отвечал на его рукопожатие, и с минуту оба помолчали.

— Так-то, дорогой Манетт! — молвил наконец мистер Лорри, ласково и осторожно приступая к дальнейшей части своего проекта. — Я, как вы знаете, простой конторщик и не умею разбираться в таких запутанных и трудных вопросах. Для этого у меня нет специальных сведений, да и ума не хватит. Я нуждаюсь в руководстве. Во всем свете нет человека, на советы которого я мог бы так всецело полагаться, как на ваши. Скажите же мне, отчего случаются такие припадки? Следует ли опасаться нового повторения? Нельзя ли его избегнуть и чем предотвратить? Если припадок повторится, чем его лечить? Каким образом он начинается? Что я могу сделать для моего друга? Если бы я только знал, что нужно делать, я бы всей душой послужил моему другу. Но я совсем не знаю, что предпринять в подобном случае. Если бы вы, при вашем уме, познаниях и опытности, могли направить меня на настоящий путь, я бы мог сделать многое; без сведений, без указаний я могу сделать очень мало. Сделайте одолжение, обсудим этот вопрос сообща; просветите меня на этот счет и научите, как в таких случаях поступать, чтобы приносить поболее пользы.

Доктор Манетт некоторое время молча обдумывал эту горячую речь, и мистер Лорри не торопил его с ответом.

— Я считаю вероятным, — проговорил наконец доктор с заметным усилием, — что припадок, о котором вы говорите, любезный друг, не был совсем неожиданностью для самого пациента.

— Так он заранее опасался его? — осторожно спросил мистер Лорри.

— Сильнейшим образом. (При этих словах доктор невольно вздрогнул.) Вы не можете себе представить, до какой степени подобное опасение тяготит душу пациента и как в то же время ему трудно... почти невозможно... заставить себя сказать хоть одно слово насчет этого тягостного состояния.

— А когда на него находит такое состояние, — сказал мистер Лорри, — разве ему не доставило бы существенного облегчения с кем-нибудь поделиться своей тайной?

— Я думаю, что да. Но, как я уже сказал, это почти невозможно. А в некоторых случаях, прямо скажу, совершенно невозможно.

— Ну!.. — сказал мистер Лорри, снова осторожно положив руку на плечо доктора после обоюдного молчания, — ну, теперь скажите мне, чему вы приписываете этот последний припадок?

— Думаю, — отвечал доктор Манетт, — что был чрезвычайно сильный толчок, вызвавший те самые воспоминания и то течение мыслей, которые были первой причиной недуга. В памяти возникли живейшим образом некоторые обстоятельства самого удручающего свойства. Весьма вероятно, что в уме пациента давно таилось опасение, что при стечении некоторых обстоятельств или в каком-нибудь определенном случае эти страшные воспоминания оживут и одолеют его. Он старался даже приготовиться к этому, но напрасно; быть может, именно это усиленное старание приготовиться и было причиной, что он окончательно ослабел и не мог перенести испытания.

— А помнит ли он, что происходило во время припадка? — спросил мистер Лорри, конечно с запинкой.

Доктор безнадежно оглянулся вокруг, замотал головой и сказал тихим голосом:

— Ничего не помнит.

— Чего же нам ожидать в будущем? — осторожно проговорил мистер Лорри.

— Что до будущего, — сказал доктор более твердым тоном, — я полагаю, что есть надежда на лучшее. Раз Богу угодно было так скоро послать ему облегчение, я бы сказал, что это возбуждает великие надежды. Так как пациент в течение долгого времени находился под давлением смутных, но сложных опасений, так как он издалека предвидел беду, боролся с ней заранее, а когда туча разразилась грозой и прошла, он выздоровел, то я того мнения, что худший период миновал.

— Ну хорошо. Это для меня великое утешение. Слава богу! — сказал мистер Лорри.

— Благодарение Богу! — молвил доктор и благоговейно поник головой.

— Есть еще два пункта, — сказал мистер Лорри, — насчет которых я желаю получить указания... Можно продолжать?

— Это лучшая услуга, какую вы можете оказать своему другу, — отвечал доктор, протянув ему руку.

— Итак, приступим к первому пункту. Он очень трудолюбив, чрезвычайно энергичен, прилежно занимается науками, постоянно стремится к приобретению новых познаний, производит научные опыты и прочее в этом роде. Вот я и думаю: не слишком ли много он работает?

— Я не думаю. Быть может, таково свойство его ума, что он требует усиленного труда. Частью это может быть природной потребностью, а частью — результатом страдания. Чем меньше этот ум занят здравыми мыслями, тем легче он принимает вредное направление. Пациент, вероятно, сам над собой делал наблюдения и по личному опыту пришел к такому выводу.

— Вы уверены, что он не слишком напрягает свои силы?

— Мне кажется, что нет. Наверное, нет.

— Любезный Манетт, а если он теперь будет слишком много работать...

— Любезный Лорри, сомневаюсь, чтобы это было возможно. В известном направлении он получил сильнейший толчок, надо же теперь восстановить равновесие.

— Простите, я все-таки буду говорить со своей практической точки зрения. Предположим на минуту, что он действительно переутомит себя работой; последствием этого не будет ли опять припадок старого недуга?

— Этого я не думаю. По моему мнению, — сказал доктор Манетт тоном твердого убеждения, — ничто, за исключением того же усиленного напоминания, не может вызвать повторения припадка. Полагаю, что отныне нужно чрезвычайное напряжение этой струны, чтобы его вызвать. После того, что случилось, и он все-таки выздоровел, я не могу себе представить, чтобы возможно было такое чрезвычайное напряжение. Мне кажется, и я надеюсь, что больше не могут произойти такие обстоятельства, при которых возможно повторение соответственных впечатлений.

Он говорил с оттенком неуверенности, как человек, знавший, какая безделица может вызвать умственное расстройство, и в то же время выражался определенно, как человек, по собственному опыту изучивший все горькие и мучительные стороны этого вопроса.

Мистер Лорри, разумеется, не опровергал его доводов. Напротив, он притворился гораздо более успокоенным и утешенным, нежели был на самом деле, и приступил к последнему пункту. Он знал, что это будет всего труднее, но, памятуя тот разговор, который он имел с мисс Просс в одно воскресное утро, а также и то, что происходило в течение последних девяти дней, он понимал, что нельзя этого избегнуть.

— Теперь поговорим о занятии, возобновляемом под влиянием припадка, от которого пациент так счастливо избавился, — сказал мистер Лорри, усиленно откашливаясь. — Положим, что это было кузнечное ремесло. Так.

Кузнечное ремесло. И положим, например, что пациент привык в свои тяжелые минуты работать у маленькой наковальни. И положим, что совершенно неожиданно его застали опять у этой наковальни. Разве не достойно сожаления, что он упорно держит ее у себя?

Доктор подпер лоб рукой и нервно затопал ногой.

— Он постоянно держит у себя эту наковальню, — продолжал мистер Лорри, тревожно глядя на своего друга. — А не лучше ли было бы устранить ее?

Доктор прикрыл глаза рукой и все так же нервно постукивал ногой об пол.

— Вы затрудняетесь подать мне совет? — сказал мистер Лорри. — Я отлично понимал, что это вопрос щекотливый. А все-таки, мне кажется...

Тут он замолчал, покачивая головой.

— Видите ли, — сказал доктор Манетт после нескольких минут тягостного молчания, — очень трудно объяснить сколько-нибудь разумно то, что творится в глубине души этого бедняка. Было время, когда он страстно мечтал об этом занятии и страстно ухватился за него, как только оно было ему дозволено. Нет сомнения, что оно существенно облегчило его страдания, заменив напряжение ума напряжением пальцев; а по мере того как он совершенствовался в этом занятии, ручной труд так притупил его нравственную муку, что очень естественно, почему он не мог решиться окончательно отказаться от этого прибежища. Даже и теперь, когда он надеется на себя несравненно больше, чем прежде, и даже отзывается о себе довольно самоуверенно, одна мысль, что ему может понадобиться прежнее занятие и вдруг его не будет под руками, приводит его в ужас... Нечто вроде этого испытывает, я думаю, заблудившийся ребенок...

С этими словами он взглянул на мистера Лорри с таким выражением в глазах, которое было похоже именно на детский ужас.

— Но разве... вы извините, я прошу вас научить меня, простого человека, привыкшего корпеть над счетными книгами и всю жизнь имевшего дело только с гинеями да шиллингами; скажите, постоянное присутствие известного предмета не вызывает ли той идеи, которая с ним связана? Если бы устранить предмет, дорогой мой Манетт, вместе с тем не прошел ли бы и ужас? Словом, держа при себе наковальню, не делает ли пациент некоторой уступки малодушию?

Несколько минут длилось молчание.

— Надо и то принять во внимание, — сказал доктор дрогнувшим голосом, — что это такой уж старый товарищ!..

— А я бы все-таки не стал его держать, — сказал мистер Лорри, тряся головой и становясь решительнее по мере того, как доктор колебался. — Я бы советовал пожертвовать им. Я только и жду вашего согласия. Я убежден, что от этого предмета только один вред. Ну-ка, дорогой мой, добрый друг, уполномочьте меня! Ради его дочери, любезный Манетт!..

Странно было видеть, как ему трудно было на это решиться и какая тяжкая борьба происходила в нем.

— Ради нее — хорошо, пусть будет так, я согласен. Но я бы вам советовал не трогать этого предмета в его присутствии. Пускай уберут, когда его не будет дома. Пускай он хватится своего старого товарища только после некоторого отсутствия.

Мистер Лорри выразил готовность сообразоваться с этими указаниями. Весь тот день они провели вместе за городом, и доктор совсем оправился. Еще три дня он чувствовал себя вполне здоровым, а на четырнадцатый день уехал к Люси и ее мужу. Мистер Лорри сообщил ему о том, какие предосторожности они принимали, чтобы Люси не дивилась его молчанию; доктор в том же смысле написал дочери письмо, и она оставалась без всяких подозрений о случившемся.

Вечером того дня, когда доктор уехал из дому, мистер Лорри пошел в его комнату, вооруженный топором, пилой, стамеской и молотком; мисс Просс сопутствовала ему, неся свечу. Они заперлись там, и мистер Лорри таинственным и преступным манером изрубил на части скамейку башмачника, а мисс Просс, державшая свечу, имела такой вид, точно присутствует при душегубстве, чему ее грозная наружность немало способствовала. После этого они растерзали свою жертву в мелкие щепки и немедленно сожгли в кухонной печке, а инструменты, башмаки и оставшуюся кожу зарыли в саду. Для этих добрых и прямодушных людей всякое истребление, а тем более секретное, казалось таким нехорошим делом, что, пока они этим занимались и потом, когда уничтожали следы своей деятельности, и мистер Лорри, и мисс Просс так себя чувствовали (да и по внешности были на то похожи), как будто они сообща совершили какое-то ужасное преступление.

Глава XX

Уговор

Когда новобрачные вернулись домой, первым лицом, явившимся их поздравить, был Сидни Картон. Он пришел через несколько часов после их приезда. Ни в его образе жизни, ни в наружности, ни в манерах не было заметно перемены к лучшему, но в общем он имел вид верного пса, что было новостью в глазах Чарльза Дарнея.

Улучив минуту, когда никто не мог их подслушать, он отвел Дарнея к окошку и начал такой разговор:

— Мистер Дарней, я бы желал, чтобы мы с вами были друзьями.

— Надеюсь, что мы и так друзья.

— Это очень любезно с вашей стороны, но ведь это не более как форма речи, а мне этого мало. И я сам, говоря, что желал бы, чтобы мы были друзьями, я не то хотел сказать.

— А что же, собственно, вы хотели сказать? — спросил Чарльз Дарней самым добродушным и дружелюбным тоном.

— Вот в том-то и дело, — отвечал Картон с улыбкой, — что мне гораздо труднее это выразить, нежели самому понять. Однако ж попробую. Вы помните один такой случай, когда я был пьян... более обыкновенного?

— Помню такой случай, когда вы насильно заставляли меня сознаться, что я видел, как вы пили.

— Да, это и я помню. Всего тяжелее для меня то, что я всегда запоминаю подобные казусы... Будем надеяться, что это мне зачтется когда-нибудь, по окончании моего земного странствия... Вы, однако ж, не опасайтесь: я не намерен произносить нравоучительную проповедь.

— Я и не опасаюсь. Когда вы бываете в серьезном настроении, этого опасаться нечего.

— Ах, — молвил Картон, беспечно махнув рукой, будто отмахивался от намека, — в том особенно достопамятном случае пьянства, о котором была у нас речь (а их, как вам известно, бывало очень много), я был совершенно невыносим, приставая к вам с рассуждениями о том, чувствую ли я к вам особое расположение или не чувствую. Мне бы хотелось, чтобы вы позабыли об этом.

— Я уж давно позабыл.

— Это опять-таки форма речи. Для меня, мистер Дарней, не так легко позабыть об этом, как, по-видимому, для вас. Я-то слишком хорошо помню, и шутливый ответ не есть средство заставить меня позабыть.

— Если ответ показался вам шутливым, — отвечал Дарней, — пожалуйста, простите. У меня не было иной цели, как обратить в шутку такой пустяк, который, к моему удивлению, просто мучит вас. Уверяю вас честным словом джентльмена, что все это я давным-давно выбросил из головы. Боже мой, да и выбрасывать-то было нечего! В тот день мне было о чем подумать посерьезнее этого: я ведь не забыл, какую великую услугу вы оказали мне тогда!

— Что до великой услуги, — сказал Картон, — раз вы заговорили о ней в таком тоне, я должен вам сказать, что это была не более как юридическая уловка... адвокатский фортель... Мне было совершенно все равно, какая участь вас постигнет в то время, как я вам оказал эту услугу... Заметьте, *тогда* было все равно; я говорю только о прошлом.

— Словом, вы не хотите, чтобы я оставался у вас в долгу, — отвечал Дарней. — Ну, положим, я с вами не стану спорить на этот счет.

— Я вам истинную правду говорю, мистер Дарней, поверьте на слово! Но я отбился от своего вопроса; мы говорили о том, чтобы стать друзьями. Вам известно, что́ я за человек; вы знаете, что я не способен ни на что возвышенное и великое. А коли не знаете, спросите у Страйвера, он вам подтвердит мои слова.

— Предпочитаю составить об этом свое собственное мнение, а у него спрашивать не буду.

— Ну как хотите. Во всяком случае, вам известно, что я беспутный пес, никогда ничего путного не делал, да и не сделаю.

— Ну нет, за будущее я не ручаюсь.

— Да я-то ручаюсь, и уж вы положитесь на мое слово. Так вот, если вы в состоянии допустить, чтобы такой дрянной человек, притом человек с такой плохой репутацией, приходил к вам иногда без приглашения, я бы вас просил даровать мне такую привилегию; пускай на меня смотрят как на бесполезную и, я бы сказал, *безобразную* мебель, да это было бы неподходящее выражение, так как сам признаю в себе внешнее сходство с вами... Пускай я буду считаться чем-нибудь вроде старой мебели, которую держат в доме за старые заслуги, а впрочем, не обращают на нее внимания. Едва ли я стал бы злоупотреблять таким правом. Легко может случиться, что я им воспользуюсь не больше четырех раз в год. Для меня всего важнее знать, что мне дано такое право.

— Хотите, попробуем?

— Иначе говоря, вы позволяете мне занять то положение, которого я желаю? Спасибо, Дарней... Можно мне звать вас так, без церемонии?

— Я думаю, что можно, Картон, мы ведь старые друзья.

Они пожали друг другу руки, и Сидни отошел прочь. Через минуту он был как всегда, внешне безучастным и безмолвным членом собравшегося общества.

Когда он ушел и Чарльз Дарней с женой проводили вечер в тесном кругу, состоявшем из мисс Просс, доктора и мистера Лорри, Дарней в общих чертах упомянул о своем разговоре с Сидни Картоном и отозвался о нем как о воплощении беспечности и беспутства. Он говорил об этом без горечи и без недоброжелательства, но именно так, как мог бы отзываться человек, знавший Картона только с внешней стороны.

Ему и в голову не приходило, чтобы его слова запали в душу его молоденькой жены, но, когда перед сном он пришел к ней наверх в их собственную квартиру, он увидел, что она сидит и ждет его и на ее миловидном приподнятом лбу ясно виднеется прежняя, знакомая ему складка тревожного недоумения.

— Мы сегодня чем-то озабочены? — сказал Дарней, обнимая ее за талию.

— Да, милый Чарльз, — отвечала она, положив руку ему на грудь и глядя на него вопросительно и серьезно, — мы немного озабочены, потому что сегодня у нас есть нечто на душе.

— Что такое, моя Люси?

— Обещай не расспрашивать меня, когда я не захочу ответить.

— Еще бы не обещать! Все, что угодно моей милочке.

Еще бы не обещать в такую минуту, когда одной рукой он отстранял с ее лица золотистые кудри, а другой чувствовал биение ее сердца, зная, что оно бьется только для него!

— Я думаю, Чарльз, что бедный мистер Картон заслуживает большего уважения и снисходительности, чем ты проявил, говоря о нем сегодня вечером.

— Вот как, душа моя! А почему же именно?

— Именно об этом ты меня и не спрашивай. Но... я знаю, что это так.

— Коли знаешь, значит, так и есть. Что же ты хочешь, чтобы я сделал?

— Я бы тебя попросила, мой дорогой, чтобы ты всегда был с ним очень приветлив, а в его отсутствие очень снисходителен к его недостаткам. Я попрошу тебя верить, что у него есть сердце, которое он очень, очень редко обнаруживает, и что в этом сердце есть глубокие раны. Милый мой, я сама видела, как из них сочилась кровь.

— Мне тяжело думать, что я мог быть к нему несправедлив, — сказал Чарльз Дарней с большим изумлением. — Вот чего никогда бы я не подумал о нем!

— Да, милый муж мой, это так. Боюсь, что спасать его уже поздно; едва ли есть надежда исправить его нравы или его судьбу. Но я убеждена, что он способен на добро, что в нем много деликатности и великодушия.

Она была так прекрасна, выражая свою чистую веру в этого погибшего человека, что муж не сводил с нее глаз и целые часы мог бы ею любоваться.

— Дорогой мой, бесценный, — продолжала она убедительно, прильнув к нему ближе, положив голову ему на грудь и глядя ему в глаза, — вспомни, как мы с тобой сильны своим счастьем и как он слаб в своем несчастье!

Эта мольба растрогала его.

— Я всегда буду помнить это, сердце мое. Покуда жив, не забуду!

Он склонился к златокудрой головке, прижался губами к ее алым устам и обвил руками ее стан.

Если бы один пропащий бродяга, слонявшийся в эту минуту по темным улицам, мог слышать ее невинные слова и видел бы те слезы жалости, которые ее муж целовал по мере того, как они проступали на кротких голубых глазах, с такой любовью взиравших на этого мужа, тот бледный скиталец еще раз воскликнул бы из глубины своего благородного сердца:

— Благослови ее Бог за милое сострадание!

Глава XXI
Шаги отдаются...

Было уже замечено, что закоулок, где жил доктор, был удивительно приспособлен к передаче отголосков. Продолжая прилежно прясть ту золотую нить, которая связывала ее мужа, отца, ее самое и ее старую воспитательницу в одну мирную и счастливую семью, Люси проживала в тихом доме, в спокойном закоулке, среди звонких отголосков жизни и прислушивалась к шагам убегавшего времени.

В начале замужней жизни, когда она была еще совсем молода и вполне счастлива, бывали минуты, что работа валилась у нее из рук и глаза затуманивались. Слышались ей тогда отголоски чего-то нового, что приближалось издалека, что было едва слышно, но уже сильно волновало ее сердце. В душе поднимались смутные надежды и сомнения: надежды на привязанность, какой она еще не испытала, сомнения в том, что она переживет предстоявшее испытание и насладится новым, неизведанным счастьем. Тогда ей слышались шаги, подходящие к ее собственной безвременной могиле; она думала о муже, который

останется горьким вдовцом и будет ее так неутешно оплакивать, и эти мысли вызывали потоки слез.

Это время миновало, и у ее груди лежала маленькая
Люси. Тогда среди отголосков стали раздаваться беготня
ее крошечных ножек и радостные звуки ее детской болтовни. И какие бы громкие звуки ни отдавались в закоулке, молодая мать, сидя у колыбели, всегда отличала их.
Они пришли, и тенистый дом озарился детским смехом;
и Божественный друг детей, которому она в минуту скор-
би вручила свое дитя, должно быть, принял его в свои
объятия и обратил ее горе в благоговейную радость.

Прилежно связывая золотую цепь, всех их объединяв-
шую, вплетая благие нити своего доброго влияния во все
ткани их жизней и нигде не первенствуя, Люси не слышала
в отголосках прожитых годов ничего, кроме звуков любви
и мирного преуспеяния. Среди них шаги ее мужа раздавались мощно и победно, шаги отца — твердо и ровно. Чу,
в веревочной сбруе скачет мисс Просс, изображающая из
себя непокорного коня, и фыркает, и взрывает землю, под-
гоняемая хлыстиком, под сенью чинарового дерева!

Даже печальные отголоски в жизни Люси лишены были
жестокого и резкого характера. Даже тогда, когда золотые
кудри, похожие на ее собственные, раскинулись сиянием
по подушке, обрамляя бледное лицо худенького мальчика,
и он с ангельской улыбкой сказал: «Милый папа, милая
мама, мне очень жалко расставаться с вами и покидать мою
хорошенькую сестрицу, но Бог зовет меня, и я иду!» — не
одно горе оросило слезами лицо молодой матери даже и в
ту минуту, как из ее объятий улетал чистый дух ребенка,
дарованного ей...

«Пустите детей и не препятствуйте им приходить ко
Мне. Они видят лицо Отца Моего...» Отца... о, благосло-
венные слова!

Итак, шелест ангельских крыльев смешался с остальными отголосками, и были они не все земные, а также и
небесные. Ветер обвевал могилку в саду, и Люси слышала
его дыхание, и для ее слуха все эти звуки были внятны,
как морской прибой, в тихий летний день плещущий о
песчаный берег. Тут же и маленькая Люси, уморительно
серьезная за утренним уроком или наряжавшая куклу, си-

дя на скамейке у ног матери, лепетала на смешанном языке двух городов, участвовавших в ее жизни и судьбе[1].

Отголоски редко вторили шагам Сидни Картона. Много, если шесть раз в год он пользовался своим правом являться без приглашения; он приходил, садился и проводил с ними вечер, как и в прежние годы. Он никогда не бывал там, что называется, под хмельком. И еще одну истину шептали на его счет окрестные отголоски, повторявшие лишь то, что во все времена было истиной.

Когда человек искренне полюбил женщину, был отвергнут ею и, продолжая питать к ней все то же чистое и бескорыстное чувство, видит ее в качестве жены и матери другой семьи, всегда так случается, что ее дети имеют к нему странную симпатию, нечто вроде изысканного сострадания к его утрате. Какими тонкими соображениями руководствуются они в таких случаях, трудно сказать, и ни один отголосок не поведает этого; но так всегда бывает, так было и теперь. Картон был первый посторонний человек, которому маленькая Люси протянула свои пухлые ручонки, и, подрастая, она сохранила к нему то же исключительное отношение. Маленький мальчик помянул его чуть ли не с последним вздохом.

— Бедный Картон! Поцелуйте его за меня! — сказал он.

Мистер Страйвер делал карьеру, проталкиваясь сквозь судебные пучины, подобно огромной махине, пролагающей себе путь в мутной воде, и тащил за собой своего полезного приятеля, так сказать, на буксире. Так как суда, ведомые таким образом, испытывают большие неприятности и нередко попадают носом в воду, то и Сидни испытывал нечто в этом роде. Но закоренелые привычки, по несчастью имевшие над ним гораздо большую власть, нежели всякие соображения о поддержании своего достоинства и чести, сложились так, что он был вынужден жить все той же жизнью; и он так же мало помышлял о сложении с себя титула шакала, как настоящий шакал может стремиться к роли настоящего льва.

Страйвер был богат, женился на цветущей вдове с изрядным состоянием и с тремя сыновьями, единственной

_____
[1] Т.е. на языке Лондона и Парижа.

блестящей чертой которых были прямые волосы, облегавшие их глупые головы. Мистер Страйвер, источая всеми порами своего обширного тела покровительственный тон самого обидного свойства, погнал этих трех юных джентльменов, точно стадо баранов, в тихий закоулок в Сохо и предложил мужу Люси обучать их в следующих деликатных выражениях:

— Здорово, Дарней! Вот вам три ковриги хлеба с сыром; пригодятся на вашем супружеском пикнике!

Дарней вежливо отказался от трех ковриг хлеба с сыром и этим поверг мистера Страйвера в необузданное негодование; впоследствии, занимаясь воспитанием юных джентльменов, он воспользовался этим возмутительным фактом, чтобы преподать им совет держаться подальше от «нищих гордецов» вроде этого дрянного учителя. Распивая на досуге свое вино, он имел обыкновение рассказывать своей супруге, на какие штуки пускалась жена Дарнея, чтобы «поймать» его, Страйвера, и женить на себе; но не на таковского напала, сударыня моя; и тут же он начинал повествовать о том, какими искусными средствами уберегся он от козней этой барышни. Другие лица из судейского мира, случайно принимавшие участие в распивании крепких вин и слышавшие это вранье, извиняли его, говоря, что Страйвер так часто лгал на эту тему, что наконец сам себе поверил; в сущности же, это составляет столь серьезное отягощение и без того тяжкой вины, что было бы вполне уместно отвести провинившегося в какое-нибудь укромное место и там без церемонии повесить.

Так прислушивалась Люси ко всем отголоскам уединенного закоулка и по временам задумывалась над ними, по временам забавлялась ими, иногда смеялась им; и так проходили годы, пока ее дочке минуло шесть лет. Нечего говорить, как близко принимала она к сердцу отголоски шагов своей девочки, и дорогого отца — всегда ровного, деятельного, спокойного, — и милого мужа. Нечего говорить, как она наслаждалась всеми отголосками их общего семейного гнезда, которое сама она устраивала и держала так изящно, искусно и хозяйственно, что во всем было изобилие и порядок. Сладко было ей слышать не раз повторенные заверения отца, что, с тех пор как она вышла замуж, она стала к нему еще внимательнее и заботливее, чем прежде (если это было возможно). Сколько раз случалось, что и муж, в свою очередь, говорил ей, что при всех ее заботах и обязанностях он не замечает, чтобы она любила его меньше или помогала ему менее усердно, и спрашивал:

— Как это делается, мое сокровище, что ты всем нам служишь так, как будто каждый из нас был предметом твоего исключительного попечения, а между тем никогда не суетишься, и не видно, чтобы ты была завалена делом?

Но были в закоулке и другие звуки, отдававшиеся издалека и грозно грохотавшие во все это время. И когда наступила шестая годовщина дня рождения маленькой Люси, эти звуки приняли страшные размеры, как будто во Франции поднялась великая буря и взволновала морскую пучину до самого дна.

Однажды вечером в половине июля тысяча семьсот восемьдесят девятого года мистер Лорри поздно пришел из Тельсонова банка и уселся у окна между Люси и ее мужем. Вечер был жаркий и душный, собиралась гроза, и все трое вспомнили тот воскресный вечер, который провели когда-то у этого самого окна, глядя на молнию.

— Я уж думал, — сказал мистер Лорри, отодвигая на затылок свой темный парик, — что мне всю ночь придется продежурить у Тельсона. Сегодня у нас было столько дела, что не знали, за что прежде приняться, как обернуться. В Париже так неспокойно, что нас завалили вкладами на хранение. Тамошние наши клиенты точно сговорились: все шлют нам свои капиталы и ценности. Там, должно быть, помешались на том, чтобы все пересылать в Англию.

— Плохой признак, — молвил Дарней.

— Вы говорите, плохой признак, мой милый Дарней? Да, но еще неизвестно, какая тому причина. Это все такой бестолковый народ! А среди нашего персонала у Тельсона есть уж такие дряхлые старики, что без уважительных причин не следовало бы их тревожить экстренными хлопотами.

— Однако, — сказал Дарней, — вам известно, что горизонт очень мрачен и на небе собираются грозные тучи.

— Это я, конечно, знаю, — согласился мистер Лорри, стараясь уверить себя, будто его кроткий нрав изменился и он озлоблен, — но за нынешний день я так измучился, что намерен ворчать... Где Манетт?

— Здесь! — отозвался доктор, входя в неосвещенную комнату.

— Я рад, что вы дома, а то все эти тревоги да спешные дела, которыми я был завален целый божий день, расстроили мне нервы, и я все чего-то опасаюсь без всякой разумной причины. Вы, надеюсь, не собираетесь уходить из дому?

— Нет... я собираюсь поиграть с вами в бакгэмон[1], если пожелаете, — сказал доктор.

— А я, кажется, не желаю, если мне позволено высказать на этот счет свое мнение. Сегодня я вовсе не гожусь вам в партнеры. А что, Люси, чай еще не убран со стола? Я в темноте ничего не вижу!

— Конечно не убран, нарочно для вас приготовлен.

— Ну, спасибо, моя милая. А драгоценная детка уж в постельке?

— И давно спит!

— Отлично. Значит, все в исправности и все благополучны... Уж не знаю, с чего бы здесь-то не было все исправно и благополучно... Слава богу! Но меня сегодня весь день расстраивали, а я уж не молоденький... Это мне чай, моя милая? Спасибо. Теперь подите сядьте возле меня; посидим все вместе, послушаем отголоски, насчет которых вы сочинили свою теорию.

— Какая там теория! Просто фантазия.

— Ну хорошо, пускай будет фантазия, моя умница, — сказал мистер Лорри, гладя ее по руке. — А их сегодня что-то особенно много, и они особенно громки, не правда ли? Послушайте-ка!

Пока этот тесный семейный кружок сидел у темного окна в Лондоне, там, в далеком Сент-Антуанском предместье, слышались другие шаги — бешеные, безумные, грозные, и горе будет тому, в чью жизнь ворвутся они, и трудно будет отмыть добела то место, где они оставят красные следы. В то утро Сент-Антуанское предместье представляло

---

[1] *Бакгэмон* — карточная игра.

собой громадную, тусклую массу страшилищ, и эта масса волновалась, как бурное море, сверкая местами блеском оружия — стальных ножей и штыков. Ужасающий рев вырывался из глотки предместья, и целый лес обнаженных рук мелькал над толпой, точно голые сучья иссохших деревьев, трепавшихся на зимнем ветру; и все пальцы судорожно хватались за всякое подобие оружия, которое выбрасывалось из нижних этажей, иногда на далеком расстоянии.

Кто выдавал оружие, откуда оно бралось, с чего все началось, какими способами появлялось оно в воздухе, описывая кривые линии и молнией проносясь над головами толпы, — никто из присутствовавших не знал и не спрашивал; знали только, что раздают мушкеты, что раздают патроны, порох, пули, железные полосы, деревянные дубины, ножи, топоры, пики — словом, все виды оружия, какие могло придумать отчаянное воображение. Кому совсем ничего не досталось, тот, обдирая себе руки до крови, старался выломать хоть камень или кирпич из стены, только чтобы не остаться с пустыми руками. Шибко бился пульс Сент-Антуанского предместья, и все были как в горячечном бреду. Никто не ставил свою жизнь ни в грош. Каждый был охвачен сумасшедшим желанием — поскорее пожертвовать ею.

Как в кипящей воде бывает центральная точка кипения, так и здесь все яростное движение сосредоточивалось вокруг винной лавки Дефаржа; и каждая человеческая капля в этом кипящем котле стремилась к тому пункту, где сам Дефарж, весь в поту и почерневший от пороха, раздавал приказания, выдавал оружие, того оттеснял назад, другого протаскивал вперед, у одного отнимал оружие, чтобы наделить им другого, работая в самой гуще разбушевавшейся толпы.

— Держись ближе ко мне, Жак Третий! — кричал Дефарж. — А вы, Жак Первый и Второй, ступайте в разные стороны и соберите побольше патриотов... Где моя жена?

— Здесь я, возле тебя! — сказала мадам Дефарж с обычным своим спокойствием, но на этот раз без вязальных спиц.

Ее твердая правая рука вместо спиц вооружена была топором, а за поясом были у нее пистолет и острый нож.

— Ты куда пойдешь, жена?

— Теперь пока пойду за тобой, — ответила она, — а потом ты меня увидишь во главе женщин.

— Идем! — крикнул Дефарж зычным голосом. — Патриоты и друзья, мы готовы! На Бастилию!

Раздался дружный вопль, как будто голоса всей Франции соединились для произнесения этого ненавистного имени; человеческое море поднялось и непрерывными волнами покатилось по городу к одному пункту. Колокола зазвонили в набат, барабаны забили тревогу, волны с ревом набежали на берег — атака началась.

Глубокие рвы, двойные подъемные мосты, толстые каменные стены, восемь мощных башен, пушечная пальба, ружейный огонь, дым и пламя. Сквозь дым и пламя, в центре дыма и пламени — потому что морские волны выбросили его на пушку, и он в ту же минуту стал канониром — виноторговец Дефарж работал, как храбрый солдат, в течение двух яростных часов.

Глубокие рвы, подъемный мост, толстые каменные стены, восемь мощных башен, пушки, ружья, пламя и дым. Один подъемный мост спущен.

— Работайте, товарищи, работайте дружно! Трудись, Жак Первый, Жак Второй, Жак Тысячный, Жак Двухтысячный, Жак Двадцатипятитысячный! Во имя всех ангелов или всех чертей, работайте!

Так говорил виноторговец Дефарж, не отходя от пушки, которая давно уже стала горячей.

— Ко мне, женщины! — кричала его жена. — Как, разве мы не можем наравне с мужчинами убивать, когда берут крепость?

И женщины стекались к ней с пронзительным и жадным воплем, также разнообразно вооруженные чем попало, но все голодные и жаждавшие мести.

Пушки, ружья, пламя и дым, но опять глубокие рвы, опять подъемный мост, толстые каменные стены и те мощные восемь башен. В бурном море легкие перемещения по случаю уборки раненых. Оружие сверкает, факелы пылают, возы влажной соломы дымятся, во всех направлениях кругом воздвигают баррикады, крики, пальба, проклятия, безумная храбрость, треск, разрушение и яростный рев бушующего моря; но вот еще глубокий ров, еще подъемный мост, и толстые каменные стены, и восемь мощных башен, а виноторговец Дефарж все не отходит от пушки, и она стала еще вдвое горячее, потому что он палит из нее уже четыре яростных часа.

Но вот над крепостью взвился белый флаг, и произошли переговоры; все это смутно виднелось в дыму и пламени, а не слышно было ровно ничего. Как вдруг море поднялось, раскинулось еще выше и шире, увлекая виноторговца Дефаржа через спущенный подъемный мост, мимо толстых каменных стен в недра восьми мощных башен, которые сдались!

Сила океана, увлекшего за собой Дефаржа, была так неодолима, что он не мог ни остановиться вздохнуть, ни даже повернуть голову, и его несло бурными волнами все вперед, пока он не очутился на внешнем дворе Бастилии. Тут он прислонился к стене и попытался оглянуться вокруг. Жак Третий был почти рядом с ним; мадам Дефарж во главе нескольких женщин виднелась невдалеке, с ножом в руках. Повсюду были странная возня, восторженные крики, оглушительный шум, безумная ярость и мелькание дикой, необузданной пантомимы.

— Выдавайте пленников!
— Списки, списки!
— Потаенные камеры!
— Орудия пытки!
— Заключенные! Где заключенные?

Из этого моря беспорядочных возгласов всех чаще раздавалось требование: «Заключенных!» — и этот крик подхватывала все прибывавшая толпа, как будто и конца ей не было. Когда передовые волны прокатились мимо, увлекая с собой служащих при тюрьме и угрожая им немедленной смертью, если хоть одна потайная келья останется неотпертой, Дефарж положил свою сильную руку на грудь одного из сторожей — человека почтенного вида, с седой головой и с факелом в руке; он отстранил его от толпы и поставил между собой и стеной.

— Покажи мне Северную башню! — сказал Дефарж. — Да проворнее!

— Я готов хоть сейчас, — отвечал сторож, — пожалуйте за мной. Только там никого нет теперь.

— Что означает: номер сто пятый, Северная башня? — спросил Дефарж. — Скорее!

— Как «что означает», сударь?

— Значит ли это, что так звали пленника, или это название тюрьмы? Отвечай, не то убью!

— Убей его! — прокаркал Жак Третий, подходя совсем близко.

— Это такая келья, сударь.

— Покажи!

— Пожалуйте сюда.

Жак Третий, обуреваемый своей неутолимой жаждой и, видимо, разочарованный тем, что разговор не обещал окончиться кровопролитием, ухватился за руку Дефаржа, державшего за руку тюремного сторожа. В течение кратких переговоров они должны были совсем столкнуться головами, чтобы расслышать друг друга, так оглушительны были шум, крики и топот толпы, ворвавшейся в крепость и наполнявшей постепенно все дворы, лестницы и переходы. Этот человеческий океан бился также о внешние стены, и слышно было его сплошное хриплое рычание, изредка прерываемое более звонкими криками, похожими на всплеск волны.

Мрачные своды, под которыми никогда не пробивался солнечный луч; безобразные двери, ведшие в темные логовища и клетки; сырые, обшмыганные лестницы, спускавшиеся в подземелье; другие лестницы, еще круче и сырее, более похожие на русла иссякшего водопада, чем на каменные ступени, и ведшие высоко наверх, — таков был путь, по которому следовали Дефарж, сторож и Жак Третий, сцепившись руками и стремительно подвигаясь вперед. Местами, особенно вначале, человеческие волны нагоняли их или пересекали путь и катились дальше, но, когда они перестали спускаться и полезли вверх по винтообразной лестнице в башню, никто не последовал за ними. Они были одни, окруженные толщей могучих стен и сводов, и буря, бушевавшая в стенах крепости и по ту сторону стен, отдавалась здесь лишь в виде рокота, как будто она оглушила их там, внизу, и они утратили способность слышать.

Сторож остановился у низкой двери, вставил ключ в замок, повернул его со звонким треском и, медленно растворяя дверь, произнес:

— Номер сто пятый, Северная башня.

Они низко согнулись и вошли один за другим.

Высоко в стене было маленькое окно без стекол; за толстой железной решеткой, с каменным откосом впереди, так что небо было видно не иначе как если низко припасть к полу и взглянуть вверх. За несколько футов от окошка был маленький камин, отгороженный толстыми железными прутьями. На очаге была кучка перистой золы — остаток когда-то горевших дров. Были тут стул, столик и постель с соломенным тюфяком. Кроме того, четыре почерневшие стены, и в одной из них было ввернуто железное кольцо, покрытое ржавчиной.

— Посвети мне, проводи факелом потихоньку вдоль стен, чтобы я мог хорошенько осмотреть их, — сказал Дефарж сторожу.

Сторож повиновался, и Дефарж внимательно стал приглядываться к стенам.

— Стой!.. Взгляни сюда, Жак!

— «А. М.»! — прокаркал Жак Третий, алчно глядя на буквы.

— Александр Манетт! — сказал ему на ухо Дефарж, указывая на стену своим грязным пальцем, почерневшим от пороха. — А здесь, видишь, он подписал: «Бедный врач». И он же, вероятно, нацарапал на этом камне целый календарь. Что у тебя в руке? Лом? Дай сюда.

Дефарж все еще держал в руке банник от своей пушки, но быстрым движением обменялся им с товарищем и, повернувшись к ветхому стулу и столу, несколькими ударами изломал их вдребезги.

— Держи факел выше! — гневно закричал он сторожу. — А ты, Жак, тщательно осмотри все обломки. На, возьми мой нож, распори тюфяк и перерой солому. Эй, ты! Держи факел выше!

Грозно взглянув на сторожа, он влез на очаг и, заглядывая в каминную трубу, стал ощупывать и постукивать ломом стенки трубы, а потом влез на железные перекладины. Через несколько минут сверху посыпались известка и пыль, и он отвернулся, чтобы не засорило ему глаза. Потом начал осторожно рыться в куче золы и в отверстии стенки, которое пробил или только нащупал своим инструментом.

— Ничего не находишь в дереве? И в соломе ничего нет, Жак?

— Ничего.

— Ну так соберем все вместе в одну кучу, вот тут, среди кельи. Эй, ты! Подожги это.

Тюремный сторож поджег кучку мусора, пламя взвилось высоко и горело ярко. Они снова нагнулись, проходя через низкую сводчатую дверь, оставили в келье горящий костер и направились обратно во двор. По мере того как они спускались по винтовой лестнице, они как будто снова обретали дар слуха и вскоре очутились опять на уровне бушующего моря.

Оно вздымалось и кипело, разыскивая самого Дефаржа. Сент-Антуанское предместье громкими кликами призывало своего виноторговца стать во главе стражи, взявшей в плен губернатора, который защищал Бастилию и стрелял в народ. Без Дефаржа не хотели вести губернатора в ратушу, где должны были судить его. Без Дефаржа губернатор, пожалуй, улизнет из их рук — и кровь народа (столько лет ничего не стоившая, а теперь вдруг поднявшаяся в цене) не будет отомщена!

Среди враждебно ревущей толпы, окружавшей старого сановника, заметного издали по серому форменному камзолу и алой орденской ленте, только и была одна спокойная фигура, да и та принадлежала женщине.

— Смотрите, вон идет мой муж! — воскликнула она, указывая на него. — Это Дефарж.

Она неподвижно стояла возле старого сановника и оставалась возле него все время: шла рядом с ним, когда Дефарж и все остальные вели его по улицам; непоколебимо стояла рядом, когда его втащили на крыльцо ратуши; стояла и смотрела, как начали бить его, сначала сзади, в спину, потом на него посыпался долго копившийся град тяжких ударов; и, когда он наконец упал мертвый под ударами, она была так близко, что, внезапно оживившись, наступила ногой на его затылок, выхватила давно готовый острый нож и отрезала ему голову.

Настал час, когда Сент-Антуанское предместье могло осуществить свою заветную мечту и вместо фонарей вешать на улицах людей в доказательство своей власти и могущества. Теперь предместье взяло верх, а жестокая тирания и власть железной руки склонились долу и валялись во прахе там, где на ступенях ратуши лежал труп губернатора, где подошвы башмаков мадам Дефарж окрасились кровью, когда она наступила на тело, чтобы удобнее было терзать его.

— Ну-ка, спускайте тот фонарь! — кричали победители, отыскивая новые способы истребления. — Вон один из его солдат остался на месте, поставим его на часы!

Часового вздернули на веревку, он закачался вместо фонаря, и морские волны хлынули дальше.

То было мутное, грозное море; волны его разрушительно катились одна за другой, и никто еще не изведал его глубины, никто не знал, какие силы в нем таятся. В этом ожесточенном море бурно метавшихся фигур только и слышны были призывы к лютому мщению, только и видны были лица, до того закаленные страданием, что не способны были отразить на себе ни жалости, ни пощады.

Но над этим морем голов, одушевленных лишь необузданно свирепыми чувствами, возвышались двумя отдельными группами другие головы, по семь лиц в каждой группе, и эти лица представляли такой разительный контраст с остальными, что еще не бывало морских волн, которые выносили бы на себе такие удивительные обломки крушения. Одна группа состояла из семи узников, томившихся в тюрьме, как в могиле, откуда напором бурной толпы вырвали их на свободу и несли теперь на плечах: их лица выражали испуг, недоумение, полную растерянность, изумление, как будто настал для них день Страшного суда и вокруг них ликовали погибшие души. Другие семь лиц были вознесены еще выше: они были мертвы, и их полузакрытые веки и чуть видневшиеся глаза словно ждали Страшного суда. Они были бесстрастны, но сохраняли застывшее выражение, как будто ждали того момента, когда веки их поднимутся и бескровные уста будут свидетельствовать: «Это сделал ты».

Семь узников выпущены на волю, семь отрубленных голов посажены на пики, все ключи от восьми башен проклятой твердыни отобраны, найдены кое-какие письма и другие напоминания о прежних заключенных, давно умерших с горя, — таковы были трофеи, которые обитатели Сент-Антуанского предместья торжественно носили по улицам Парижа, и топот их звонко повторялся отголосками в этот летний день, в половине июля тысяча семьсот восемьдесят девятого года. О, пусть Бог не допустит исполнения фантастических теорий Люси Дарней и пускай эти шаги никогда не вторгнутся в ее жизнь! Они яростны, бешены, грозны, и много лет спустя после того, как винная бочка разбилась у дверей лавки Дефаржа, не легко будет отмыть мостовую, на которой они оставят кровавые следы.

Глава XXII

Волны все поднимаются

Прошла неделя с той поры, как исхудалые обитатели Сент-Антуанского предместья стали приправлять свой скудный и горьковатый хлеб восторженными поздравлениями и братскими объятиями, и мадам Дефарж сидела, по обыкновению, за своей конторкой, наблюдая за посетителями винной лавочки. Сегодня у нее не было розы на голове, потому что за одну неделю обширная братия шпионов сильно сократила свои нашествия в предместье: фонари, развешанные на веревках, неустанно качались от этого нового груза. Мадам Дефарж сидела, сложа руки, в это ясное и жаркое утро и смотрела на лавочку и на улицу. И там и тут виднелись группы праздных людей жалкого и оборванного вида, но теперь заметно было, что эти бедняки сознавали свое могущество и гордились им. Не было того оборванного ночного колпака, сдвинутого на сторону на исхудалой голове, который своим лихим видом не выражал бы примерно такой мысли: «Правда, мне несладко живется и трудно поддерживать жизнь в своем измученном теле, но зато если бы вы знали, как мне легко вышибить жизнь из вашего тела!» Каждая тощая обнаженная рука, дотоле не имевшая работы, теперь нашла себе занятие в том, что во всякое время могла убивать. Пальцы

268

женщин, вязавших на спицах, были цепки как клещи: они испытали, что значит раздирать на части человеческое тело. Вообще во внешности предместья произошла перемена: многие века эта внешность формировалась на известный лад, но только теперь получила свой окончательный мощный отпечаток.

Мадам Дефарж наблюдала эти признаки с тем сдержанным одобрением, какого можно было ожидать от предводительницы женщин предместья. Одна из ее товарок сидела возле нее с вязаньем. Это была молодая женщина, довольно пухленькая, приземистая, жена одного изможденного лавочника и мать двоих детей, тем не менее успевшая стяжать чин адъютанта при мадам Дефарж и лестное прозвище Месть.

— Чу, — молвила Месть, — послушайте-ка! Кто идет?

Можно бы подумать, что от крайних пределов Сент-Антуанского предместья до дверей винной лавочки насыпана пороховая дорожка и что ее вдруг подожгли с дальнего конца, — с такой быстротой распространялся в этом направлении народный говор.

— Это Дефарж, — сказала его жена. — Тише, патриоты!

Дефарж, запыхавшись, вошел в лавку, сдернул с головы красный колпак и оглянулся вокруг.

— Слушайте, все, — сказала мадам Дефарж, — слушайте!

Дефарж стоял в дверях, и его тяжело дышавшая фигура рисовалась на фоне внимательных глаз и разинутых ртов. Все бывшие в лавке уже вскочили со своих мест.

— Говори же, муж, что нового?

— Вести с того света! — промолвил Дефарж.

— Как так? — презрительно сказала жена. — Что значит «с того света»?

— Все ли здесь помнят старого Фулона, который советовал голодному народу питаться травой, а потом умер и пошел к черту?

— Все помнят, все! — заголосили в толпе.

— Так вести-то о нем. Он опять проявился!

— Проявился! Как проявился? Мертвый, что ли?

— Нет, живой! Он так боялся нас, имея на то свои причины, что пустил слух о своей смерти и устроил себе пышные похороны только для виду. Он скрывался в провинции, но его там нашли и вот опять привезли сюда, живьем. Я только сейчас видел, как его вели в ратушу, пленного. Я сказал, что он имел причины бояться нас. Говорите, продолжают ли существовать такие причины?

Несчастный старый грешник! Ему было за семьдесят лет! Если бы он мог услышать, какой ответ дан был на этот вопрос!

После яростного возгласа наступила минута глубокой тишины. Дефарж и его жена обменялись твердым взглядом. Месть наклонилась и выкатила из-за конторки барабан, издавший глухой звук.

— Патриоты, — произнес Дефарж решительным голосом, — готовы ли мы?

В тот же миг мадам Дефарж заткнула себе за пояс нож; барабан уже грохотал на улице, как будто по мановению волшебного жезла очутился там вместе с барабанщиком, а Месть, испуская страшные вопли и вскидывая руки над головой, как все сорок фурий разом, кидалась из дома в дом, поднимая на ноги всех женщин.

Мужчины были ужасны, в кровожадном гневе выглядывая из окон, хватаясь за первое попавшееся оружие и выбегая из домов на улицу; но женщины были еще ужаснее, и один их вид леденил сердца храбрейших. Они отрывались от тех хозяйственных занятий, какие могли найти в своем нищенском быту, бросали своих детей, отрывались от стариков и от больных, валявшихся на голом полу, полунагих и голодных, и выбегали растрепанные, обезумевшие, сами себя и друг друга оглушая бешеными криками и телодвижениями. «Негодяя Фулона поймали, сестрица! Старый Фулон схвачен, дочка!» — и они десятками врывались в толпу, били себя в грудь, рвали на себе волосы и вскрикивали: «Фулон-то жив! Фулон, который советовал голодным питаться травой! Знаете, Фулон... велел мне кормить сеном моего старого отца, когда у меня не было хлеба, чтобы его насытить! Фулон хотел, чтобы и младенец мой сосал траву, когда у меня в грудях не стало молока, когда оно высохло от голода! О Матерь Божия, покарай Ты этого Фулона! О Господи, сколько мы натерпелись! Услышьте же вы меня, мой умерший младенец и умирающий отец!

Клянусь вам, стоя на коленях, на этих самых камнях, клянусь, что отомщу за вас Фулону! Мужья и братья и вы, молодые люди, дайте нам кровь Фулона, дайте нам голову Фулона! Дайте нам сердце Фулона, дайте тело и душу Фулона! Растерзайте Фулона на клочки и затопчите его в землю, чтобы из него выросла трава!» С подобными восклицаниями многие женщины кружились на месте, возбуждая себя до белого каления, начинали бить своих соседей и единомышленников, наконец, падали в обморок, и мужчины наскоро убирали их прочь с дороги, чтобы их не растоптали в толпе.

Тем не менее патриоты не теряли ни минуты, ни единой секунды. «Фулон в ратуше... Фулона могут выпустить из ратуши, но нет, этого предместье не допустит, потому что оно помнит свои вековые обиды и оскорбления!» Вооруженные мужчины и женщины устремились с такой поспешностью, увлекая за собой всех, кто был способен сдвинуться с места, что вскоре во всем предместье только и осталось несколько совсем древних старух да плачущие младенцы.

Через четверть часа толпа запрудила весь зал суда, где происходил допрос этому старому, безобразному и порочному человеку, битком набила смежные коридоры и наполнила двор и ближайшие улицы. Дефаржи, муж и жена, так же как Месть и Жак Третий, находились в первых рядах, недалеко от подсудимого.

— Посмотрите! — говорила мадам Дефарж, указывая на него ножом. — Посмотрите, как отлично старого подлеца связали веревками. И какая счастливая мысль — привязать ему к спине клочок сена! Ха-ха-ха! Вот славная штука! Пускай-ка он его поест теперь!

И, сунув нож себе под мышку, она принялась восторженно рукоплескать, как в театре.

Люди, стоявшие непосредственно за ее спиной, передали причину ее удовольствия тем, что были сзади них; те передали тоже другим, другие — третьим и четвертым, так что сначала рукоплескали все в зале, потом в коридорах и, наконец, на улице — вся толпа. Точно так же в течение двух часов, пока лились праздные потоки юридического красноречия, каждый нетерпеливый жест мадам Дефарж (а их было много) подхватывался и повторялся на большие расстояния и с удивительной быстротой; но это объяснялось тем, что некоторые из предприимчивых зрителей, не могшие попасть в зал, ухитрились, уцепясь за какие-то архитектурные украшения, залезть по наружным стенам к окнам и оттуда смотрели внутрь зала, а так как они хорошо знали мадам Дефарж и замечали все ее движения, то и действовали наподобие телеграфа между ней и толпой, стоявшей на улице.

Наконец солнце взошло так высоко, что благотворный луч его проник в зал и упал, в знак надежды или покровительства, как раз на голову старого пленника. Такое явное пристрастие показалось присутствующим нестерпимым: в одну минуту преграда пыли и болтовни, продержавшаяся изумительно долго, была разрушена, и Сент-Антуанское предместье ринулось на Фулона. В тот же миг все стало известно толпе, до самых отдаленных ее рядов. Только что Дефарж перескочил через барьер и через стол, только что он сжал несчастного пленника в своих мощных руках, и мадам Дефарж только что перебралась туда же и сунула руку под одну из веревок, которыми он был опутан, а Месть и Жак Третий еще не успели присоединиться к ним, и зрители снаружи не успели прыгнуть через окна в зал, подобно хищным птицам, налетающим на добычу с высоких шестов, — как раздался крик, исходивший как бы от всего города: «Выводите его! Подайте его сюда! К фонарю!»

Вмиг старика сшибли с ног, снова подняли, потащили вон из ратуши, головой вниз, по ступеням; он приподнялся на коленях — его поднимают на ноги, бросают навзничь, на спину, бьют, толкают, душат пригоршнями травы, которую сотни рук суют ему в лицо. Разбитый, растрепанный, окровавленный, он, все еще задыхаясь, просит пощады; то разражается отчаянными жестами, когда часть теснившей его толпы отстранялась другой, также желавшей на него посмотреть; то превращается в безжизненное бревно, которое сотни ног проталкивают вперед. Таким образом дотащили его до ближайшего перекрестка, где висел через улицу роковой фонарь; только тут мадам Дефарж выпустила его из рук, как сделала бы кошка с мышью, и с безмолвным спокойствием взирала на него, пока другие готовили веревку, а он отчаянно умолял ее о пощаде. Женщины все время с пронзительными криками осыпали его ругательствами, а мужчины сурово требовали, чтобы его казнили с травой во рту. Наконец его вздернули, но веревка оборвалась, и его с криком подхватили и опять повесили. На этот раз веревка была милостива, она удержала его, и вскоре его голову наткнули на пику и понесли и столько травы набили ему в рот, что все предместье Сент-Антуан пустилось плясать от такого радостного зрелища.

Но этим не кончились злодеяния дня. Народ столько кричал и бесновался, что никак не мог успокоиться, и страсти вскипели с новой силой, когда под вечер пронесся слух, что зять казненного Фулона, также враг и угнетатель народа, тоже схвачен и что его ведут в Париж под сильным конвоем одной кавалерии до пятисот человек. Сент-Антуанское предместье было способно вырвать его из рук целой армии, лишь бы предать той же участи, какая постигла Фулона; и вот они расписали все его провинности на больших листах бумаги, овладели им, убили его, насадили на пики его голову и сердце и носили трофеи этого дня по улицам Парижа, образуя зверскую процессию.

Только с наступлением темной ночи вернулись они домой, к своим голодным и плачущим детям. Тогда перед жалкими лавчонками хлебопеков вытянулись длинные вереницы покупателей, терпеливо ожидавших своей очереди получить порцию очень дурного хлеба; долго приходилось им стоять с отощавшими желудками, и они коротали время, обнимая друг друга и с восторгом вспоминая свои победы и триумфы. Мало-помалу вереницы оборванцев сокращались, исчезали; в верхних этажах начинали мелькать тощие огоньки, на улицах раскладывались скудные костры, вокруг которых соседи собирались, сообща варили себе кушанье, а потом ужинали на пороге своих жилищ.

Скудны и несытны были эти ужины, без всяких признаков мяса и едва с какой-нибудь приправой к плохому хлебу. А все-таки человеческие отношения сообщали им какое-то подобие питательности и даже вызывали искры веселости. Отцы и матери, принимавшие участие в худших деяниях этого дня, ласково играли со своими отощавшими детьми; были тут и влюбленные; невзирая на все, что они видели и слышали, они могли любить и мечтать о будущем.

Было почти утро, когда последние посетители расстались с винной лавкой Дефаржа, и хозяин, запирая на ночь дверь, хриплым голосом сказал своей жене:

— Наконец-то мы до этого дожили, милая моя!

— Гм... Да! — отвечала она. — Почти!

Предместье уснуло. Дефарж и его жена спали, даже Месть спала рядом со своим тощим лавочником, отдыхал и барабан. Во всем Сент-Антуанском предместье только у одного барабана голос не изменился от крика и надсады. Если бы Месть (бывшая хранительницей барабана) сейчас разбудила его и потребовала от него тех же речей, какие он произносил до взятия Бастилии и до казни старого Фулона, он бы их произнес без всякого затруднения и без хрипоты; не то было с сиплыми голосами мужчин и женщин Сент-Антуанского предместья.

Глава XXIII

Огонь загорается

Перемена произошла и в деревне, где был известный нам колодец и где жил тот парень, что изо дня в день чинил дороги и, с раннего утра разбивая щебень, выколачивал из камня те скудные кусочки хлеба, с помощью которых его бедная, темная душа держалась в бедном, изможденном теле. Тюрьма на утесе стояла на месте, но она перестала казаться такой страшной: там были солдаты, но их оставалось немного; были и офицеры, для начальства над солдатами, но ни один из них не знал наверное, что эти солдаты будут делать; в одном только не сомневалось начальство, а именно что если оно издаст какой-нибудь приказ, то солдаты поступят как раз наоборот.

Кругом далеко простирались истощенные земли, весь округ представлял картину запустения. Каждый зеленый

листок, каждая травка, каждый зерновой колос был ме-
лок, сморщен и тщедушен, как и местное население. Все
было какое-то согбенное, пришибленное, измученное,
разбитое. Жилища, загородки, домашний скот, мужчины,
женщины, дети и сама почва, их носившая, — все было
истощено окончательно.

Владелец таких угодий — лично иногда очень милый
человек — продолжал считаться отцом своих подданных, придавал всему оттенок рыцарской доблести, служил образцом утонченной и роскошной жизни и мало ли
каких других прелестей в том же роде; но именно этот
самый властелин и все его сословие были причиной того,
что случилось. Странно, почему же мироздание, имевшее
целью служить этим властелинам, так скоро истощилось
и высохло дотла? Верно, произошла какая-нибудь ошиб-
ка в вечных предначертаниях. Как бы то ни было, факт
был налицо: последняя капля крови была выжата, последний винт пресса так часто завертывали, что он стер-
ся, пресс ослабел и наконец перестал действовать. И владелец бежал от столь позорного и непонятного явления.

Но не в этом состояла перемена, происшедшая в той
деревне, как и во многих других, ей подобных. Владелец
и прежде, в течение множества десятилетий, выжимал из
них сок, но очень редко удостаивал деревню своим при-
сутствием, не иначе как в сезон охоты, ради которой он
отводил диким зверям почетное место среди своих угодий. Нет, перемена была не в том, что не видно было
благородных лиц высшего сословия, более или менее вы-
точенных наподобие лица его сиятельства, благообразно-
го господина маркиза; напротив, перемена в том-то и
состояла, что с некоторых пор по деревням начали появляться посторонние лица совсем иного типа и, очевидно,
низшего сословия.

В то время как парень одиноко сидел в пыли и чинил
дорогу, размышляя не столько о том, что сам он прах и
должен возвратиться к праху, сколько думая о том, какой
скудный ужин предстоит ему сегодня вечером и как охотно он поел бы гораздо больше, если бы было что. В это
время, отрывая глаза от своей одинокой и однообразной
работы и озираясь кругом, случалось ему видеть фигуру

пешехода, приближавшегося в его сторону. В прежние годы такое зрелище было большой редкостью, а нынче бывало все чаще. По мере того как пешеход подходил ближе, парень без удивления распознавал в нем человека высокого роста, со всклокоченными волосами, в таких грубых деревянных башмаках, что даже в глазах этого парня они представлялись неладными. Пешеход был угрюмого вида, смуглый, загорелый человек, покрытый грязью и пылью многих проселочных дорог, бурыми следами и плесенью многих болотистых равнин, обрывками листвы, мха и колючек, приставшими к его одежде, пока он продирался по лесным тропинкам.

Точно такой человек внезапно предстал перед ним, подобно призраку, в полдень июльского дня, в ту минуту как парень, укрываясь от града, сыпавшегося из грозовой тучи, присел на кучу щебня под прикрытием придорожного вала.

Пешеход посмотрел на него, оглянулся на деревню в лощине, на мельницу, на тюрьму на скале. Порешив в своем непросвещенном уме, что нашел то, что искал, он обратился к парню на каком-то странном, едва понятном наречии и сказал:

— Как дела, Жак?

— Все благополучно, Жак.

— Так здравствуй!

Они пожали друг другу руки, и пешеход уселся на ту же кучу щебня.

— Не обедаете?

— Нет, только ужинаем, — отвечал парень, глядя на него голодными глазами.

— Нынче везде так, — проворчал пришедший, — нигде не обедают.

Он вытащил из-за пазухи почерневшую трубку, набил ее, высек огня, раскурил, потом вдруг отставил подальше от лица и двумя пальцами уронил в горевший табак что-то такое, что в один миг вспыхнуло и исчезло в клубе дыма.

— Ну здравствуй, — молвил на этот раз парень, чинивший дорогу и наблюдавший за этой операцией. Они опять взялись за руки. — Значит, сегодня? — спросил парень.

— Сегодня, — отвечал пешеход, снова взяв трубку в рот.

— А где?

— Здесь.

Они сидели на куче щебня и молча смотрели друг на друга, а град сыпался перед ними и на них, точно атака крошечных штыков, пока небо не начало светлеть и проясняться над деревней.

— Покажи мне! — сказал тогда пешеход, вставая и направляясь к вершине холма.

— Смотри! — молвил парень, протягивая руку. — Ступай в эту сторону; как спустишься с горы, пройдешь прямо вдоль улицы, мимо колодца...

— К черту все это! — прервал его пешеход, оглядывая местность. — Я не хожу ни по улицам, ни мимо колодцев. Укажи другой путь.

— Ну так за две мили от вершины того холма, что по ту сторону деревни.

— Хорошо. Ты когда уходишь с работы?

— На закате солнца.

— Так разбуди меня перед уходом. Я две ночи шел без отдыха. Дай только выкурить трубку, я лягу и усну, как малое дитя. А ты разбудишь?

— Разбужу.

Пешеход выкурил трубку, сунул ее обратно за пазуху, спустил с ног свои громадные деревянные башмаки и лег навзничь на кучу щебня. Почти в ту же минуту он крепко заснул.

Парень продолжал свою работу. Между тем грозовые тучи прошли мимо, на небе показались промежутки синего неба и сияющих белых облаков, вся окрестность озарилась блеском серебристых капель; а парень (вместо синей шапки теперь на нем был красный колпак) все посматривал на спящего человека и почти не мог отвести от него глаз. Он рассматривал его так пристально, что лишь машинально постукивал молотком, и дело его подвигалось вперед крайне медленно. Это бронзовое лицо, всклокоченные черные волосы и борода, красный колпак из грубой шерсти, простая одежда — смесь домашнего тканья с мохнатыми звериными шкурами, — мощное телосложение, закаленное лишениями всякого рода, угрюмое выражение лица и плотно сомкнутые губы — все в этом человеке внушало ему благоговение. Видно было, что идет он издалека, потому что ноги были покрыты ссадинами, а повыше щиколотки исцарапаны до крови; тяжелые башмаки, изнутри выстланные травой и листьями, должно быть, трудно было волочить на такие далекие расстояния, а все платье было в дырах. Наклонившись над ним поближе, парень пробовал подсмотреть, нет ли у него за пазухой или в ином месте секретного оружия, но так и не высмотрел ничего, потому что тот спал с крепко сложенными на груди руками и не разжимал их так же решительно, как не разевал рта. В уме парня бродила мысль, что для такого человека не существует никаких преград, что укрепленные города, частоколы, сторожевые будки, крепостные ворота, траншеи и подъемные мосты для него сущие пустяки. И когда он отвел от него глаза и оглянулся кругом, в его маленьком воображении стало рисоваться много точно таких же фигур, идущих в разные стороны по всей Франции и не ведающих никаких препятствий.

Пешеход спал, безразлично относясь к грозовым тучам и к солнечному сиянию, припекало ли ему лицо, или оно было в тени, обдавало ли его градом по всему телу, или эти градины одним лучом света превращались в бриллианты; он спал, покуда солнце не спустилось на край горизонта и все небо не пылало заревом заката. Парень собрался уходить домой, собрал весь свой инструмент и разбудил его.

— Ладно! — молвил пешеход, приподнявшись на локте. — Так ты говоришь, за две мили от вершины, по ту сторону холма?

— Около того.

— Около того? Хорошо!

Парень пошел домой; ветер вздымал перед ним столбы пыли, опережая его на пути в деревню. Вскоре он дошел до колодца, протискался сквозь толпу тощих коров, пригнанных на водопой, и начал так усердно шептаться со всей деревней, что казалось, будто он нашептывал что-то и коровам. Когда деревня поужинала кое-чем, она не легла спать, как делала обыкновенно, а, напротив, опять высыпала на улицу и тут осталась. При этом замечалась в населении странная наклонность к разговору шепотом, а когда стемнело и оно собралось у колодца, то проявило другую странную наклонность — выжидательно поглядывать все в одну определенную сторону.

Мсье Габель, главный сановник этой местности, пришел в тревожное состояние: он влез на крышу своего дома и тоже стал смотреть в ту сторону, попробовал из-за труб своего жилища рассмотреть выражение хмурых лиц, собравшихся у колодца, и послал сказать пономарю, хранившему ключи от церкви, что сегодня он может понадобиться ударить в набат.

Ночная тьма сгущалась. Высокие деревья, окружавшие старый замок и сторожившие его величавое уединение, начали шевелиться и помахивать ветвями, как бы угрожая темной каменной громаде, черневшей в темноте. Поднявшийся ветер обвевал двойные ступени и террасы парадного подъезда и стучал в двери, точно прыткий вестник, будивший отголоски внутри дома. Тревожными порывами врывался он в сени, шевелил на стенах старинные ножи и копья, с жалобным воем забирался вверх по ступеням и потрясал драпировки кровати, на которой спал последний маркиз. С севера, востока, запада и юга шли через лес четыре всклоченные фигуры: тяжело ступая в высокой траве и потрескивая мелкими сучьями, они осторожно пробирались к одному пункту и сошлись на дворе замка. Тут зажглись в темноте четыре огонька: они направились в разные стороны, скрылись из виду, и снова все стало темно.

Но ненадолго. В скором времени замок стал обозначаться сам собой, как будто светился изнутри. Сначала вдоль переднего фасада пробежала световая струйка и, заигрывая с архитектурными украшениями, стала выступать на прозрачных местах, ясно обрисовывая очертания окон, сводов и балюстрад. Потом поднялась выше, разрослась, засияла ярким блеском, и вдруг из двадцати больших окон хлынуло наружу красное пламя, и каменные лица, проснувшись, вытаращили глаза на огонь.

Тихий говор поднялся в усадьбе, где оставалось очень немного прислуги. Кто-то оседлал лошадь и, вскочив в седло, уехал со двора. Он работал шпорами, скакал по грязи в темноте, придержал лошадь только у колодца и, всю в поту, остановил ее у двери мсье Габеля.

— Помогите, Габель! Помогайте все кто может!

Били в набат, но помощи ниоткуда не было. Парень, обыкновенно чинивший дорогу, и все двести пятьдесят его закадычных друзей, скрестив руки, стояли у колодца и любовались огненным столбом на небе.

— Футов сорок в вышину, пожалуй, будет? — говорили они и не трогались с места.

Всадник из замка и его лошадь, покрытая пеной, поскакали вдоль по улице назад, вверх по крутому откосу, на скалу, к тюремной башне. У ворот стояла группа офицеров, смотревшая на огонь, поодаль от них другая группа, солдаты.

— Помогите, господа офицеры! Замок горит! Если вовремя подоспеете, можно еще спасти много ценных предметов! Помогите!

Офицеры посмотрели на солдат, те смотрели на огонь. Начальство не произносило никаких приказов; они пожимали плечами, кусали себе губы и говорили: «Пускай горит!»

Всадник поскакал обратно с горы и, проезжая вдоль улицы, увидел, что деревня устраивает у себя иллюминацию. Все тот же парень и его двести пятьдесят закадычных друзей единодушно вдохновились мыслью отпраздновать пожар и кинулись в свои домишки выставлять зажженные свечи в каждом тусклом окошке. Так как редко у кого из них водился запас свечей, они довольно бесцеремонно потребовали у мсье Габеля выдачи этого товара взаймы, а когда этот сановник немного замялся и не вдруг удовлетворил их требование, тот же парень, всегда отличавшийся смирным нравом и покорностью предержащим властям, высказал замечание, что почтовые кареты вполне пригодны для потешных огней, а почтовых лошадей можно жарить.

Замок оставили в покое, и он погибал в пламени. Во время пожара поднялся горячий ветер — словно прямо из преисподней. Он еще пуще раздувал огонь, как бы с намерением унести замок с лица земли. По мере того как пламя то разгоралось, то затихало, каменные лица на стенах принимали такое выражение, как будто их мучат. Когда обрушилась значительная часть дерева и камня, то лицо над окном, что отличалось двумя впадинками на носу, совсем почернело, потом оно несколько раз скрывалось в дыму и снова выглядывало, уподобляясь лицу жестокого маркиза, точно будто его сжигали на костре и он терпел огненную пытку.

Замок горел; ближайшие к нему деревья, охваченные пламенем, корчились и высыхали; деревья, росшие на некотором расстоянии от усадьбы, нарочно подожженные теми же четырьмя решительными пришельцами, опоясали пылающую громаду новым кольцом огня и дыма. Расплавленный свинец и железо кипели в мраморном бассейне фонтана; вода иссякла в нем. Остроконечные кровли башен растаяли, как лед на солнце, и пламенными ручьями они падали во двор. Толстые стены дали щели и трещины, разветвлявшиеся в них наподобие кристаллов; ошеломленные птицы метались в воздухе и падали в раскаленную массу. Четыре зловещие фигуры ушли прочь, направляясь к северу и к югу, на восток и на запад, по дорогам, окутанным ночной тьмой, причем горящий замок служил им путеводным маяком, и они шли дальше продолжать начатое дело. Иллюминованная деревня овладела колокольней, прогнала официального звонаря и подняла радостный трезвон.

Мало того, у деревни голова закружилась от голода, от огня и от трезвона. Надумались вдруг вытребовать к отчету мсье Габеля, потому что он считался сборщиком оброков и податей, — хотя Богу известно, что за последнее время собирать было совершенно нечего, — и вот они окружили его дом и стали громкими криками вызывать его для личных переговоров. Вместо ответа, мсье Габель наглухо запер и заставил свою дверь, а сам спрятался, дабы обдумать дальнейший план действий. Результатом раздумья было то, что он залез на крышу собственного жилища и притаился между печных труб, на сей раз окончательно решив, что если ворвутся в дом (сам он был южанин, маленький и смуглый человек мстительного темперамента), то он бросится с крыши головой вниз и хоть своей тяжестью пришибет одного или двух осаждающих.

Очень вероятно, что ночь показалась ему ужасно длинной, пока он сидел на крыше, при свете замка, пылавшего вдали, под музыку колокольного звона и отчаянного стука в свою дверь, не считая того, что как раз перед воротами почтового двора через улицу висел зловещий фонарь, который местное население страстно желало заменить его собственной особой. Должно быть, неприятно ему было провести целую летнюю ночь на краю этого черного океана и каждую минуту ожидать, что надо будет кувыркнуться в него стремглав согласно принятому решению!

Но утренняя заря занялась наконец, деревенские свечки все выгорели, народ, по счастью, разошелся, и мсье Габель сошел обратно в дом, на этот раз не расставшись с жизнью.

В эту ночь и во многие последующие ночи на сто миль кругом горели такие же огни и были там такие же сановники. Но они далеко не так счастливо отделывались, и бывало, что восходящее солнце заставало их висящими на фонарных веревках поперек когда-то мирной сельской улицы, где они родились и выросли. Но были в то же время крестьяне и горожане менее счастливые, нежели известный нам парень, чинивший дороги, и его закадычные приятели; местное начальство справлялось с ними по-своему, местная воинская команда содействовала ему, и общими силами они ловили и в свою очередь вешали бунтовщиков. Но неодолимые фигуры твердой поступью шли на восток и на запад, на север и на юг, и кто бы ни висел, кто бы кого ни вешал, огонь делал свое дело. И ни один чиновник, даже с помощью математики, не мог бы вычислить, какой высоты должна быть та виселица, которая, превратившись в воду, могла бы погасить этот огонь.

Глава XXIV

Притянутые к подводной скале

Так прошли три бурных года, в продолжение которых огни горели все жарче, море поднималось все выше. Сама земля содрогалась от напора разгневанного океана, волны которого не ведали больше отлива, а все катились одна на другую, все прибывали, к изумлению и ужасу стоявших на берегу. Еще три раза маленькая Люси праздновала день своего рождения, и каждый из них золотой нитью вплетался в мирную ткань ее жизни под родительским кровом.

Много раз по вечерам обитатели закоулка прислушивались к отголоскам того, что совершалось вдали, и сердца их сжимались от этих звуков. Им казалось, что они слышат бешеный топот народа, мятущегося под сенью красного знамени, объявившего отечество в опасности и под влиянием каких-то злобных чар превратившегося в стадо лютых зверей, которые упорно отказываются снова принять образ человеческий.

Тот высший класс французского общества, который возмущался тем, что его перестали признавать наипервейшим, догадался наконец, что он никому не нужен во Франции и что дальнейшее его пребывание в отечестве угрожает даже его существованию. Уподобляясь тому деревенскому дурню в сказке, который с величайшим трудом ухитрился вызвать черта и так испугался, когда увидел его, что не нашелся о чем его спросить и опрометью бросился бежать, — так и французский вельможа, многие годы упражнявшийся в чтении молитвы Господней навыворот и всякими иными ухищрениями старавшийся вызвать Сатану, завидев его воочию, пришел в такой ужас, что бежал без оглядки.

Недремлющее око придворного этикета исчезло из виду, иначе оно сделалось бы мишенью для целой тучи народных пуль. Оно никогда не отличалось особой дальновидностью, соединяя в себе качества сатанинской гордости, сарданапаловой пышности и слепоту крота, — но оно вовремя вывалилось, и его не стало. Не стало и всего двора, начиная от центрального, исключительного кружка и кончая самыми крайними пределами его интриг, распутства и лицемерия, — все ушло. Королевская фамилия исчезла, подверглась правильной осаде в своем собственном дворце и, по последним известиям, была «упразднена».

Был август месяц тысяча семьсот девяносто второго года, и в эту пору французский вельможа рассеялся по лицу земли.

Само собой разумеется, что местом сборища и великим прибежищем таких вельмож в Лондоне был Тельсонов банк. Говорят, что души умерших чаще всего являются в тех местах, где они чаще бывали во плоти; так и вельможи, лишившиеся последних своих червонцев, посещали то место, где эти червонцы прежде лежали. Кроме того, сюда всего скорее стекались из-за моря наиболее достоверные вести. К тому же фирма Тельсона была очень тароватая фирма и оказывала щедрые пособия тем из своих прежних клиентов, которые впали в бедность. Впрочем, и те из дворян, которые вовремя заметили надвигающуюся бурю и, опасаясь грабежей и конфискаций, успели заранее перевести свои капиталы в Тельсонов банк, никогда не отказывали в поддержке своим разоренным собратьям. К этому надо прибавить, что каждый вновь прибывающий из Франции считал как бы непременным долгом показаться у Тельсона и сообщить самые последние известия о том, что творилось за морем. По всем этим причинам Тельсонов банк в эту пору играл роль политической биржи по отношению к французским делам; и этот факт был так хорошо известен публике и столько народу вследствие того являлось сюда за сведениями, что Тельсон часто выставлял в окнах конторы листы бумаги, на которых в одной или двух строках прописаны были самые свежие новости, дабы все проходящие через Темплские ворота могли их прочесть.

В один тусклый и туманный день, после полудня, мистер Лорри сидел у своей конторки, а Чарльз Дарней стоял возле, облокотившись на нее, и вполголоса беседовал со стариком. Тесная каморка, в прежнее время предназначавшаяся для личных переговоров с главой фирмы, превратилась теперь в контору для обмена вестей и была битком набита посетителями. Время дня было за полчаса до закрытия конторы.

— Хотя я и знаю, что моложе вас никого на свете не бывает, — говорил Чарльз Дарней недоумевающим тоном, — а все-таки я позволю себе напомнить вам...

— Понимаю. Вы хотите сказать, что я уж слишком стар? — сказал мистер Лорри.

— Нет, но погода стоит переменная, путь дальний, способы сообщения плохие, вся страна в расстройстве, а в городе даже и для вас может быть небезопасно.

— Милый мой Чарльз, — сказал мистер Лорри с бодрой уверенностью, — вы коснулись нескольких причин, которые скорее побуждают меня ехать, чем оставаться. Для меня никакой опасности быть не может. Кому охота возиться с человеком, которому скоро уж стукнет восемьдесят лет, тогда как много есть народу и помоложе меня. Что до того, что в городе царствует неурядица, ведь в этом и дело все: не будь там неурядицы, не было бы надобности посылать из здешней конторы в тамошнюю доверенного человека, который досконально был бы знаком и с городом, и с делом и на кого притом Тельсон мог бы вполне положиться. Что же касается плохих дорог, длинного пути и зимней погоды, правда, это все представляет некоторые неудобства, но кто же, как не я, готов переносить их ради пользы Тельсона?

— Мне бы самому хотелось поехать, — проговорил Чарльз Дарней, тревожно и как бы нечаянно подумав вслух.

— В самом деле? Вот и спрашивай у него советов и указаний! — воскликнул мистер Лорри. — Вам бы хотелось самому поехать? А еще природный француз! Нечего сказать, мудрый советчик.

— Дорогой мистер Лорри, именно потому, что я природный француз, эта мысль и приходит мне в голову очень часто, хотя, признаюсь, я высказал ее здесь совершенно нечаянно. Как-то невольно думается, что когда до некоторой степени сочувствуешь этому несчастному народу и кое-чем даже поступился в его пользу (эти слова он произнес задумчиво и как бы тоже нечаянно), то имеешь право ожидать, что тебя послушают, и, может быть, удалось бы их убедить, что необходимо, наконец, умерить эти разнузданные страсти. Вчера вечером, после того как вы от нас ушли, мы разговорились об этом с Люси...

— Разговорились с Люси, так-так! — перебил его мистер Лорри. — Постыдились бы поминать имя Люси, коли помышляете в такую пору ехать во Францию!

— Но ведь я не еду! — сказал Чарльз Дарней, улыбаясь. — А вот вы так намереваетесь ехать!

— Да, я-то в самом деле поеду. По правде сказать, дорогой мой Чарльз, — тут мистер Лорри понизил голос и мельком взглянул на сидящего вдали главу фирмы, — вы себе представить не можете, как трудно становится справляться с нашими делами и в какой опасности находятся теперь все наши счетные книги и бумаги там, в Париже. Богу единому известно, в какое неприятное положение могут быть поставлены многие лица, если бы наши документы там вздумали схватить и уничтожить. А ведь это очень возможное дело, и кто поручится, что сегодня Париж не сожгут дотла, а завтра в нем не будет поголовной резни? Между тем, если как можно скорее туда пробраться, выбрать наиболее важные бумаги, тщательно их зарыть или иначе как-нибудь припрятать, было бы всего умнее сделать это теперь же; а кто в состоянии все это исполнить как следует, коли не я? Кроме меня, некому, и Тельсон знает это и сам говорил, и неужели из-за того, что у меня ноги стали плохи и суставы не гнутся, я не потружусь для Тельсона, тогда как вот уже шестьдесят лет, как я ем его хлеб? Да, я еще на что-нибудь гожусь, сэр; я совсем молокосос по сравнению с полудюжиной старых хрычей, которые все еще здесь кропают!

— Я всегда восхищался вашей юношеской бодростью, вашим предприимчивым духом, мистер Лорри!

— Ну-ну, это вздор, сэр!.. И вот что еще, милый мой Чарльз, — продолжал мистер Лорри, опять мельком взглянув на главу фирмы. — Вы должны помнить, что в настоящее время добыть что-либо из Парижа почти невозможное дело. Не далее как сегодня некоторые бумаги и драгоценные предметы (говорю вам это по секрету; по-настоящему таких вещей даже и вам не следовало бы говорить) доставлены нам такими странными лицами, что страннее этого трудно себе что-нибудь представить... А проходя через границу, каждый из них при этом рисковал головой, и жизнь его, можно сказать, висела на волоске. В другое время наши посылки приходили так же легко и правильно, как в деловой Англии, а нынче совершенно другое дело: на границе всё задерживают...

— И вы в самом деле уезжаете сегодня вечером?

— В самом деле, сегодня же еду. Дело так поставлено, что не терпит отлагательства.

— И никого не берете с собой?

— Предлагали мне много всякого народу, но для меня никто из них не годится. Я намерен взять с собой Джерри. Он столько лет служил мне телохранителем по воскресным вечерам, что я к нему привык. Он не имеет подозрительного вида; всякому будет ясно, что это не что иное, как английский бульдог, который ровно ничего не замышляет, а только тукнет по голове каждого, кто вздумает тронуть его хозяина.

— Опять-таки скажу, что от всей души восхищаюсь вашей храбростью и юношеским пылом.

— А я опять скажу, что это вздор. Вот когда я выполню эту маленькую миссию, может быть, я и соглашусь на предложение Тельсона удалиться от дел и пожить в свое удовольствие. Тогда будет время состариться по-настоящему.

Этот разговор происходил у старой конторки мистера Лорри, а за два или за три шага от нее стояла целая вереница именитых французских дворян, которые хвастались тем, что в самом скором времени отомстят этой подлой черни за ее бесчинства. В те времена почти все эти важные господа, бежавшие за границу, говорили то же самое, а природные британцы, со свойственной им прямолинейностью, смотрели на эту страшную революцию как на единственное в мире явление, когда люди пожинают то, чего никогда не сеяли; как будто издавна все это не готовилось самым очевидным образом, как будто все, чем возможно было вызвать такие явления, не было сделано; недаром же более дальновидные мыслители, наблюдавшие судьбы миллионов этого несчастного французского народа, видевшие полное извращение и истощение богатств этой страны, гибель того, от чего зависело ее процветание, давно предвидели то, что неминуемо должно было случиться, и за много лет перед тем предсказывали, чем это кончится. Досадно было слушать пустую болтовню этих господ, строивших притом самые нелепые планы для восстановления такого порядка вещей, который не только отжил свой век, но опротивел и Богу, и людям; в особенности трудно было переносить такое пустословие человеку здравомыслящему и понимавшему сущность дела. И вот почему Чарльз Дарней, у которого голова начинала кружиться и в ушах шумело от такого непрерывного и вздорного говора, пришел в нервное состояние и ощущал какую-то смутную тревогу и возбуждение.

В числе болтавших находился Страйвер, член королевского суда, делавший блестящую карьеру, стоявший уже на одной из высших ступеней судейской иерархии и потому очень громко высказывавший свои мысли по этому вопросу. Он подавал советы дворянству, как надо стереть народ в порошок, сдуть его с лица земли и отныне обходиться без него, и многие другие проекты в том же духе, вроде того чтобы искоренить всю орлиную породу, насыпав орлам соли на хвосты. К голосу Страйвера Дарней прислушивался с особенным отвращением и все время колебался между желанием уйти, чтобы его не слышать, и стремлением остаться, чтобы вступить в разговор и опровергнуть его; но тут случилось то, что судьба подготовила заранее.

Глава фирмы подошел к конторке мистера Лорри и, положив перед ним перепачканное, но нераспечатанное письмо, осведомился, не напал ли он на след того лица, которому оно адресовано? Банкир положил письмо так близко от Дарнея, что тот невольно прочел адрес, тем более что на конверте стояло его собственное, настоящее имя. Адрес, написанный по-французски, был таков:

«Весьма нужное. Господину бывшему маркизу де Сент-Эвремонду, из Франции, через господ Тельсона и Кⁿ, банкиров в Лондоне; в Англию».

В день свадьбы доктор Манетт особенно настойчиво и убедительно просил Чарльза Дарнея, чтобы без его, доктора, разрешения — это имя оставалось тайной между ними — никому иному не было известно, что его так зовут; его собственная жена не подозревала об этом, а мистеру Лорри, конечно, и в голову не могло прийти.

— Нет, — отвечал Лорри на вопрос банкира, — я его показывал, кажется, решительно всем, кто здесь был, и никто не мог дать мне никаких указаний насчет местопребывания этого джентльмена.

Так как стрелки на часах указывали время прекращения занятий в конторе, вся вереница болтающего дворянства потянулась к выходу мимо конторки мистера Лорри. Он с вопросительным видом протянул им навстречу руку с письмом, и каждый, взглянув на него, высказал какое-нибудь неодобрительное замечание насчет без вести пропавшего маркиза, кто на английском, кто на французском языке.

— Племянник, кажется, но, во всяком случае, недостойный отпрыск того высокообразованного маркиза, что был убит, — сказал один. — Я очень рад, что никогда его не видывал.

— Трус, покинувший свой пост несколько лет тому назад, — изрек другой сиятельный господин, который, к слову сказать, спасаясь из Парижа, был вывезен ногами вперед, лежа в возу с сеном, и чуть не задохся.

— Он заразился новыми доктринами, — заявил третий, мимоходом взглянув на адрес через лорнет, — враждовал с покойным маркизом, получив наследство, отказался от него и предоставил все свое состояние грубым простолюдинам. Надеюсь, что они теперь вознаградят его по заслугам.

— Что-о?! — зарычал Страйвер. — Он это сделал? Так вот какого сорта этот господин! Дайте-ка мне посмотреть, как зовут подлеца! Черт бы его взял!

Дарней был не в силах дольше сдерживаться. Он тронул мистера Страйвера за плечо и сказал:

— Я знаю этого господина.

— Знаете?! — гаркнул Страйвер. — Черт возьми, сожалею об этом!

— Почему?

— Как «почему», мистер Дарней? Разве вы не слыхали, как он отличился? Чего же вы спрашиваете после этого!

— А я все-таки спрашиваю — почему?

— Так я вам опять отвечу: очень жаль! Весьма сожалею, мистер Дарней, что вы задаете такие странные вопросы. Нам говорят о человеке, зараженном самыми вредоносными и кощунственными правилами, который предоставил свое имущество самым низким подонкам общества, предающимся всяким злодеяниям и огульному душегубству, а вы меня спрашиваете, почему я сожалею, что наставник нашего юношества знаком с подобным человеком! Ну хорошо, я вам, так и быть, отвечу. Я потому сожалею об этом, что негодяйство таких мерзавцев бывает заразительно. Вот почему!

Помня, что он дал слово хранить тайну, Дарней с большим трудом сдержал свой гнев и сказал:

— Вы, может быть, не способны понять этого джентльмена.

— Но я способен загнать *вас* в угол, мистер Дарней, — сказал неукротимый Страйвер, — и я это сделаю. Если этот господин настоящий джентльмен, то я его не понимаю. Кланяйтесь ему от меня да так и скажите. И еще передайте ему от меня, что, после того как он все свое состояние и общественное положение отдал в руки кровожадной черни, я удивляюсь, почему же он не стал предводителем этой толпы? Да нет, господа, — продолжал Страйвер, оглядываясь на публику и щелкнув пальцами, — я довольно изучил человеческую натуру и могу поручиться, что люди, подобные этому молодцу, ни за что не рискнут собственной шкурой и не отдадутся во власть своих милых дружков. Нет, господа, когда дело дойдет до драки, такой молодец всегда пойдет наутек, только пятки им покажет.

С этими словами и еще раз щелкнув пальцами, мистер Страйвер протолкался к выходу и вышел на улицу, провожаемый знаками всеобщего одобрения. Мистер Лорри и Чарльз Дарней остались одни у конторки, так как все служащие также ушли из банка.

— Не возьметесь ли вы доставить это письмо по назначению? — сказал мистер Лорри. — Вы знаете, где живет этот господин?

— Знаю.

— Так объясните ему, что письмо адресовано сюда, вероятно, в том предположении, что здесь найдется кто-нибудь могущий доставить его кому следует и что оно лежит в конторе уже довольно давно.

— Хорошо, я передам. Вы уезжаете в Париж прямо отсюда?

— Прямо отсюда, в восемь часов.

— Я зайду еще, провожу вас.

Очень недовольный и собой, и Страйвером, и большинством человечества, Дарней прошел подальше в Темпл, выискал укромное место, распечатал письмо и прочел его. Там было написано следующее:

«Тюрьма аббатства. Париж
21 июня 1792 г.
Господин бывший маркиз!

В течение долгого времени жизнь моя была в постоянной опасности со стороны деревни, но наконец меня схватили и с крайней грубостью и насилием потащили вплоть до Парижа пешком. Дорогой я претерпевал всякие мучения. Мало того, дом мой сожгли и уничтожили дотла.

Преступление, за которое я попал в тюрьму, господин бывший маркиз, и должен на днях предстать перед судилищем и даже лишиться жизни (если только вы не окажете мне великодушной помощи), состоит в том, что я будто бы провинился против народного величества и действовал против народа, защищая интересы эмигранта. Тщетно я выставлял им на вид, что еще до отобрания в казну имущества эмигрантов я отменил все оброки, которые они и так перестали платить, что не требовал никаких пошлин и не заводил ни одного тяжебного дела. На все мне отвечают, что я действовал за эмигранта и где этот эмигрант?

Ах, милостивейший государь, бывший господин маркиз, где этот эмигрант? Я и во сне взываю, где он, и Бога молю, чтобы он приехал и оправдал меня! А ответа не получаю. Ах, господин бывший маркиз, внемлите из-за моря жалостному моему крику; я все еще в надежде, что вы услышите мой отчаянный призыв через знаменитый банк Тельсона, известный и в Париже!

Ради бога, ради справедливости, ради великодушия и чести вашего благородного имени молю вас, господин бывший маркиз, окажите мне помощь, освободите меня! Вся моя вина в том, что я был верным слугой вашей фамилии. О господин бывший маркиз, умоляю вас не отступиться от меня!

Из сего ужасного тюремного заключения, откуда с каждым часом приближаюсь к своей конечной гибели, посылаю вам, господин бывший маркиз, уверение в моей горемычной преданности.

Ваш злополучный
Габель»

Смутная тревога, гнездившаяся в уме Дарнея при чтении этого письма, перешла в сильнейшее волнение. Смертельная опасность, которой подвергался старый и хороший слуга, только тем и провинившийся, что верно служил ему и его семейству, задела его за живое. Немым укором веяло от этого письма, и Дарней сновал взад и вперед по двору Темпла, размышляя, что делать, и ему было так совестно, что хотелось скрыть свое лицо от прохожих.

Он отлично понимал, что действовал не совсем правильно, когда, в ужасе от того кровавого дела, которое завершило злодеяния и жестокую репутацию его старинного фамильного гнезда, он бежал оттуда, питая ужасные подозрения против своего дяди и с отвращением взирая на всю шаткую систему управления, которую он, по своему общественному положению, должен был поддерживать. Он знал, что из любви к Люси слишком поспешно и небрежно бросил на родине все дела и отказался от своих наследственных прав. Он знал, что все это надо было привести в некоторую систему, лично присмотреть за выполнением своего плана, помнил, что именно так и намерен был поступить, но на деле поступил иначе.

Он сознавал, что, устроив свое семейное счастье в мирном уголке Англии, он принужден был постоянно и усиленно работать для поддержания семьи, а между тем времена настали смутные, и быстрые перемены вещей на его родине совершались так часто, что события одной недели перевертывали все планы предыдущей недели, а еще через неделю все опять перестраивалось на новый лад. Он знал, что в своей бездеятельности уступал именно силе этих внешних обстоятельств, и хотя совесть слегка упрекала его за это, но не постоянно, и он не делал никаких усилий противостоять этим обстоятельствам. Он ждал удобного момента для начала своих действий, а время шло, события быстро сменялись, и наконец стало уже поздно: дворянство бросилось из Франции врассыпную, бежало всякими путями; их поместья подвергались разграблению или конфискации, сами имена и титулы стирались с лица земли. Все это было ему известно не хуже, чем тем лицам, которые представляли теперь правительственную власть во Франции и могли призвать его к ответу.

Но он лично никого не притеснял, никого не сажал в тюрьму, не только насильственно не выжимал податей и оброков, но добровольно отказался от них; ушел в чужую страну, без претензии пробил себе дорогу и собственным трудом добывал себе хлеб. Управляющий, мсье Габель, действовал по его письменным указаниям, кое-как поддерживая истощенное и опутанное долговыми обязательствами имение и раздавая крестьянам то немногое, чем еще можно было распорядиться; например, зимой он отдавал им все топливо, какое дозволяли брать суровые кредиторы, а летом весь хлеб, остававшийся от уплаты по тем же обязательствам. Нет сомнения, что все эти факты были налицо, и Габель ради собственной безопасности имел на то надлежащие доказательства и документы, так что можно было все это предъявить в его оправдание.

Эти соображения окончательно повлияли на отчаянную решимость Чарльза Дарнея съездить лично в Париж.

Подобно тому мореплавателю, о котором говорится в старинном предании, он отдался ветрам и течению; они направили его к подводным скалам, и вот они притягивают его к себе; он чувствует это притяжение и поневоле плывет туда. Все, что представлялось его уму, содействовало этой иллюзии и все быстрее, все напряженнее влекло его в ту сторону. Тревожное состояние, мучившее его в последнее время, основывалось на том, что в его несчастном отечестве нечистыми руками преследовались нечистые цели. Он не мог не сознавать себя выше и лучше тамошних деятелей, а между тем оставался на месте, не шел туда, не пытался остановить кровопролития, не пробовал пробудить в своих соотечественниках инстинктов милосердия и человеколюбия. И вот в то самое время, как он подавлял в себе эти мысли и стремления и сам себя упрекал в этом, пришлось ему сравнить свое душевное состояние с совестью честного старика, ставившего долг выше всего на свете. Такое сравнение само по себе было ему в душе очень обидно, а тут еще посыпались презрительные отзывы французского дворянства и пуще всего насмешки Страйвера, особенно оскорбительные и грубые, потому что они издавна друг друга недолюбливали. Вдобавок ко всему он прочел письмо Габеля, невинного человека, в смертельной опасности взывавшего к его справедливости, дворянской чести и благородному имени!

Результат был неизбежен. Надо ехать в Париж.

Да. Подводные скалы притягивали его, и он должен был плыть, пока не ударится о камни. Но он не знал, что это опасно, и не подозревал о существовании подводных камней. Как ни поверхностно исполнена была его задача на родине, но то намерение, которое его одушевляло при этом, было так хорошо, что ему казалось, будто стоит лишь явиться на место и заявить о том, как все было, и его сограждане ему же еще будут благодарны за это. И тут представилась ему чудная перспектива пользы и добра, так часто составляющая любимую мечту многих здравомыслящих людей, и воображение начало рисовать ему возможность оказать благотворное влияние на эту страшную революцию и произвести там спасительный переворот.

Приняв такое решение, он продолжал еще некоторое время шагать взад и вперед по Темплу, размышляя, что ни Люси, ни ее отец не должны ничего знать об этом, пока он не уедет. Пускай Люси не ведает горечи прощания перед разлукой, а отец ее, всегда неохотно направляющий свои мысли на эту издавна для него опасную почву, пускай узнает об его отъезде как о свершившемся факте, а не как о сомнительном проекте, насчет которого еще возможны какие-либо колебания. Он не останавливался на соображениях о том, насколько неопределенность и незаконченность его положения зависели от ее отца, в том смысле, что Дарней всегда стеснялся чем-либо напомнить доктору о его прежних злоключениях во Франции; но справедливость требует напомнить, что и это обстоятельство играло немаловажную роль в том, как сложилась его судьба.

Погруженный в такие размышления, он до тех пор шагал по улицам, покуда не настало время вернуться в контору Тельсона и проводить мистера Лорри. Приехав в Париж, он, конечно, первым долгом объявится к своему старому другу, но сегодня ни слова ему не скажет о своих намерениях.

У дверей конторы уже стояла почтовая карета, и Джерри, в высоких сапогах и дорожном платье, был готов к отъезду.

— Я передал письмо, — сказал Чарльз Дарней мистеру Лорри. — Я не согласился обременять вас письменным ответом, но, может быть, вы не откажетесь передать устный?

— Охотно передам, — сказал мистер Лорри, — лишь бы это не было что-нибудь опасное.

— О, нисколько. Хотя, впрочем, ответ нужно доставить одному из заключенных в тюрьме, при аббатстве.

— Как его зовут? — спросил мистер Лорри, раскрывая свою записную книжку.

— Габель.

— Габель. А что же нужно сказать злополучному Габелю, сидящему в тюрьме?

— Только что «письмо получено, и он приедет».

— Без обозначения времени?

— Можете сказать, что он выедет в путь завтра вечером.

— Не упоминать ничьего имени?

— Нет.

Дарней помог мистеру Лорри закутаться в несколько теплых одежд и плащей и вместе с ним вышел из нагретой атмосферы старой банкирской конторы в сырой туман Флит-стрит.

— Мой нежный привет Люси, и малютке Люси также, — сказал мистер Лорри на прощание, — и смотрите за ними хорошенько до моего возвращения.

Чарльз Дарней покачал головой, загадочно улыбнулся, и карета укатила.

В этот вечер — четырнадцатого августа — он засиделся у своего письменного стола и написал два горячих письма: одно к жене, с объяснением настоятельной причины, вызывающей его в Париж, и с изложением всех доводов, что для него лично эта поездка не представляла никакой опасности; другое письмо было к доктору, которому он поручал заботу о Люси и об их дочке, и с уверенностью распространялся на тему о своей безопасности. В обоих письмах он обещал писать им тотчас по приезде на родину в доказательство того, что путешествие совершилось благополучно.

Тяжело ему было проводить с ними последний день, имея на душе такую тайну, первую с тех пор, как он женился. Трудно было поддерживать невинный обман, которого они до такой степени не подозревали. Но стоило ему взглянуть с любовью на жену, глубоко спокойную и счастливую среди своих домашних хлопот, и он снова укреплялся в своем решении держать дело в секрете; между тем ему было так странно обходиться без ее тихого содействия и сочувствия, что он несколько раз чуть не сообщил ей того, что собирался сделать. День прошел скоро. Под вечер он нежно обнял ее, потом не менее любимую свою дочку, сказал, что скоро вернется (предварительно он притворился, что куда-то отозван на весь вечер, и заранее уложил и втайне приготовил свой чемодан), с тяжелым сердцем вышел на сумрачную улицу и погрузился в тяжелый туман.

Невидимая сила мощно притягивала его к себе, и морской прилив и попутный ветер стойко влекли его все в ту же сторону. Он отдал оба письма благонадежному рассыльному, распорядившись, чтобы тот доставил их по назначению никак не раньше как за полчаса до полуночи, нанял лошадь в Дувр и отправился в путь.

«Ради Бога, ради справедливости, ради великодушия и чести вашего благородного имени!» — заклинал его бедный пленник, и эти слова укрепляли его ослабевшее сердце в ту минуту, как он покидал все, что было ему дорого на этом свете, и уплывал вдаль, прямо к подводным скалам.

ЧАСТЬ ТРЕТЬЯ
ПО СЛЕДАМ БУРИ

Глава I
В секретном отделении

Медленно подвигались вперед путешественники, которым пришлось ехать из Англии в Париж осенью тысяча семьсот девяносто второго года. Достаточно бывало для задержек дурных дорог, плохих экипажей и дрянных лошадей еще и в то время, как восседал на французском престоле несчастный, ныне упраздненный король, но с тех пор произошло много перемен, чреватых еще более серьезными препятствиями. Каждая городская застава, каждая деревенская контора для сбора податей были в руках шайки граждан-патриотов, вооруженных ружьями из разграбленных арсеналов и готовых пристрелить всякого встречного. Они задерживали на пути всех прохожих и проезжих, допрашивали их, осматривали их бумаги, сличали их имена с имевшимися у них списками, сворачивали их с дороги обратно или пропускали дальше, или задерживали и окончательно брали в плен, судя по тому, как их капризный нрав или минутная фантазия признавала за лучшее для блага народившейся республики, единой и нераздельной, имевшей девизом «Свобода, Равенство, Братство или Смерть!».

Проехав очень немного миль по французской территории, Чарльз Дарней увидел, что никакой нет надежды вернуться обратно по той же дороге, пока в Париже его не признают добрым гражданином и патриотом. Что бы ни случилось, теперь уж он должен ехать туда. С каждой деревушкой, которую он проезжал, с каждой дрянной загородкой, запиравшейся за его спиной, он чувствовал, как еще одна железная преграда отделяет его от Англии. Всеобщая бдительность так плотно окружала его, что, если бы он попал в сеть или был посажен в клетку, он бы чувствовал себя не более стесненным.

Повсеместная бдительность не только задерживала его на большой дороге по двадцать раз на каждой станции, но по двадцать раз в день совсем прекращала его движение вперед, потому что, нагнав его по дороге, верховые перехватывали его и возвращали назад или, поджидая на пути, останавливали и везли куда-то в сторону.

Таким образом он уже несколько дней ехал по французской земле и наконец в каком-то провинциальном городишке, еще очень далеко от Парижа, измученный, лег спать в гостинице.

До сих пор единственным паспортом служило ему письмо злополучного Габеля из тюрьмы. Если бы он его не предъявлял всюду, он, вероятно, не добрался бы и до этого места. Но здесь, на сторожевом посту, возникли насчет его какие-то особые затруднения, и он чувствовал, что его путешествие находится теперь на самой критической точке. Поэтому он не особенно удивился, когда посреди ночи пришли и разбудили его в том трактирчике, где оставили ночевать до утра.

Его разбудил робкий человечек из числа местных властей, в сопровождении трех вооруженных патриотов в красных колпаках и с трубками во рту, которые как вошли, так и сели к нему на постель.

— Эмигрант, — сказал местный чиновник, — я отошлю вас в Париж под конвоем.

— Гражданин, я и сам ничего так не желаю, как скорее попасть в Париж, но охотно обошелся бы без конвоя.

— Молчать! — зарычал один из красных колпаков, стукнув прикладом своего ружья по одеялу. — Молчи, аристократ.

— Именно, этот добрый патриот совершенно прав, — заметил робкий чиновник, — вы аристократ, должны ехать под конвоем и... обязаны заплатить за это.

— Стало быть, для меня не остается выбора... — сказал Чарльз Дарней.

— Выбора? Слышите, выбора! — воскликнул тот же хмурый патриот в красном колпаке. — Как будто мало ему, что его поберегут от повешения вместо фонаря!

— Именно, добрый патриот вполне прав, — заметил чиновник. — Вставайте и одевайтесь, эмигрант.

Дарней повиновался, и его повели опять на караульню, где другие патриоты в красных колпаках также курили трубки, пили или спали у сторожевого огня. Тут с него взяли крупную сумму в уплату за конвой, и в три часа утра он тронулся в путь по мокрейшим и грязнейшим дорогам.

Конвой состоял из двух верховых патриотов в красных колпаках с трехцветными кокардами, вооруженных мушкетами и ехавших по обеим его сторонам. Дарнею дозволено было самому править своей лошадью, но под ее уздечкой подвязаны были длинные поводья, один конец которых каждый из патриотов намотал себе на руку. В таком порядке они выехали со двора. Дождь хлестал им в лицо, и они крупной кавалерийской рысью поехали сначала по неровной мостовой города, а потом по дороге, покрытой лужами и рытвинами. И таким же порядком, меняя только лошадей да переходя от крупной рыси в более умеренный шаг, они проскакали все пространство грязного пути вплоть до столицы Франции.

Они ехали всю ночь, остановились только часа через два после восхода солнца и отдыхали до наступления сумерек. Конвойные были так нищенски одеты, что для защиты от холода обертывали свои босые ноги соломенными жгутами и поверх изодранного платья окутывали также соломой свои плечи и спины, чтобы не слишком промокнуть от дождя. Помимо того что близкое соседство с подобными личностями было ему неприятно просто из брезгливости, тем более что один из конвойных патриотов был постоянно пьян и очень неосторожно обращался с ружьем, Чарльз Дарней не испытывал серьезных опасений за свою жизнь и не придавал особого значения тому факту, что его везли под конвоем. Он рассуждал, что задержание под стражей еще ничего не доказывает, потому что он никому пока не излагал причин своего прибытия во Францию, а в подтверждение своих слов может привести свидетеля, который покуда еще содержится в тюрьме при аббатстве.

Но когда они достигли города Бове, что случилось под вечер, когда улицы были полны народу, он не мог долее скрывать от себя, что дело принимало тревожный оборот. Зловещая толпа собралась у ворот почтового двора в ту минуту, как он слезал с лошади, и множество голосов закричало очень громко:

— Долой эмигранта!

Он только что собрался спрыгнуть с седла, но в ту же секунду снова утвердился на лошади, находя, что тут безопаснее, и, обращаясь к толпе, сказал:

— Какой же я эмигрант, друзья мои? Разве вы не видите, что я по своей доброй воле приехал во Францию?

— Ты проклятый эмигрант! — крикнул кузнец, яростно пробираясь сквозь толпу с молотом в руке. — Проклятый эмигрант, вот кто ты!

Смотритель почтовой конторы выступил вперед и, став между всадником и кузнецом, подбиравшимся к уздечке его лошади, сказал примирительным тоном:

— Оставь, оставь! Его будут судить в Париже.

— Судить будут! — повторил кузнец, взмахнув молотом. — Значит, и осудят как изменника!

Толпа одобрительно заревела.

Остановив смотрителя, который, взяв его лошадь под уздцы, хотел скорее ввести ее во двор (а пьяный патриот, преспокойно сидя в седле, смотрел на эту сцену), Дарней выждал, пока стало немножко потише, и сказал:

— Друзья, вы ошибаетесь или вас обманули. Я никогда не был изменником.

— Он врет! — крикнул кузнец. — С тех пор как издан декрет, он объявлен предателем! Его жизнь принадлежит народу! Он не имеет права распоряжаться своей проклятой жизнью!

Дарней, заметив, как поблескивают глаза собравшихся, думал, что вот сейчас все бросятся на него, но в ту же секунду смотритель повернул его лошадь во двор, конвойные последовали за ней по пятам, и смотритель быстро захлопнул ветхие ворота и задвинул их изнутри засовами. Кузнец стукнул по ним молотом, но других демонстраций не произошло.

Дарней поблагодарил смотрителя и, уже стоя возле него на почтовом дворе, спросил:

— Что это за декрет, о котором упомянул кузнец?

— Это издан такой указ, чтобы распродавать имущество эмигрантов.

— Когда он издан?

— Четырнадцатого числа.

— Я в этот день выехал из Англии!

— Все говорят, что это будет не единственный указ, уверяют, что вскоре издадут и другие, а может быть, уже и сделали это... Хотят объявить всех эмигрантов изгнанными из отечества, а тех, которые возвратятся, казнить смертью. Вот это и хотел сказать кузнец, говоря, что вы не имеете права распоряжаться своей жизнью.

— Но эти декреты еще не объявлены?

— А я почем знаю, — молвил смотритель, пожав плечами, — может, и объявлены или, по крайней мере, скоро будут. Не все ли равно? Ничего не поделаешь!

Они улеглись на соломе под навесом и отдыхали до полуночи, после чего снова тронулись в путь из уснувшего города. В числе многих странных изменений в привычном строе жизни Дарнея поражало кажущееся отсутствие сна среди населения. Когда после длинного переезда по пустынным дорогам они подъезжали к какой-нибудь бедной деревушке, оказывалось, что жалкие лачуги были ярко освещены, а обыватели среди темной ночи водят хороводы вокруг тощего деревца, именуемого Древом Свободы, или, собравшись гурьбой, распевают хором песни о вольности. К счастью, однако же, в эту ночь город Бове спал, что вывело их из великого затруднения, и они без всяких задержек выехали в чистое поле и отправились дальше, по безвременно холодной и мокрой погоде, через истощенные нивы, совсем не обработанные в этот год. Зрелище было унылое и разнообразилось лишь тем, что местами чернели остатки сгоревших зданий или вдруг из засады выскакивала на дорогу кучка патриотов, сторожавших все малейшие тропинки и перекрестки.

К утру наконец они добрались до стен Парижа.

Когда они подъехали к заставе, ворота были заперты и в караульне оказался сильный отряд стражи.

— Где бумаги арестанта? — спросил человек властного и решительного вида, вызванный одним из сторожей.

Чарльз Дарней, неприятно пораженный таким словом, попросил говорившего принять во внимание, что он свободный путешественник и французский гражданин, что конвой дан ему ввиду неспокойного состояния страны и что за этот конвой он сам заплатил наличными деньгами.

Тот же человек, не обративший ни малейшего внимания на его слова, повторил тем же тоном:

— Где бумаги этого арестанта?

Оказалось, что они запрятаны в колпаке пьяного патриота, который их и представил. Взглянув на письмо Габеля, человек властного вида видимо удивился, даже как будто смутился и очень пристально и внимательно посмотрел на Дарнея.

Не вымолвив ни слова, он оставил арестанта и конвойных на улице, а сам пошел в караульню; они так и остались верхом на своих конях перед запертыми воротами. Пока длилось это неопределенное положение, Чарльз Дарней глядел по сторонам и заметил, что на гауптвахте была смешанная стража из солдат и патриотов и что последних было гораздо больше, чем первых; он заметил также, что крестьян на телегах с разной провизией пропускали в город довольно легко и скоро, но зато выезд из города был сильно затруднен даже для самого бедного люда. На улице стояла длинная вереница мужчин и женщин всякого звания, не считая животных и экипажей всевозможных сортов, и все это ожидало пропуска. Но предварительный досмотр производился с такой строгостью, что они проникали через ворота за город крайне медленно. Некоторые из них, очевидно, знали, что их очередь придет еще очень не скоро, а потому расположились на земле табором: одни спали, другие курили, третьи разговаривали или просто слонялись вокруг. Красные колпаки и трехцветные кокарды были решительно у всех мужчин и женщин.

Около получаса Дарней сидел на лошади и наблюдал то, что было кругóм, как вдруг перед ним снова появился тот же властный человек и приказал караульному открыть заставу. После этого он вручил конвойным, как пьяному, так и трезвому, расписку в том, что принял от них арестанта с рук на руки, а Дарнею сказал, чтобы он слез с лошади. Дарней повиновался, а конвойные, не въезжая в город, отправились восвояси, уводя за собой его усталого коня.

Вслед за своим путеводителем он вошел в караульню, где сильно пахло простым вином и табачным дымом и где некоторое количество солдат и патриотов стояло и лежало кругом, кто пьяный, кто трезвый, в различных степенях опьянения и полусонного бодрствования. Комната освещалась отчасти масляными фонарями, догоравшими с вечера, отчасти тусклым светом туманного и облачного утра, что придавало ей тот же характер неопределенности. На конторке разложены были какие-то списки, а перед конторкой заседал чиновник грубого и мрачного вида.

— Гражданин Дефарж, — сказал он, обращаясь к спутнику Дарнея и выкладывая листок чистой бумаги, на котором собирался писать, — это эмигрант Эвремонд?

— Это он.

— Сколько вам лет, Эвремонд?

— Тридцать семь.

— Вы женаты, Эвремонд?

— Да.

— Где женились?

— В Англии.

— Без сомнения. Где ваша жена, Эвремонд?

— В Англии.

— Без сомнения. Эвремонд, вы отправитесь в крепость, в тюрьму.

— Боже правый! — воскликнул Дарней. — По каким законам и за какую провинность?

Чиновник на минуту отвел глаза от бумаги и посмотрел на него:

— У нас заведены новые законы, Эвремонд, и новые провинности, с той поры как вы отлучились из Франции.

Сказав это, он сурово усмехнулся и продолжал писать.

— Прошу вас заметить, что я добровольно приехал, вняв письменной просьбе французского гражданина, изложенной в документе, лежащем перед вами. Я с тем и явился, чтобы оправдать его и самого себя. Я только и прошу, чтобы мне как можно скорее доставили к тому случай. Разве я не в своем праве?

— У эмигрантов нет прав, Эвремонд, — тупо отвечал чиновник. Он дописал, что было нужно, перечел написанное, засыпал песком и передал листок гражданину Дефаржу, прибавив: — В секретное.

Гражданин Дефарж махнул бумагой в сторону арестанта, давая понять, что он должен следовать за ним. Арестант пошел, и два вооруженных патриота немедленно поднялись и образовали пеший конвой.

— Это вы, — сказал Дефарж вполголоса, пока они сходили с крыльца гауптвахты и направлялись в город, — это вы женились на дочери доктора Манетта, бывшего когда-то пленником в Бастилии, которая больше не существует?

— Да, я! — отвечал Дарней, взглянув на него с удивлением.

— Мое имя — Дефарж, и я держу винную лавку в предместье Сент-Антуан. Вы, может быть, слыхали обо мне?

— Моя жена к вам приезжала за своим отцом? Да!

Слово «жена» как будто напомнило гражданину Дефаржу нечто очень мрачное, и он с внезапным раздражением сказал:

— Во имя той зубастой бабы, что недавно народилась и зовется гильотиной, на какого черта вы приехали во Францию?

— Я только сейчас при вас объяснял причину моего приезда. Разве вы не верите, что это чистая правда?

— Плохая правда... для вас! — молвил Дефарж, нахмурив брови и глядя прямо перед собой.

— Право, я совсем как потерянный, ничего не понимаю. Все здесь до того изменилось, так неожиданно, так внезапно и произвольно, что я не знаю, что предпринять. Согласны вы оказать мне небольшую помощь?

— Нет! — отрезал гражданин Дефарж, продолжая глядеть прямо перед собой.

— Ответите вы мне на один вопрос?

— Может быть; судя по свойству вопроса. Во всяком случае, можете задавать его.

— В этой тюрьме, куда меня так несправедливо отправляют, буду ли я иметь возможность свободного общения с остальным миром?

— А вот увидите.

— Ведь не буду же я там погребен заживо, без суда и без способов представить объяснение своих поступков?

— Вот увидите. А что ж такое? Бывало, что людей погребали заживо еще и в худших тюрьмах.

— Но я к таким делам никогда не был причастен, гражданин Дефарж!

Гражданин Дефарж, вместо ответа, бросил ему суровый взгляд и молча повел его дальше. Чем дольше длилось это молчание, тем меньше было надежды смягчить его; так, по крайней мере, казалось Дарнею. Поэтому он поспешил сказать:

— Для меня в высшей степени важно (вам, гражданин, еще лучше моего известно, насколько это важно), чтобы о моем аресте было сообщено мистеру Лорри в Тельсонов банк. Мистер Лорри англичанин, в настоящее время должен быть в Париже, и я бы желал, чтобы это сведение было ему доставлено без всяких комментариев; просто сказать ему, что меня заключили в тюрьму в крепости. Согласны вы сделать это для меня?

Дефарж ответил упрямо:

— Я для вас ничего не сделаю. Мой долг служить отечеству и народу. Я поклялся быть им верным слугой против вас. Я для вас ничего делать не буду.

Чарльз Дарней понял, что умолять бесполезно, притом гордость его была возмущена. Они шли безмолвно, и он невольно замечал, до какой степени публика привыкла к зрелищу проводимых по улицам арестантов. Даже ребятишки почти не замечали их. Не многие из прохожих оборачивались, некоторые грозили ему пальцем как аристократу. А впрочем, видеть, как хорошо одетого человека ведут в тюрьму, было для них не более странно, чем видеть, как батрак в рабочем платье идет пахать. В одном из узких и грязных переулков, по которым они проходили, какой-то пламенный оратор, стоя на табуретке, держал речь к возбужденной толпе, перечисляя ей преступления, совершенные против народа королем и особами королевской фамилии. Из нескольких слов этого краснобая, случайно долетевших до его слуха, Чарльз Дарней впервые узнал, что король сидит в тюрьме и что все иностранные послы выехали из Парижа. По дороге (исключая город

Бове) он ровно никаких вестей не слышал — так успешно и основательно был он отделен от всего мира своими провожатыми и той бдительной охраной, которую встречал повсюду.

Он, конечно, успел уже постигнуть, что ему угрожают гораздо большие опасности, чем те, о которых он подозревал при отплытии из Англии. Он понимал, что попал в очень неблагоприятные обстоятельства, что с каждой минутой дела запутываются и могут запутать его самого. Он должен был сознаться самому себе, что, если бы мог предвидеть положение страны в том виде, как оно образовалось на этих днях, он не предпринимал бы этой поездки. И все-таки предчувствия не подсказывали ему ничего такого ужасного, как могли бы вообразить мы в позднейшее время и при сходных условиях. Как ни смутно представлялось ему будущее, оно было ему до такой степени неизвестно, что он продолжал надеяться на благополучный исход. Ему и в голову не приходило, чтобы так близка была пора страшнейшей резни, длившейся дни и ночи напролет в течение немногих дней, но наложившая громадное кровавое пятно на это время, совпадавшее с обычным временем благословенной осенней жатвы. Он сегодня в первый раз услышал о существовании той «зубастой бабы, что недавно народилась и зовется гильотиной», да и большинство народа едва ли знало ее хотя бы по имени. Очень возможно, что те ужасные злодеяния, которые вскоре должны были совершиться, в эту пору еще не нарождались даже в воображении тех, кто их осуществил; что же удивительного, что в мягкой душе Дарнея не было ни тени подобных опасений.

Ему казалось очень вероятным, что придется пострадать от людской несправедливости, посидеть в тюрьме, подвергнуться жестокой разлуке с женой и ребенком, но дальше этого он ничего не опасался. С такими мыслями, и так довольно тяжелыми, вступил он во двор крепостной тюрьмы.

Человек с опухшим лицом отпер крепкую калитку, и Дефарж представил ему арестанта, сказав:

— Эмигрант Эвремонд.

— Кой черт! Сколько же их еще будет! — воскликнул человек с опухшим лицом.

Дефарж взял с него расписку в получении, не отвечая на его восклицание, и ушел с обоими патриотами.

— Я говорю, кой черт! — воскликнул опять тюремщик, обращаясь к своей жене. — Сколько же их еще будет?

Жена, как видно, не умела с точностью ответить на этот вопрос и заметила только:

— Что же делать, мой друг, надо запастись терпением.

Трое тюремных сторожей, вошедшие по данному ею звонку, подтвердили ее замечание, и один из них прибавил, что это делается «из любви к свободе», — что было довольно неожиданно при такой обстановке.

Крепостная тюрьма отличалась самым унылым видом: темная, грязная, пропитанная застоявшимся спальным воздухом. Удивительно, как скоро образуется этот отвратительный воздух всюду, где спят и недостаточно проветривают спальные помещения!

— Еще и в секретное! — ворчал тюремщик, просматривая врученную ему бумагу. — Там и без того битком набито, того и гляди, лопнет с натуги!

Он с большим неудовольствием сунул бумагу в реестровую книгу, после чего Чарльз Дарней еще с полчаса ждал дальнейших распоряжений, то шагая из угла в угол по длинной комнате со сводами, то сидя на каменной скамье. Его задержали единственно затем, чтобы главный тюремщик и младшие сторожа хорошенько запомнили его лицо и фигуру...

— Ну, — сказал наконец тюремщик, взявшись за ключи, — идите за мной, эмигрант.

В унылом сумраке тюремного освещения они пошли по коридорам и лестницам, и много тяжелых дверей с грохотом захлопнулось за ними, прежде чем они достигли просторного, низкого, сводчатого зала, где было множество заключенных обоего пола. Женщины сидели вокруг длинного стола: читали, писали, вязали, шили, вышивали; мужчины большей частью стояли за их стульями или прохаживались по комнате.

Инстинктивная привычка соединять понятие об арестантах с преступлением и позором заставила Дарнея отшатнуться от этой компании. Но в довершение всех странностей его странного путешествия было то, что все они разом поднялись ему навстречу и приняли его с той утонченной вежливостью и изысканной грацией, которые были присущи светскому обществу того времени.

Эти деликатные формы общежития были подернуты таким мрачным колоритом в этой грубой и грязной тюремной обстановке, так странно было видеть их среди стольких бедствий и треволнений, что Дарнею показалось, будто его окружили выходцы с того света. Все до одного призраки! Вот призраки красоты, величия, изящества, вот призраки гордости, легкомыслия, остроумия, тут призрак юности, там призрак старости, и все ждут его переселения с этих пустынных берегов, все взирают на него глазами, измененными тем смертельным недугом, от которого они здесь умерли.

Дарней стоял как вкопанный. Тюремщик остановился рядом с ним, остальные сторожа ходили по комнате и были бы очень натуральны при исполнении своих обязанностей при других условиях; но они казались вдвое более грубы и неуклюжи по сравнению с этими печальными матерями, цветущими девицами, хорошенькими кокетками, молодыми красавицами, благовоспитанными дамами почтенных лет, и этот разительный контраст еще более напоминал о царстве теней. Да, все они призраки! Что же это, не болезненный ли бред произвел в нем сначала впечатление длинного, странного путешествия, а потом навел его на картину этих бледных теней?

— Во имя всех собравшихся здесь сотоварищей по несчастью, — сказал один из джентльменов благородной наружности, выступая вперед, — имею честь приветствовать вас в крепости и выразить вам общее соболезнование по поводу того злоключения, которое привело вас в нашу среду. Желаем вам скорого и благополучного освобождения! При других обстоятельствах было бы невежливо, но здесь позволительно спросить, как ваше имя и звание?

Чарльз Дарней очнулся и ответил в самых приличных выражениях, какие мог придумать.

— Надеюсь, однако же, — продолжал тот же джентльмен, следя глазами за тюремщиком, отошедшим в другой угол, — надеюсь, что вы не в секретном?

— Я не понимаю, что означает это выражение, но слышал, что меня назначили именно туда.

— Ах, какая жалость! Весьма сожалеем об этом. Но не унывайте, многие из членов нашего общества сначала побывали в секретном, но ненадолго.

Затем, обращаясь к остальным и возвысив голос, он сказал:

— С прискорбием сообщаю вам: в секретном!

Поднялся тихий ропот сочувствия. Чарльз Дарней направился через зал к двери за железной решеткой, где стоял поджидавший его тюремщик, и услышал несколько голосов, в числе которых особенно выдавались мягкие и ласковые голоса женщин, провожавших его добрыми пожеланиями и ободрениями. Дойдя до двери, он обернулся, чтобы еще раз поблагодарить их от всего сердца; тюремщик запер дверь, и эти призрачные лица навеки исчезли из его глаз.

Калитка в стене вела на лестницу в верхние этажи. Поднявшись на сорок ступеней (только полчаса прошло с той минуты, как его объявили арестантом, а он уж сосчитал ступени!), тюремщик отпер низкую черную дверь, и они вошли в одиночную келью. Там было холодно и сыро, но нетемно.

— Ваша камера, — сказал тюремщик.

— Почему же меня посадили в одиночку?

— А я почем знаю!

— Можно мне купить перо, чернил, бумаги?

— Мне про это ничего не сказано. Когда к вам придут проверять, тогда и спросите. А теперь вы только и можете покупать себе еду, больше ничего.

В келье были стул, стол и соломенная постель. Перед уходом тюремщик осмотрел эти предметы и все четыре стены, а заключенный, стоя против него и прислонившись к стене, подумал: «Этот сторож так странно распух с головы до ног, точно он утонул и весь налился водой». Когда сторож ушел, арестант опять подумал: «Вот я один, точно и я умер». Потом наклонился освидетельствовать постель, но с отвращением отвернулся и подумал: «Вот такие же ползучие твари заводятся в трупах после смерти».

— Пять шагов в одну сторону, четыре с половиной в другую. Пять шагов в одну сторону, четыре с половиной в другую.

Арестант шагал по камере вдоль и поперек и все считал шаги, а городской шум достигал до его слуха в виде глухого барабанного боя и буйного рева человеческих голосов.

— Он шил башмаки. Шил башмаки. Шил башмаки.

Арестант снова начал считать шаги, ускоряя походку, чтобы отвлечь свой ум от шитья башмаков.

— Призраки исчезли, когда дверь захлопнулась. А среди них было одно видение... дама в черном платье... она облокотилась на подоконник, и свет падал на ее золотистые волосы, точно у... Нет, поедем опять... ради бога, поедем через освещенные деревушки, туда, где население не спит... Он шил башмаки, шил башмаки, шил башмаки... Пять шагов вдоль и четыре с половиной поперек...

С такими обрывками мыслей и образов в своей отуманенной голове арестант все быстрее шагал по келье, упорно пересчитывая шаги; шум и рев, доносившиеся с улиц, постепенно изменяли свой характер: ему все еще слышался глухой барабанный бой, покрываемый человеческими голосами, но в числе их чудились ему стоны и вопли знакомых голосов.

Глава II

Точильное колесо

Тельсонов банк в парижском квартале Сен-Жермен помещался во флигеле огромного дома, стоявшего внутри двора, отделенного от улицы высокой стеной и надежными воротами. Дом принадлежал важному титулованному сановнику, который жил в нем до той минуты, когда наступившие в городе беспорядки вынудили его бежать, переодевшись в платье своего собственного повара, и перебраться за границу. Превратившись таким образом в обыкновенного зверя, удирающего от охотников, он тем не менее был самым важным барином, который когда-то выпивал чашку шоколада не иначе как с помощью троих здоровенных лакеев, не считая упомянутого повара.

Его светлость изволил скрыться, а три здоровенных парня искупили грех получения от него крупного жалованья тем, что выразили пламенную готовность перерезать ему горло на алтаре народившейся республики, единой и нераздельной (свобода, равенство, братство или смерть!), — после чего дом его был попросту отобран в казну. События совершались так быстро и декреты так поспешно следовали один за другим, что к вечеру третьего сентября представители народоправства были уже законными обладателями дворца его светлости, водрузили на нем трехцветный флаг и пили водку в парадных залах.

Если бы в Лондоне Тельсонов банк поместить в таком же здании, как в Париже, глава фирмы вскоре сошел бы с ума и попал в газеты. Ибо возможно ли вообразить себе строгую отчетность и почтенное благоприличие британской банкирской конторы среди двора, украшенного рядами померанцевых деревьев в кадках, и в таком доме, где над самой кассой сидел купидон?

Однако же в Париже все это было. Правда, купидона по распоряжению Тельсона в свое время замазали белилами, но другой, точно такой же, и по сю пору резвился на потолке, очень легко одетый, и с утра до ночи прицеливался к деньгам, что и в действительной жизни частенько бывает с купидонами. Если бы такая обстановка случилась в Лондоне, на Ломбард-стрит, купидон неминуемо привел бы банк в полное разорение, особенно приняв во внимание, что непосредственно за этим юным язычником помещался некий альков с занавесками, а в стене было вделано зеркало, да и клерки были совсем не старые люди, которые не прочь были публично потанцевать при каждом удобном случае. Но во Франции банкирская контора Тельсона и с такой утварью могла действовать как нельзя лучше; ее репутация оставалась пока незатронутой, никто не пугался игривой обстановки, и никому еще не приходило в голову из-за таких причин требовать свои вклады обратно.

Кто отныне будет получать деньги от Тельсона, сколько их тут останется и сколько пропадет и будет позабыто вкладчиками; какая серебряная посуда, какие бриллиантовые уборы будут тускнеть в потаенных хранилищах

Тельсона, пока владельцы их будут томиться в заключении, а потом умрут насильственной смертью; сколько в счетных книгах будет несведенных итогов и сколько балансов придется отнести за счет лиц, ушедших в иной мир, — все это было не известно в тот вечер никому на свете, в том числе и самому мистеру Джервису Лорри, сколько бы он ни ломал себе голову над этими вопросами. Он сидел у только что разведенного огня; в этом ненастном и бесплодном году осень была очень холодная; дрова пылали ярко, и на честном и бесстрашном лице старика лежала мрачная тень, и эта тень зависела не от висячей лампы и не от тех предметов, что были в этой комнате, а от того ужаса, которым проникнута была его душа.

Он занимал квартиру в этом самом доме, так как из преданности к фирме стал неразрывной ее частью, точно старый плющ, вросший тысячью корешков в старые стены. Случайно оказалось, что банк состоял под некоторой охраной, с тех пор как дом был объявлен собственностью государства и главная часть здания была занята патриотами, но прямодушный старик вовсе не рассчитывал на это. Всякие соображения такого рода были чужды ему, он только и думал о том, как наилучшим образом исполнить свой долг.

На противоположной стороне двора тянулась длинная колоннада, под навесом которой прежде стояли экипажи; даже и теперь там еще оставалось несколько карет, принадлежавших светлейшему хозяину. К двум из колонн прикреплены были два огромных пылавших факела, и в том месте двора, которое освещалось ими, по сю сторону колоннады, под открытым небом стояло большое точильное колесо, а может быть, просто жернов самой грубой работы, кое-как прилаженный и наскоро привезенный сюда из какой-нибудь кузницы. Мистер Лорри встал, подошел к окну, посмотрел на эти невинные предметы, вздрогнул и вернулся на свое место у камина. Прежде у него была растворена не только стеклянная оконница, но и решетчатые ставни стояли настежь, но теперь он запер наглухо и то и другое и вздрогнул всем телом.

С улицы, из-за высоких каменных стен, за крепкими воротами, слышался обычный городской шум, но в этот вечер он был прерываем иногда взрывом каких-то необыкновенных, неописуемых звуков, как будто сверхъестественные голоса вопияли к Небесам.

— Слава богу... — проговорил мистер Лорри, сложив руки, — слава богу, что в этот вечер нет в этом ужасном городе никого из тех, кто мне дорог и близок. И помилуй, Боже, тех, кому грозит опасность!

Вслед за тем колокол у больших ворот зазвонил, и он подумал: «Стало быть, опять пришли?» — и стал прислушиваться. Но, против ожидания, не слыхать было вторжения во двор буйной толпы; ворота захлопнулись, и все стихло.

При том нервном состоянии, в котором он находился, естественно было опасаться за целость банка, вся ответственность за который падала на него. Все предосторожности, впрочем, были приняты, и ему захотелось только обойти дозором те места, где были расположены благонадежные сторожа. С этой целью он встал и собрался выйти, как вдруг дверь распахнулась и в комнату ринулись две фигуры, при виде которых он в изумлении попятился назад.

Люси и ее отец! Люси простирала к нему руки, и на ее лице было то самое сосредоточенное выражение страстной мольбы и недоумения, в котором вся ее душа изливалась в преобладающем и страшном вопросе в этот важнейший момент ее жизни.

— Что это значит! — воскликнул мистер Лорри, задыхаясь и потерявшись. — Что случилось? Люси! Манетт! Что привело вас сюда? Зачем вы сюда попали?

Бледная, обезумевшая, Люси бросилась в его объятия и, глядя на него в упор, едва могла выговорить:

— О дорогой друг... Мой муж!

— Ваш муж, Люси?

— Чарльз...

— Ну так что же Чарльз?

— Здесь...

— Как — здесь? В Париже?

— Уже несколько дней... три или четыре... не знаю, не помню, не могу сообразить... Он втайне от нас отправился сюда... ради доброго дела!.. У заставы его арестовали и посадили в тюрьму.

Из груди старика вырвался невольный крик. Почти в ту же секунду снова зазвонил колокол у главных ворот, на дворе послышались топот и громкие грубые голоса.

— Это что за шум? — сказал доктор, направляясь к окну.

— Не смотрите! — воскликнул мистер Лорри. — Не выглядывайте, Манетт! Ни под каким видом не открывайте ставни.

Не отнимая руки от крюка, запиравшего ставни, доктор обернулся и с хладнокровной, смелой улыбкой сказал:

— Любезный друг, в этом городе моя жизнь застрахована. Ведь я сидел в Бастилии. Во всем Париже... да что в Париже — во всей Франции нет ни одного патриота, который, зная, что я был пленником в Бастилии, тронул бы меня хоть пальцем! Они скорее примутся душить меня в объятиях и понесут на руках, чем дадут в обиду. Мое старое горе дало мне такую силу, что нас и через заставу пропустили, и доставили нам справку насчет Чарльза, и проводили сюда. Я знал, что это так будет, знал, что выпутаю Чарльза из беды. Я так и сказал Люси... Да что же это за шум?

И он опять хотел растворить окно.

— Не смотрите! — кричал мистер Лорри, окончательно приходя в отчаяние. — Нет, Люси, дорогая, и вы тоже не смотрите! (Он обхватил ее рукой и держал крепко.) Не пугайтесь, душа моя. Даю вам честное слово, что не слыхал ни о какой беде, приключившейся с Чарльзом. Я даже не подозревал о его присутствии в этом ужасном месте. В которой тюрьме он содержится?

— В крепости.

— В крепости! Ну, Люси, дитя мое, если вы действительно храбрый и полезный человек, а вы всегда были такой, успокойтесь теперь хорошенько и делайте то самое, что я вам велю, потому что от этого зависит так много, как вы не воображаете, да и я не сумею выразить... Сегодня вы все равно никакой пользы принести не можете: вам нельзя выходить отсюда. Я нарочно это говорю прежде всего, чтобы вы поняли, как необходимо слушаться меня ради Чарльза. Я задаю вам трудную задачу и знаю, что тяжело будет ее выполнить, но так надо. Задача состоит в том, чтобы сию же минуту успокоиться, затихнуть и оставаться на месте. Я отведу вас в отдельную комнату, вот тут, сейчас за этой. Вы должны на две минуты оставить меня наедине с вашим отцом — помните, что на свете бывает и жизнь и смерть, а потому не медлите и слушайтесь тотчас!

— Я вас послушаюсь. Вижу по вашему лицу, что мне сегодня в самом деле больше нечего делать. Я знаю, что вы не лжете.

Старик поцеловал ее, поспешно отвел в свою спальню и запер на ключ, потом побежал обратно к доктору, открыл окно, частью приоткрыл ставни и, опершись на руку доктора, вместе с ним выглянул во двор.

На дворе была группа людей обоего пола, но не так много и не так близко, чтобы они наполняли пространство двора: их было всего человек сорок или пятьдесят. Теперешние владельцы дома впустили их в главные ворота, и вся эта толпа кинулась к точильному колесу; оно, очевидно, затем и было тут поставлено, для него нарочно выбрали такое просторное и уединенное место, где рабочие могли даром точить свои инструменты.

Но что это были за рабочие и какую страшную работу они выполняли!

У колеса была двойная рукоятка, которую яростно вертели двое мужчин. Когда поворот колеса заставлял их поднимать головы, их длинные, спутанные волосы откидывались назад, обнаруживая такие безобразно свирепые лица, какие бывают только у дикарей в минуты самой разнузданной боевой жестокости. У них были фальшивые усы и наклеенные брови, они были выпачканы кровью, в поту, с чертами, искаженными от неистового крика, а выпученные глаза горели диким огнем, зверской яростью, и видно было, что они давно лишены сна. Пока эти злодеи вертели рукоятку и всклокоченные волосы то падали им на глаза, то хлопали их по спине, женщины подносили им ко рту вино, которое они тут же пили и, конечно, проливали. И все это расплесканное вино в связи с искрами, летевшими от камня, составляло вокруг них атмосферу огня и крови. Не было в этой группе людей ни одного человека, не запятнанного кровью. Проталкиваясь вперед, чтобы скорее попасть к колесу, некоторые из мужчин были совершенно обнажены до пояса и по всему телу испачканы кровавыми следами; другие были в лохмотьях, и эти лохмотья пропитаны кровью; иные разукрасили себя на смех обрывками дамских кружев и лент, и эти легкие предметы были насквозь промочены тем же. Точили топоры, ножи, штыки, рапиры, и все эти орудия были красны от крови. У иных зазубренные ножи были привязаны к рукам клочками разорванного белья или лоскутками от платья, но все эти тряпки и перевязи были густо окрашены одним и тем же цветом. И по мере того как каждый разъяренный владелец такого оружия выхватывал его из потока сыпавшихся искр и кидался бежать назад на улицу, в его обезумевших глазах сверкало то же красное пламя; и всякий здравомыслящий человек, взглянув на эти глаза, охотно отдал бы двадцать лет собственной жизни, чтобы метким выстрелом из ружья окаменить их раз и навсегда.

Все это разом бросилось в глаза обоим зрителям, наподобие того как целая панорама мгновенно проходит в уме утопающего, да и каждого человека, в момент великой опасности. Они отпрянули от окна, и доктор, глядя в мертвенно-бледное лицо своего друга, ждал объяснения того, что они видели.

Мистер Лорри опасливо оглянулся в сторону запертой двери и шепотом проговорил:

— Они рыщут по тюрьмам и режут заключенных. Если вы уверены в том, что говорили, если в самом деле обладаете такой силой, как думаете и как я думаю, — подите объявитесь этим дьяволам и потребуйте, чтобы вас проводили в крепость. Может статься, уж поздно, я не знаю... но попытайтесь, не медля ни секунды!

Доктор Манетт сжал его руку, бросился вон из комнаты без шляпы и был уже на дворе, когда мистер Лорри снова подошел к окну.

Длинные седые волосы доктора, его замечательная наружность и та пылкая самоуверенность, с какой он отстранил все эти руки с протянутым оружием, сразу покорили ему сердца людей, теснившихся у точильного камня. В течение нескольких минут все приостановились, и слышен был только его невнятный говор да смутный ропот толпы.

Потом мистер Лорри видел, как эти люди сомкнулись вокруг него, схватившись за руки, плечом к плечу, образовали цепь и стремительно помчались со двора, выкрикивая:

— Да здравствует узник Бастилии! Помогите родственнику узника, заключенному в крепости! Эй, вы, раздайтесь! Дайте дорогу узнику Бастилии! Добудем арестанта Эвремонда из крепости!

И тысячи голосов вторили этим крикам.

С бьющимся сердцем, мистер Лорри запер ставни, опустил занавес, поспешил к Люси и сообщил ей, что народ помогает ее отцу и они пошли освобождать ее мужа. Он застал у Люси мисс Просс и малютку, но в ту минуту нисколько не удивился этому и лишь долго спустя спохватился и спросил, как это случилось, пока они сидели все вместе, проведя ночь в сравнительной тишине.

Люси между тем впала в оцепенение и, сидя на полу у ног его, все время держалась за его руку. Мисс Просс уложила девочку на его постель, прилегла головой на подушку рядом со своей хорошенькой питомицей и уснула. Но как длинна была эта ночь, сопровождаемая тихими стонами бедной жены! Как долго-долго тянулось время, а отец ее все не возвращался, и никаких известий не было.

Еще два раза в темноте прозвонил колокол у больших ворот, два раза на двор врывались люди, и точильное колесо визжало и вертелось, рассыпая искры.

— Что это? — с испугом спросила Люси.

— Тсс!.. Это солдаты точат сабли, душечка, — отвечал мистер Лорри. — Дом составляет теперь собственность государства, и его обратили в некотором роде в национальный арсенал.

Только два раза, и то под конец, народу было меньше и работа шла вяло. Вскоре после того занялась заря. Мистер Лорри осторожно высвободил свою руку от державшейся за него руки и заглянул в окно. Рядом с точильным колесом лежал врастяжку человек, до такой степени замазанный кровью, что его можно было принять за тяжелораненого воина на поле битвы. Этот человек приподнялся с мостовой и начал тупо оглядываться по сторонам. В полумраке раннего утра утомленному убийце бросилась в глаза одна из карет его светлости: он встал, шатаясь побрел к великолепному экипажу, залез в него, захлопнул за собой дверцу и расположился отдыхать на мягких подушках.

Великое точило — земля — обернулось вокруг своей оси, и, когда мистер Лорри еще раз выглянул в окно, солнце окрасило двор багряным цветом. Но меньшее точило одиноко стояло на дворе и в тишине свежего утра являло следы такой пурпурной окраски, которая зависела не от солнечных лучей и не могла быть ими уничтожена.

Глава III
Тень

Одно из первых деловых соображений, возникших в практическом уме мистера Лорри, как только настало время заниматься делами, состояло в том, что он не имеет права рисковать интересами банкирской конторы Тельсона, укрывая жену и дочь арестованного эмигранта под кровлей банка. Он, разумеется, без всяких колебаний рискнул бы ради Люси и ее дочки своим собственным состоянием, судьбой, жизнью, но он принял на свою ответственность чужое добро и по отношению к оказанному ему великому доверию оставался все тем же строго деловым человеком.

Сначала он подумал о Дефарже: не разыскать ли его винную лавку и не спросить ли у хозяина совета, где найти надежное помещение среди охваченного неурядицей города. Но по тем же соображениям он оставил эту мысль: Дефарж живет в самой разнузданной части города — наверное, пользуется там большим влиянием и, должно быть, замешан во все опасные предприятия своего квартала.

Настал полдень; доктора все не было, с каждой минутой риск для банкирской конторы становился серьезнее, и мистер Лорри стал советоваться с Люси. Она сказала, что отец говорил о найме квартиры на короткий срок в этом же квартале, поближе к банку. Так как этот проект был практичен и мистер Лорри знал, что даже в том случае, если с Чарльзом все обойдется благополучно и его выпустят, им все-таки нет надежды вскоре выбраться из Парижа, он пошел сам поискать квартиру и нашел вполне приличное помещение в глубине глухого переулка, где наглухо запертые ставни в окнах высоких домов указывали на то, что все остальные обитатели этого квартала покинули свои жилища.

В эту квартиру он тотчас переместил Люси, ее ребенка и мисс Просс, снабдив их всем, что только мог уделить от своего хозяйства, и устроив гораздо удобнее, чем было у него самого. Он прикомандировал к ним и Джерри, рассудив, что он годится стоять в дверях и может без особого вреда для себя выдержать изрядное количество колотушек. После этого мистер Лорри вернулся к своим официальным занятиям. Смутно и тревожно было у него на душе, и день прошел тяжело и медленно.

Но кое-как он все-таки прошел, порядком измучив старика, и пришла пора закрыть контору на ночь. Опять он очутился один в своей комнате, как накануне вечером, и, сидя, размышлял, что дальше делать, как вдруг услышал шаги на лестнице. Через минуту перед ним стоял человек, который пронизывал его острым взглядом проницательных глаз и назвал его по имени.

— Мое почтение, — сказал мистер Лорри, — разве вы меня знаете?

Это был человек крепкого телосложения, с черными курчавыми волосами, в возрасте от сорока пяти до пятидесяти лет. Вместо ответа, он повторил тот же вопрос, нисколько не повышая голоса:

— А вы меня знаете?

— Я вас где-то видел.

— Может быть, в моей винной лавке?

Сильно заинтересованный, мистер Лорри спросил в волнении:

— Вас прислал доктор Манетт?

— Да, я от доктора.

— Что же он велел мне сказать? Не имеете ли чего передать?

Дефарж вложил в его дрожащую руку развернутый клочок бумаги. Там было написано рукой доктора:

«Чарльз здоров, но мне еще нельзя отсюда уйти. Я выпросил как милость, чтобы податель сего отнес от Чарльза короткую записку к его жене. Допустите подателя к его жене».

Это было написано в крепости час тому назад.

— Угодно вам за мной следовать? — сказал мистер Лорри радостным тоном, прочитав эту записку вслух. — Я провожу вас на квартиру его жены.

— Пойдемте, — сказал Дефарж.

Почти не замечая странной сдержанности и почти машинальных ответов Дефаржа, мистер Лорри надел шляпу, и они вышли на двор. Там они застали двух женщин, из которых одна занималась вязанием на спицах.

— Да это, кажется, мадам Дефарж? — сказал мистер Лорри, покинувший ее за этим же самым рукоделием лет семнадцать тому назад.

— Это она, — сказал ее муж.

— Ваша супруга пойдет с нами? — осведомился мистер Лорри, видя, что она следует за ними.

— Да, чтобы знать их в лицо и при случае удостоверить их личность. Ради их безопасности.

Мистер Лорри начинал замечать странность тона Дефаржа, подозрительно посмотрел на него и пошел вперед, указывая дорогу. Обе женщины последовали за ними; другая была по прозвищу Месть.

Пройдя со всевозможной поспешностью по снежным улицам, они поднялись на лестницу новой квартиры; Джерри встретил их, впустил, и они застали Люси одну, в слезах. Выслушав весть о муже, сообщенную ей мистером Лорри, она пришла в восторг и сердечно пожала руку, передавшую ей записку мужа, не подозревая того, чем занималась эта рука в течение предыдущей ночи и как случайно вышло, что она не поразила именно ее мужа!

«Дорогая, не унывай. Я здоров, а твой отец пользуется влиянием на тех, кто меня окружает. Не отвечай мне. Поцелуй за меня нашу девочку».

Вот и все, что было в записке. Но это было так много для получившей ее, что она обернулась и к жене Дефаржа и поцеловала одну из рук, занятых вязанием. Это было страстное, любящее, благородное и женственное движение, но оно не нашло ответа: рука холодно и тяжело опустилась и тотчас снова принялась за вязание.

В этом прикосновении было нечто такое странное, что Люси была поражена. Она только что собиралась сунуть записку себе за пазуху, взялась за ворот своего платья и, точно окаменев в этом положении, вперила в мадам Дефарж свои испуганные глаза. Мадам Дефарж бесстрастно и хладнокровно взглянула на ее наморщенный лоб и приподнятые брови.

— Душа моя, — вмешался мистер Лорри, — нынче на улицах часто случаются беспорядки, и хотя маловероятно, чтобы вас потревожили, но все-таки мадам Дефарж желала видеть тех, кому она может оказать свое покровительство в это смутное время, с тем чтобы при случае удостоверить личности... Кажется... — прибавил мистер Лорри, запнувшись в своем успокоительном объяснении и все более начиная тревожиться при виде каменного безучастия троих приведенных им посетителей, — кажется, так я излагаю дело, гражданин Дефарж?

Дефарж мрачно переглянулся со своей женой и, вместо ответа, отрывисто произнес только:

— Да.

— И вот что, Люси, — продолжал мистер Лорри, стараясь своим тоном и манерой как можно лучше задобрить гостей, — недурно бы позвать сюда нашу милую деточку и добрейшую Просс. Эта Просс — англичанка, гражданин Дефарж, и совсем не знает французского языка.

Упомянутая особа, непоколебимая в своем убеждении, что она не хуже любой иностранки, немедленно появилась и, чуждая робости или смирения, скрестив руки на груди, обратилась к Мести, которая первая попалась ей на глаза, с таким приветствием:

— Здравствуй, Воструха. Все ли ты в добром здоровье?

После чего обернулась к мадам Дефарж и только крякнула ей, вместо привета; но ни та ни другая не обратили на нее особого внимания.

— Это его дитя? — произнесла мадам Дефарж, в первый раз отрываясь от вязания и указывая спицей на маленькую Люси, как бы отмечая ее десницей судьбы.

— Точно так, сударыня, — отвечал мистер Лорри, — это дочка нашего бедного арестанта, его единственное дитя.

Тень, сопровождавшая мадам Дефарж и ее спутников, таким грозным и мрачным пятном легла на ребенка, что

Люси инстинктивно встала на колени возле девочки и прижала ее к себе. Тогда мрачная тень от мадам Дефарж и ее спутников не менее грозно опустилась на мать и ребенка вместе.

— С меня довольно, — сказала мадам Дефарж своему мужу. — Я их видела. Можно и уходить.

Однако ее сдержанная манера была чревата такими затаенными угрозами, что Люси испугалась и, положив руку на платье мадам Дефарж, сказала с мольбой в голосе:

— Вы будете добры к моему бедному мужу? Не обидите его? Поможете мне с ним видеться, если можно?

— Я не для мужа вашего сюда пришла, — отвечала мадам Дефарж, преспокойно глядя на нее сверху вниз, — я здесь единственно ради дочери вашего отца.

— Так ради меня будьте же милостивы к моему мужу. Ради моей девочки! Вот сейчас она сложит ручки и будет сама просить вас, будьте милосердны! Мы больше боимся вас, чем всех остальных.

Мадам Дефарж приняла это за комплимент и взглянула на мужа. Дефарж все время смотрел на нее, тревожно кусая себе ногти, и, поймав ее взгляд, опомнился и придал своему лицу более суровое выражение.

— Что такое ваш муж написал в этой записке? — спросила мадам Дефарж с мрачной улыбкой. — О влиянии? О каком это влиянии он упоминает?

— Это о моем отце, — сказала Люси, торопливо вынимая из-за пазухи записку, но глядя испуганными глазами не на написанные строки, а в глаза мадам Дефарж, — он пишет, что отец мой пользуется влиянием на окружающих.

— Ну, значит, он и освободит его, — сказала мадам Дефарж, — пускай попробует.

— Умоляю вас, — воскликнула Люси убедительно, — как жена и мать прошу вас, сжальтесь надо мной, не употребляйте вашей власти во вред моему ни в чем не повинному мужу, а обратите ее в его пользу! Ведь и вы женщина, как я; поставьте же себя на мое место. Обращаюсь к вам как жена и мать!

Мадам Дефарж хладнокровно взглянула на просительницу и сказала, обращаясь к своей приятельнице Мести:

— Небось не очень много церемонились с теми женами и матерями, которых мы с тобой привыкли видеть, с тех пор как были такие же маленькие, как вот эта девочка, или еще поменьше? Мы с тобой знаем, как часто их мужей и отцов сажали в тюрьму и держали там подолгу! Во всю жизнь мы только и видели, как такие же женщины, как мы, страдали и сами по себе, и в своих детях, терпя непокрытую бедность, нищету, голод, жажду, болезни, всевозможные притеснения и обиды!

— Ничего и не видали, кроме этого! — заметила Месть.

— Долго мы все это терпели, — сказала мадам Дефарж, снова обращаясь к Люси, — сами посудите, после этого много ли для нас значит теперь горе одной жены и матери?

Она принялась за вязание и вышла из комнаты. Месть последовала за ней. Дефарж ушел последним и затворил за собой дверь.

— Мужайтесь, дорогая моя Люси! — сказал мистер Лорри, поднимая ее с полу. — Не теряйте бодрости! До сих пор все идет для нас благоприятно, много, много лучше, нежели для многих других бедняков. Ободритесь и поблагодарите Бога.

— Да я и так благодарю... но эта страшная женщина точно будто окутала черной тенью и меня, и все мои надежды!

— Тише, тише, — молвил мистер Лорри, — это что за унылые мысли в таком храбром сердечке? Черная тень, скажите пожалуйста! Так ведь это тень, не более того, Люси!

Однако странное обращение этих Дефаржей и на него набросило темную тень, и в глубине души мистер Лорри был очень встревожен.

Глава IV

Затишье во время бури

Доктор Манетт вернулся только на четвертый день утром, после того как ушел из дому. Они так искусно скрывали от Люси все, что можно было скрыть из происшествий того ужасного времени, что она лишь гораздо позже узнала (да и то когда давно уже покинула Францию), что чернь умертвила тысячу сто человек беззащитных арестантов обоего пола и разного возраста, что эта страшная резня продолжалась четверо суток и сам воздух вокруг нее был заражен запахом валявшихся трупов. Ей сказали только, что народ пытался ворваться в тюрьмы, что всем политическим арестантам угрожала опасность и что некоторых действительно вытащили в толпу и умертвили.

Мистеру Лорри доктор сообщил под секретом (которого старик, конечно, не нарушал), что толпа проводила его в крепость среди картин невообразимой резни. Что в крепости он застал заседание самозваного судилища, перед которым арестантов приводили поодиночке и с необычайной быстротой приговаривали — кого выдать убийцам, кого выпустить, а кого обратно отвести в тюремную камеру, но это лишь в самых редких случаях. Что сам он был представлен суду своими путеводителями, объявил свое имя и звание и рассказал, как его без всякого суда продержали восемнадцать лет в секретном отделении Бастилии, что один из членов этого судилища поднялся с места и удостоверил его личность и что это был именно Дефарж.

Далее доктор рассказал, что по спискам, разложенным на столе судилища, он убедился, что зять его еще находится в числе живых, и стал горячо просить о том, чтобы ему сохранили жизнь и возвратили свободу, обращаясь для этого к членам суда, из которых одни спали, другие бодрствовали, иные были выпачканы кровью, другие опрятны, некоторые были пьяны, а другие трезвы. Сначала его самого приняли громом рукоплесканий и горячими выражениями симпатии в качестве мученика, пострадавшего от ненавистного и свергнутого правительства; в пылу этих восторгов ему даровали согласие сейчас же привести Чарльза Дарнея в зал беззаконного суда и учинить ему немедленный допрос. Все это было исполнено, и была минута, когда доктор был уверен, что Чарльза сейчас отпустят на свободу; но тут случилась какая-то необъяснимая заминка, и произошло краткое, но секретное совещание. Доктору Манетту было объявлено, что арестант останется в тюрьме, но из уважения к нему, доктору, они ручаются, что пленнику не будет учинено никакой обиды. По знаку, данному председателем судилища, арестанта тотчас увели назад в тюрьму, и тогда доктор стал убедительно просить, чтобы ему дозволили остаться в крепости и лично удостовериться в том, что по какой-нибудь случайности или недосмотру его зять не будет выдан разъяренной толпе, которая так страшно выла и рычала у ворот, что минутами заглушала то, что говорилось в зале. Это дозволение было дано доктору, и он оставался среди кровавых зрелищ до тех пор, пока не прекратилась опасность с этой стороны.

Мы не будем передавать здесь того, чему он был свидетелем в течение этих трех суток, с редкими и короткими перерывами ради сна и еды. Бешеная радость по поводу освобождения некоторых арестантов поражала его не менее, чем бешеная ярость, с какой других буквально изрезывали в куски. Был там и такой случай: одного из заключенных оправдали и выпустили на волю, но в ту минуту, как он выходил на улицу, какой-то свирепый дикарь по ошибке проколол его пикой. Доктора попросили пойти сделать перевязку раненому. Он пошел в те же самые ворота и застал его в объятиях целой толпы добрых самаритян, сидевших на трупах своих жертв. С той непоследовательностью, которая отличала вообще все, что творилось в этом мире дикого насилия, они оказали врачу всякое содействие, обращались с раненым в высшей степени внимательно и осторожно, устроили ему носилки и сами бережно отнесли и проводили его домой, после чего снова схватились за свое оружие и затеяли такую резню, что доктор сначала руками закрывал глаза от таких ужасов, а потом просто упал в обморок.

Выслушивая эти секретные сообщения от своего друга, ныне достигшего шестидесятидвухлетнего возраста, и вглядываясь в его лицо, мистер Лорри побоялся, как бы не возвратился его старый недуг под влиянием таких страшных впечатлений. Но он еще не видывал его в его настоящем свете и вовсе не знал его в теперешней роли. В первый раз доктор сознавал теперь, что его страдания дают ему силу и могущество. В первый раз он чувствовал, что на этом лютом огне медленно ковалось то мощное железное орудие, которым он разобьет дверь тюрьмы, где томится муж его дочери, и освободит его.

— Все было к лучшему, друг мой, я страдал не напрасно и вижу, что моя му́ка не пропадет даром. Как моя бесценная дочь помогла мне вновь обрести самого себя, так и я теперь помогу ей обрести драгоценную часть ее самой; и с Божьей помощью я сделаю это!

Так говорил доктор Манетт. И, глядя на его оживленные глаза, решительное лицо, сильную фигуру и спокойные движения, Джервис Лорри поверил его словам; ему всегда казалось, что жизнь этого человека была когда-то остановлена, как останавливается часовой механизм, и эти часы не шли много лет, в течение которых бездействующие силы копились и росли так правильно, что, когда их снова завели и пустили в ход, они пошли с удвоенной энергией.

Перед той настойчивостью, какую проявлял доктор, не устояли бы и более великие задачи. Постоянно держась своей роли практикующего врача, безразлично пользующего всяких пациентов, не разбирая, кто богат или беден, в тюрьме или на свободе, прав или виноват, он вел себя с таким тактом и так разумно пользовался своим личным влиянием, что вскоре его назначили врачебным инспектором трех мест заключения, в том числе и крепостной тюрьмы. Теперь он мог наверное сообщить Люси, что ее муж сидит не в одиночной камере, а в общей, со многими другими; он виделся с ним еженедельно и приносил ей нежные приветы, непосредственно исходившие из его уст; иногда она получала даже письма от мужа, но не через доктора; и сама никогда не посылала мужу писем, так как в числе многих нелепых подозрений, выставляемых против эмигрантов, было то, будто бы они имеют постоянные сношения со своими друзьями и доброжелателями, живущими за границей.

При такой усиленной деятельности нет сомнения, что доктор вел совершенно новый и очень тревожный образ жизни, однако смышленый мистер Лорри видел, как в нем развивалось при этом чувство новой гордости, значительно поднимавшей его дух и служившей для поддержки его бодрости. В такой гордости не было ничего дурного: она была вполне естественна и законна, но старик подмечал ее как любопытную черту. Доктор знал, что в прежнее время его заключение в тюрьме связано было в уме его дочери и друга с мыслью о его печали, лишениях и слабости. Теперь все это изменилось: он сознавал, что эти прежние испытания облекли его такой силой, на которую они возлагали всю свою надежду, и это сознание так возвеличило его в собственных глазах, что он властно распоряжался всем, в том числе и ими, обращаясь к ним как к слабейшим и убеждая вполне положиться на него, сильнейшего. Словом, он поменялся своей прежней ролью с Люси, но руководствовался при этом чувствами живейшей признательности и любви к ней, гордясь именно тем, что мог оказать услугу ей, столько ему послужившей.

«Прелюбопытное явление, — думал про себя благодушный и догадливый мистер Лорри, — но все это очень естественно и хорошо, а потому, любезный друг, бери на себя бразды правления и распоряжайся как знаешь. Тебе и книги в руки».

Но как ни бился доктор, сколько ни хлопотал — сначала об освобождении Чарльза, а потом уж о том, чтобы его наконец судили, — он ничего не мог поделать против преобладающего течения. Началась новая эра: король был подвергнут суду, осужден и обезглавлен; республика свободы, равенства, братства или смерти восстановила против себя весь мир и решила с оружием в руках победить врага или умереть; на высоких башнях собора Парижской Богоматери день и ночь развевалось черное знамя. Против всесветных тиранов вызвано было войско в триста тысяч человек, и собрались они со всех концов французской земли, как будто драконовы зубы рассеяны были по всему ее пространству, и выросли, и принесли плоды на всякой почве: на холмах и на равнинах, на каменистых горах, на щебне и в наносной грязи; под ясным небом юга и под пасмурным небом севера, по лесам и порослям, по виноградникам и среди олив, и там, где едва отрастала тощая трава и скудно родился хилый хлеб, и на плодородных берегах широких рек, и в песках пустынного поморья. Какие же частные интересы могли устоять против стремительного потока первого года республики единой и нераздельной, особенно если принять во внимание, что это был потоп, поднявшийся снизу, а не посланный с небес, и что в ту пору небеса были закрыты, а не отверсты.

В ту пору не было ни отдыха, ни жалости, ни примирения, ни пощады, ни меры, ни времени. Дни и ночи по-прежнему совершали свое круговращение, как и в те дни, когда мир был молод, и было утро, и был вечер, как в первый день мироздания; но иного счисления времени не было. Все смешалось и спуталось в этом горячечном бреду целого народа, как все путается и ускользает от сознания в горячечном бреду больного человека. Среди неестественного затишья целого города палач вдруг показал народу отрубленную голову короля; казалось, что непосредственно вслед за тем он покажет голову хорошенькой блондинки-королевы, а между тем она целых восемь месяцев вдовела в тюрьме и успела поседеть в это время.

Но по странному закону противоречий, обычных в подобных случаях, время тянулось ужасно долго, хотя события мелькали с поразительной быстротой. В столице был учрежден революционный суд, и еще сорок или пятьдесят революционных комитетов было рассеяно по всей стране; издали закон о «подозрительных личностях», в силу которого жизнь и свобода каждого висела на волоске, и всякую минуту невинный и хороший человек мог попасть в когти преступного злодея; тюрьмы были переполнены людьми, которые ничем не провинились и не могли добиться суда; все это прочно установилось и получило характер обычного права, едва пережив несколько недель. Но превыше всего было одно безобразное явление, до того примелькавшееся всем, что казалось, будто оно тут было с Сотворения мира: то была фигура «зубастой бабы, называемой гильотиной».

Она служила любимой темой популярных шуток: ее называли лучшим лекарством от головной боли, верным средством против седых волос; говорили, что ничто не придает лицу более нежной окраски; называли ее бритвой, которая очень чисто бреет; кто поцелует гильотину, тот заглянет в окошечко и чихнет в мешок и так далее. Гильотина была символом возрождения человеческого рода; она заменила крест. Маленькие модели этой машины носили на груди, как прежде носили кресты, и поклонялись ей, и верили в нее, тогда как крест совсем оставили и сдали в архив.

Она отрезала столько голов, что и сама она, и то место, где она обыкновенно действовала, окрасились густым багровым цветом. Она разбиралась на части, как головоломная игрушка какого-нибудь дьявольского подростка, и снова складывалась и устанавливалась, где была в ней надобность. Она унимала красноречивых, повергала в прах могущественных, упраздняла красоту и добро. Двадцать два друга, замечательных общественных деятеля (из них двадцать один живой и один мертвый), были обезглавлены ею в одно утро, не более как в двадцать две минуты времени. Главный палач, приводивший ее в движение, получил имя библейского силача[1], но служитель гильотины был сильнее своего тезки и еще более слеп, а врата храма Божьего он выламывал каждый божий день.

И среди всех этих ужасов доктор Манетт ходил твердой поступью, с поднятой головой: веря в свою силу, осторожно подвигаясь к своей цели, он не сомневался, что в конце концов, спасет мужа своей Люси. Но поток времени был так глубок и стремителен, время мчалось так быстро, что Чарльз уже целый год и три месяца томился в заключении, в ту пору как доктор все еще не сомневался в успехе. В декабре этого года революция достигла такого бешеного озлобления, что на юге Франции реки были запружены трупами людей, насильственно утопленных по ночам. Арестантов выводили на площадки, выстраивали квадратами или рядами и расстреливали при свете зимнего солнца.

А доктор все расхаживал среди этих ужасов с высоко поднятой головой. Во всем Париже не было человека более известного и никто не занимал такого странного положения, как он. Молчаливый, сострадательный, он был необходим как в госпиталях, так и в тюрьмах, одинаково прилагая свое искусство и к убийцам, и к жертвам, и всюду стоял особняком. Даже в те минуты, когда он применял свои познания к живым людям, его оригинальная внешность и всем известная история его заключения в Бастилии

---

[1] Главного палача звали Самсон.

делали его непохожим на других людей. Его ни в чем не подозревали, никогда не сомневались в нем, как будто он в самом деле воскрес лет за восемнадцать перед тем или был бесплотным духом среди смертных.

Глава V

ПИЛЬЩИК

Год и три месяца. И во все это время Люси ни один час не могла знать наверное, что назавтра гильотина не отрубит голову ее мужу. Каждый день по улицам ездили тяжелые телеги и, грохоча по мостовой, возили осужденных на казнь. Красивые девушки, блестящие женщины — каштановые волосы, черные волосы, седые; юноши, мужчины в цвете лет и дряхлые старики; дворяне и простолюдины — все служили красным вином для гильотины, изо дня в день вытаскивались из темных погребов отвратительных тюрем и отправлялись по улицам утолять ее ненасытную жажду. Свобода, равенство, братство или смерть, да, но последний из этих даров достигался всего легче.

Бедствие обрушилось так внезапно и колесо времени закрутило ее так стремительно, что если бы Люси Дарней, ошеломленная такими впечатлениями, пассивно отдалась бы им и в праздном отчаянии ожидала бы конца своего искуса, это было бы неудивительно, и очень многие поступали именно таким образом. Но с того часа, как она прижала седую голову отца к своей свежей девической груди на чердаке Сент-Антуанского предместья, она приняла на себя известные обязанности и никогда не изменяла им. В годину испытаний она еще усерднее выполняла их, как бывает со всеми искренне честными и хорошими людьми.

Как только они переселились на новую квартиру и доктор приступил к правильному исправлению своей должности, Люси привела свое маленькое хозяйство в такой порядок, как будто и муж ее жил с ними. Всему нашлось определенное место и определенное время. Маленькую Люси она учила так же аккуратно, как если бы они все вместе жили под кровом своего английского дома. Тяжело было у нее на душе, и только тем она отчасти облегчала свое горе, что сама себя обманывала надеждой на скорое возвращение мужа и делала приготовления к его приему, вроде того что убирала отдельно его кресло, его книги, а по вечерам утешалась тем, что в общей молитве обо всех несчастных пленниках, томившихся в неволе под страхом насильственной смерти, особенно молилась за одного, бесконечно дорогого для нее узника.

По наружности она мало изменилась. Ее простые и темные платья, напоминавшие траурные одежды, были все так же хорошо сшиты и опрятны, как и прежние яркие наряды более счастливых дней. Она потеряла румянец; прежнее сосредоточенное выражение, минутами появлявшееся на ее лице, теперь стало постоянным; но вообще она оставалась очень красива и приятна на вид. Иногда по вечерам, целуя отца, она вдруг разражалась слезами, которые во весь день сдерживала, и говорила, что, помимо Бога, только на него полагает всю свою надежду. На это он отвечал решительным тоном:

— Ничего с ним не может случиться без моего ведома, Люси, и я знаю, что могу его спасти.

Когда они окончательно устроились на своей квартире и потекла однообразная трудовая жизнь, через несколько недель отец сказал ей, вернувшись вечером домой:

— Милая моя, там, в тюрьме, есть такое окно, к которому Чарльз может иногда иметь доступ не иначе как в три часа пополудни. Когда он будет стоять у этого окна, что зависит от многих случайных и непредвиденных обстоятельств, он мог бы тебя видеть, если бы ты очутилась на некотором месте улицы, которое я могу тебе указать. Но ты его не увидишь, бедняжка моя, да если бы и увидела, было бы слишком опасно подать ему малейший знак.

— О, покажите мне это место, папа, и я каждый день буду туда ходить!

С тех пор во всякую погоду она дежурила там по два часа: ровно в два приходила, а в четыре терпеливо уходила назад. Когда погода была не слишком сырая или холодная, она приводила с собой и ребенка; в остальное время являлась одна и не пропустила ни единого дня.

Это был темный и грязный закоулок одной пустынной и очень извилистой улицы. По обеим сторонам ее тянулись высокие стены, и только в одном конце стояла лачуга пильщика, занимавшегося пилкой дров на поленья для топлива. На третий день ее прихода он заметил ее:

— Здравствуй, гражданка.

— Здравствуй, гражданин.

Такая форма приветствия была предписана особым декретом. Некоторые особенно усердные патриоты установили ее между собой довольно давно, но теперь она стала обязательна для всех.

— Опять пришла погулять, гражданка?

— Как видишь, гражданин.

Пильщик — маленький человечек, отличавшийся юркостью и обилием телодвижений (в прежнее время он занимался починкой дорог), — взглянул на тюрьму, указал на нее пальцем, потом растопырил все десять пальцев перед глазами, изображая тюремные решетки в окнах, и стал шутливо выглядывать из-за них.

— Не мое дело! — молвил он вдруг и принялся опять пилить дрова.

На другой день он уже поджидал ее и, как только она показалась, воскликнул:

— Как! Опять тут гуляешь, гражданка?

— Да, гражданин.

— Ах, еще и с ребенком! Ведь это твоя мама, гражданочка?

— Надо сказать — да, мама? — прошептала маленькая Люси, прижимаясь к матери.

— Да, милочка.

— Да, гражданин.

— Ага. Да это не мое дело. Мое дело вот какое. Видишь, какая у меня пила? Я ее зову Маленькой Гильотиной. И пилю вот так: ля-ля-ля-ля — бух! — и отрубил ему голову!

Полено отвалилось, и он бросил его в корзину.

— Я говорю, что я Самсон дровяной гильотины. Посмотри, как она хорошо действует: ля-ля-ля-ля-я-ля — бух! — и «ее» голова прочь! Теперь примемся за детскую. Тик-тик, пик-пик, бац... и эта головка прочь! Вся семейка, значит.

Люси невольно вздрогнула, когда он бросил еще два полена в корзинку, но не было возможности быть тут и не попадаться на глаза пильщику, пока он был за работой. Поэтому она, чтобы задобрить его, сама первая здоровалась с ним и часто давала ему денег на выпивку, которые он принимал очень охотно.

Он был довольно любопытный парень, и подчас, когда она совершенно позабывала о его существовании, вперив глаза в тюремные крыши и решетки и возносясь сердцем к своему мужу, она вдруг, очнувшись от своего забытья, замечала, что он бросил работу, уперся коленом в свою скамью, отложил пилу и пристально смотрит на нее.

— Мое дело — сторона! — говорил он обыкновенно в такие минуты и снова усердно принимался за пилку.

Во всякую погоду — в зимний снег и мороз, на весеннем резком ветру, в жаркие летние дни, в осенний дождь и опять в зимнюю стужу — Люси каждый день проводила два часа на этом месте и каждый день, уходя, целовала стену тюрьмы. Отец сообщил ей, что муж видит ее примерно один раз из пяти или шести; иногда случалось, что он видел ее два или три дня подряд, иногда не видел целую неделю и даже две недели. С нее довольно было знать, что при благоприятных обстоятельствах он может ее увидеть, и ради этой возможности она готова была стоять тут целые дни семь раз в неделю.

В таких занятиях дожила она до декабря месяца следующего года, когда отец ее все еще ходил среди всяких ужасов с высоко поднятой головой. День был пасмурный и шел небольшой снег, когда она, по обыкновению, пришла на тот же угол. Был какой-то праздник, и по улицам происходило бурное ликование. Мимоходом она видела, что дома утыканы шестами, на которых надеты красные колпачки, развевались трехцветные ленты и красовались патриотические надписи, выведенные также в три цвета: «Республика единая и нераздельная. Свобода, равенство, братство или смерть!»

Жалкая лавчонка пильщика была так мала, что на ней с большим трудом умещалась такая надпись; нашелся какой-то приятель, начертавший ему эти слова, но для слова «смерть» почти не нашлось места, и оно было скомкано до неприличия. На крыше лачуги он выставил шест с красным колпаком, как и подобало доброму гражданину, а в окне была выставлена пила, и на ней надпись: «Маленькая Святая Гильотина», так как великую зубастую бабу народ успел тем временем сопричислить к лику святых. Лавочка была заперта, пильщика не было дома, что было великим облегчением для Люси и давало ей возможность побыть тут совсем одной.

Но, увы, пильщик был недалеко! Вскоре Люси услышала смутные крики и топот, наполнившие ее душу ужасом. Через минуту из-за угла тюрьмы показалась толпа народу, и среди них она увидела пильщика об руку с Местью. Их было по крайней мере пятьсот человек, и все они плясали, точно пять тысяч демонов. Музыку заменяло их собственное припевание. Они плясали под звуки любимой революционной песни, резко отчеканивая такт, что было похоже на дружный скрежет зубов. Плясали мужчины с женщинами, женщины с женщинами, мужчины с мужчинами — как попало. Вначале это была просто буря из красных колпаков и грубых шерстяных лохмотьев, но, по мере того как они заполняли площадку и выстраивались перед Люси, они начали выделывать правильные фигуры какого-то бешеного танца: двигались вперед, пятились назад, ударяли друг другу в ладони, хватали друг друга за головы, вертелись поодиночке, потом, сплетаясь руками, вертелись попарно, причем иные падали от головокружения. Вокруг упавших тотчас образовался хоровод, и все, держась за руки, вертелись кругом. Потом общий круг разрывался на отдельные кружки, и они вертелись то вдвоем, то вчетвером; все разом останавливались, начинали фигуру сызнова, опять хлопали в ладони, схватывались и принимались кружиться в противоположную сторону. Вдруг они снова остановились, выждали минутку, опять затянули ту же песню, развернулись рядами поперек улицы, низко наклонили головы, высоко подняли руки и с диким воплем понеслись вперед. Никакая битва не могла быть ужаснее этой пляски — так ясно было видно в ней извращение первоначального смысла; когда-то это было невинное развлечение, в которое замешался дьявол, здоровое препровождение времени, обращенное в способ горячить кровь, отуманивать рассудок и ожесточать сердца. То, что оставалось миловидного в этой пляске, придавало ей тем более отвратительный характер, показывая, как можно извращать и обезображивать.

То была *карманьола*. Когда она промчалась мимо, оставив испуганную и ошеломленную Люси одну на пороге лачуги пильщика, перистые хлопья снега продолжали тихо сыпаться с неба, устилая почву мягким белым слоем, как будто ничего другого и не было на этой площадке.

Люси на несколько мгновений закрыла лицо руками; когда она снова отвела их, перед ней стоял ее отец.

— О папа, — промолвила она, — какой ужас, какая гадость!

— Знаю, знаю, душа моя. Я много раз видел это зрелище. Не пугайся! Никто из них тебя пальцем не тронет.

— Я не за себя боюсь, папа. Но когда подумаю, что мой муж зависит от их произвола...

— Скоро мы его избавим от их произвола... Когда я уходил сейчас, он полез к окошку, а я пошел предупредить тебя об этом. Здесь теперь никого нет, никто не увидит. Можешь послать ему рукой воздушный поцелуй вон туда, где самый высокий выступ крыши.

— Я так и делаю, папа, и всю душу посылаю туда, к нему!

— Ты его не видишь, бедняжечка моя?

— Нет, папа, — говорила Люси, подняв голову, плача и посылая воздушные поцелуи, — нет, не вижу.

По снегу заскрипели шаги. Мадам Дефарж.

— Здравствуйте, гражданка, — сказал доктор.

— Здравствуйте, гражданин, — ответила она мимоходом.

И больше ничего; как тень прошла мадам Дефарж по белой дороге.

— Дай мне руку, душа моя. Уходя отсюда, сделай вид, что ты бодра и весела, ради него. Ну вот и отлично (они в это время уходили домой), ты не напрасно это сделала. Чарльза на завтра вызывают в суд.

— На завтра!

— Нечего терять время. Я-то вполне приготовился, но нужно принять еще некоторые предосторожности, которых нельзя было принимать, не зная наверное, когда его вызовут. Он еще не получал повестку, но я знаю, что его сегодня вызовут и переведут в Консьержери. Меня своевременно извещают обо всем. Ты не боишься?

Она едва могла выговорить:

— Полагаюсь на вас.

— И отлично, так и надо. Твое ожидание приходит к концу, мое сокровище: через несколько часов ты снова соединишься с ним. Я обеспечил ему протекцию со всех сторон. Надо бы мне повидаться с Лорри.

Он остановился. Послышалось тяжелое грохотание колес по мостовой. Оба знали, что это значит. Одна... две... три... Три телеги со своим страшным грузом проезжают по улицам, и треск их заглушается слоем пухлого снега.

— Мне необходимо видеть Лорри, — повторил доктор и повел ее другой дорогой.

Стойкий старый джентльмен все еще управлял конторой, ни на один час не пренебрегая своими обязанностями. Как его самого, так и его счетные книги постоянно требовали по делам имуществ, конфискованных и объявляемых собственностью народа. Все, что возможно было спасти и приберечь для законных владельцев, он спасал и приберегал. Он цепко держался за все, что отдавалось Тельсону на хранение, и умел, как никто, хранить добро и молчать об этом.

Небо подернулось мутно-красным и желтым оттенками, с Сены поднимался сизый туман — знак, что начинало смеркаться. Было почти темно, когда они дошли до банка. Величавые палаты светлейшего герцога стояли мрачны и пустынны. Во дворе, над кучами мусора и пепла, тянулась вывеска с надписью: «Собственность народа. Республика единая и нераздельная. Свобода, равенство, братство или смерть».

Кто бы мог быть в гостях у мистера Лорри? Чье это верхнее платье сброшено на стул и почему владелец этого платья не показывается из соседней комнаты? Почему сам мистер Лорри вышел оттуда такой взволнованный, удивленный и так странно встретил свою любимицу, заключив ее в свои объятия? А когда она сказала ему несколько слов, отчего он так возвысил голос и, обернувшись в сторону той двери, из которой пришел, громко произнес:

— Переведен в Консьержери и вызван в суд на завтра... Кому он это сказал?

Глава VI

Победа

Грозный трибунал, состоявший из пяти судей, одного обвинителя и определенного числа присяжных, заседал каждый день. Составленные ими списки всякий вечер вручались тюремщикам, которые прочитывали эти списки заключенным во всех тюрьмах. В этих случаях тюремные сторожа любили пускать в ход все одну и ту же шутку: «Эй, вы, выходите послушать вечернюю газету!»

— Шарль Эвремонд, именующий себя Дарней!

Так начиналась на этот раз «вечерняя газета» в крепостной тюрьме.

Каждый раз, как выкрикивали имя, тот, кому оно принадлежало, выступал из рядов и становился отдельно, в определенном месте, имевшем роковое значение. Шарль Эвремонд, именовавший себя Дарней, имел причины знать, что это значило: на его глазах сотни людей проходили таким образом — бесследно исчезая.

Тюремщик с опухшим лицом надел очки для чтения списка и, приостановившись, посмотрел поверх очков, занял ли он свое место, потом прочел весь список с такими же остановками после каждого имени.

Имен было двадцать три, но налицо оказалось только двадцать человек, потому что один из вызываемых умер в тюрьме и был позабыт, а двое уже были обезглавлены и тоже позабыты. Чтение списка происходило в том самом зале со сводами, где Дарней видел сборище арестантов в тот день, когда его привели сюда. С тех пор все они погибли во время поголовного избиения, а те, с которыми он после того познакомился и сошелся, умерли на эшафоте.

Они сказали друг другу несколько торопливых слов привета, простились — и только; расставание было недолгое. Это случилось изо дня в день, и общество собиралось в тот же вечер поиграть в фанты, а потом задать маленький концерт. Они столпились у решеток и пролили несколько слез, но надо было тотчас же придумать, кем заменить выбывающих двадцать человек, чтобы не задержать игру, а времени оставалось немного до запирания на ночь: тогда в общие залы и коридоры спустят больших собак, которые по ночам сторожат пленников. Арестанты были далеко не бездушные и не бесчувственные люди; их теперешние нравы и обычаи сложились под влиянием времени. Известно, что в ту пору существовало нечто вроде болезненного поветрия или увлечения, заставлявшего многих без всякой надобности доносить на себя и добровольно предаваться на жертву гильотине; и это делалось не из хвастовства, не считалось молодецким подвигом; люди просто подчинялись какой-то заразе среди расшатанного общественного строя. То же было и тут, только с легким изменением. Во время чумы бывают же люди, которых тянет к ней, хочется заразиться и умереть от нее. У всех нас в сокровенных тайниках души случаются такие странности, но они не всегда проявляются; чтобы вызвать их наружу, нужно стечение особенных обстоятельств.

Переселение в Консьержери совершалось быстро, в темноте; ночь, проведенная в холодных камерах этой тюрьмы, кишевших паразитами, тянулась долго. На другой день пятнадцать арестантов прошли перед судилищем, прежде чем Чарльз Дарней был вызван по имени. Все пятнадцать были приговорены к смерти, причем суд над ними продолжался всего полтора часа.

— Шарль Эвремонд, называемый Дарней! — раздалось наконец по очереди.

Его судьи сидели на своих местах, в шляпах с перьями; на остальных членах судилища преобладали красные колпаки с трехцветными кокардами. Взглянув на присяжных и на буйную публику, можно было подумать, что здесь все вывернулось наизнанку: злодеи судили честных граждан. Городская чернь самого низкого, подлого и жестокого разбора (а где же не бывает некоторой доли подобного люда!) заправляла этим заседанием: они громогласно обсуждали вопросы, одобряли, осуждали, забегали вперед, заранее подсказывали приговоры, и никто их не останавливал. Мужчины были большей частью вооружены чем попало, из женщин у многих были ножи, кинжалы; одни пили и ели во время заседания, многие вязали на спицах. В числе последних была одна, державшая под мышкой сверток готового вязанья, но продолжавшая трудиться над таким же рукоделием. Она сидела в переднем ряду, рядом с мужчиной, которого Дарней видел только однажды — в день своего прибытия на парижскую заставу; но он тотчас признал в нем Дефаржа. Он заметил, что она раза два что-то шептала ему на ухо, и подумал, что это, вероятно, его жена; но всего более бросилось ему в глаза то обстоятельство, что, хотя эта чета сидела от него так близко, как только было возможно, ни тот ни другая ни разу не взглянули на него. Они как будто упорно чего-то ждали и смотрели исключительно на присяжных. Пониже председателя сидел доктор Манетт, в обычном своем темном платье. Насколько мог судить арестант, доктор и мистер Лорри были единственными лицами, не причастными к составу суда в этом зале; одни они были одеты как обычно, а не переряжены в пестрые тряпки грубой карманьолы.

Публичный обвинитель обвинял Шарля Эвремонда, именуемого Дарней, в том, что он аристократ и эмигрант, жизнь которого принадлежала республике в силу декрета, воспрещавшего эмигрантам возвращаться на родину под страхом смертной казни. То, что декрет был издан после его приезда во Францию, не имело значения. Вот он, этот эмигрант, а вот и декрет. Подсудимый арестован во Франции, стало быть, надо отрубить ему голову.

— Рубить ему голову! — закричала публика. — Он враг республики!

Председатель зазвонил в колокольчик, чтобы унять крик, и спросил подсудимого, правда ли, что он несколько лет прожил в Англии?

— Совершенная правда.

— Следовательно, вы эмигрант? Как же иначе можете вы назвать себя?

— Нет, не эмигрант, и надеюсь, что по точному смыслу закона никто не признает меня эмигрантом.

— Это почему? — осведомился председатель.

— А потому, что я добровольно отказался от постылого титула и от опротивевшего положения и только затем покинул свое отечество — притом покинул гораздо раньше, чем возможно было существование эмигрантов в теперешнем значении этого слова, — покинул отечество, дабы в Англии жить своим трудом, а не пользоваться трудами французского народа, и без того подавленного бременем всяких трудов и налогов.

— А можете ли вы доказать справедливость своих слов?

Подсудимый просил вызвать двух свидетелей: Теофиля Габеля и Александра Манетта.

— Однако вы женились в Англии, — заметил ему председатель.

— Это правда, но жена моя не англичанка.

— Разве она гражданка Франции?

— По происхождению — да.

— Как ее имя и фамилия?

— Люси Манетт, она единственная дочь доктора Манетта, доброго врача, находящегося в этом же зале.

Этот ответ произвел на собрание благоприятное впечатление. Со всех сторон поднялись восторженные крики, прославлявшие всем известного доброго врача. Публика была так капризно настроена, что в ту же минуту полились слезы по щекам нескольких свирепых лиц, только что сейчас взиравших на подсудимого с такой яростью, как будто они с нетерпением ждали момента, когда можно будет вытащить его на улицу и там растерзать.

Недаром доктор Манетт столько времени учил Чарльза Дарнея, куда поставить ногу на каждом шагу предстоящего ему опасного пути. На основании тех же мудрых советов пошел он и дальше по торной дорожке, каждый вершок которой был заранее для него подготовлен доктором.

Председатель спросил: зачем же он только теперь вернулся во Францию, а не раньше?

Он потому не приезжал раньше, был ответ, что во Франции не имел иных средств к жизни, помимо тех, от которых добровольно отказался, а в Англии жил тем, что преподавал французский язык и литературу. Возвратился же во Францию по настоятельной письменной просьбе одного французского гражданина, который писал, что жизнь его находится в опасности по причине его отсутствия. И вот он приехал, дабы спасти жизнь этого гражданина и с опасностью для собственной жизни оправдать его. Неужели это преступление в глазах республики?

Толпа восторженно закричала: «Нет! Нет!» — и председатель опять зазвонил в колокольчик, но это нисколько не помогало, и они продолжали кричать: «Нет!» — пока сами не унялись.

Председатель спросил: как зовут этого гражданина?

Подсудимый объяснил, что это первый из названных им свидетелей, упомянул также о письме этого гражданина, которое у него отобрали при въезде в Париж и, вероятно, приобщили к делу. Оно, несомненно, должно находиться в числе документов, лежащих ныне перед председателем.

Доктор заранее принял меры, чтобы оно тут было, уверил своего зятя, что это письмо непременно тут будет, и точно, его нашли и тут же прочли вслух.

Вызвали гражданина Габеля — подтвердить, точно ли он писал это письмо, и он подтвердил. Гражданин Габель намекнул со всевозможной деликатностью и оговорками, что по множеству дел, которыми суд постоянно завален по поводу громадного количества врагов республики, его, Габеля, немножко позабыли в тюрьме при аббатстве, что, вероятно, его скромная особа совсем вылетела из патриотической памяти почтенного трибунала и что вспомнили о нем всего три дня тому назад. Тогда же его вызвали в суд, рассмотрели его дело и выпустили на свободу, так как присяжные признали его достаточно оправданным тем фактом, что гражданин Эвремонд добровольно отдался в руки правосудия.

Затем вызвали второго свидетеля, доктора Манетта. Его личная популярность, высокая репутация и ясность его ответов произвели большое впечатление. Он рассказал, что после своего освобождения от долговременного заключения в тюрьме он тотчас познакомился с обвиняемым, который стал первейшим его другом и, оставаясь в Англии, всегда поддерживал добрые сношения с ним и его дочерью и оставался им верен в изгнании; что не только обвиняемый не был в дружбе с аристократами Англии, но само правительство смотрело на него косо, и даже однажды он был судим там уголовным судом в качестве врага Англии и сторонника Северо-Американских Соединенных Штатов.

По мере того как доктор излагал все эти обстоятельства осторожно, но с жаром и прямодушием, свойственными истине, присяжные и публика слились воедино. И когда наконец он вызвал по имени некоего «г-на Лорри, английского джентльмена, ныне здесь присутствующего, а в то время бывшего вместе с ним в числе свидетелей по уголовному делу, слушанному в Англии», и прибавил, что оный Лорри может подтвердить истину его показаний, — присяжные объявили, что с них довольно и они готовы дать заключение, если председатель согласен их выслушать.

При каждом отдельном голосовании — присяжные давали свои ответы поодиночке и вслух — присутствовавшая чернь разражалась криками одобрения. Все высказались в пользу подсудимого, и председатель объявил его свободным.

Тут началась одна из тех сцен, которым толпа иногда потворствует своему легкомыслию, иногда уступает внутренней потребности к великодушию и милосердию, а иногда просто желает доказать, что она способна не на одни только жестокости. Трудно проследить теперь, чему приписать такие удивительные проявления; вероятно, что до некоторой степени тут одновременно действовали все три причины, причем вторая преобладала. Как только оправдательный приговор был произнесен, слезы полились так же обильно, как в другое время проливалась кровь, и на Дарнея посыпалось столько братских объятий, сколько успело до него дорваться особ обоего пола, так что он, ослабев после своего долговременного заключения в гнилой тюрьме, едва не лишился чувств, зная притом, что, если бы та же самая толпа находилась под влиянием иного настроения, она бы точно с таким же усердием накинулась на него, чтобы разорвать в клочки и разбросать их по улицам.

От избытка этих ласк и объятий избавило его лишь то обстоятельство, что после него предстояло судить еще пятерых. Их судили зараз по обвинению в том, что они ни словом, ни делом не способствовали установлению республики и, следовательно, были ее врагами. Судоговорение произошло с такой быстротой и трибунал так поспешил вознаградить себя и государство за оправдание одного Эвремонда, что всех пятерых приговорил к смертной казни через двадцать четыре часа, и Эвремонд не успел еще выйти из этих стен, как осужденные уже сошли вниз, в общие сени, и первый из них сам сообщил ему об этом, подняв указательный палец кверху, что на тюремном условном языке означало смерть, — после чего все пятеро воскликнули:

— Да здравствует республика!

Впрочем, когда судили этих пятерых, в зале не оставалось уже публики, затягивавшей судоговорение. Выйдя из ворот, доктор Манетт и Дарней застали на улице большую толпу, в которой они узнавали почти всех, кто был на суде, за исключением только двух, которых тут не было. Как только Чарльз показался, снова полились слезы, снова на него набросились с объятиями, криками, то поодиночке, то все зараз, так что голова у него закружилась и ему показалось, что и река, протекающая мимо, и сами берега, на которых происходило это бешеное торжество, завертелись у него перед глазами наподобие обезумевшей толпы.

Эти люди усадили его в большое кресло, вытащенное из зала суда или из каких-то сеней, покрыли кресло красным флагом, а к спинке привязали шест, увенчанный красным колпаком. Как ни уговаривал их доктор оставить эту затею, они посадили Чарльза на эту триумфальную колесницу и на плечах понесли к его квартире. У ног его колыхалось целое море красных шапок, и из-под них иногда выглядывали на него такие ужасные лица, что он начинал сомневаться в действительности, подозревал, что сам помешался и что его просто везут в телеге на пути к гильотине.

Буйная процессия была похожа на какой-то страшный сон. Его несли, обнимались со встречными и всем его показывали. Окрашивая убеленные снегом улицы красным цветом республики, они топтались и скакали по мостовой с таким же оживлением, как в ту пору, когда окрашивали ее еще более густым багровым цветом, и таким манером внесли Чарльза во двор дома, где жило его семейство. Доктор пошел вперед предупредить дочь о случившемся, и, когда ее муж предстал перед ней, она без чувств упала к нему на руки.

Прижав ее к груди, он так повернул ее прелестную голову, чтобы заслониться ею от буйно веселившейся толпы и чтобы никто не видел его слез и уст, припавших к ее устам. Видя это, несколько человек начали танцевать. Тогда и вся толпа в одну минуту предалась пляске и по всему двору затянули «Карманьолу». Потом схватили одну молодую женщину, посадили на опустевшее кресло, провозгласили ее богиней свободы и понесли вон со двора, запружая все соседние улицы, на набережную Сены и дальше, через мост, продолжая отплясывать карманьолу, которая и увлекла их в другую часть города.

Дарней горячо сжал руку доктора, стоявшего перед ним в гордом сознании своей победы; потом схватил руку мистера Лорри, который прибежал, запыхавшись, и насилу мог пробраться сквозь толкотню карманьолы; расцеловал маленькую Люси, обвившую ручками его шею; расцеловался с верной и усердной мисс Просс, которая подала ему малютку-дочь, и, наконец, схватил на руки жену и отнес ее наверх, в их квартиру.

— Люси, радость моя, я спасен!

— О бесценный мой Чарльз, дай же мне на коленях возблагодарить за это Бога!

Все благоговейно преклонили головы. Снова приняв ее в свои объятия, он сказал ей:

— А теперь, дорогая, поблагодари отца. Ни один человек во Франции не мог бы сделать для меня того, что он сделал.

Она положила голову на грудь отца, как сам он давно-давно клал свою бедную голову на ее грудь.

Он был счастлив тем, что мог отплатить ей, чувствовал, что вознагражден за прежние страдания, и гордился своим могуществом.

— Не будь же так малодушна, мое сокровище, — уговаривал он ее. — Не дрожи так. Ведь я его спас!

Глава VII

Стук в дверь

«Я его спас». И это не был сон, часто им снившийся: нет, он в самом деле возвратился в свою семью. А жена его все-таки трепетала и мучилась смутным, но тяжким предчувствием. Они жили в такой сгущенной и темной атмосфере, народ был так изменчив и мстителен в своих настроениях, так часто ни в чем не повинных людей убивали по неопределенному подозрению или просто из злобы, что не приходилось этого забывать. Она отлично знала, что многие такие же безупречные люди, как и ее муж, и не менее его драгоценные для своих близких, каждый день подвергались той судьбе, от которой ее отец только что избавил его, а потому у нее на сердце было далеко не так легко, как, по ее мнению, следовало. Наступали сумерки зимнего короткого дня, и в эту самую минуту тяжелые телеги грохотали по улицам. Ее воображение невольно следовало за ними, ища в числе осужденных *его*, и тогда она еще крепче льнула к нему, бывшему тут, с нею, и трепетала еще больше.

Отец ободрял ее, относясь со снисходительной жалостью к такой «женской слабости», так что даже удивительно было на него смотреть. Куда девались чердак, и башмачное ремесло, и номер сто пятый, и Северная башня! Ничего подобного и следов не было. Он достиг поставленной себе цели, выполнил свое обещание — спас Чарльза, — стало быть, пускай все полагаются на него.

Хозяйство их велось очень скромно, и не только потому, что так было безопаснее, не возбуждало зависти соседей и не обидно было для народа, а также и потому, что у них очень мало было денег; между тем Чарльзу во все время, что он сидел в тюрьме, приходилось платить очень дорого за свою скверную пищу, за сторожей и за содержание некоторых из беднейших арестантов. По этой причине, а частью во избежание домашнего шпионства они не держали прислуги; иногда оказывали им кое-какие услуги тот гражданин и гражданка, что жили у ворот дома в качестве привратников. Кроме того, мистер Лорри почти совершенно предоставил в их распоряжение Джерри Кренчера, который даже ночевал в их квартире.

По распоряжению республики, единой и нераздельной, во имя свободы, равенства, братства или смерти, приказано было, чтобы на каждой двери или на дверном косяке каждого дома крупными и четкими буквами были написаны, на известном расстоянии от земли, имя и фамилия каждого жильца. Поэтому и имя мистера Джерри Кренчера своевременно украсило собой входную дверь нижнего этажа. А когда сгустились вечерние сумерки, сам владелец этого имени появился на пороге, только что отпустив маляра, который по приказанию доктора Манетта вывел на двери имя Шарля Эвремонда, по прозвищу Дарней.

Среди всеобщего недоверия и страха, омрачавшего этот период времени, все нравы и обычаи ежедневного обихода переменились. В маленьком хозяйственном мирке доктора, как и во многих других, все предметы ежедневного потребления покупались с вечера, в небольшом количестве и в различных мелочных лавочках. Люди только о том и думали, как бы поменьше обращать на себя внимание и не подавать повода к сплетням и пересудам.

С некоторого времени мисс Просс и мистер Кренчер исполняли должность поставщиков провианта: она заведовала деньгами, а он нес корзину. Всякий день под вечер, около того времени, когда по городу начинали зажигать фонари, они отправлялись за покупками и приносили домой все, что на ту пору было нужно. Мисс Просс столько лет прожила во французском семействе, что могла бы так же хорошо научиться французскому языку, как и своему собственному, — была бы охота; но именно охоты у нее и не было, а потому «этот вздор» (как ей угодно было обзывать французскую речь) был ей не более понятен, чем самому мистеру Кренчеру. Что касается ее способов приобретения тех или других товаров, она обыкновенно поступала так: войдя в лавку, она без всяких околичностей твердо произносила какое-нибудь имя существительное, и, если оказывалось, что оно относится не к тому предмету, который ей желательно было получить, она искала его глазами, а отыскав, налагала на него руку и держала до тех пор, пока не заключала торга. А торговалась она упорно, и, какую бы цену купец ни назначил, изображая цифру пальцами, она непременно давала на один палец меньше, чем он просил.

— Ну, мистер Кренчер, — сказала мисс Просс, появившись с опухшими и красными от счастья глазами, — коли вы готовы, пойдемте.

Джерри сипло заявил, что он к ее услугам. Ржавчина с него давно сошла, но вихры на голове все так же торчали наподобие гвоздей, и ничто не могло их притупить.

— Нам нужно всякой всячины, — сказала мисс Просс, — и придется изрядно побегать по разным местам.

Между прочим, надо купить вина. Воображаю, какие заздравные тосты провозглашают эти красноголовые в винных погребках!

— Да не все ли вам равно, мисс, — заметил Джерри, — за ваше ли здоровье они будут пить или за здоровье старого Ника?

— Это кто же такой? — осведомилась мисс Просс.

Мистер Кренчер немного замялся, однако же ответил:

— Да все равно что дьявол.

— Ну вот еще! — воскликнула мисс Просс. — Я и без переводчика знаю, чтó на уме у этого люда; они только и думают об убийствах да о злодействах.

— Тише, тише, милая! Пожалуйста, будьте осторожнее! — воскликнула Люси.

— Да, да, я буду осторожна, — сказала мисс Просс, — но между нами все-таки позволительно пожелать, чтобы на улице не было обнимания и чтобы не душили прохожих луком и табачищем. Ну, птичка, смотри же, до моего возвращения не трогайся с места! Любуйся на своего милого мужа и, покуда не приду, так и сиди с ним у огня, положив головку ему на плечо, вот как теперь сидите! Доктор Манетт, можно у вас спросить одну вещь?

— Я думаю, что вы можете позволить себе такую вольность, — отвечал доктор, улыбаясь.

— Ох, ради бога, не толкуйте про вольность: этого добра и то слишком много, — сказала мисс Просс.

— Тише, милая... Опять! — напомнила Люси.

— Хорошо, моя касаточка, — сказала мисс Просс, энергично кивая, — только ведь я, слава богу, подданная его пресветлого величества короля Георга Третьего (произнося это имя, мисс Просс сделала книксен) и, стало быть, у меня такое правило:

> Я политики не знаю,
> Прах бы взял все козни их;
> Все надежды полагаю
> На правителей своих:
> Ими держится земля.
> Храни, Боже, короля.

Мистер Кренчер, в приливе верноподданнических чувств, хрипло повторил эти слова за мисс Просс, как делается в церкви.

— И отлично, что вы остались таким истинным англичанином; жаль только, что простуда испортила вам голос, — сказала мисс Просс одобрительным тоном. — А я все-таки у вас спрошу, доктор Манетт. Скажите, пожалуйста (надо заметить, что эта добрая душа имела обыкновение притворяться, будто ей кажется совсем не важным то, что всего больше их тревожило, и затрагивать эти вопросы как бы случайно и мимоходом), скажите, пожалуйста, скоро ли мы отсюда уедем?

— Боюсь, что еще не скоро. Это было бы небезопасно ради Чарльза.

— Ну ничего! — молвила мисс Просс, подавляя вздох и весело глядя на золотистые волосы своей милочки, озаряемые пламенем камина. — Значит, надо стиснуть зубы и еще подождать, только и всего. Держи голову выше и сожми кулаки, как говаривал мой брат Соломон... Идем, что ли, мистер Кренчер?.. А ты, птичка, смотри у меня, сиди смирно!

Они ушли, оставив Люси, ее мужа, отца и ребенка у ярко пылавшего камина. Мистера Лорри ожидали с минуты на минуту, тотчас после закрытия банкирской конторы. Мисс Просс перед уходом и лампу зажгла, но отставила ее в сторонку, в угол, чтобы им приятнее было у огня. Маленькая Люси сидела возле дедушки, обняв обеими руками его руку, а он начал вполголоса рассказывать ей волшебную сказку о том, как одна могущественная фея разрушила тюремные стены и освободила узника, который когда-то оказал ей услугу.

Все было тихо и спокойно, и Люси начинала чувствовать себя гораздо лучше.

— Это что такое! — вскрикнула она вдруг ни с того ни с сего.

— Душа моя, — сказал ее отец, прерывая свой рассказ и положив руку на ее руку, — успокойся. Ты совсем не владеешь собой. Можно ли так распускать себя! Всякий пустяк, малейшая безделица тебя пугает. Ты ли это, дочь своего отца?

— Мне показалось, папа, — сказала Люси, побледнев и дрожащим голосом, как бы извиняясь, — мне показалось, что на лестнице кто-то чужой.

— Душенька, на лестнице ровно никого нет.

Едва он произнес эти слова, как в дверь постучались.

— Папа, папа, что это? Спрячьте Чарльза. Спасите его!

— Дитя мое, — сказал доктор, вставая и положив руку на ее плечо, — я и так спас его. Что за малодушие, моя милая? Пусти, я пойду отворю.

Он взял лампу, прошел две комнаты, отделявшие гостиную от передней, и отпер дверь. Последовал грубый топот ног по паркету, и в комнату ввалились четверо мужчин в красных колпаках, вооруженные саблями и пистолетами.

— Дома ли гражданин Эвремонд, по прозвищу Дарней? — спросил первый из вошедших.

— Кому его нужно? — сказал Дарней.

— Мне нужно. Нам всем нужно. Я вас узнал, Эвремонд. Я вас видел сегодня в суде. Арестую вас снова именем республики.

Все четверо окружили его; он стоял среди комнаты, и жена, и дочь повисли у него на шее.

— Скажите, за что меня опять арестуют?

— Довольно с вас того, что велено сейчас же отвести вас прямо в Консьержери; завтра узнаете остальное. Завтра поутру вас вызывают к суду.

Доктор Манетт так и окаменел на месте при этом вторжении и стоял с лампой в руке, изображая из себя канделябр. Но, услышав эти слова, он очнулся, поставил лампу на стол, подошел к говорившему и, взяв его за переднюю полу красной шерстяной рубашки, сказал:

— Вы сказали, что узнали его. А меня вы знаете?

— Как же вас не знать, гражданин доктор!

— Мы все знаем вас, гражданин доктор! — отозвались трое остальных.

Он рассеянно посмотрел на каждого из них и, понизив голос, сказал после краткого молчания:

— Так не ответите ли вы *мне* на его вопрос: как это случилось?

— Гражданин доктор, — сказал первый с видимой неохотой, — на него донесли комитету Сент-Антуанского квартала. Вот этот гражданин тамошний, — добавил он, указав на второго из вошедших.

Указанный гражданин кивнул и сказал:

— Да, обвинение идет от квартала Сент-Антуан.

— В чем же его обвиняют? — спросил доктор.

— Гражданин доктор, — сказал первый все так же неохотно, — не спрашивайте больше. Если республика потребует от вас жертвы, вы, как добрый патриот, почтете за счастье принести ей жертву. Республика прежде всего. Народ важнее всего. Эвремонд, нам некогда ждать.

— Еще одно слово! — сказал доктор умоляющим тоном. — Скажите, кто на него донес?

— Это против правил, — отвечал первый, — но вы можете об этом спросить у гражданина из Сент-Антуанского квартала.

Доктор перевел глаза на того; тот начал переминаться с ноги на ногу, подергал себя за бороду и наконец сказал:

— Да, это совсем против правил. Но уж так и быть... Обвиняют его... и притом в очень важном деле... гражданин и гражданка Дефарж. Ну и... еще одно лицо.

— Кто же именно?

— И это *вы* спрашиваете, гражданин доктор?

— Да!

— Ну так завтра узнаете. А теперь я буду нем как рыба! — сказал гражданин Сент-Антуанского квартала и посмотрел на него очень странно.

Глава VIII

Полны руки козырей

В счастливом неведении о новых бедствиях, обрушившихся на семью, мисс Просс бодро шагала по узким улицам и перешла через реку по Новому мосту, все время пересчитывая в уме все, что нужно было купить. Мистер Кренчер, неся корзину, шел рядом с ней. Оба заглядывали направо и налево в бо́льшую часть лавок, попадавшихся по дороге, издали замечали, не было ли где лишнего скопления народа, и делали большие крюки, лишь бы избежать встречи с особенно возбужденными группами беседующих на улице людей. Вечер был сырой и холодный, над рекой стоял туман, сквозь который прорывались яркие огни и резкие звуки, указывавшие, где стояли баржи и работали кузнецы, ковавшие оружие для республиканской армии. И горе тому, кто вздумал бы плутовать с этой армией или получил в ней повышение незаслуженно! Лучше бы у него никогда не вырастала борода, потому что таких выскочек национальная бритва брила особенно чисто.

Накупив кое-какой мелочи по части колониальных товаров и запасшись небольшим количеством лампового масла, мисс Просс вспомнила, что нужно вина. Заглянув одним глазком в несколько винных лавок, она остановила свой выбор на погребке под вывеской «Добрый Брут, республиканец древности», неподалеку от Национального дворца (бывшего Тюильри), где общий характер заведения подействовал на нее благоприятно. Тут казалось потише, нежели во всех других учреждениях этого сорта, и не так уже красно от множества патриотических шапок. Посоветовавшись с мистером Кренчером и узнав, что он того же мнения, мисс Просс вошла в сопровождении своего кавалера к «Доброму Бруту, республиканцу древности».

Мельком оглянувшись вокруг, они увидели закопченные лампы; в одном углу несколько человек, с трубками в зубах, играли в засаленные карты и пожелтевшее домино; в другом — рабочий с обнаженной грудью и голыми руками, густо замазанный сажей, читал вслух газету, а кучка народу вокруг него слушала. Одни в полном вооружении, другие сложили оружие в сторону; двое или трое посетителей, припав грудью на стол, спали; их мохнатые черные куртки, высоко приподнятые на плечах, в этом положении делали их чрезвычайно похожими на спящих медведей или собак. В такую обстановку вошли наши двое иностранцев и, подойдя к прилавку, указали, что им нужно.

Покуда им отмеривали вино, один из людей, сидевших в углу со своим собеседником, встал и собрался уходить. Проходя, он очутился лицом к лицу с мисс Просс. Как только она его увидела, из груди ее вырвался крик и она всплеснула руками.

Вмиг вся компания вскочила на ноги. Если бы кто-нибудь кого-нибудь убил из-за несходства во мнениях, это никому здесь не показалось бы странным. Поэтому все смотрели, где же тот, кого укокошили, но вместо того увидели мужчину и женщину, таращивших глаза друг на друга. Мужчина был по всем внешним признакам француз и чистейший республиканец, а женщина, несомненно, англичанка.

Что именно было сказано в этот торжественный момент посетителями «Доброго Брута, республиканца древности», того ни мисс Просс, ни ее спутник, конечно, не поняли бы, даже если бы прислушивались самым внимательным образом: по-халдейски ли тут говорят или по-еврейски, им это было все равно, они знали только, что говор был громкий и очень быстрый. Впрочем, они были в таком изумлении, что даже и не слушали ничего; и не одна мисс Просс пришла в такое волнение, но и мистер Кренчер, со своей стороны, также остолбенел от удивления.

— Что это значит? — проговорил наконец человек, по поводу которого мисс Просс подняла крик. Он произнес эти слова отрывистым, недовольным тоном, но вполголоса и по-английски.

— О Соломон, милый Соломон! — воскликнула мисс Просс, опять всплеснув руками. — Сколько лет я тебя не видала, не слыхала, и тебя ли я вижу!

— Не зови меня Соломоном. Разве ты желаешь моей погибели? — прошептал он, украдкой озираясь вокруг с испуганным видом.

— Братец, братец! — сказала мисс Просс, ударяясь в слезы. — Когда же я была так черства к тебе, чтобы ты мог задавать мне такой жестокий вопрос!

— Так придержи свой несносный язык и выйдем отсюда, коли желаешь со мной говорить, — сказал Соломон. — Отдавай деньги за вино и уходи. Это кто же с тобой?

Мисс Просс, печально качая головой и любящим оком взирая на далеко не любезного братца, проговорила сквозь слезы:

— Это мистер Кренчер.

— Так пускай и он уходит, — сказал Соломон. — Чего он уставился на меня, словно я привидение с того света?

Должно быть, именно такое впечатление производил он на мистера Кренчера. Впрочем, он не сказал ни слова.

Мисс Просс засунула руку на дно своего ридикюля, сквозь слезы, с большим трудом вытащила оттуда деньги и заплатила за вино.

Пока она расплачивалась, Соломон обратился к последователям «Доброго Брута, республиканца древности» и на французском языке дал какие-то объяснения, вследствие которых все успокоились и, снова сев по местам, принялись за прежние занятия.

— Ну, — сказал Соломон, остановившись на улице у темного угла, — чего тебе нужно?

— Уж я ли не любила моего брата, я ли ему не прощала всего на свете, — причитала мисс Просс, — и после хоть бы он со мной поздоровался-то как путный!

— Вот что! Ну на тебе... эх... черт!.. На тебе! — сказал Соломон, ткнув ее губами в щеку. — Теперь довольна, что ли?

Мисс Просс качала головой и молча плакала.

— Ты, может быть, ожидала, что я очень удивлюсь при встрече с тобой? — сказал братец Соломон. — Так с чего же мне удивляться: я давно знаю, что ты здесь живешь, я почти всех знаю, кто здесь живет. Коли не хочешь подвести меня под смертельную беду — а ты, может быть, того и хочешь, — ступай своей дорогой как можно скорее, а я пойду по своим делам. Я ужасно занят. Я здесь на службе.

— Англичанин, да еще мой брат родной, — сокрушалась мисс Просс, подняв к небесам свои заплаканные глаза, — и такой способный малый, что мог бы стать каким угодно великим и знаменитым человеком у себя на родине, и вдруг пошел на службу к иностранцам, и еще каким иностранцам! Уж лучше бы, кажется, я тебя своими руками уложила...

— Ну так и есть! — прервал ее брат. — Я знал, что этим кончится. Ты норовишь меня погубить во что бы то ни стало. Родная сестра хлопочет о том, чтобы навлечь на меня подозрение... А я было только что пошел в гору!

— Боже, сохрани и помилуй! — воскликнула мисс Просс. — Лучше бы я никогда больше не встречалась с тобой, милый Соломон, даром что всегда любила тебя нежно и вперед буду все так же любить. Скажи ты мне хоть одно ласковое слово, скажи, что между нами нет ни вражды, ни отчуждения, и я тебя не стану задерживать.

Добрая душа! Как будто она была виновата в этом отчуждении, как будто мистеру Лорри не было известно давным-давно, что милый братец растратил все ее деньги и, разорив вконец, бросил на произвол судьбы!

Однако же братец на этот раз соблаговолил сказать ласковое слово, но так неохотно и таким натянуто-снисходительным тоном, как будто их относительные роли и достоинства стояли как раз наоборот, как оно всегда бывает на свете. Вдруг мистер Кренчер тронул его за плечо и совершенно неожиданно и смело задал ему следующий странный вопрос:

— Слушайте-ка! Скажите, пожалуйста, как вас зовут: Джон-Соломон или Соломон-Джон?

До этой минуты мистер Кренчер не проронил ни одного слова, и «братец» быстро обернулся к нему, окидывая его подозрительным взглядом.

— Ну-ка, объяснитесь начистоту! — сказал мистер Кренчер, сам с трудом выговаривая слова. — Джон-Соломон или Соломон-Джон? Вот она зовет вас Соломоном, и ей лучше знать, так как она вам родная сестра. А я *знаю* тоже, что вы Джон. Так которое же ваше имя, а которая фамилия? Также насчет прозвища Просс. Там, у нас за морем, вы носили не эту фамилию.

— Это что же значит?

— Да вот этого я и не знаю, что это значит, потому что никак не могу припомнить того прозвища, которым вы себя величали у нас за морем.

— Вот как! — усмехнулся Соломон.

— Да, только я готов присягнуть, что прозвище было двусложное.

— Да неужели?

— Именно. Имя того, другого, было односложное. Я вас узнал. Вы были шпионом и играли роль свидетеля в суде при Олд-Бейли. Клянусь отцом всякой лжи, который и вам должен быть сродни, не могу припомнить, как вас звали в то время?

— Барсед, — подсказал третий голос, вмешавшийся в разговор.

— Вот-вот! Это самое имя, держу пари на тысячу фунтов! — воскликнул Джерри.

Вмешавшийся в разговор был Сидни Картон. Заложив руки назад, под полы своего дорожного платья, он стоял рядом с мистером Кренчером и держал себя так же непринужденно, как бы все это происходило в судебном зале Олд-Бейли.

— Не пугайтесь, милая мисс Просс. Вчера вечером я приехал к мистеру Лорри и немало его разудивил своим появлением; мы с ним уговорились, что я никому не покажусь, пока все не кончится благополучно или пока во мне не встретится надобности. А сюда я пришел с целью поговорить с вашим братом. Жаль, что брат ваш не нашел себе лучшего занятия, как разыгрывать роль мистера Барседа. Ради вас я бы желал, чтобы мистер Барсед не был *Тюремной Овцой*.

«Овцой» в ту пору звали шпионов, служивших подручными орудиями тюремных сторожей. Шпион сильно побледнел и, обратясь к Картону, спросил, как он смеет...

— А вот сейчас я вам скажу, — сказал Сидни Картон. — Я встретил вас, мистер Барсед, с час тому назад, когда стоял перед тюрьмой Консьержери и любовался на ее стены, а вы в эту пору как раз выходили оттуда. У вас такое лицо, что его не забудешь; я же вообще памятлив на лица. Мне любопытно было проследить, что вы тут делаете; притом вам небезызвестно, что я имею причины считать вас весьма причастным к злоключениям одного моего приятеля, опять впавшего в большие несчастья. По этим причинам я пошел за вами следом. Пришел в ту же винную лавку и сел возле вас. Там вы изъяснились так откровенно, да и почитатели ваши на этот счет не стеснялись, что мне не трудно было догадаться, чем вы занимаетесь. И таким образом, то, что я сделал сначала наугад и совершенно случайно, мало-помалу приняло определенный оборот, и теперь уж я буду преследовать некоторую цель, мистер Барсед.

— Какую же это цель? — спросил шпион.

— Было бы неудобно и даже небезопасно излагать это среди улицы. Не согласитесь ли вы иметь со мной маленький секретный разговор всего на несколько минут и пойти для этого, например, в контору Тельсонова банка?

— Под угрозой?

— О-о, разве я вам угрожал?

— В таком случае зачем же я туда пойду?

— Уж право, не знаю, мистер Барсед, но, может быть, вы знаете?

— То есть вы не хотите сказать? — молвил шпион нерешительным тоном.

— Вы угадали как нельзя лучше, мистер Барсед. Не хочу, — отвечал Картон.

Беспечная небрежность его манеры оказала сильнейшее содействие его опытности и сметливости в делах такого рода; он тотчас понял, с кем имеет дело, увидел, что произвел желаемое впечатление, и не замедлил воспользоваться этим.

— Вот видишь, я тебе говорил! — сказал шпион, укоризненно взглянув на сестру. — Помни же: если со мной что-нибудь случится, это будет делом твоих рук.

— Эх, мистер Барсед! — воскликнул Сидни. — Какой же вы неблагодарный! Если бы я не питал столь великого уважения к вашей сестре, я бы не стал прибегать к таким околичностям, чтобы предложить вам небольшую сделку, могущую повести к обоюдному нашему удовольствию. Угодно вам пойти со мной в банкирскую контору?

— Я хочу узнать, что вы имеете сказать мне. Да, я пойду с вами.

— Прежде всего предлагаю довести вашу сестрицу до угла той улицы, где она живет. Позвольте взять вас под руку, мисс Просс. Нынче в здешних местах творятся такие дела, что вам не годится выходить на улицу без провожатых. А так как ваш спутник знает мистера Барседа, я приглашаю его отправиться с нами к мистеру Лорри. Готовы? Идемте.

Вскоре после того мисс Просс вспомнила (и до конца жизни не забывала), что, когда она ухватилась обеими руками за руку Сидни и, подняв на него глаза, стала его умолять не губить Соломона, она ощутила в его руке такую бодрость и решимость, а в его глазах увидела такое вдохновенное оживление, что все это плохо вязалось с его небрежной речью и положительно придавало ему какое-то величие. Но в ту минуту она была так поглощена опасениями за брата, так мало стоившего ее любви, и так внимательно прислушивалась к дружелюбным успокоениям Картона, что почти не замечала всего остального.

Доведя ее до угла, они вернулись, и Картон повел обоих мужчин к мистеру Лорри, который жил в нескольких минутах ходьбы оттуда. Джон Барсед, или Соломон Просс, шел рядом с Картоном.

Мистер Лорри только что пообедал и сидел перед камином, где весело разгорелись два-три полена; быть может, глядя на огонь, он вспоминал того, еще не очень старого, джентльмена из Тельсонова банка, который много лет назад также сидел у камина и смотрел в горящие угли в гостинице «Король Георг» в Дувре. При входе гостей он обернулся и с удивлением посмотрел на совершенно чужого человека.

— Это брат мисс Просс, сэр, — сказал Сидни, — мистер Барсед.

— Барсед? — повторил старик. — Барсед? — Это имя что-то напоминает мне... Да и лицо знакомое.

— Я вам говорил, что ваше лицо легко запоминается, мистер Барсед, — заметил Картон хладнокровно. — Садитесь, пожалуйста.

Он взял стул и для себя и мимоходом помог мистеру Лорри вспомнить, в чем дело, сказав с нахмуренным лицом:

— Свидетель в уголовном деле.

Мистер Лорри тотчас вспомнил и посмотрел на нового гостя с нескрываемым отвращением.

— Мисс Просс признала в мистере Барседе того милого братца, о котором вы слыхали, — сказал Сидни, — и он не отрицает своего родства с ней. А у меня есть вести еще похуже: Дарней опять арестован.

Пораженный ужасом, старик воскликнул:

— Что вы говорите! Часа два тому назад я его оставил свободным и благополучным и сейчас собирался идти к нему!

— А все-таки его арестовали. Когда это случилось, мистер Барсед?

— Коли случилось, то вот сейчас.

— Мистеру Барседу это должно быть доподлинно известно, сэр, — сказал Сидни. — Я потому и узнал об этом, что слышал, как мистер Барсед сообщал этот факт приятелю и сотоварищу по ремеслу за бутылочкой вина. Он сам проводил до ворот тех, кому поручено было арестовать Дарнея, и видел, как привратник впустил их в дом. Нет ни малейшего сомнения в том, что арест совершился.

Практический глаз мистера Лорри прочел на лице говорившего, что нечего терять время на сетования. Сильно смущенный, но сознавая, что многое может зависеть от его присутствия духа, он взял себя в руки, сдержался и безмолвно стал слушать.

— Я все-таки имею надежду, — сказал ему Сидни, — что имя и влияние доктора Манетта могут оказать ему такую же поддержку на завтра... Вы говорили, что его завтра же потребуют в суд, мистер Барсед?

— Да, кажется, так.

— ...такую же поддержку на завтра, какую оказали сегодня. Но может случиться, что не окажут. Признаюсь, мистер Лорри, я совсем сбит с толку тем обстоятельством, что доктор Манетт не имел силы предупредить этот арест.

— Может быть, он ничего не знал о нем заранее, — сказал мистер Лорри.

— А это уже само по себе крайне тревожное обстоятельство, принимая во внимание, как его интересы тождественны с интересами его зятя.

— Это правда, — сказал мистер Лорри, поглаживая себя дрожащей рукой по подбородку и вперив смущенный взор в Картона.

— Словом, — сказал Сидни, — время теперь такое отчаянное, что приходится играть в азартные игры и ставить отчаянные ставки. Пускай доктор играет наверняка, а я буду играть на проигрыш. Ничью жизнь покупать здесь не стоит. Сегодня человека триумфально принесут домой на руках, а завтра его же могут осудить на казнь. И вот я решился в крайнем случае сыграть в азартную и поставить себе такую ставку: завести приятеля в Консьержери. И приятелем этим я намерен взять себе мистера Барседа.

— Вы должны наперед заручиться хорошими картами, сэр, — сказал шпион.

— А вот посмотрим, какие у меня карты... Мистер Лорри, вы знаете, какая я негодная скотина; дайте мне немножко водки.

Водку принесли; он выпил рюмку, потом выпил другую, задумался и отодвинул от себя графин.

— Мистер Барсед, — продолжал он вдумчивым тоном человека, действительно разбирающего в руке сданные ему карты, — Тюремная Овца, лазутчик при республиканских комитетах, играет роль то тюремного сторожа, то арестанта, но всегда шпион и тайный доносчик; тем более ценный для своих доверителей, что он англичанин и как таковой считается менее доступным подкупу, нежели француз; при всем том мистер Барсед известен своим здешним хозяевам под фальшивым именем. Это очень хорошая карта. Мистер Барсед, ныне состоящий на службе при республиканском правительстве Франции, прежде служил аристократическому правительству Англии, то есть врагам Франции и свободы. Это отличная карта. Подозрительность здесь в большой моде, а я могу доказать ясно как день, что мистер Барсед и поныне состоит на жалованье у аристократического правительства Англии, что он шпион Питта[1], предательский враг республики, пригревающей его на своей груди, английский изменник и причина всяких бед, о котором так много толкуют и никак не могут отыскать. Это уж такая карта, которую не побьешь. Прямо козырная. Вы вникли в то, какие у меня карты, мистер Барсед?

— Я еще не понял вашей игры, — отвечал шпион с некоторым беспокойством.

— Я хожу с туза: доношу на мистера Барседа ближайшему участковому комитету. А у вас какие карты, мистер Барсед? Посмотрите хорошенько, не торопитесь.

Он подвинул к себе графин, налил рюмку водки и выпил. Он видел, что шпион боится, как бы он не напился пьян до отчаянности и не пошел сию минуту доносить на него. Заметив это, он налил себе еще рюмку и тотчас же выпил ее.

---

[1] *Уильям Питт* (1759—1806) — английский государственный деятель; премьер-министр при Георге III. Либерал по убеждениям, Питт сначала одобрительно относился к Французской революции, но, возмущенный ее крайностями, стал громить в своих речах ее главарей.

— Рассмотрите ваши карты как можно внимательнее, мистер Барсед. Не спешите.

У мистера Барседа на руках были такие плохие карты, о которых Сидни Картон даже и не знал. Лишившись в Англии своего честного заработка по той причине, что уж слишком часто лжесвидетельствовал понапрасну, а вовсе не потому, чтобы не находил на родине применения своим талантам (мы в Англии ведь с очень недавнего времени начали хвастаться тем, что не нуждаемся в шпионах), Барсед знал, что оттого он и отправился в чужие края и поступил на службу во Франции. Сначала он действовал в качестве подстрекателя и шпиона среди соотечественников, потом постепенно стал подстрекателем и шпионом среди местного населения. Он знал, что при прошлом, ныне упраздненном правительстве его приставили лазутчиком к предместью Сент-Антуан, и в особенности к винной лавке Дефаржа; тогдашняя бдительная полиция снабдила его даже такими важными сведениями касательно тюремного заключения доктора Манетта, его освобождения и истории его жизни, чтобы с помощью этих сведений он был в состоянии вступить в интимную беседу с Дефаржами; он помнил, как пробовал завязать знакомство с мадам Дефарж и как потерпел поражение в этом деле. Он всегда с ужасом вспоминал, что эта страшная женщина не покидала своего вязания во все время, пока он с ней разговаривал, и при этом поглядывала на него самыми зловещими глазами. С тех пор он десятки раз видел, как она, являясь в комитет Сент-Антуанского квартала, предъявляла там свои вязаные списки и обличала различных лиц, которых гильотина каждый раз после этого стирала с лица земли. Он отлично знал, что и ему угрожает такая же опасность; что бежать не удастся; что он, под тенью этой секиры, как бы связан по рукам и ногам; и, невзирая ни на какие его старания и подыгрывания воцарившемуся террору, одного слова было достаточно, чтобы его раздавить. Если на него донесут, да еще на таких серьезных основаниях, какие сейчас были перед ним изложены, он предчувствовал, что ужасная женщина, беспощадный характер которой был ему довольно известен, предъявит против него свой вязаный список и сразу лишит его всякой надежды на спасение своей жизни. Секретные агенты вообще бывают пугливы, а тут у него на руках было такое собрание карт пиковой масти, что было от чего смертельно побледнеть игроку, разбиравшему эти карты.

— Как видно, карточки ваши не нравятся вам, — сказал Сидни с полнейшим хладнокровием. — Будете играть?

— Полагаю, сэр, — сказал шпион самым униженным тоном, обращаясь к мистеру Лорри, — полагаю, что мне позволительно обратиться к джентльмену ваших лет и вашей благодушной наружности с просьбой поставить на вид этому другому джентльмену, который гораздо моложе вас, что ему ни под каким видом неприлично пускать в ход того козырного туза, о котором он сейчас говорил. Я сознаюсь, что я шпион, и знаю, что это ремесло считается постыдным, хотя надо же кому-нибудь исполнять его. Но... ведь этот джентльмен не шпион, так зачем же он намерен так себя унизить, чтобы сыграть роль шпиона?

— Смотрите, мистер Барсед, — сказал Картон, принимая на себя обязанность отвечать ему и взглянув на часы, — через несколько минут ведь я пойду с козырного туза, и даже без зазрения совести.

— Я бы мог надеяться, господа, — сказал шпион, все-таки желая втянуть в разговор мистера Лорри, — что из уважения к моей сестре...

— Я не мог бы искреннее выразить мое уважение к вашей сестре, как избавив ее окончательно от такого брата, — сказал Сидни Картон.

— Вы так думаете, сэр?

— Думаю положительнейшим образом.

Вкрадчивые манеры шпиона, составлявшие странный контраст с его преднамеренно грубой одеждой и, вероятно, с обычным его способом обращения, решительно разбивались о неприступную загадочность Картона, которого не могли раскусить даже люди гораздо более умные и благородные.

Шпион растерялся и не находил слов, а Картон между тем снова принял вид игрока, рассматривающего свои карты, и сказал:

— Сейчас только я сообразил, что у меня имеется еще одна очень хорошая карта, помимо тех. Кто этот ваш друг и приятель и также Тюремная Овца, который сам рассказывал, как он пасется в провинциальных тюрьмах?

— Француз. Вы его совсем не знаете, — отвечал шпион проворно.

— Француз... э-э? — повторил Картон задумчиво и притворяясь, что не обращает на него внимания, хоть и вторит его словам. — Француз? Что ж, может быть.

— Уверяю вас, что он француз, — подхватил шпион с прежней поспешностью, — хоть это и не важно.

— Хоть это и не важно, — повторил опять Картон как бы машинально. — Хоть это... и... не важно... Ну да, конечно не важно. Однако ж его лицо мне знакомо.

— Не думаю, и даже уверен, что нет. Этого быть не может! — сказал шпион.

— Быть... не... может, — пробормотал Сидни Картон, опять наливая себе рюмку (по счастью, она была маленькая). — Быть не может? Он хорошо говорит по-французски. Однако ж мне показалось, будто он не здешний, а?

— Провинциал, — сказал шпион.

— Нет, иностранец! — крикнул вдруг Картон, хлопнув ладонью по столу, и в ту же секунду его озарило воспоминание. — Это Клай! Переодетый, но я его узнал; он тоже был на суде во время уголовного процесса в Олд-Бейли.

— Позвольте вам сказать, сэр, вы слишком увлекаетесь! — сказал Барсед с улыбкой, от которой его орлиный нос еще резче склонился на сторону. — На этот раз я могу положительно опровергнуть вас. Теперь дело прошлое, и я не стану скрывать, что Клай действительно был в то время моим сотоварищем по службе. Но он умер несколько лет тому назад. Я за ним ухаживал во время его последней болезни. А похоронили его в Лондоне, в приходе Святого Панкратия. Он был так непопулярен в народе, что подлая чернь в ту пору помешала мне участвовать в его похоронах. Но я своими руками клал его в гроб.

Тут мистер Лорри заметил на стене очень странную тень. Оглянувшись, чтобы узнать, откуда она взялась, он увидел, что щетинистые волосы на голове мистера Кренчера вдруг поднялись и стали дыбом.

— Надо же быть благоразумным и сдаться на очевидность, — продолжал шпион. — Чтобы доказать, насколько вы ошибаетесь в вашем неосновательном предположении, я сейчас выложу перед вами свидетельство о погребении Клая, которое я с тех пор случайно ношу в своем бумажнике. — С этими словами он поспешно вынул и открыл свой бумажник. — Вот оно. Посмотрите, посмотрите сами. Можете и в руки взять и убедиться, что оно не подложное.

Мистер Лорри увидел в эту минуту, как странная тень удлинилась, выросла и сам мистер Кренчер поднялся с места и выступил вперед. Прическа его приняла такой диковинный вид, как будто «криворогая корова чесала его рогами», как говорится в сказке про «Домик, выстроенный Джеком».

Незаметно для шпиона мистер Кренчер приблизился к нему и тронул его за плечо, точно призрак судебного пристава.

— Касательно этого самого Роджера Клая, — сказал мистер Кренчер с мрачным выражением своего окаменелого лица. — Это вы его в гроб-то клали?

— Я.

— А кто ж его вынул оттуда?

Барсед откинулся на спинку своего стула и запинаясь проговорил:

— То есть... что вы хотите этим сказать?

— То и хочу сказать, что он там никогда и не бывал! — сказал мистер Кренчер. — Вот что! Я готов голову отдать на отсечение, что он в этом гробу никогда не бывал.

Шпион посмотрел поочередно на обоих джентльменов, они же в несказанном изумлении смотрели на Джерри.

— Я вам говорю, — продолжал Джерри, — что в этот гроб вы наложили булыжника и земли. И не думайте *меня* уверять, будто вы схоронили Клая. Это была ловушка, и больше ничего. Про то я знаю, да еще двое других.

— Как же вы это узнали?

— А вам что за дело? Ну да ладно! — проговорил мистер Кренчер. — Значит, вам же я обязан этой штукой, так и буду знать. И не совестно таким манером обманывать честных промышленников! Так бы вот взял вас за горло да и придушил за полгинеи.

Сидни Картон, не менее мистера Лорри удивленный таким оборотом дела, попросил мистера Кренчера умерить свои чувства и объясниться точнее.

— В другой раз, сэр, — отвечал Джерри уклончиво. — В настоящее время объяснения этого рода неудобны. А я все-таки стою на своем и утверждаю, что никогда этот Клай не бывал в том гробу и этот господин про то очень хорошо знает. И если он еще хоть одним-единым словечком будет уверять, что был, я или возьму его за горло и задушу за полгинеи (мистер Кренчер особенно напирал на эту оценку, очевидно думая, что запросил недорого), или пойду да и донесу.

— Гм... — промолвил Картон, — я из этого заключаю, что у меня в игре оказалась еще одна годная карта, мистер Барсед. В этом бесноватом Париже сам воздух так пропитан подозрительностью, что вам не сносить своей головы, если станет известно, что вы находитесь в постоянных сношениях с другим соглядатаем аристократического государства, вашим прежним сотоварищем и притом имеющим в своем прошлом такой таинственный факт, как мнимая смерть, а потом воскресение из мертвых! Тюремный заговор иностранцев против республики... согласитесь, это крайне важная карта: неминуемая гильотина! Что ж, будете играть?

— Нет! — отвечал шпион. — Я бросаю карты. Признаюсь, в Англии подлая чернь до такой степени невзлюбила нас, что я едва мог выбраться из Англии и каждую минуту рисковал, что меня до смерти закупают в воде, а Клай только тем и спасся, что притворился мертвым. Но я все-таки не могу понять, каким чудом этот человек мог дознаться, что то был обман?

— «Этого человека» вы оставьте в покое, — возразил обидчивый мистер Кренчер, — лучше послушайте хорошенько, что вам скажет вот этот джентльмен. А что до меня, вы так и знайте, что я бы охотно схватил вас за горло и придушил... за полгинеи.

Тюремная Овца резко повернулся к Сидни Картону и сказал ему довольно решительным тоном:

— Надо же покончить чем-нибудь. Мне нельзя пропускать своей очереди, я обязан через несколько минут уходить на службу. Вы говорите, что намерены что-то предложить мне? В чем же дело, говорите. Предупреждаю, что особенно многого от меня требовать нельзя. Если вы захотите, чтобы я сделал, в пределах моей службы, что-нибудь такое, от чего мне будет явная опасность, я не согласен: лучше уж рисковать жизнью на прежних основаниях, не имея дела с вами. Словом, я выберу такой исход. Вы упоминали об отчаянной игре. Мы здесь все отчаянные. Помните, что ведь и я могу на вас донести, если найду удобным, и не хуже других могу присягать и вредить вам из-за каменных стен. Ну, что же вам нужно от меня?..

— Да не очень много. Вы ведь и тюремный сторож Консьержери?

— Говорю вам раз навсегда, что бежать оттуда нет никакой возможности, — твердо сказал шпион.

— Зачем же вы говорите то, о чем я у вас не спрашивал? Поручают вам ключи от тюремных камер в Консьержери; да или нет?

— Иногда поручают.

— Значит, вы можете их иметь каждый раз как пожелаете?

— Да, могу входить и выходить когда хочу.

Сидни Картон налил еще одну рюмку водки, медленно вылил ее в камин и смотрел, как вытекли из рюмки последние капли. Когда водка вся вытекла, он встал и сказал:

— До сих пор мы вели переговоры при свидетелях, потому что я хотел, чтобы не одни мы с вами видели мои карты, а теперь пойдемте в ту комнату, там потемнее, а мне нужно вам сказать еще несколько слов по секрету.

Глава IX

Игра сыграна

Пока Сидни Картон с тюремным соглядатаем находились в соседней темной комнате и беседовали так тихо, что не слышно было ни звука, мистер Лорри смотрел на Джерри с изрядной долей сомнения и недоверия. И надо сознаться, что почтенный промышленник так себя держал под влиянием этого взгляда, что мог внушить подозрения. Он переминался с ноги на ногу так часто, как будто у него их было штук пятьдесят и он намерен был все перепробовать, рассматривал свои ногти с весьма сомнительным вниманием, и всякий раз, как встречался глазами с мистером

Лорри, на него нападал тот особый, сухой и короткий кашель, который обыкновенно требует прикрытия рта ладонью и, как известно, служит признаком нечистой совести.

— Джерри, — сказал мистер Лорри, — подите сюда.

Мистер Кренчер подошел бочком, выставляя одно плечо вперед.

— Чем вы еще занимались, пока были рассыльным?

После некоторого колебания мистер Кренчер пристально взглянул на хозяина, и вдруг в уме его мелькнула блистательная мысль.

— Земледелием занимался, — отвечал он.

— Сдается мне, — сказал мистер Лорри, гневно грозя ему пальцем, — что вы злоупотребляли почтенной и великой фирмой Тельсона для прикрытия беззаконного ремесла самого гнусного свойства. Если это справедливо, не думайте, что я буду оказывать вам покровительство по возвращении нашем в Англию. Коли так, не надейтесь, что я сохраню это дело в тайне. Я не допущу вас обманывать Тельсона.

— Я уповаю, сэр, — сказал сконфуженный мистер Кренчер, — что такой джентльмен, как вы, у которого я имею честь состоять, так сказать, на побегушках до тех пор, что состарился в этом деле, не захочет меня погубить сразу, а наперед выслушает, хотя бы и было справедливо то, о чем вы изволите говорить. И хотя бы оно и было, опять же надо принять во внимание, что в этом деле две стороны. С одной стороны, например, эти самые доктора и лекари, ведь они червонцы наживают там, где честный промышленник и копейками не поживится... да что я говорю, копейками! Хоть бы полкопейки или хоть четверть копейки нажить, и то хорошо... А он тем временем сыплет свои червонцы к Тельсону в банк, сыплет, а сам одним глазком посматривает на рабочего человека и этак... подмигивает ему, пока садится в свою карету либо вылезает из нее. А это разве не обман? Потому что, как говорится, гусь да гусыня в одном решете. С другой стороны, опять-таки миссис Кренчер... там у нас, в старой Англии... Она, того и гляди, хоть сейчас готова опять бухаться на колени и так отмаливать всякую удачу, что просто разорение, чистое разорение! А лекарские жены небось не бухаются, как бы не так! Нет, они себе на уме; коли и бухаются, так

366

молят Бога, чтобы у мужей побольше было пациентов. Да иначе и нельзя, иначе как же идти ихнему делу? Одно без другого не пойдет. А там еще гробовщики, да приходские писаря, да пономари, да сторожа... Все народ корыстный и жадный, так после них много ли очистится рабочему человеку, кабы и так? Да что и наживал человек, никогда ему впрок не шло, мистер Лорри. То есть никакого себе удовольствия от этого не видишь. И все время только и думаешь, как бы с этим делом развязаться совсем, да никак невозможно: куда же деваться-то, кабы и так?

— Фу! — крякнул мистер Лорри, однако же значительно смягченный. — Мне и глядеть-то на вас противно!

— Позвольте, сэр, высказать вам мою покорную просьбу, — продолжал мистер Кренчер, — на случай если бы действительно было что-нибудь такое... хотя я не говорю, что оно было...

— Перестаньте врать, — сказал мистер Лорри.

— Нет, сэр, я не буду, — отвечал мистер Кренчер, как будто ни в помыслах, ни в деяниях его не было ни тени фальши. — Я только хотел высказать, сэр, мою вам покорнейшую просьбу. А просьба вот какая. На этой самой табуретке, у этих самых ворот сидит ныне сын мой, теперь уже взрослый парень; а я его с тем растил и к тому приучал, чтобы он готов был во всякое время и со всяким усердием ходить на посылках, бегать по вашим поручениям, исполнять ваши приказания — словом, колесом вертеться, коли такое будет ваше желание. Если бы это было, чего я опять-таки не говорю, потому что не могу же я перед вами врать, сэр; тогда пускай этот парень займет отцовское место и покоит свою мать. А вы, сэр, не извольте фыркать на его отца, сделайте такую милость, и позвольте уж его отцу попросту идти в могильщики, чтобы то есть рыть могилы как следует и тем загладить свои прошлые прегрешения касательно разрывания... если бы я точно занимался этим, чего я не говорю... Чтобы, например, копать землю с усердием, имея в предмете одну прочность, и хранить их неприкосновенно. Вот, мистер Лорри, — прибавил мистер Кренчер, утирая лоб рукавом в знак того, что заканчивает свою речь, — вот что я хотел почтительнейше предложить вам, сэр. Как насмотришься на те ужасы, что творятся тут кругом, увидишь, сколько народу остается без голов, господи помилуй, сообразишь, какая пропасть этого добра, так что цена ему, должно быть, вовсе упала; стоит только взять да и унести куда хочешь, да и то, пожалуй, не стоит; так поневоле человеку приходят в голову серьезные мысли. И так как я сейчас высказал вашей милости свои мысли, то прошу вас, сэр, в случае чего не забывать, что я откровенно изложил перед вами все начистоту, хотя мог и ничего не говорить.

— Ну вот это, по крайней мере, правда, — сказал мистер Лорри. — И не говорите больше ничего. Может быть, я еще для вас что-нибудь устрою, если вы заслужите и раскаетесь не на словах только, а на деле. Слов и так было довольно.

Мистер Кренчер отвесил поклон. Сидни Картон и шпион между тем возвратились из темной комнаты.

— Прощайте, мистер Барсед, — сказал Сидни, — значит, мы с вами окончательно сговорились и вам меня бояться нечего.

С этими словами он сел в кресло у камина, напротив мистера Лорри. Как только они остались одни, мистер Лорри осведомился, что именно он сделал?

— Хорошего немного. Если дело примет плохой оборот, я обеспечил себе возможность видеться с арестантом в тюрьме — на один только раз.

Лицо старика вытянулось.

— Это все, что я мог сделать, — сказал Картон. — Если бы я добивался чего-нибудь большего, этому человеку пришлось бы рисковать своей головой, и он справедливо находит, что тогда уж лучше рисковать доносом. В этом и состояла слабая сторона нашей позиции. Больше нечего делать.

— Но если бы дело приняло на суде дурной оборот, — сказал мистер Лорри, — какую же пользу принесет ему свидание с вами? Ведь этим вы его не спасете!

— Я и не говорил, что спасу.

Глаза мистера Лорри постепенно обратились на огонь. Глубокое сострадание к его любимице Люси и тяжкое огорчение от вторичного ареста подорвали его старческие силы: он начинал дряхлеть, тревоги последнего времени измучили его — и он тихо расплакался.

— Хороший вы человек и верный друг, — сказал Картон изменившимся голосом. — Простите, если я замечаю, что вы так растроганы. Если бы я видел, как плачет мой отец, я бы не мог отнестись к этому равнодушно. А ваше горе для меня не менее священно, как если бы вы приходились мне родным отцом... Только от этого несчастья вас избавила судьба.

Произнося эти последние слова, он отчасти впал в свою прежнюю манеру, но все предыдущее было сказано так почтительно и было проникнуто таким искренним чувством, что мистер Лорри, никогда не знавший его лучших сторон, был удивлен. Он протянул ему руку, и Картон мягко пожал ее.

— Возвращаясь к вопросу о бедном Дарнее... — продолжал Картон. — Вы лучше не говорите ей об этом свидании и о моем уговоре со шпионом. Ее туда все равно не пустят. Она может подумать, что это нарочно подстроено, чтобы в худшем случае дать ему средства опередить казнь.

Мистеру Лорри это не приходило в голову, и он быстро взглянул на Картона, чтобы узнать, то ли у него в мыслях. По-видимому, было то же самое: он, очевидно, понял подозрение старика и не опровергал его.

— Мало ли что может прийти ей в голову, — продолжал он, — и всякая такая мысль будет только усиливать ее тревоги. Вы совсем не говорите ей обо мне. Я уж вам говорил по приезде сюда, что лучше мне с ней не видеться. Я и без того готов оказать ей всякую услугу, все, что в моих силах, все, что придется. Вы теперь пойдете к ней, надеюсь? Ей, должно быть, особенно скверно сегодня.

— Я сейчас туда отправлюсь.

— И отлично. Она к вам сильно привязана и крепко полагается на вас. Какова она теперь? Очень изменилась?

— Озабочена, несчастна, но все так же хороша.

— А! — произнес Картон.

То был продолжительный, скорбный звук, не то вздох, не то рыдание. Мистер Лорри с удивлением взглянул на лицо Картона, обращенное к огню: по нему не то пробежала тень, не то скользнул луч света, — старик не сумел бы определить, что именно; но это нечто мелькнуло так быстро, как пробегает ветер в яркий солнечный день по склону холма. Картон поднял ногу и носком сапога всунул обратно в очаг одно из пылающих поленьев, чуть не упавшее из решетки. На нем были высокие сапоги и белое дорожное платье по тогдашней моде; огонь ярко освещал эту светлую одежду, отчего сам он казался особенно бледен, и его длинные черные волосы в беспорядке обрамляли его задумчивое лицо. Его полная нечувствительность к огню поразила мистера Лорри, так что старик предупредил его об опасности: нога в длинном сапоге так и осталась на горящем полене, которое наконец рассыпалось раскаленными угольями под ее тяжестью.

— Я забыл, — сказал Картон.

Мистер Лорри снова стал внимательно всматриваться в его лицо. Заметив, как исхудали и обострились красивые черты этого лица, мистер Лорри подумал, что его выражение сильно напоминает ему лица арестантов, которые он так недавно наблюдал.

— Итак, сэр, ваши обязанности здесь выполнены? — сказал вдруг Картон, повернувшись к нему.

— Да. Вчера вечером, когда Люси так неожиданно ворвалась сюда, я вам говорил, что покончил наконец со всем, что было возможно здесь устроить. Я надеялся, что оставлю их здесь в полной безопасности, а сам уеду из Парижа. Мне уже выдали пропускной лист. Я совсем изготовился к отъезду.

Оба помолчали.

— Вы прожили много лет, сэр, и вам есть на что оглянуться в прошлом, — сказал Картон задумчиво.

— Мне уже семьдесят восьмой год.

— И всю жизнь провели с пользой, постоянно были заняты, пользовались уважением, доверием, влиянием?

— Я был практическим деятелем с тех пор, как возмужал, и даже могу сказать, что еще мальчиком был всегда занят делом.

— Какое же важное место вы занимаете на семьдесят восьмом году жизни! Какое множество людей будут тужить, когда вас не станет!

— Я одинокий старый холостяк, — отвечал мистер Лорри, качая головой, — по мне и плакать-то некому.

— Как можно это говорить! А *она* разве не будет вас оплакивать, и ее девочка тоже?

— Да, да, благодаря Бога. Я не совсем то хотел сказать.

— А ведь вам есть за что благодарить Бога, скажите-ка?

— Конечно, конечно.

— Если бы вы имели причины сказать сегодня своему одинокому сердцу: «Я не нажил себе ни любви, ни привязанности, ни благодарности, ни уважения ни одного человеческого существа, не приобрел места ни в чьем нежном сердце, не совершил ни одного хорошего или полезного поступка, за который стоило бы помнить меня и помянуть добром», ведь ваши семьдесят восемь лет большой тяжестью навалились бы вам на плечи, признайтесь?

— Да, правда, мистер Картон, я думаю, что так.

Сидни снова вперил глаза в огонь и, помолчав несколько минут, сказал:

— Мне хочется вас спросить: ваше детство кажется вам ужасно далеким или нет? Те дни, когда вы сидели на коленях у своей матери, они вам представляются неизмеримо далекими?

Мягкий тон его речи подействовал на мистера Лорри, и он отвечал с большой искренностью:

— Лет двадцать тому назад — да, это было так, но в мои теперешние годы — нет. По мере того как близится конец, я как будто приближаюсь к самому началу. Это, должно быть, один из способов, которым Божественное милосердие сглаживает наш путь к смерти. Нынче во мне часто возникают умилительные воспоминания, давно позабытые, о моей миловидной и молоденькой матери... а я-то уж какой хилый старик!.. И многие другие воспоминания о тех днях, когда мои недостатки еще не вкоренились в мою душу...

— Это я понимаю! — воскликнул Картон, вспыхнув. — И не правда ли, вы становитесь лучше от таких воспоминаний?

— Надеюсь, что лучше.

Тут Картон прекратил разговор, встал и помог старику одеться в теплое платье.

— А вы-то еще совсем молодой человек, — сказал мистер Лорри, возвращаясь к прежней теме.

— Да, — отвечал Картон, — я не стар, но вел не такую жизнь, которая доводит до старости. И будет с меня.

— Ох, и с меня уж довольно, — сказал мистер Лорри. — Что же, пойдем, что ли?

— Я провожу вас до *ее* ворот. Вам известны мои бродячие привычки. Если я сегодня долго прошатаюсь по улицам, не пугайтесь: поутру я непременно приду. Вы отправитесь в суд завтра утром?

— Да, к несчастью.

— И я там буду, но только в толпе. Мой шпион отыщет для меня местечко. Позвольте взять вас под руку, сэр.

Мистер Лорри оперся на его руку, они вместе спустились с лестницы и вышли на улицу. В несколько минут они достигли того дома, куда шел мистер Лорри. Тут Картон отстал от него, но остановился неподалеку и, как только калитка заперлась, вернулся назад и потрогал ее руками. Он слышал о том, что *она* ежедневно ходила к тюрьме, и говорил себе, оглядываясь кругом:

— Вот тут она выходила, поворачивала в ту сторону... должно быть, часто ступала по этим камням... пойду и я по ее стопам.

Было десять часов вечера, когда он очутился под стенами крепостной тюрьмы, где она столько раз стояла. Маленький человек, промышлявший пилкой дров, только что запер на ночь свою лавочку и, стоя у двери, курил трубку.

— Добрый вечер, гражданин, — сказал Сидни Картон, заметив, что пильщик смотрит на него вопросительно.

— Добрый вечер, гражданин.

— Как поживает республика?

— То есть гильотина? Да недурно. Шестьдесят три головы сегодня! Скоро до сотни дойдем. Самсон и его прислужники жалуются, что даже устают. Ха-ха-ха! Уморительный парень этот Самсон! Ловко бреет.

— А вы часто ходите смотреть, как он?..

— Бреет-то? Всякий день непременно. Молодец у нас цирюльник! Видали вы, как он работает?

— Никогда не видал.

— Сходите посмотрите, особенно когда у него большая партия. Вы только представьте себе, гражданин! Сегодня он отправил шестьдесят три штуки, прежде чем я успел выкурить две трубки! Так и не докурил второй, честное слово!

Маленький человек ухмылялся во весь рот и протягивал ему свою трубку в доказательство того, чем он измеряет ловкость палача. Картону до такой степени захотелось свернуть ему шею, что он повернулся и пошел прочь.

— Ведь вы не англичанин! — закричал ему вслед пильщик. — Зачем же вы ходите в английском платье?

— Я англичанин, — сказал Картон, оглянувшись на него через плечо.

— А говорите как настоящий француз.

— Я здесь учился, студентом был.

— Ага! Совсем как француз. Доброй ночи, англичанин!

— Доброй ночи, гражданин!

— А вы все-таки сходите посмотреть нашего Самсона, — настойчиво кричал ему вслед пильщик, — да не забудьте с собой трубку захватить!

Отойдя недалеко оттуда, Сидни остановился посреди улицы под мерцавшим фонарем и на клочке бумаги написал что-то карандашом. Потом твердым и решительным шагом человека, хорошо помнившего дорогу, он прошел несколько темных и грязных улиц — гораздо грязнее, чем обыкновенно, так как в эти дни террора совсем перестали их чистить, — и остановился перед аптекарским магазином, который сам хозяин только что собирался запирать собственноручно. Помещение было тесное, темное, в узком, извилистом переулке, и хозяин тщедушный, тусклый и уродливый.

Подойдя к прилавку, Картон и этому гражданину пожелал доброго вечера и положил перед ним бумажку.

Аптекарь взглянул на нее, тихо свистнул и засмеялся: «Хи-хи-хи!»

Сидни Картон не отозвался на этот смех, и аптекарь сказал:

— Это для вас, гражданин?

— Для меня.

— Вы будьте осторожны, не держите их вместе. Вам известно, какие бывают последствия от смешения этих веществ?

— Известно.

Аптекарь приготовил и вручил ему несколько маленьких пакетиков. Картон засунул их поодиночке во внутренние карманы своего камзола, отсчитал деньги, заплатил и не спеша вышел из лавки.

— До завтра больше нечего делать,— подумал он вслух, взглянув вверх, на луну. — А спать нельзя.

Не прежним беспечным тоном произнес он эти слова, глядя на быстро несущиеся облака: в них не было ни легкомыслия, ни небрежности. То была установившаяся решимость усталого человека, который странствовал, боролся, терял дорогу, но вот наконец попал на истинный путь и завидел впереди свою цель.

Давно-давно, когда в среде товарищей своей первой молодости он считался юношей, подающим самые блестящие надежды, — он хоронил своего отца. Мать его умерла задолго прежде. И вдруг, пока он шел по темным улицам, в тени тяжелых зданий, а месяц и облака высоко плыли по небу, ему припомнились торжественные слова, произнесенные у могилы его отца: «Я есмь воскресение и жизнь, — сказал Господь, — верующий в Меня, если и умрет, оживет, и всякий живущий и верующий в Меня не умрет вовек».

В городе, над которым царила секира палача, в одиночестве темной ночи, с естественной печалью на сердце о тех шестидесяти трех, которые пали сегодня, и о тех, кого та же участь ожидает назавтра, и обо всех ожидающих своей очереди, сидя в тюрьмах, — легко было проследить, каким путем напал он на эти слова и какая сила вызвала их со дна души, как старый, заржавевший якорь, который вытаскивают из глубины моря. Но он в это не вникал, а просто повторял их на ходу.

С серьезным интересом присматривался он к освещенным окнам домов, где люди ложились спать, чтобы на несколько часов позабыть об окружающих ужасах, смотрел на башни церквей, где никто больше не молился, — так сильно было отвращение народа от представителей религий, в которых в течение долгого времени он видел только грабителей, обманщиков и развратников. Смотрел на решетки отдаленных кладбищ, где над воротами было написано, что там «вечный покой». Смотрел на стены тюрем, наполненных арестантами, и на сами улицы, по которым ежедневно провозили десятки осужденных на смерть и сделали из этого зрелище до такой степени обыденное и простое, что в уме народа не сложилось даже никакой легенды о печальной душе, навещающей местность под тенью гильотины. С серьезным интересом ко всем явлениям жизни и смерти в этом городе, отходящем на покой, на краткий промежуток отдыха среди своего беснования, Сидни Картон перешел через Сену и вступил в освещенные кварталы.

Экипажей на улицах было немного, так как люди, ездившие в каретах, навлекали на себя подозрения. Поэтому и чистая публика натягивала себе на голову красные колпаки и, обувшись в толстые башмаки, ходила пешком. Однако ж все театры были полны, и, когда он проходил мимо, народ весело выходил оттуда и, оживленно болтая, расходился по домам.

У дверей одного из театров стояла девочка с матерью: они выбирали дорогу, где бы лучше пройти поперек улицы через грязь. Картон взял девочку на руки, перенес и, прежде чем ее робкая ручка соскользнула с его шеи, попросил позволения поцеловать ее.

«Я есмь воскресение и жизнь, — сказал Господь, — верующий в Меня, если и умрет, оживет, и всякий живущий и верующий в Меня не умрет вовек».

Когда на улицах все смолкло и настала ночная тишина, эти слова стояли в воздухе, отдавались в отголоске его шагов. Он шел твердой и спокойной поступью и по временам повторял их про себя, но они слышались ему беспрерывно.

Ночь проходила. Он стоял на мосту, прислушиваясь к воде, плескавшей о берега, в том месте парижского острова, где дома так живописно группируются вокруг собора, обдаваемые лунным сиянием. Под утро луна побледнела и глянула на него с небес помертвевшим лицом. И ночь, и звезды побледнели, все замерло, как будто все мироздание было отдано во власть смерти.

Но взошло солнце, и его длинные яркие лучи засверкали все теми же словами, что слышались ему всю ночь, и пронизали его сердце теплом и светом. Благоговейно прикрыв глаза, он сквозь пальцы взглянул на солнце, и ему показалось, что от него пролегает к нему сияющий мост, а река внизу радостно засверкала.

В тишине раннего утра сильный прилив, так мощно, так глубоко и неудержимо поднимавший уровень воды, подействовал на него благотворно, как нечто дружеское, однородное с ним. Он пошел берегом все дальше, за город, и, отдыхая на пригретом солнцем берегу, уснул. Проснувшись и снова очутившись на ногах, он еще некоторое время постоял тут, пристально глядя на одно место реки, где вода долго и бесцельно кружилась, пока течение не поглотило ее и не унесло дальше — к морю.

— Точно меня! — молвил он.

Потом показалась вдали купеческая баржа: ее парус, подернутый мягким цветом блеклого листа, быстро подвигал ее против течения; она прошла мимо и скрылась вдали. Когда ее беззвучный след исчез на воде, из его сердца вылилась молитва о милосердном снисхождении ко всем его жалким ошибкам и заблуждениям, и в конце этой молитвы он опять услышал слова: «Я есмь воскресение и жизнь...»

Когда он пришел к мистеру Лорри, старика уже не было дома, и легко было догадаться, куда он ушел. Сидни Картон выпил чашку кофе, поел немного хлеба, умылся, переменил белье и отправился в суд.

Зал суда был весь на ногах и в воздухе стоял смутный говор в ту минуту, как шпион, от которого многие шарахнулись в испуге, провел его в темный закоулок, откуда все было видно. Мистер Лорри был тут, и доктор Манетт. И *она* была тут: сидела рядом с отцом.

Когда ее мужа ввели в зал, она обратила на него взор до того ясный, ободрительный, до того преисполненный благоговейной любви и сострадательной нежности, что здоровая кровь бросилась ему в лицо, глаза его вспыхнули оживлением и сердце ожило. Если бы было кому наблюдать, какое впечатление этот взгляд ее произвел на Сидни Картона, тот увидел бы, что впечатление было вполне тождественное.

Перед этим беззаконным трибуналом не соблюдалось почти никаких правил судопроизводства, и обвиняемым не давали шансов в виде объяснений и оправданий своих поступков. Если бы в прежнее время не было такого чудовищного злоупотребления всеми законами, формами и околичностями, не было бы и такой революции, которая в порыве самоубийственного мщения уничтожила всякие законы и развеяла их по ветру.

Все глаза были устремлены на присяжных. Эта корпорация состояла все из тех же добрых патриотов и отъявленных республиканцев, которые сидели тут вчера и третьего дня и будут сидеть завтра и многие последующие дни. Среди них особенно выдавался своим ревностным усердием человек с алчным лицом, имевший привычку беспрестанно подносить пальцы к губам. Вид его, очевидно, доставлял особенное удовольствие зрителям: этот присяжный отличался кровожадными инстинктами и всегда требовал смертной казни, как настоящий людоед. То был Жак Третий из предместья Сент-Антуан. И все собрание присяжных можно было уподобить стае охотничьих собак, которым поручили судить дичину.

Потом все глаза обратились на пятерых судей и на публичного обвинителя. На этот раз тут неоткуда было ждать смягчения: ясно было, что настроение у всех свирепое и беспощадное. В публике одобрительно переглядывались, кивали друг другу, затем склоняли головы и внимательно прислушивались.

— Шарль Эвремонд, по прозвищу Дарней. Выпущен на свободу вчера. Снова обвинен и снова арестован вчерашнего числа. Обвинительный акт вручен ему вчера вечером. Подозреваем и обличен как враг республики, аристократ, потомок заведомых тиранов, принадлежит к фамилии осужденных на истребление, так как они пользовались ныне уничтоженными правами своими для гнусных притеснений, чинимых народу. Вследствие такового решения Шарль Эвремонд, по прозвищу Дарней, подлежит смерти по закону.

Так говорил публичный обвинитель.

Председатель спросил, был ли на обвиняемого открытый донос или секретный?

— Открытый, гражданин председатель.

— Кто доносил?

— Три голоса: Эрнест Дефарж, виноторговец из квартала Сент-Антуан...

— Хорошо.

— Тереза Дефарж, жена его...

— Хорошо.

— Александр Манетт, врач.

В зале поднялся большой шум, и все увидели, как доктор Манетт встал со своего места, бледный и дрожащий.

— Гражданин председатель, с негодованием объявляю вам, что это обман и подлог. Вам известно, что обвиняемый женат на моей дочери. Моя дочь и все, кто ей дорог, для меня дороже собственной жизни. Кто таков и где тот лживый заговорщик, который мог сказать, что я доношу на мужа родной дочери?

— Гражданин Манетт, успокойтесь. Сопротивление власти трибунала есть такое преступление, которое может лишить вас покровительства закона. Что до того, кто вам дороже жизни, то для доброго гражданина ничто не должно быть дороже республики.

Громкие крики одобрения приветствовали этот выговор. Председатель зазвонил в колокольчик и с горячностью продолжал:

— Если бы республика потребовала от вас пожертвовать вашей родной дочерью, вашей прямой обязанностью было бы отдать ее в жертву республике. Слушайте, что будет дальше! А пока молчите.

Со всех сторон опять поднялись бешеные крики. Доктор Манетт, озираясь кругом, сел на свое место. Губы его сильно дрожали. Дочь прильнула ближе к нему. Присяжный с алчным лицом потер себе руки и одну из них по-прежнему поднес ко рту.

Когда в зале настолько стихло, что можно было расслышать слова, вызвали Дефаржа, который бегло изложил историю тюремного заключения доктора, сказал, что еще мальчиком был у него в услужении, и что потом его, доктора, выпустили из Бастилии, отдали ему на попечение, и в каком он был виде в это время. Но суду некогда было останавливаться на подробностях, и он перешел к следующему краткому допросу:

— Гражданин Дефарж, вы достойно послужили республике при взятии Бастилии?

— Думаю, что послужил.

Тут из толпы раздался пронзительный женский голос, кричавший:

— Вы были одним из величайших патриотов в этом деле! Почему же не сказать этого? В тот день вы были канониром и одним из первых ворвались в проклятую крепость, когда она сдалась. Граждане, я говорю правду!

То был голос Мести, и публика горячо приветствовала ее вмешательство в судоговорение. Председатель зазвонил в колокольчик, но Месть, еще пуще возбужденная одобрением публики, закричала: «А мне что за дело до вашего колокольчика!» — за что ее также расхвалили.

— Сообщите трибуналу, что вы делали в тот день в стенах Бастилии, гражданин Дефарж.

Дефарж с высоты эстрады посмотрел на свою жену, которая стояла у подножия ступеней и не спускала с него глаз.

— Я знал, — сказал он, — что арестант, о котором сейчас шла речь, содержался в одиночной келье, известной под именем номера сто пятого, в Северной башне. Этот факт я узнал от него самого. Он и себя иначе не называл, как номером Сто пятым Северной башни, во все время, пока находился на моем попечении и шил башмаки. В тот день, когда мы брали Бастилию и я состоял при пушке, я решил, как только возьмем крепость, непременно побывать в этой келье. Крепость пала. Я отправился в келью в сопровождении другого гражданина, находящегося ныне в составе присяжных, и одного из тюремных сторожей и стал очень внимательно осматривать всю камеру. В отверстии, проделанном в стенке каминной трубы и заложенном камнем, я нашел тетрадь исписанной бумаги. Вот она, перед вами. Я озаботился сличить ее с другими рукописями доктора Манетта и убедился, что это писано его рукой. Вручаю эту тетрадь, написанную доктором Манеттом, председателю.

— Прочесть ее вслух!

Настала мертвая тишина. Арестант смотрел с любовью на свою жену, она смотрела то на него, то на отца своего. Доктор Манетт смотрел только на чтеца. Мадам Дефарж впилась глазами в подсудимого; сам Дефарж не спускал глаз со своей торжествующей жены; остальная публика глазела на доктора, который никого и ничего перед собой не видел. При таких обстоятельствах прочтено было следующее.

Глава X
Тень воплощается в плоть и кровь

«Я, Александр Манетт, несчастный врач, родом из города Бове, впоследствии переселившийся в Париж, пишу эти печальные строки в мрачной тюрьме, в стенах Бастилии, в декабре 1767 года. Пишу украдкой и урывками, при самых затруднительных обстоятельствах. Намереваюсь прятать свое писание в стенку камина, где медленно и прилежно приготовил для него потаенное место. Чья-нибудь сострадательная рука, быть может, найдет его там через много лет, когда я сам и мои печали распадутся прахом.

Вывожу эти слова концом ржавого железного гвоздя, обмакивая его в смесь угольной пыли и каминной сажи с кровью, и принимаюсь за писание в последний месяц десятого года моего тюремного заключения. Никакой надежды больше нет в моей душе. По некоторым страшным признакам, которые подмечаю в себе самом, думаю, что вскоре сойду с ума, но торжественно заявляю, что в настоящее время нахожусь в здравом уме и полной памяти; до малейших подробностей помню все то, что хочу рассказать здесь; и попадет ли мое показание в руки людей или нет, все равно в этих моих последних словах будет изложена чистейшая правда, за которую буду отвечать перед Вечным Судилищем.

В одну облачную, но лунную ночь во второй половине декабря месяца (кажется, двадцать второго числа) 1757 года я вышел подышать морозным воздухом из своей квартиры, находившейся на улице Медицинской Школы, и за час ходьбы от этого места шел по набережной реки Сены, как услышал за собой стук кареты, мчавшейся во весь опор. Опасаясь быть задавленным, я посторонился, чтобы пропустить экипаж мимо, но тут в окне кареты показалась голова, и громкий голос приказал кучеру остановиться.

Карета остановилась, как только кучер мог сдержать лошадей, и тот же голос окликнул меня по имени. Я отозвался. Между тем карета успела промчаться так далеко вперед, что двое сидевших в ней мужчин имели время отворить дверцу и выйти на дорогу, прежде чем я поравнялся с ними. Я заметил, что оба кутались в плащи и как будто не хотели быть узнанными. Пока они стояли рядом у входа в карету, я заметил также, что оба казались одних лет со мной или немного моложе и были чрезвычайно похожи друг на друга ростом, осанкой, голосом и, насколько я мог судить, лицом также.

— Вы доктор Манетт? — спросил один из них.

— Точно так.

— Доктор Манетт, родом из Бове, — сказал другой, — молодой врач, сначала искусный оператор, а за последние два года прославившийся в Париже как замечательный доктор?

— Господа, — отвечал я, — я тот доктор Манетт, о котором вы даете столь лестный отзыв.

— Мы были у вас на квартире, — сказал первый, — но, не имея счастья застать вас и узнав, что вы пошли гулять, по всей вероятности, в эту сторону, поехали сюда в надежде вас догнать. Не угодно ли вам сесть к нам в карету?

Оба отличались повелительными манерами и, говоря это, встали так, что я очутился между ними и дверцей кареты. Они были вооружены, а при мне никакого оружия не было.

— Господа, — сказал я, — извините меня, я имею обыкновение сперва справляться, кто делает мне честь пригласить меня и какого свойства тот недуг, ради которого меня призывают.

На это отвечал второй из говоривших.

— Доктор, — сказал он, — ваши клиенты принадлежат к дворянскому сословию. Что до свойства недуга, мы так доверяем вашему искусству, что, наверное, вы сами можете определить его на месте гораздо лучше, нежели мы в состоянии описать. Потрудитесь войти в карету.

Мне оставалось лишь повиноваться, что я и сделал молча. Они оба последовали за мной, причем последний сначала закинул подножки, а потом впрыгнул в карету.

Дверца захлопнулась, карета повернула назад и так же стремительно помчалась в обратном направлении.

Привожу разговор в точности. Не сомневаюсь, что запомнил каждое слово и описываю все совершенно так, как оно происходило, заставляя свой ум не уклоняться в сторону. Когда отмечаю в рукописи звездочками, это значит, что я на время прекращаю писание и прячу тетрадку в потаенное место.

* * *

Карета выехала за город через северную заставу и покатилась по мягкой дороге. Миновав около двух третей первой мили от заставы (я сообразил расстояние не в то время, а потом, когда опять проезжал туда), мы свернули из главной аллеи в сторону и остановились перед уединенным домом. Мы все трое вышли из кареты и пошли по влажной, мягкой тропинке через сад, где был заброшенный фонтан, к дому. У двери позвонили в колокольчик, но изнутри нам не вдруг отворили, и один из моих путеводителей с размаху ударил тяжелой дорожной перчаткой по лицу того слугу, который отпер нам двери.

В этом движении не было ничего чрезвычайного, потому что я не раз видел, как господа колотили простолюдинов более бесцеремонно, чем собак. Но дело в том, что и другой, также осердившись, мимоходом тоже ударил служителя рукой по лицу, и при этом сходство обоих было так поразительно, что я тотчас догадался, что они родные братья и близнецы.

С той минуты, как мы остановились у ворот внешней ограды, которая была заперта (один из братьев отпер ее и снова запер, когда мы проникли в сад), я слышал крики, исходившие из комнаты верхнего этажа. Меня тотчас повели в эту комнату, и, по мере того как мы поднимались по лестнице, крики становились явственнее; я застал в постели пациентку в жару и в сильнейшем возбуждении мозга.

Пациентка была женщина необыкновенной красоты и молодая, немногим более двадцати лет. Волосы ее были всклокочены, местами вырваны, а руки привязаны к бокам поясами, носовыми платками и обрывками мужской одежды. На одном из таких обрывков, который был первоначально шелковым шарфом с бахромой и составлял часть парадного костюма, я увидел вышитый дворянский герб и букву „Э".

Все это я заметил с первых минут осмотра пациентки: беспрерывно метаясь по постели, она сползла на край и, обернувшись ничком, забрала шарф себе в рот, так что рисковала задохнуться. Первым моим делом было перевернуть ее навзничь и, вытащив шарф, облегчить ее дыхание; вот тут-то мне и бросилась в глаза вышивка в одном из углов шарфа.

Я осторожно повернул ее на спину, положил ей руки на грудь, чтобы успокоить ее и придержать, и посмотрел ей в лицо. Ее глаза были расширены и дико блуждали, и она часто и пронзительно вскрикивала, повторяя все одни и те же слова: „Мой муж, мой отец, мой брат!" — потом считала вслух до двенадцати, произносила „тсс!" и на несколько секунд замолкала, как бы прислушиваясь, после чего снова испускала пронзительные крики, бормотала: „Мой муж, мой отец, мой брат..." — считала до двенадцати и опять произносила „тсс!". Ни в порядке этих слов, ни в способе их произнесения не было ни малейшей перемены; так же однообразны были и краткие перерывы криков в известном месте.

— Как давно это продолжается? — спросил я.

Для отличия одного от другого я буду называть их старшим и младшим. Старший брат — тот, который на вид пользовался наибольшим авторитетом, — ответил мне:

— Со вчерашнего вечера, стало быть около суток.

— Есть у нее муж, отец и брат?

— Есть брат.

— Не с ее ли братом имею честь говорить?

Он с величайшим пренебрежением ответил:

— Нет!

— Не было ли в недавнее время случая, сопряженного в ее уме с цифрой двенадцать?

Младший брат отвечал с оттенком нетерпения:

— Двенадцать часов.

— Вот, видите ли, господа, — сказал я, продолжая держать руки на ее груди, — как мало я могу вам быть полезен в том состоянии, в каком вы меня привезли. Если бы я наперед знал, что увижу, я бы запасся тем, что нужно. А при настоящих обстоятельствах мы потеряем драгоценное время. В таком уединенном месте не найдешь никаких медикаментов.

Старший брат переглянулся с младшим, который сказал надменно: „Здесь есть ящик с лекарствами", пошел, достал его из шкафа и поставил на стол.

* * *

Я откупорил несколько пузырьков, понюхал их, прикладывал пробки к губам и убедился, что все это сонные зелья, сами по себе чрезвычайно ядовитые. Если бы не такой случай, ни одно из них не годилось бы в дело.

— Вы сомневаетесь в их действительности? — спросил меня младший брат.

— Вы видите, сударь, что я намерен ими воспользоваться, — отвечал я и больше ничего не сказал.

С большим трудом и после многократных усилий я заставил больную проглотить лекарство. Так как через некоторое время нужно было повторить прием и, кроме того, наблюдать за его действием, я сел у постели. В комнате прислуживала робкая и тихая женщина, жена того слуги, что отворял нам дверь; она незаметно удалилась и села в угол. Дом был сырой, обветшалый, скудно меблированный, — очевидно, его заняли лишь недавно, и то на короткое время. Поверх окон приколотили гвоздями тяжелые старинные драпировки, чтобы заглушить крики. А они продолжались, все так же правильно чередуясь с возгласами: „Мой муж, мой отец, мой брат" — и опять счет от одного до двенадцати, „тсс!..» и затишье. Металась она так отчаянно, что я не решился развязать ей руки; проверил только, так ли они связаны, чтобы не причинять ей лишнего страдания. Единственной искрой ободрения было для меня то обстоятельство, что, когда я держал руку на груди пациентки, она как будто стихала и по нескольку минут иногда лежала спокойно. На ее бред это не имело влияния: он продолжался все так же неизменно.

Видя, что мое прикосновение действует так успокоительно (так, по крайней мере, мне казалось), я уже с полчаса сидел у постели, а оба брата стояли возле и смотрели на меня, как вдруг старший сказал:

— Есть и другой пациент.

Я встрепенулся и спросил: „И также требует безотлагательной помощи?“

— Лучше сами посмотрите, — отвечал он равнодушно и взял в руки свечу.

* * *

Другой пациент лежал в верхнем этаже отдаленной части дома, по другой лестнице, в просторной комнате вроде чердака, под самой крышей. Над некоторой частью этого помещения был низкий оштукатуренный потолок, остальная часть была открыта вплоть до черепиц, покрывавших крышу, с перекрещенными вверху бревнами. Тут были навалены запасы сена и соломы, связки прутьев для топлива и куча яблок, пересыпанных песком. Мне пришлось пройти мимо всего этого на пути к пациенту. Я все помню очень ясно и подробно; нарочно роюсь в своей памяти, чтобы испытать, насколько она уцелела к концу этого десятого года моего заключения в Бастилии, и, как сейчас, вижу перед собой все то, что видел тогда.

На полу на куче сена, с подкинутой под голову подушкой, лежал красивый крестьянский мальчик, подросток, никак не старше семнадцати лет. Он лежал на спине, стиснув зубы, держа сжатый кулак правой руки на своей груди и устремив горящие глаза вверх, над собой. Я не мог рассмотреть, где у него рана, и, припав на одно колено, нагнулся к нему, но тотчас понял, что он умирает от раны, нанесенной ему острым орудием.

— Я доктор, мой бедняжка, — сказал я. — Дай мне осмотреть твою рану.

— Нечего ее осматривать, — отвечал он, — и так ладно.

Рана была у него под рукой, и я, понемногу смягчив его, уговорил отнять руку от груди. Он был проколот шпагой часов за двадцать или за сутки назад, но, если бы и тотчас была подана ему медицинская помощь, не было возможности его спасти. Он быстро подвигался к смерти. Я обернулся к старшему брату и увидел, что он смотрит на этого прелестного умирающего мальчика, точно это не человек, а какая-нибудь раненая птица, заяц или кролик.

— Каким образом это случилось, сударь?

— Это простой взбесившийся щенок! Крепостной! Вынудил моего брата обнажить шпагу и пал от его руки, точно дворянин!

В этом ответе не было ни тени жалости, печали или человечного отношения. Говоривший как будто признавал, что считает неприличным, чтобы это создание чуждой ему породы умирало тут, под его кровом, вместо того чтобы издыхать на обычный лад своего темного и нечистого племени. Ему и в голову не приходило пожалеть этого мальчика или потужить о его судьбе.

Пока он говорил, глаза мальчика медленно обратились на него, потом так же медленно он перевел их на меня.

— Доктор, они ужасные гордецы, эти дворяне, но и мы, простые щенки, иногда бываем горды. Они нас грабят, оскорбляют, колотят, убивают, а все-таки и у нас иногда бывает немножко гордости. Она... вы ее видели, доктор?

Ее крики и возгласы даже отсюда были слышны, хотя расстояние смягчало их. Но он говорил о ней, как будто она была тут же.

Я отвечал: „Да, я ее видел".

— Это моя сестра, доктор. Многие годы эти дворяне пользовались своим гнусным правом ругаться над скромностью наших сестер, однако же были между ними хорошие девушки. Я сам про то знаю, и отец мой говорил то же. Она была хорошая девушка и была помолвлена за хорошего парня из его же крепостных. Мы все были крестьяне одного помещика... вот этого, что стоит здесь. А тот, другой, брат его — худшее отродье проклятого племени!

Мальчик говорил с величайшим усилием, собирая для этого свои последние физические силы, но его дух проявлялся с ужасающей энергией.

— Этот человек, что стоит здесь, так грабил нас, как вообще такие высокие особы грабят нас, простых собак; облагал нас пошлинами и оброками, заставлял даром работать на себя, приказывал молоть наш хлеб не иначе как на его мельнице, велел пасти его домашнюю птицу на наших тощих нивах, а нам под страхом смерти запрещал держать хоть одну такую птицу; и вообще так грабил и обирал нас, что, когда, бывало, случалось в семье добыть кусок мяса на обед, мы съедали его со страхом и трепетом, при запертых дверях, за закрытыми ставнями, чтобы его люди как-нибудь не увидели и не отняли у нас этого куска... Словом, так он нас теснил, так разорял, что наш отец говаривал: „Страшное дело — произвести на свет ребенка, и, когда молишься Богу, пуще всего надо просить Его, чтобы наши женщины были бесплодны и чтобы наше несчастное племя вымерло окончательно!"

До сих пор я никогда не видел, чтобы сознание переносимых притеснений вырывалось с такой силой. Я думал, что народ сознает это, но как-нибудь тупо, неясно; этот умирающий мальчик впервые показал мне, что подобное сознание может прорваться как пламя.

— Однако же, доктор, сестра моя вышла замуж. Он, бедняга, в то время был уже хворый, и она с тем и вышла за него, чтобы ухаживать за милым и поселить его в нашем домишке, который этот человек назвал бы собачьей конурой. Через несколько недель после ее свадьбы брат этого человека увидел ее, и она ему так понравилась, что он стал просить этого человека отдать ее ему... потому что стоило ли обращать внимание на то, что у нее был муж!.. Тот был не прочь удружить своему брату, но моя сестра хорошая женщина и возненавидела его брата так же сильно, как и я. И вот эти двое стали выдумывать средство так повлиять на ее мужа, чтобы тот сам уговорил ее отдаться этому человеку.

Глаза мальчика, пристально устремленные на меня, медленно обратились тут на хладнокровного зрителя, и по лицу обоих я увидел, что все сказанное мальчиком было чистой правдой. Как теперь, вижу эти два противоположных типа гордости, взиравшие друг на друга: в глазах родовитого барина стояло одно презрительное равнодушие, в глазах плебея — целая буря попранных чувств и жажда мести.

— Вам известно, доктор, что эти дворяне, между прочим, имеют право запрягать нас, простых собак, в телеги и ездить на нас как на скотах; и они запрягали его и ездили на нем. И еще они имеют право выгонять нас по ночам на поля своей усадьбы унимать лягушек, нарушающих их благородный сон. Они и это делали: ночью, когда встают по болотам вредные туманы, они его держали в поле, а на день опять запрягали в тележку. Но он не сдавался. Нет! Один раз, около полудня, его выпрягли и пустили поесть... коли найдет еды... а он всхлипнул двенадцать раз, ровно по одному разочку на каждый час, пока били часы, да и умер у нее на груди.

Только тем и держалась жизнь в этом мальчике, что ему так страстно захотелось высказать все свои обиды. Смерть надвигалась, но он ее отталкивал и, все так же крепко сжимая свой правый кулак, зажимал им рану.

— Тогда, с дозволения вот этого брата и даже с его помощью, тот увез ее к себе. Да, несмотря на то что она наверное ему сказала и что вам известно, доктор, или скоро будет известно, тот брат увез ее к себе ради забавы, для развлечения, на короткое время. Я видел, как ее провезли мимо меня по дороге. Когда я пришел домой и рассказал это своим домашним, у моего отца сердце лопнуло; он не произнес ни одного слова... а их много накопилось у него в сердце. Тогда я взял младшую сестру (у меня есть еще одна) и спрятал ее так, что тот ее не достанет... или, по крайности, не будет она *его* рабой. Потом я выследил его брата до этого дома и вчера вечером забрался сюда... да, я простая собака, а все-таки забрался со шпагой в руках... вот сюда... Где тут окно? Слуховое окно... оно тут было?

У него уже темнело в глазах и кругозор становился все теснее. Я оглянулся вокруг и тут только заметил, что сено и солома были разметаны и притоптаны по полу, как будто тут происходила борьба.

— Она услышала мой голос и прибежала сюда. Я сказал ей, чтобы не подходила близко, пока я его не убью. Он вошел и сначала швырнул мне денег, а потом ударил меня хлыстом. Но я, хоть и простая собака, так напал на него, что заставил обнажить шпагу. Уж на сколько бы кусков ни переломил он теперь свою шпагу, а обагрил он ее моей недворянской кровью... И должен был обнажить ради самозащиты... И дрался со мной, пуская в ход все свое дворянское искусство, и убил меня, спасая свою жизнь!

За несколько минут перед тем мне бросились в глаза куски переломленной шпаги, валявшиеся среди сена. Эта шпага была дворянская. В другом углу лежала старая шпага грубой работы, очевидно солдатская.

— Теперь поднимите меня, доктор, приподнимите... Где он?

— Его здесь нет, — отвечал я, приподнимая мальчика и думая, что он спрашивает о другом брате.

— Он горд... все эти дворяне гордые... однако ж он боится меня! Где тот, что был здесь? Поверните меня лицом к нему.

Я повернул, прислонив мальчика головой к своему колену. Но он вдруг сделал чрезвычайное усилие и встал во весь рост. Тогда и я встал, опасаясь иначе уронить его.

— Маркиз, — сказал мальчик, широко открыв на него глаза и подняв правую руку, — в те дни, когда придется отвечать за все наши деяния, призываю к ответу вас и весь ваш злобный род до последнего потомка. Отмечаю вас вот этим кровавым крестом в знак того, что и вы за это ответите. В те дни, когда всех призовут к ответу, призываю еще отдельно вашего брата... худшее отродье вашей злой породы... И его отмечаю вот этим кровавым крестом в знак того, что он обязан будет отвечать!

Он дважды брался рукой за свою рану и указательным пальцем проводил по воздуху крестообразно, постоял еще несколько секунд с поднятой рукой... потом она повисла, он весь опустился, и, когда я положил его на пол, он был мертв.

* * *

Возвратясь к постели молодой женщины, я застал ее все в том же положении, и бредила она в том же порядке. Я знал, что это может продлиться еще многие часы, а кончится, вероятно, затишьем смерти.

Я дал ей еще прием того же лекарства и сидел у ее постели до поздней ночи. Крики были все так же громки и пронзительны, а возгласы она произносила с прежней отчетливостью и в той же последовательности:

— Мой муж, мой отец, мой брат! Раз, два, три, четыре, пять, шесть, семь, восемь, девять, десять, одиннадцать, двенадцать... Тсс!..

Это продолжалось в течение двадцати шести часов с той минуты, как я в первый раз ее увидел. Я за это время дважды уезжал домой и опять приезжал. И вот, сидя у ее постели, я заметил наконец, что она начинает сбиваться и затихать. Я сделал то немногое, что можно было сделать для ее облегчения, и мало-помалу она впала в летаргическое состояние и лежала как мертвая.

Впечатление было такое, как будто после долгой и сильнейшей бури ветер упал и дождь прекратился. Я развязал ей руки и позвал женщину, служившую в доме, помочь мне уложить больную и переменить на ней разодранную одежду. Только тут я увидел, что она находится в первом периоде беременности, и тогда же утратил последнюю надежду на спасение ее жизни.

— Что, умерла? — спросил маркиз, которого буду по-прежнему звать старшим братом.

Он только что приехал верхом и вошел как был в высоких сапогах.

— Нет еще, но, вероятно, умирает, — отвечал я.

— Сколько, однако же, силы в телах этих простолюдинов! — молвил он, глядя на нее с некоторым любопытством.

— Горе и отчаяние придают изумительные силы, — заметил я.

Он сперва рассмеялся моим словам, потом нахмурился. Толкнув ногой стул, чтобы придвинуть его ближе к моему, он приказал служанке уйти, подсел ко мне и сказал вполголоса: „Доктор, видя моего брата в столь затруднительных обстоятельствах по поводу этих холопов, я ему посоветовал обратиться к вашему искусству. Вы пользуетесь прекрасной репутацией, но вы еще молоды, вся ваша карьера впереди, и, по всей вероятности, вы умеете заботиться о своих выгодах. Все, что вы здесь видели, можно только видеть, а говорить об этом нельзя“.

Я прислушивался к дыханию больной и не хотел отвечать ему.

— Вы изволили слышать, что я вам сказал, доктор?

— Милостивый государь, — сказал я, — в моей профессии принято считать секретом все то, что сообщают нам пациенты.

Я отвечал ему с осторожностью, потому что был очень смущен тем, что видел и слышал, но еще не решил, как поступить относительно этого.

Ее дыхание становилось так слабо, что пришлось щупать только пульс и выслушивать сердце: жизнь едва теплилась в ней. Возвращаясь на свое место, я оглянулся и увидел, что оба брата пристально смотрят на меня.

* * *

Писать становится так трудно, холод так ужасен и я так боюсь, чтобы меня не застали за писанием и не перевели в подземелье, в полную темноту, что постараюсь сократить свой рассказ. До сих пор память не изменяла мне: я не сбиваюсь и подробно помню каждое слово, сказанное между мной и обоими этими братьями.

Она прожила целую неделю. Под конец я мог разобрать несколько слов, которые она мне говорила, но для этого я должен был прикладывать ухо почти к ее губам. Она спросила: где она? И я сказал ей; потом спросила: кто я? И на это я ответил ей. Но тщетно я просил ее сказать свою фамилию: она слабым отрицательным движением покачала головой по подушке и сохранила свою тайну, так же как и брат ее.

Я не находил случая ни о чем расспросить ее до того дня, когда сказал братьям, что она быстро слабеет и не доживет до завтра. До тех пор, хотя она никого не видела у своей постели, кроме той женщины и меня, который-нибудь из братьев непременно сидел за занавеской у изголовья кровати во все время, пока я был при ней. Когда же дошло до этого, им как будто стало все равно, скажет она мне что-нибудь или нет; они как будто считали — и это тогда же пришло мне в голову, — что и я умру вместе с ней.

Я заметил, что для их гордости особенно обидно было сознавать, что меньшой брат был вынужден скрестить шпагу с простолюдином, да еще с подростком. Единственным соображением, серьезно тревожившим их по этому поводу, было то, что это обстоятельство унизительно для их фамильной чести и вдобавок может подать повод к насмешкам. Каждый раз, как я встречался глазами с младшим братом, выражение его лица напоминало мне, что он меня возненавидел за то, что я знаю о нем от умершего мальчика. Он был со мной мягче и любезнее старшего брата, но я все-таки не мог этого не видеть.

Впрочем, также заметно было, что и старший брат с трудом выносит мое присутствие.

Моя пациентка скончалась за два часа до полуночи, по моим часам — почти минута в минуту в ту же пору, когда я увидел ее в первый раз. Я был один при ней в тот момент, когда ее юная беспомощная головка тихо склонилась к плечу и все земные печали и обиды для нее закончились.

Братья нетерпеливо ждали этого события в одной из комнат нижнего этажа. Я, сидя один у постели, слышал, как они там расхаживали взад и вперед, похлопывая хлыстами по своим высоким сапогам.

— Наконец умерла? — спросил старший, как только я вошел.

— Умерла, — отвечал я.

— Поздравляю тебя, брат, — сказал он, поворачиваясь к младшему.

Он и прежде предлагал мне денег, но я откладывал принятие платы. Теперь он подал мне сверток с золотом. Я взял его и тотчас положил на стол. Я заранее обдумал этот вопрос и порешил ничего не брать за труды.

— Прошу извинить меня, — сказал я, — при настоящих обстоятельствах я не могу принять платы.

Они переглянулись между собой и молча наклонили головы в ответ на мой поклон. На этом мы расстались.

* * *

Я страшно устал... истомился вконец. Не могу даже прочесть того, что написала моя изможденная рука.

На другой день рано утром сверток с золотом был оставлен у моей двери в небольшом ящичке, на крышке которого было написано мое имя. Я с самого начала обсуждал сам с собой, что делать в этом случае, и в этот день окончательно решился частным образом написать министру письмо, вкратце изложив сущность дела, то есть к каким двум пациентам меня призывали и куда для этого возили, — словом, все обстоятельства. Я знал, что значат придворные связи и до чего доходит безнаказанность проступков, совершаемых дворянами, поэтому не думал, чтобы настоящее дело получило огласку. Но мне просто хотелось очистить собственную совесть. Я держал всю эту историю в глубочайшей тайне, даже жене ничего не говорил, и об этом также счел за лучшее упомянуть в своем письме. Я совсем не думал, чтобы мне самому угрожала какая-либо опасность, но полагал, что для других могло быть рискованно узнать про то, чему я сам был свидетелем.

В тот день я был очень занят больными и потому не успел дописать своего письма. На другое утро я встал гораздо раньше обычного часа, нарочно, чтобы окончить письмо. То был канун Нового года. Я только что дописал письмо, когда мне доложили, что приехала дама и желает меня видеть...

* * *

Мне становится все труднее выполнить мою задачу. Страшный холод, темнота, все мои чувства окоченели и притупились, мрачная обстановка действует на меня подавляющим образом.

Дама была молодая, красивая и любезная, но видно было, что она проживет недолго. Она была в сильном волнении и сказала, что она жена маркиза Сент-Эвремонда. Я вспомнил, что этим титулом умиравший мальчик называл старшего брата, потом вспомнил вензель, вышитый на шарфе, и без труда пришел к заключению, что очень недавно виделся с мужем этой дамы.

Память моя все так же свежа, но я не могу дословно привести здесь наш разговор. Подозреваю, что за мной следят внимательнее прежнего; не знаю, в какое время за мной подглядывают, и боюсь, как бы не застали врасплох.

Она частью угадывала, частью узнала главные события всей этой истории и роль, какую играл в этом ее муж, а также и то, что обращались к моему содействию. Она не знала только, что молодая женщина умерла; сильно огорченная этим обстоятельством, она сказала мне, что надеялась втайне выказать ей свое женское сочувствие; надеялась отвратить гнев Господень от дома, давно заслужившего ненависть многих пострадавших от него.

Она имела причины предполагать, что в этом семействе была меньшая сестра, оставшаяся в живых, и величайшим ее желанием было оказать помощь этой сестре. Я ничего не мог ей сообщить на этот счет, кроме того, что такая сестра существует. Дальше этого мне ничего не было известно. Эта дама знала, что я что-то знаю, и приехала ко мне именно в надежде, что я могу ей назвать имя и местопребывание, тогда как я и до сего злополучного часа ничего о том не ведаю.

* * *

У меня недостает бумаги. Вчера отобрали у меня один листок и пригрозили. Сегодня необходимо окончить этот рассказ.

Эта дама была добра, сострадательна и несчастлива в супружестве. И как могло быть иначе! Деверь относился к ней враждебно, недоверчиво и во всем противоречил ее влиянию; она боялась его, так же как боялась и своего мужа. Когда я провожал ее, я увидел в ее карете дитя — хорошенького мальчика лет двух или трех от роду.

— Ради него, доктор, — сказала она, со слезами указывая на ребенка, — ради него я готова сделать все на свете, чтобы хоть сколько-нибудь искупить прошлое. Иначе наследие предков не принесет ему счастья. У меня есть предчувствие, что, если теперь не загладить хоть как-нибудь этого дела, со временем вся ответственность за это падет на него. Все, что я вправе на этом свете считать своим личным имуществом, а это не более как несколько драгоценных безделушек, я оставлю ему с непременным условием, чтобы он разыскал эту пропавшую сестру и отдал ей все, что я ему оставила, и вместе с тем передал бы ей сожаления и сочувствие своей умершей матери.

Она поцеловала мальчика и, лаская его, сказала:

— Все ради тебя, мое сокровище! Ведь ты все верно исполнишь, мой маленький Шарль?

И ребенок бодро ответил: „Да!"

Я поцеловал ее руку, она взяла на руки мальчика и, лаская его, уехала. Я никогда больше не видел ее.

Так как она не назвала мне имя своего мужа, очевидно думая, что оно и без того мне известно, я не упоминал этого имени в своем письме. Закончив, я запечатал его в конверт и, не доверяя ни почте, ни посыльному, в тот же день отнес его и отдал собственноручно.

В этот вечер, накануне Нового года, около девяти часов, у ворот моего жилища позвонил человек в черном плаще, сказал, что ему нужно меня видеть, и тихонько последовал наверх за моим слугой — молодым парнем, которого звали Эрнест Дефарж. Когда слуга вошел в комнату, где я сидел с женой (о моя жена, моя возлюбленная! Молоденькая, прелестная англичанка, на которой я женился...), мы увидели этого человека, безмолвно стоявшего в глубине, тогда как предполагалось, что он дожидается у ворот.

Он сказал, что меня просят по безотлагательному случаю на улицу Сент-Оноре. И не задержат, потому что внизу меня дожидается карета...

И привезли меня сюда, привезли в эту могилу. Как только мы выехали из дому, кто-то схватил меня сзади, крепко завязал мне рот черным платком и скрутил мне руки назад. Оба брата вышли из-за угла и одним движением дали понять, что я и есть тот, кто нужен. Потом маркиз вынул из кармана письмо, написанное мною к министру, показал мне его, сжег на свечке поданного ему фонаря и затоптал пепел в землю. Никто не произнес ни одного слова. Меня увезли и доставили сюда, в эту живую могилу.

Если бы в течение этих ужасных десяти лет Богу угодно было вложить в жестокое сердце одного из братьев благую мысль подать мне весть о возлюбленной жене моей, хотя бы уведомить меня о том, жива ли она или умерла, я бы мог подумать, что Господь еще не совсем отвернулся от них. Но теперь я думаю, что они действительно отмечены кровавым крестом и нет им доли в милосердии Божием. И я, Александр Манетт, злополучный узник, в этот последний вечер накануне 1767 года, в невыносимой муке моей обличаю их и потомков их до последнего колена и отдаю их на суд тех времен, когда за все дела спросится ответ. Предаю их суду Неба и земли».

* * *

По окончании чтения в зале поднялся страшный рев. Это был алчный вопль, в котором слышались не слова, а только жажда крови. Чтение этого документа пробудило все мстительные страсти того времени, и перед таким обвинением никому бы не сносить головы среди французского населения.

Всего хуже для обреченного на погибель было то, что обвинителем оказался всеми уважаемый гражданин, его личный друг и отец его жены. В ту пору одним из фанатических стремлений народной толпы было слепое подражание сомнительным гражданским доблестям древности, и все более или менее благоговели перед жертвами и самозакланиями на алтаре отечества. Поэтому, когда председатель (натурально озабоченный ограждением собственной головы) объявил, что добрый врач республики станет еще угоднее для нее, содействуя окончательному искоренению ненавистной фамилии аристократов, и, без сомнения, ощутит священную радость оттого, что сделает дочь свою вдовой, а ее дитя сиротой, в зале последовал взрыв патриотического восторга без малейшей примеси человеческого сострадания.

— Ну-ка, посмотрим, велико ли будет влияние доктора на окружающих? — прошептала мадам Дефарж, с улыбкой обратясь к Мести. — Спасай же его теперь, доктор, спасай!

По мере того как присяжные подавали голоса, публика отзывалась на каждый из них неистовым ревом. Решили единогласно: в душе и по происхождению чистейший аристократ, враг республики и заведомый угнетатель народа. Отвести его назад в Консьержери и казнить через двадцать четыре часа!

Глава XI

Сумерки

Несчастная жена невинного человека, обреченного на смерть, услышав приговор, упала, как бы получив смертельный удар, но она не проронила ни звука. В ней так сильно было сознание, что в такую минуту ее прямая обязанность всячески поддержать и ободрить его, а не усиливать его отчаяние, что это помогло ей оправиться и прийти в себя.

Членам трибунала предстояло в этот день принять участие в какой-то уличной процессии, и потому заседание было отложено. Суд поднялся с мест и вместе с публикой шумно и поспешно устремился вон из зала, и в коридорах все еще не умолкли топот и возня, когда Люси уже стояла на ногах, простирая руки к своему мужу, и на лице ее выражались только любовь и утешение.

— Если бы мне позволили побыть с ним! Если бы хоть раз обнять его! О добрые граждане, не будете ли вы хоть настолько жалостливы к нам!

С арестантом оставались только один тюремный сторож, двое понятых (из числа тех четверых, что арестовали его накануне) и Барсед. Публика тем временем успела выбраться на улицу. Барсед обратился к своим сотоварищам и сказал:

— Пускай обнимаются, ведь это займет всего минуту времени.

Остальные молча согласились, перетащили Люси через скамейки и подняли на эстраду, а он перегнулся через перила и таким образом мог заключить ее в свои объятия.

— Прощай, сокровище души моей. Благословляю тебя на прощание. Мы свидимся там, где для усталых есть вечный покой!

Так говорил муж, прижимая ее к своему сердцу.

— Я и это перенесу, дорогой Чарльз; свыше даются мне силы. Обо мне не тужи. Благослови заочно нашу девочку.

— Благословляю ее через тебя. Передай ей от меня этот поцелуй... Передай и мое последнее прощание.

— Мой муж!.. Нет! Еще минуту! — (Он хотел оторваться от нее.) — Мы расстаемся ненадолго. Я чувствую, что это постепенно разобьет мое сердце. Но пока в силах, буду исполнять свой долг... А когда я ее покину, Бог дарует ей друзей, как даровал мне.

Ее отец подошел вслед за ней и хотел упасть на колени перед ними обоими, но Дарней протянул руку и, удержав его за плечо, воскликнул:

— Нет, нет! Вы ничего такого не сделали, чтобы падать ниц перед нами. Мы теперь узнали, сколько вы настрадались в старые годы. Узнали, какие чувства испытывали вы, когда догадывались о моем происхождении, и потом, когда убедились в своей догадке. Знаем, как вы боролись с естественной антипатией, которую я вам внушал, и как мужественно вы победили ее ради любви к бесценной дочери. Мы вам благодарны от всего сердца, со всей нашей привязанностью и почтением к вам. Благослови вас Бог!

Вместо ответа, отец схватился руками за свои седые волосы и с воплем отчаяния теребил их.

— Иначе быть не могло, — сказал Дарней. — Все обстоятельства вели к тому, что случилось. Виной моей роковой встречи с вами было все то же мое всегда тщетное старание исполнить последнюю волю моей бедной матери. От такого зла и нельзя было ожидать ничего доброго; каково было начало, таков должен быть и конец. Все это в натуре вещей. Утешьтесь и простите меня. Да благословит вас Бог!

Его увели. Выпустив его из своих объятий, жена стояла и смотрела ему вслед, сложив руки как на молитву и с таким ясным выражением лица, что на нем была даже утешительная улыбка. Когда он исчез за дверью, через которую выводили арестантов, она обернулась, ласково прижалась головой к груди отца, хотела что-то сказать ему и без чувств упала к его ногам.

Тогда Сидни Картон, до сих пор не трогавшийся из своего темного угла, вышел оттуда и поднял ее на руки. При ней никого больше не было, кроме ее отца и мистера Лорри. Рука его дрогнула, когда он ее поднимал, подпирая ее голову плечом. Однако лицо его в эту минуту выражало не одно сострадание, а также гордость.

— Донести ее до кареты? Я и не почувствую ее тяжести.

Он легко вынес ее на улицу и положил в карету. Ее отец и их старый друг сели вместе с ней, а Картон влез на козлы рядом с кучером.

Подъехав к воротам, где он стоял за несколько часов перед тем и в темноте ночной старался дознаться, на который из грубых камней этой мостовой ступала ее нога, он снова взял ее на руки, вынул из кареты и отнес наверх, в их квартиру. Там он бережно положил ее на кровать, а ее дочка и мисс Просс стали ее оплакивать.

— Не приводите ее в чувство, мисс Просс, — сказал он тихо, — оставьте лучше так. Зачем ей возвращаться к сознанию? Ведь это только обморок.

— О Картон! Милый Картон! — восклицала маленькая Люси, обвив его руками за шею в порыве страстного горя. — Раз ты к нам пришел, я знаю, ты что-нибудь сделаешь, чтобы помочь маме и спасти папу. Взгляни на нее, милый Картон! Ты так ее любишь, как же ты можешь переносить, чтобы она была такая бедная!

Он нагнулся к девочке и прижал ее свежую щечку к своему лицу. Потом тихонько поставил ее на пол и взглянул на ее мать, лежащую без сознания.

— На прощание... — сказал он и запнулся, — можно мне ее поцеловать?

Впоследствии бывшие при этом вспоминали, что, когда он наклонился и прикоснулся к ней губами, он что-то прошептал. А девочка, бывшая от него всех ближе, расслышала и рассказала потом своим, а гораздо позднее, когда она сама была уже красивой старушкой, говорила своим внукам, что он прошептал только: «Жизнь за тебя».

Выйдя в другую комнату, он вдруг обернулся к провожавшим его мистеру Лорри и доктору Манетту и сказал, обращаясь к последнему:

— Вы еще вчера пользовались значительным влиянием, доктор Манетт; попробуйте, нельзя ли еще что-нибудь предпринять. Эти судьи и прочие власть имущие относятся к вам дружелюбно и очень высоко ставят ваши заслуги. Разве это не важно?

— От меня не скрывали ничего, что касалось Чарльза. Меня положительнейшим образом обнадежили, что я его спасу; и ведь я уж спас его?

Он произносил свой ответ крайне медленно и с видимым усилием.

— Попробуйте сызнова. Не много остается часов от настоящей минуты до завтрашнего полудня, но все-таки вы попытайтесь.

— Я и хочу попытаться. Ни минуты не буду медлить.

— И отлично. При вашей энергии мало ли каких великих дел можно наделать. Я видел такие случаи... хотя, впрочем, — прибавил он со вздохом и улыбнулся, — не такие уж важные случаи, как настоящий. Однако ж попробуйте! Хоть жизнь и не дорого стоит, если прожить ее без толку, но для *такой* жизни стоит потрудиться. Иначе и жить не стоило бы.

— Я пойду, — сказал доктор Манетт, — сначала прямо к обвинителю и к председателю, а потом отправлюсь к другим, которых лучше не назову... И, кроме того, напишу...

Однако постойте, ведь теперь на улицах справляют какое-то торжество, стало быть, до вечера никого не застанешь и ничего не добьешься.

— Это правда. Во всяком случае, надежды на успех довольно мало, так что едва ли вы что-нибудь потеряете, подождав до вечера. А я все-таки желал бы узнать, как идет дело, хотя я лично ничего хорошего не жду. Когда примерно будете вы иметь возможность повидаться с этими грозными властями, доктор Манетт?

— Как только стемнеет. Надеюсь, что часа через два это случится.

— Нынче темнеет уже в пятом часу. Растянув немного положенный вами срок, если я приду к мистеру Лорри, например, часов в девять, могу ли я надеяться узнать о вашей деятельности через нашего друга или от вас самих?

— Можете!

— Ну, желаю вам успеха!

Мистер Лорри пошел провожать Картона до наружной двери и, тронув его за плечо, заставил обернуться.

— Я потерял всякую надежду, — сказал старик тихим и скорбным голосом.

— И я также.

— Если бы кто-нибудь из этих власть имущих или хотя бы все они вместе были расположены пощадить его... а это так маловероятно, потому что для них его жизнь и вообще человеческая жизнь ничего не значит! И то я сомневаюсь, чтобы возможно было его спасти после того документа, который мы прослушали на суде.

— И я того же мнения. В этом реве толпы мне послышался лязг гильотины.

Мистер Лорри оперся рукой о косяк и припал лицом на руку.

— Не печальтесь так, — сказал Картон очень ласково, — не горюйте. Я подал эту мысль доктору Манетту, чтобы ободрить его, и потом, я думаю, что когда-нибудь ей от этого будет легче. Иначе она может подумать, что «о его жизни не довольно позаботились и допустили его погибнуть по нерадению», и такие мысли могут ее тревожить.

— Да, да, да! — отвечал мистер Лорри, осушая глаза. — Вы правы. Но он все-таки погибнет. По-настоящему нет никакой надежды.

— Да, он погибнет, и надежды нет никакой! — ответил Картон и твердой поступью стал спускаться с лестницы.

Глава XII

Тьма

Сидни Картон остановился на улице, не сразу решив, куда идти.

«В банкирской конторе Тельсона надо быть к девяти часам, — сказал он себе в раздумье. — Тем временем не будет ли полезно кое-где показаться? Сдается мне, что это будет кстати. Пускай здешние обыватели знают, что в Париже есть такой человек, как я. Такая предосторожность нелишняя и даже может послужить необходимой подготовкой. Но, чур, не спешить и ничего не делать наобум. Сперва хорошенько обдумаю, как поступить».

Задержав шаг, увлекавший его к намеченной цели, он раза два тихо прошелся взад и вперед по улице в наступавших сумерках и сообразил, какие последствия могут иметь задуманные им действия. Результат оказался удовлетворительным.

— Да, — молвил он в конце концов, — надо, чтобы они знали, что в Париже существует такой человек, как я. — И пошел прямо в квартал Сент-Антуан.

Поутру он слышал, как Дефарж говорил, что он виноторговец в предместье Сент-Антуан. Для человека, давно знакомого с городом, нетрудно было отыскать лавку Дефаржа, не прибегая к расспросам. Найдя этот дом и запомнив его положение, Картон ушел из тесных переулков этого квартала, пообедал в ресторане и после обеда лег спать. В первый раз с очень давнего времени он обошелся без крепких напитков. Со вчерашнего вечера он пил лишь немного легкого вина, а водку накануне медленно вылил на очаг камина у мистера Лорри в знак того, что навсегда покончил с этой забавой.

Было уже семь часов вечера, когда он проснулся со свежими силами и снова вышел на улицу. На пути в предместье Сент-Антуан он остановился у окна магазина, где было зеркало, и слегка поправил на себе бант широкого галстука, воротник и растрепанную прическу, после чего отправился прямо к Дефаржу и вошел в его лавку.

Случилось так, что из посетителей никого не было, исключая Жака Третьего, с вечно шевелившимися пальцами и скрипучим, каркающим голосом. Этот человек, бывший поутру в числе присяжных, стоял у прилавка, пил вино и беседовал с супругами Дефарж. Месть также участвовала в разговоре в качестве непременного члена совещаний. Картон вошел, уселся и на очень ломаном французском языке спросил себе небольшую порцию вина. Мадам Дефарж беспечно оглянулась на него, потом посмотрела внимательнее, потом еще внимательнее, наконец подошла к нему в упор и осведомилась, что бишь он заказал.

Он повторил свое требование в тех же выражениях.

— Англичанин? — молвила мадам Дефарж, вопросительно подняв свои черные брови.

Он посмотрел на нее озабоченным взглядом, как будто с большим трудом вникал в каждый звук французской речи, потом, притворившись, что насилу понял ее вопрос, отвечал с сильным британским акцентом:

— Да, сударыня, да, я англичанин.

Мадам Дефарж вернулась к своей конторке и стала доставать вино, а он взял со стола якобинскую газету и, водя по ней пальцем, сделал вид, что нелегко ему разбирать, что тут напечатано, и явственно расслышал, как она сказала своим собеседникам:

— Клянусь вам, ни дать ни взять Эвремонд!

Дефарж подал ему вино и пожелал доброго вечера.

— Что?

— Добрый вечер, я говорю.

— О-о! Добрый вечер, гражданин, — отозвался Картон, наполняя себе стакан. — А-а! Доброе вино. За здоровье республики!

Дефарж отошел обратно к конторке и сказал:

— Да, пожалуй, есть сходство.

Жена сурово возразила на это:

— Я тебе говорю, очень даже похож.

Жак Третий примирительно заметил:

— Вам оттого так показалось, что вы уж больно много о нем думаете.

А бойкая Месть прибавила со смехом:

— Вот правда! И с каким же удовольствием ты думаешь о том, что завтра поутру еще разок увидишь его!

Картон продолжал медленно водить пальцем по газете, и по лицу его было видно, что он совершенно поглощен этим мудрым занятием. Собеседники, все четверо облокотясь о прилавок и близко наклонясь друг к другу головами, разговаривали очень тихо. Потом они помолчали некоторое время, пристально глядя на незнакомого посетителя, но, видя, что он не отрывается от газеты и сильно заинтересовался рассуждениями якобинского редактора, они успокоились и возобновили свою беседу.

— Твоя жена правду говорит, — заметил Жак Третий, — к чему останавливаться на полдороге? Это очень сильно сказано. В самом деле, к чему останавливаться?

— Ну хорошо, — рассуждал Дефарж, — где-нибудь надо же будет остановиться? Стало быть, весь вопрос в том, где и на чем?

— На поголовном истреблении, — сказала мадам Дефарж.

— Великолепно! — прокаркал Жак Третий.

Месть также выразила горячее одобрение.

— Истребление — вещь хорошая, что и говорить, — сказал Дефарж не без смущения, — вообще я против этого ничего не имею. Но этот доктор столько уж пострадал, ты сама видела сегодня — ведь ты наблюдала за ним, пока читали его показание.

— Видела, как же! — отвечала она гневно и презрительно. — И лицо его наблюдала очень хорошо. И заметила по лицу, что он не искренний друг республики. Пусть-ка он сам получше наблюдает за своим лицом.

— И дочь его ты также видела, — сказал Дефарж умоляющим тоном. — Ты заметила, в каком мучительном волнении была его дочь? Каково же ему было смотреть на это!

— И за дочерью тоже наблюдала! — сказала мадам Дефарж. — Да и не раз я наблюдала за его дочерью:

видела я ее и сегодня, и в другое время. Смотрела на нее и в суде, и на улице, у тюрьмы. Стоит мне только пальцем шевельнуть...

Картон не отрывал глаз от газеты, но ему показалось, что она подняла палец и потом с треском ударила им по прилавку, подражая падению секиры.

— Прелесть что за гражданка! — прокаркал присяжный.

— Она ангел, вот что! — сказала Месть и заключила ее в объятия.

— Что до тебя, — продолжала мадам Дефарж, с неумолимой суровостью обращаясь к мужу, — если бы дело от тебя зависело — чего, по счастью, нет, — ты бы и теперь отпустил этого человека на свободу.

— Нет! — возразил Дефарж. — Хотя бы стоило для этого только поднять вот эту рюмку, я бы ее не поднял. Но зато я бы на этом и остановился. Я говорю, пора остановиться.

— Так слушайте же, — сказала мадам Дефарж гневно, — слушай, ты, Жак, и ты, Месть. Эта самая порода за многие свои преступления, тиранства и злодейства давным-давно обречена по моим спискам на полное исчезновение и истребление. Спросите у моего мужа, так ли это?

— Это так, — подтвердил Дефарж, прежде чем его спросили.

— В самом начале великих дней, когда пала Бастилия, он нашел там документ, прочитанный сегодня на суде, и принес его с собой домой. Когда все разошлись, среди ночи, при запертых дверях, мы с ним прочли эту тетрадь вот тут, на этом самом месте, под этой лампой. Спросите его, так ли это?

— Так, — подтвердил Дефарж.

— Когда все было прочитано от доски до доски и лампа вся выгорела, а сквозь ставни проглянул дневной свет, тогда я сказала мужу, что имею сообщить ему секрет. Спросите его, правду ли я говорю?

— Правду, — сказал Дефарж.

— И вот я ему сказала этот секрет. Ударив себя в грудь руками, вот как теперь ударяю, я ему говорю: «Дефарж, я выросла в семье рыбаков, на морском берегу, но та крестьянская семья, которой братья Эвремонд нанесли столько кровных обид, как сказано в этой бумаге, найденной в Бастилии, — это и была моя настоящая семья. Дефарж, сестра того смертельно раненного мальчика, что валялся на полу, была и моей сестрой; ее муж был мне зятем, ее брат приходился и мне братом, тот отец был и моим отцом; все эти умершие — мои покойники, и мне по наследству приходится требовать ответа за такие дела! Спросите, так ли я ему говорила?

— Так, — еще раз подтвердил Дефарж.

— Так что ж ты толкуешь об остановке? — сказала жена. — Вели ветру стихнуть, огню погаснуть, а ко мне с этим не приставай.

Оба собеседника алчно наслаждались ее смертельной ненавистью и принялись усердно ее расхваливать. Картон не смотрел на них, но был уверен, что мадам Дефарж страшно побледнела. Сам Дефарж, очутившийся в жалком меньшинстве, попробовал замолвить несколько слов в память сострадательной жены маркиза, но его собственная жена, вместо ответа, еще раз указала:

— Ну и вели ветру не дуть и огню не гореть, а меня оставь в покое.

Вошло несколько гостей, и совещание было прервано. Неизвестный англичанин заплатил за свою порцию, долго и усиленно пересчитывал полученную сдачу, потом, в качестве иностранца, спросил, как пройти к Национальному дворцу. Мадам Дефарж подвела его к двери и, указывая дорогу, положила руку на его плечо. Англичанин подумал, как бы хорошо было схватить эту руку, приподнять ее и всадить под мышку острый нож, да поглубже. Если хорошенько рассудить, ведь это было бы доброе дело.

Он пошел своей дорогой, и вскоре его поглотила густая тень тюремной стены. В назначенный час он ушел оттуда и появился опять в комнате мистера Лорри, которого застал в большом беспокойстве: старику не сиделось на месте и он тревожно бродил взад и вперед по комнате. Он только что был у Люси и вернулся домой единственно потому, что обещал быть дома в эту пору. Ее отец ушел из банкирской конторы в четыре часа, и с тех пор его все нет. У нее есть еще слабая надежда, что его вмешательство может спасти Чарльза, но это маловероятно. Однако же вот уже пять часов, как он ушел. Куда же он девался?

Мистер Лорри подождал до десяти часов, но так как доктора все не было, а ему не хотелось оставлять Люси одну, то они уговорились, что он теперь пойдет к ней, а в полночь вернется в контору. Тем временем Картон один посидит у огня в ожидании доктора.

Он сидел и ждал; пробило полночь, но доктор Манетт не возвращался. Мистер Лорри пришел, но никаких известий о нем не принес. Куда мог деваться доктор?

Они обсуждали этот вопрос и начинали даже строить некоторые фантастические надежды по поводу столь продолжительного его отсутствия, как вдруг услышали на лестнице его шаги. Как только он вошел в комнату, для них стало ясно, что все пропало.

Ходил ли он к кому-нибудь или все это время только бесцельно странствовал по улицам, так и осталось неизвестным. Он стоял, пристально глядя на них, но они даже не задали ему ни одного вопроса, потому что по его лицу увидели, что случилось.

— Никак не могу найти, — сказал он, — а надо же найти. Где она?

Он был без шляпы, с расстегнутым воротом и обнаженной шеей; растерянными глазами он оглядывался вокруг, вдруг скинул сюртук и бросил его на пол.

— Где моя скамейка? Везде ищу свою скамейку... так и не нашел. Куда они убрали мою работу? Надо скорее... скорее кончать эти башмаки.

Они переглянулись, и сердца их замерли.

— Что же вы? — сказал он, начиная жалобно хныкать. — Зачем взяли мою работу? Отдайте мне мою работу.

Не получая ответа, он начал рвать на себе волосы и топать ногами, как капризное дитя.

— Не мучьте меня, бедного пропащего человека! — умолял он с раздирающими воплями. — Отдайте мне мою работу! Что с нами будет, если я не окончу этих башмаков сегодня!

Пропал, окончательно погиб!

Было так ясно, что нет ни малейшей надежды урезонить его, привести в себя, что оба свидетеля этого зрелища как бы по взаимному уговору одновременно взяли его под руки, стали утешать, посадили у огня и обещали непременно найти его работу. Он опустился в кресло, сгорбился над тлеющими угольями и проливал слезы, точно будто все, что было после пребывания на чердаке у Дефаржа, прошло бесследно. И мистер Лорри увидел его снова в той самой позе и в том виде, как застал тогда у Дефаржа.

Невзирая на ужас и глубокую жалость, возбуждаемые в них этим новым несчастьем, оба понимали, что теперь не время предаваться чувствительности. Надо было подумать о дочери осужденного, лишившейся своего последнего покровителя, последней надежды. И они опять, точно сговорившись, взглянули друг на друга с одной и той же мыслью в глазах. Картон заговорил первым:

— Последняя надежда пропала, — впрочем, она была невелика. Да, лучше отвести его к ней. Но перед уходом можете ли вы внимательно выслушать то, что я вам скажу? Я вам поставлю несколько условий и попрошу обещания, а вы не расспрашивайте, зачем все это; знайте только, что у меня есть на все веские причины.

— В этом я не сомневаюсь, — отвечал мистер Лорри. — Говорите, в чем дело.

Жалкая фигура у огня между тем, сидя в кресле, раскачивалась из стороны в сторону и тихо стонала. Они стояли за ней и говорили вполголоса, как говорят по ночам дежурные у постели больного.

Картон наклонился поднять с полу валявшийся сюртук, который путался у него в ногах. Пока он его поднимал, из кармана вывалился небольшой бумажник, в котором доктор носил обыкновенно список своих дневных занятий. Картон подобрал бумажник и увидел торчавшую оттуда сложенную бумагу.

— Не заглянуть ли, что это за бумага? — сказал он.

Мистер Лорри кивнул. Картон развернул лист и воскликнул:

— Слава богу!

— Что такое? — живо спросил мистер Лорри.

— Погодите. Я и об этом упомяну в свое время. Во-первых (тут он сунул руки в свой карман и вынул точно такую же бумагу), вот удостоверение, в силу которого я имею право выехать из Парижа. Посмотрите на него: видите, Сидни Картон, англичанин?

Мистер Лорри держал в руке открытую бумагу и смотрел в его оживленные глаза.

— Приберегите этот мой паспорт до завтра. Вы не забыли, что завтра мне дадут свидание с ним? А мне не хочется таскать этого с собой в тюрьму.

— Почему?

— Сам не знаю; ну, одним словом, предпочитаю сделать так. Теперь вот вам та бумага, которую принес с собой доктор Манетт. Это точно такое же удостоверение, дозволяющее ему, его дочери и внучке во всякое время выехать из Парижа и за границу Франции. Видите?

— Вижу.

— Может быть, он выправил его вчера, как последнее и крайнее средство спастись от беды. От которого числа?.. Впрочем, это все равно, не стоит справляться. Сложите его бережно вместе с моим и с вашим собственным паспортом. Теперь слушайте. До сих пор, то есть еще два часа тому назад, я не сомневался, что у него есть или всегда может быть такая бумага. Она очень полезна и действительна, пока не отменена. Но ее могут очень скоро отменить, и я имею причины думать, что так и сделают... очень скоро.

— И они тоже в опасности?

— В большой опасности. На них намерена донести мадам Дефарж. Я сам слышал, как она это говорила сегодня вечером, и совершенно случайно узнал, как велика угрожающая им опасность. Не теряя времени я тотчас после этого повидался со шпионом. Он подтвердил мои предположения. Ему известно, что под стенами тюрьмы живет некий пильщик, преданный Дефаржам. Мадам Дефарж подучила этого пильщика дать показание, будто он видел, как она (он никогда не называл имени Люси) подавала какие-то сигналы арестантам. Легко предвидеть, что они состряпают из этого обычный предлог к обвинению — тюремный заговор — и таким образом запутают в смертельную опасность и ее, и ребенка, и даже, может быть, ее отца, так как их всех троих видели там. Но вы напрасно так пугаетесь: вы-то и спасете их всех.

— Дай Бог, чтобы я мог это сделать, Картон! Но как?

— А вот я вас научу, как это сделать. Все зависит от вас, и, конечно, лучше вас никто этого не выполнит. Этот новый донос будет сделан не прежде как послезавтра, вероятно даже дня через три, а вернее, что через неделю. Вам известно, что считается уголовным преступлением горевать или носить траур по жертве гильотины. Нет сомнения, что и она, и отец ее провинятся в этом, а та женщина — вы себе представить не можете, до чего она ожесточена против них, — она подождет, чтобы эти факты хорошенько выяснились, и тогда воспользуется ими, чтобы вернее погубить всех... Вы вникли в мои слова?

— Так внимательно вас слушаю и так верю вам, что в настоящую минуту теряю из виду вот это новое горе, — отвечал старик, прикасаясь к спинке кресла, где сидел доктор.

— У вас довольно денег, вы имеете средства нанять почтовый экипаж и уехать на берег моря как можно скорее. Вы говорили, что у вас уже несколько дней тому назад все было готово к отъезду в Англию. Завтра пораньше утром озаботьтесь приготовить лошадей, с тем чтобы ровно в два часа пополудни выехать в путь.

— Будет сделано!

Картон говорил таким оживленным и вдохновенным тоном, что мистер Лорри заразился этим и совсем помолодел.

— Благородная душа! Недаром я говорил, что никто лучше вас не выполнит этого предприятия. Сообщите ей сегодня же о той опасности, которая грозит ее дочери и отцу. Настаивайте именно на этом обстоятельстве, потому что сама-то она, пожалуй, была бы рада сложить свою милую голову рядом с мужем... — Он на несколько секунд замолк, потом продолжал с прежним оживлением: — Ради ребенка и ради старого отца докажите ей необходимость покинуть Париж вместе с ними и с вами в назначенное мной время. Скажите ей, что такова последняя воля ее мужа. Скажите ей, что от этого зависит очень многое... даже гораздо больше, чем она может думать и надеяться. Вы, кажется, говорили мне, что даже в таком жалком состоянии ее отец всегда ее слушается, повинуется ей?

— О да, наверное!

— Я так и думал. Стало быть, потихоньку, аккуратно приготовьте все, распорядитесь всем, что нужно, чтобы карета стояла у вас здесь, на дворе, и чтобы до малейших мелочей все было готово к двум часам. Между прочим, надо, чтобы все уже сидели по местам в карете, и, как только я приду, захватите меня с собой и уезжайте.

— Следовательно, что бы ни случилось, я должен вас подождать?

— Да ведь паспорт мой в ваших руках вместе с остальными; вы только оставьте мне место в карете и ждите только, пока мое место не будет занято. А там — с Богом, в Англию!

— Ну, — воскликнул мистер Лорри, схватив его горячую, но твердую руку, — стало быть, не все будет на одних моих стариковских плечах, а будет мне в помощь еще и другой мужчина, молодой и сильный!

— Бог даст, будет! Только обещайте мне теперь же, и серьезно обещайте, что ничто не собьет вас с пути и вы поступите точно так, как мы с вами сейчас условились.

— Ничто не собьет, Картон.

— Помните же мои слова и назавтра: если вы что-либо измените или замешкаетесь по какой бы то ни было причине, знайте, что ни одной жизни нельзя будет спасти и все эти жизни даром погибнут.

— Буду помнить каждое слово. Надеюсь в точности исполнить то, что на меня возложено.

— А я надеюсь исправно исполнить свою роль. Ну, прощайте!

Он сказал это с тихой и серьезной улыбкой и даже поднес к своим губам руку мистера Лорри, но не ушел тотчас. Он сначала помог ему расшевелить бедняка, безучастно качавшегося перед камином, надеть на него плащ и шляпу, а потом выманить его из дому обещанием, что они пойдут поискать скамейку и его башмачную работу, которую он продолжал все так же жалобно просить. Картон пошел рядом с доктором и проводил его до двора того дома, где в эту страшную ночь сидела в слезах несчастная женщина, которая была так счастлива в тот памятный вечер, когда он открывал ей свое собственное горемычное сердце!

Он вошел во двор и несколько минут постоял там один, глядя на освещенное окно ее комнаты. Перед уходом он мысленно послал ей благословение и прощальный привет.

Глава XIII

Пятьдесят два

В почерневших стенах Консьержери обреченные на смерть в этот день ожидали своей участи. Их было ровно столько, сколько недель в году. Пятьдесят два человека должны были сегодня проехать несколько городских улиц, и волна городской жизни унесет их в беспредельное море вечности. Еще кельи их не опустели, а на их место уже назначены были другие жильцы; еще кровь их не пролилась и не смешалась с кровью, пролитой накануне, а уж приготовлена была та кровь, что смешается с их кровью.

Отсчитали пять десятков и накинули еще двух. Тут были люди разного возраста: от семидесятилетнего откупщика, все богатства которого не могли купить ему жизни, до двадцатилетней швеи, которую не спасли ни бедность ее, ни безвестность. Как телесная зараза, порождаемая пороками и нерадением людей, поражает направо и налево, не разбирая своих жертв, так и страшные душевные недуги, коренящиеся в неизреченных страданиях, невыносимых притеснениях и бессердечном равнодушии, одинаково распространяются на правых и виноватых.

Чарльз Дарней, сидя один в своей келье, с той минуты, как его привели из суда, не льстил себя обманчивыми надеждами. В каждой строке слышанного рассказа он прочел свое осуждение. Он в полной мере понял, что ничье личное влияние не в силах его спасти, что его приговор подписан миллионами людей — всем народом, — и, следовательно, единицы ничего не могут сделать в его пользу.

Тем не менее не легко ему было мириться со своим уделом, так живо имея в памяти образ любимой жены. Крепкие узы привязывали его к жизни, и трудно было их порвать. Едва он успевал постепенными усилиями ослабить одну из них, как другая захватывала его еще сильнее, а когда он пробовал освободиться от этой, первая

411

снова давала себя чувствовать с прежней силой. Мысли его стремительно следовали одна за другой, сердце билось учащенно, сопротивляясь всякой тени покорности судьбе. Минутами ему как будто удавалось покориться, но образ жены и ребенка, обреченных жить без него, вставал перед ним живым укором в эгоизме.

Но так было лишь вначале. Через несколько часов в душе его возникли соображения, что в предстоявшей казни ничего не было для него позорного, что многие претерпевали ее также несправедливо и каждый день шли на смерть твердой стопой; и эти мысли подкрепили его. Вслед за тем мелькнула мысль, что от того мужественного спокойствия, с каким он пойдет на казнь, в значительной степени зависит будущее душевное спокойствие тех, кто так дорог его сердцу. Итак, он постепенно довел себя до такого умиротворенного состояния, что мог вознестись духом к небу и оттуда почерпнуть утешение.

Таков был путь, пройденный им в тюрьме накануне казни. Еще засветло ему дозволили купить письменный материал и свечу; он сел и писал до тех пор, пока по тюремным правилам дозволялось не тушить огней.

Он написал длинное письмо к жене, в котором говорилось, что он ничего не знал о тюремном заключении ее отца, пока она сама не рассказала ему об этом, что он не менее ее самой был в полном неведении относительно участия своего отца и дяди в этом несчастье и только из прочитанного на суде документа он впервые услышал об этом. Он уже прежде объяснял жене, что скрывал от нее свое настоящее имя, от которого добровольно отказался, только потому, что таково было непременное желание ее отца (ныне для него вполне понятное) и что даже в утро их свадьбы отец потребовал, чтобы Чарльз все-таки не открывал ей своего имени. Далее муж умолял ее из сострадания к отцу не расспрашивать его, позабыл ли он вовсе о существовании своих тюремных записок или случайно вспомнил о них в тот воскресный вечер в саду, под милым чинаровым деревом, когда услышал анекдот о находке в Лондонской башне. Если отец все время помнил об этом, нет сомнения, что он считал свою рукопись погибшей вместе с самой Бастилией, так как всему миру стало известно из газет, какие именно воспоминания и памятки о прежних арестантах были там найдены и унесены торжествующей чернью. Он просил Люси — хотя прибавил, что это едва ли не излишняя просьба, — утешить отца всеми нежными способами, какие она может придумать, и внушить ему, что он, в сущности, ничего не сделал такого, за что мог бы себя упрекнуть, и, напротив того, постоянно забывал о себе ради них. Затем он просил ее принять его благословение, не забывать его признательной любви, пересилить свое горе, посвятить себя воспитанию их бесценной девочки, служить утешением отцу и терпеливо ждать свидания с ним на небесах.

Ее отцу он написал в том же духе, но прибавил, что поручает его заботам свою жену и дочь. На этом он даже особенно настаивал, в той надежде, что такое поручение поможет доктору встряхнуться и преодолеть болезненный припадок, возвращения которого он опасался.

В письме к мистеру Лорри он всю семью оставлял на его попечение и излагал ему положение своих денежных дел. Затем прибавил несколько фраз о своей благодарной дружбе и всегдашней горячей привязанности и тем закончил свою корреспонденцию. О Картоне он даже не вспомнил. Его ум был так поглощен мыслью о близких, что он ни разу не подумал о нем.

Он успел дописать свои письма, прежде чем стали тушить тюремные огни. Ложась спать на свою соломенную койку, он думал, что покончил с этим миром.

Но нет, во сне этот мир предстал ему в самых привлекательных формах и манил его к себе. Свободный, счастливый, он снова очутился у себя дома, в квартале Сохо (хотя этот дом был непохож на настоящий); он знал, что он каким-то чудом вырвался на волю, на душе у него было легко, Люси была опять с ним и уверяла его, что все это был сон и он вовсе не уезжал из Англии. Затем наступил период полного забытья, после которого он успел пострадать и вернулся к ней, мертвый и примиренный, но как будто все такой же. Еще один период забытья — и он проснулся на заре мрачного утра, не понимая, где он и что случилось, пока вдруг в голове его не сверкнуло: «Сегодня меня казнят!»

Так он дожил до того дня, когда пятьдесят две головы должны были пасть на плахе. Теперь он был спокоен и надеялся с геройским самообладанием встретить смерть, но в его уме возникли новые соображения, и с ними очень трудно было сладить.

Он никогда не видел той машины, которая должна была прекратить его жизнь. Как высоко помещалась она от земли, сколько там ступеней, куда его поставят, как с ним будут обращаться; будут ли те руки, что станут прикасаться к нему, выпачканы кровью; в которую сторону оборотят его лицом, казнят ли его прежде всех или после всех — такие и тому подобные вопросы, помимо его воли, толпились у него в голове, повторяясь снова и снова. Они не были порождением страха, нет, — никакого страха он не чувствовал. Скорее их можно было приписать странной заботе о том, как себя вести и что делать в решительную минуту, — заботе, чудовищно не соответствующей тем кратким моментам, когда все будет кончено; он начинал уже сам к себе относиться как посторонний зритель.

Часы проходили; он ходил взад и вперед, прислушиваясь к бою часов, которых никогда больше не услышит. Вот девять миновало навсегда; десять прошло навеки; одиннадцать кануло в вечность, сейчас настанет последний полдень. Тяжелым усилием ему удалось наконец прогнать все эти неподобающие мысли и настроить себя более прилично обстоятельствам. Он стал прохаживаться взад и вперед, тихонько произнося *их* имена. Борьба кончилась. Теперь он мог окончательно освободиться от фантазий, сбивавших его с толку, и молиться за себя и за *них*.

Пробило двенадцать часов. Полдень отошел навсегда. Ему сказали, что казнь будет в три часа, но он знал, что его вызовут несколько раньше, тем более что тяжелые телеги двигались по улицам довольно медленно. Поэтому он решил вполне приготовиться к двум часам и к этой поре так себя настроить, чтобы быть в состоянии ободрять других.

Сложив руки на груди и мерно шагая из угла в угол, он был теперь совсем иным человеком, нежели в ту пору, когда сидел в крепостной тюрьме. Пробило час пополудни, но это уже не волновало его. Он поблагодарил Бога за то, что к нему вернулось обычное самообладание, и подумал: «Остается еще один час», повернулся и пошел снова шагать по своей келье.

Шаги в коридоре, у самой его двери. Он остановился.

В замок вставили ключ и повернули его. В ту минуту, как дверь отворялась, он услышал мужской голос, тихо говоривший по-английски:

— Он меня никогда здесь не видел; я ему на глаза не показывался. Входите один; я подожду тут поблизости. Не теряйте времени!

Дверь быстро растворилась и затворилась, и перед ним, со спокойной улыбкой на лице, очутился Сидни Картон; приложив палец к губам, Сидни Картон пристально смотрел на него.

В этом взгляде было нечто до того необычайное и светлое, что в первую минуту арестант подумал, будто это сверхъестественное видение только почудилось ему. Но Картон заговорил, и это был его голос; он взял арестанта за руку, и арестант почувствовал знакомое рукопожатие.

— Из всех людей на свете вы, конечно, всего меньше ожидали увидеть меня? — сказал он.

— Я своим глазам не поверил... И теперь едва верю... Ведь вы не арестованы? — спросил вдруг Дарней, когда внезапное опасение зародилось в его уме.

— Нет, я случайно имею влияние на одного из здешних сторожей, и благодаря этому меня сюда пустили. Я пришел от нее... от вашей жены, дорогой Дарней.

Арестант крепко сжал его руку.

— Пришел передать вам ее просьбу.

— Что такое?

— Самую усердную, настоятельную и убедительную просьбу, выраженную тем трогательным голосом, который вам так дорог и так памятен.

Арестант немного отвернул лицо в сторону.

— Некогда спрашивать, почему именно я пришел с этой просьбой и что она означает: мне недосуг все это объяснять вам. Вы должны просто согласиться... Снимайте ваши сапоги и надевайте мои.

За спиной арестанта стоял у стены стул. Картон в одно мгновение ока, взяв Дарнея за плечи, посадил его на этот стул и стоял над ним, уже босой.

— Натягивайте мои сапоги. Берите их, тяните хорошенько... Скорее!

— Картон, отсюда нельзя бежать. Это ни за что не удастся. Вы только рискуете погибнуть вместе со мной. Это чистое безумие.

— Было бы безумием, если бы я приглашал вас бежать. Но ведь я этого не делаю? Когда попрошу вас выйти вот в эту дверь, тогда и говорите, что это безумие, и оставайтесь тут. Ну, берите мой галстук, снимайте сюртук и надевайте мой. Покуда вы одеваетесь, давайте я сниму ленту с вашей головы и рассыплю ваши волосы вот так, как у меня.

С изумительным проворством, ловкостью, с силой воли и движений, казавшейся почти сверхъестественной, он проделывал над ним все это. Арестант был в его руках как малое дитя.

— Картон! Дорогой Картон! Это безумие. Этого нельзя сделать, и пробовать нечего: сколько раз пытались, и никогда не удавалось. Умоляю вас не подбавлять к моей смерти горечи вашей погибели.

— Любезный Дарней, разве я прошу вас уходить в эту дверь? Когда попрошу, тогда и отказывайтесь. Вот на столе перо, бумага, чернила... Настолько ли тверда ваша рука, чтобы писать теперь?

— Была тверда перед вашим приходом.

— Постарайтесь же снова овладеть ею и пишите то, что я вам буду диктовать. Скорее, друг мой, скорее!

Дарней сжал руками свою отуманенную голову и сел к столу. Картон, держа свою правую руку за пазухой, встал как можно ближе к нему.

— Пишите слово в слово, что я буду диктовать.

— Кому же адресовать?

— Никому, — отвечал Картон, продолжая держать руку за пазухой.

— Написать число?

— Не нужно.

При каждом вопросе арестант взглядывал на собеседника. Картон, стоя возле, смотрел на него сверху вниз.

«Если вы вспомните, — диктовал Картон, — разговор, бывший между нами несколько лет назад, вы все поймете, увидев эту записку. Я знаю, что вы не забыли. Не в вашей натуре забывать такие вещи».

Он медленно вынул руку из-за пазухи; арестант случайно оглянулся на него в эту минуту, торопливо и удивленно, но Картон сунул руку обратно, зажав в ней какой-то предмет.

— Написали «такие вещи»? — спросил Картон.

— Написал. Что это у вас в руке, оружие?

— Нет, я безоружен.

— Что же у вас там?

— Сейчас узнаете. Пишите; еще несколько слов, и довольно. — И он продолжал диктовать: — «Благодарю Бога, что настало время доказать на деле мои тогдашние слова. То, что я так поступаю, не должно служить поводом ни к сожалению, ни к печали».

Произнося эти слова и не спуская глаз с писавшего, он протянул правую руку и медленно, тихо начал поводить ею над самым лицом Дарнея.

Перо вывалилось из рук писавшего, и он рассеянно оглянулся вокруг.

— Что это... туман? — спросил он.

— Какой туман?

— Или пар... что-то мелькнуло в глазах.

— Я ничего такого не вижу; да ничего и не может быть здесь. Берите же перо, кончайте. Скорее, скорее!

Но арестант как будто потерял память или лишился способности направлять свои мысли и с видимым трудом старался очнуться. Он взглянул на Картона мутными глазами и тяжело дышал, но Картон, засунув руку за пазуху, смотрел на него твердо и решительно, говоря:

— Скорее же, скорее!

Арестант опять склонился над бумагой.

«Если бы этого не случилось, — диктовал Картон, осторожно опуская опять руку над головой писавшего, — я бы не сумел воспользоваться более продолжительным сроком. Если бы не этот случай (рука снова появилась перед лицом арестанта), мне пришлось бы принять на душу еще больше грехов. Если бы не этот случай...»

Картон посмотрел ближе и увидел, что перо бесцельно ерзает по бумаге, выводя что-то непонятное.

Картон больше не прятал руку за пазуху. Дарней вскочил со стула, глядя на него с укоризной, но Картон твердо держал правую руку у самых его ноздрей, а левой рукой обхватил его за талию. Еще несколько секунд арестант слабо боролся с человеком, пришедшим положить за него свою жизнь, но через минуту впал в глубокий обморок и лежал распростертый на полу.

Проворно, столь же верной рукой, как твердо было его верное сердце, Картон оделся в платье, сброшенное арестантом, зачесал назад свои волосы и перевязал их лентой точно так, как причесывался Дарней, потом вполголоса сказал у двери: «Войдите!» И шпион вошел.

— Видите? — сказал Картон, взглянув на него, и, встав на колено возле лежавшего без чувств Дарнея, засунул ему за пазуху написанный листок. — Разве ваш риск так уж велик?

— Мистер Картон, — отвечал шпион, робко перебирая пальцами, — мой риск не в том, что мы с вами сделали, а в том, сдержите ли вы свое слово до конца?

— Меня не опасайтесь. Я-то выдержу свою роль до конца.

— Надо выдержать, мистер Картон, чтобы по счету было ровно пятьдесят два. Но коли вы останетесь в этом платье, мне нечего бояться.

— И не бойтесь! Меня скоро уберут с вашей дороги, и я больше не могу вам повредить, а остальные, Бог даст, скоро будут далеко отсюда. Теперь позовите себе на помощь сторожей и тащите меня в карету.

— Вас? — нервно переспросил шпион.

— Его, конечно, того, с кем я обменялся платьем. Вы опять выйдете в те же ворота, через которые привели меня сюда?

— Разумеется.

— Помните, как я был слаб и как дурно себя чувствовал, когда вы меня приводили? Ну вот, теперь я еще больше ослабел, мне сделалось дурно. Расставание с другом свалило меня с ног. Такие дела здесь не раз случались, даже слишком часто. Ваша жизнь в ваших собственных руках. Скорее! Зовите же на помощь.

— Поклянитесь, что вы не выдадите меня! — сказал шпион, весь дрожа и еще раз останавливаясь.

— Что вы делаете! — воскликнул Картон, топнув ногой. — Мало ли я вам клялся всем, что есть святого, что решился идти до конца, а вы теряете драгоценное время! Смотрите же, сами доставьте его на тот двор, сами посадите в карету, покажите его мистеру Лорри, сами скажите ему, чтобы для приведения в чувство ничего ему не давали, что он сам очнется от свежего воздуха. И еще скажите ему, чтобы помнил мои вчерашние слова и свое вчерашнее обещание и чтобы уезжал скорее!

Шпион вышел. Картон сел к столу и подпер лоб руками. Шпион тотчас вернулся назад в сопровождении двоих сторожей.

— Эге, — молвил один из них, глядя на распростертую фигуру, — неужто он так огорчился тем, что его друг вынул честный билетик в лотерее святой гильотины?

— Добрый патриот, — подхватил другой, — был бы не меньше огорчен, если бы этому аристократу достался пустой билет.

Они подняли бесчувственного человека, положили его на принесенные носилки и собрались тащить вон.

— Времени остается немного, Эвремонд! — сказал шпион внушительным тоном.

— Знаю, — отвечал Картон, — пожалуйста, позаботьтесь о моем друге, а меня оставьте одного.

— Ну, ребята, пойдем, — сказал Барсед, — кладите его да и пойдемте.

Дверь заперлась, и Картон остался один. Напрягая слух до последней степени, он прислушивался, не слыхать ли звуков, из которых можно было бы заключить, что возникли подозрения или забили тревогу. Но таких звуков не было. Слышны были отпирание дверных замков, звяканье ключами, хлопанье дверей, шаги по каменным плитам отдаленных коридоров, но ни возгласов, ни беготни — все как обыкновенно. Он вздохнул свободнее, опять сел к столу и слушал, пока часы не пробили два.

После этого в коридорах начались звуки, которых он не пугался, потому что ясно понимал их значение. Несколько дверей отперли подряд, а потом растворилась и его дверь. Тюремный служитель, со списком в руке, заглянул к нему и только сказал: «Эвремонд, следуйте за мной!» И он пошел; его привели в дальний зал мрачного вида.

Было тусклое зимнее утро; внутри зала было темно, на улицах туманно, так что он едва мог различать других арестантов, которых постепенно приводили сюда и связывали им руки. Одни стояли, другие сидели, иные плакали и тревожно двигались по комнате, но таких было мало. Большей частью осужденные молчали, вели себя тихо и пристально смотрели на пол.

Картон стоял в пасмурном углу, прислонившись к стене, покуда приводили остальных, как вдруг один из пятидесяти двух, проходя мимо него, остановился и обнял его как знакомого. Он вдруг ужасно испугался, как бы это не повело к раскрытию его тайны. Но тот прошел дальше, и этот случай не имел дальнейших последствий. Через несколько минут молодая женщина, на которую он только что смотрел, встала со своего места и подошла к нему. У нее была худенькая девическая фигура, кроткое лицо без малейших признаков румянца и большие, широко раскрытые глаза, выражавшие терпение.

— Гражданин Эвремонд! — сказала она, дотрагиваясь до него холодной рукой. — Я, бедная швея, содержалась вместе с вами в крепостной тюрьме.

Он прошептал:

— Да, правда, но я забыл, в чем вас обвиняли?

— В том, что я участвовала в заговоре. Хотя Богу известно, что этого никогда не было. И как же иначе? Кому придет в голову замешать в заговор такое жалкое и слабое создание, как я?

Растерянная улыбка, сопровождавшая эти слова, была так трогательна, что у него навернулись слезы на глазах.

— Я смерти не боюсь, гражданин Эвремонд, только я ничего такого не делала. Я готова умереть, если правда, что это нужно для республики, которая сделает так много добра для всех нас, бедных людей; только я не знаю, зачем ей понадобилась моя смерть. Подумайте, гражданин Эвремонд! Я такое бедное, слабое создание!

Если суждено было его сердцу еще раз согреться и расположиться к кому-нибудь на свете, оно расположилось к этой жалкой девочке.

— Я слышала, что вас освободили, гражданин Эвремонд, и надеялась, что это правда.

— Так и было. Но потом меня опять взяли и осудили.

— Если нас повезут вместе, гражданин Эвремонд, позвольте мне держать вас за руку. Я не боюсь, но я такая маленькая и слабая, а это придаст мне бодрости.

Она подняла на него свои терпеливые глаза, и вдруг он прочел в них сначала сомнение, потом удивление. Он сжал в руке ее исхудалые, шероховатые от шитья и высохшие от голода пальцы и приложил свой палец к губам.

— Это вы за него хотите умереть? — прошептала она.

— Ради его жены и дочери... Тсс! Да, за него.

— О, можно мне будет подержаться за вашу славную руку?

— Тсс! Тише. Можно, моя бедная сестра, до конца.

* * *

Тот же пасмурный день, что ложится мрачной тенью на тюрьму, падает и на городские ворота у заставы, где, по обыкновению, толпится народ и где только что остановилась почтовая карета, едущая вон из Парижа. Начинается досмотр.

— Кто едет и куда? Сколько вас там? Подайте ваши документы.

Документы поданы, их начинают проверять вслух.

— Александр Манетт, доктор медицины. Француз. Это который из вас?

— Вон тот хилый старик, что бормочет бессвязные звуки и совсем сгорбился.

— Как видно, гражданин доктор не в своем уме? Вероятно, революционная горячка его одолела?

— Да, кажется, что так.

— Ага! Многие от нее болеют. Люси, дочь предыдущего, француженка. Где она?

— Вот она.

— Да, правда, так и есть, Люси... Ведь она жена Эвремонда?

— Жена.

— Ага! А Эвремонд получил сегодня другое назначение. Люси, ее дочь, англичанка. Вот это она?

— Она и есть.

— Ну-ка, поцелуй меня, дочка Эвремонда. Теперь можешь похвастаться, что целовала доброго республиканца. Это редкость в твоем семействе. Запомни же! Сидни Картон, адвокат, англичанин. Где он?

— Вот он лежит в углу кареты.

— Что это, англичанин и адвокат как будто в обмороке?

— Ничего, надеются, что он скоро очнется на свежем воздухе. Он слабого здоровья и только что испытал печальную разлуку с одним из своих друзей, имевшим несчастье впасть в немилость республики.

— Только-то? Есть о чем горевать! Мало ли таких, что впадали в немилость республики и были вынуждены «выглянуть в окошко». Джервис Лорри, банкир, англичанин. Который?

— Разумеется, я. Больше ведь и нет никого.

Так отвечает сам Джервис Лорри, дававший ответы и на все предыдущие вопросы. Джервис Лорри вышел из кареты, стоит на улице, держась рукой за дверцу, и объясняется с должностными лицами, которые не торопясь расхаживают вокруг кареты, не торопясь лезут на империал и осматривают лежащий там небольшой багаж путешественников. Кое-кто из деревенских, стоящих поблизости, с любопытством подходят к дверцам и жадно заглядывают внутрь. На руках у одной из крестьянских женщин маленький ребенок, и она учит его протянуть свою короткую ручонку и потрогать жену аристократа, муж которой отправился на гильотину.

— Вот ваши бумаги, Джервис Лорри, все в порядке.

— Можно уезжать, гражданин?

— Можно уезжать. Ребята, трогай! Счастливого пути!

— Мое почтение, граждане... Слава богу, первая опасность миновала!

И это говорит тот же Джервис Лорри, благоговейно сложив руки и глядя на небо. Внутри кареты царит ужас, слышен плач и тяжелое дыхание того, кто в обмороке.

— Мы едем слишком медленно. Нельзя ли уговорить их, чтобы везли нас скорее? — спрашивает Люси, прильнув к старику.

— Это было бы похоже на бегство, душа моя. Я боюсь слишком торопить их, чтобы не возбуждать подозрений.

— Посмотрите назад, посмотрите, нет ли за нами погони?

— На дороге совсем никого нет, милочка. До сих пор никто за нами не гонится.

Мимо мелькают дома, по два и по три вместе, одинокие фермы, полуразрушенные здания, красильни, дубильни и тому подобные заведения, просто поля и аллеи оголенных деревьев. Колеса гремят по неровной, грубой мостовой; по обеим сторонам дороги мягкая грязь и глубокие колеи. Во избежание чересчур беспорядочно наваленного булыжника карета съезжает иногда на мягкую дорогу и нередко вязнет в лужах и рытвинах. В такие минуты тревога и нетерпение путешественников до того мучительны, что они в диком ужасе готовы выскочить из экипажа и бежать, куда-нибудь бежать и спрятаться, лишь бы не стоять среди дороги.

Опять простор широких полей, опять развалины, уединенные фермы, красильни, дубильни и прочее, домики по два и по три в ряд, аллеи оголенных деревьев. Что же это, они обманули нас и другой дорогой привезли на прежнее место? Разве это не то же место, где мы давеча были? Нет, слава богу. Это деревня. Посмотрите, посмотрите, нет ли за нами погони?.. Тише... здесь почтовый двор.

Не спеша откладывают четверку лошадей; карета остается среди маленькой сельской улицы одна-одинешенька и стоит, точно у нее нет ни надобности, ни надежды двинуться дальше. Наконец не спеша приводят поодиночке другую четверку лошадей; вслед за ними, переваливаясь с ноги на ногу, являются новые форейторы: они не торопясь муслят и расправляют ремни своих бичей; прежние форейторы не торопясь пересчитывают свои деньги, перевирают счет и выражают недовольство полученными выводами. А в карете между тем измученные сердца колотятся так шибко, что за ними не угнаться ретивейшим коням в мире.

Наконец новые форейторы взобрались на седла, а прежние остались позади. Проехали деревенскую улицу, поднялись в гору, съехали с горы, попали на болотистую низину. Как вдруг оба возницы о чем-то заспорили, замахали руками и сразу осадили лошадей, так что они осели на задние ноги... Погоня!

— Эй, кто там в карете? Подайте голос.

— Что нужно? — говорит мистер Лорри, высунувшись из окна.

— Сколько их, как они говорили?

— Я не понимаю, о чем вы спрашиваете.

— Сейчас на станции говорили. Сколько сегодня пошло на гильотину?

— Пятьдесят два.

— Вот и я то же говорю. Кучка порядочная! А тот гражданин, мой товарищ, уверяет, будто сорок два. Десятком больше! Чего-нибудь да стоит. Гильотина работает чудесно. Люблю ее за это. Но, но, но! Вперед!

Настает темная ночь. *Он* чаще начинает шевелиться, приходит в себя, внятно произносит слова. Он думает, что они все еще в тюрьме, называет по имени *того*, с кем был там, и спрашивает, что у него в руке?.. О Боже Милостивый, помилуй и спаси нас!.. Посмотрите, посмотрите, нет ли за нами погони?

Нет. Только ветер свистит за нами, да облака бегут в вышине, да месяц ныряет за нами, да черная ночь преследует нас. Но, кроме них, никто за нами не гонится.

Глава XIV

Конец вязанию на спицах

В то самое время, когда пятьдесят два человека, собранные в тюремном зале, ожидали своей участи, мадам Дефарж держала зловещий совет с Местью и Жаком Третьим, членом революционного суда. Но не в винной лавке происходило это совещание, а под навесом у пильщика, в прежнее время занимавшегося починкой дорог. Сам пильщик не участвовал в совещании и держался поодаль в качестве низшего члена собрания, который не смеет вставить слова, пока с ним не заговорят, и не высказывает своих мнений, пока их не спрашивают.

— Но ведь наш Дефарж, — сказал Жак Третий, — несомненно, добрый республиканец, э?

— Еще бы! — подхватила словоохотливая Месть своим пронзительным голосом. — Во всей Франции не найдется республиканца лучше его!

— Тише, милочка, тише! — сказала мадам Дефарж, слегка нахмурив брови и дотронувшись ладонью до губ своей сотрудницы. — Слушай, что я скажу. Видите ли, гражданин, муж мой, без сомнения, добрый республиканец и отважный человек; у него немало заслуг перед республикой, и она ему доверяет. Но у каждого человека есть свои слабости, а слабость моего мужа состоит в том, что ему жалко этого доктора.

— Факт, достойный сожаления! — прокаркал Жак Третий, сомнительно качая головой и хищными пальцами поводя вокруг своего алчного рта. — Это уж недостойно хорошего гражданина; прискорбный факт.

— Видите ли, — продолжала мадам Дефарж, — до этого доктора мне никакого дела нет. Есть ли у него голова на плечах или нет ее, мне все равно, это меня нисколько не интересует. Но породу Эвремондов необходимо искоренить: пускай и жена, и ребенок последуют за мужем и отцом.

— У нее голова как раз подходящая для такого случая, — каркал Жак Третий, — я там видел голубые глаза и золотистые волосы, и очень это было бы красиво, когда Самсон поднял бы и показал голову народу.

Кровожадный зверь говорил об этом как настоящий эпикуреец.

Мадам Дефарж потупилась и задумалась.

— Также и девочка, — заметил Жак Третий, задумываясь и слегка растягивая слова, как человек, наслаждающийся своей мыслью, — у нее тоже голубые глаза и светлые волосы. А у нас там редко попадаются дети. Было бы красивое зрелище.

— Одним словом, — сказала мадам Дефарж, очнувшись от краткого раздумья, — я в этом деле не могу доверяться своему мужу. Со вчерашнего вечера чует мое сердце, что не только нельзя ему поверять всех подробностей моего замысла, но мне сдается даже, что не следует откладывать их выполнение, не то он способен предупредить их об опасности, и они могут выскользнуть из наших рук.

— Этому не бывать! — закаркал Жак Третий. — От нас ни один не должен ускользнуть; нам и то не хватает голов. Следовало бы довести до ста двадцати в день.

— Словом, — продолжала мадам Дефарж, — у моего мужа нет поводов преследовать это семейство до полного истребления, а у меня эти поводы есть. С другой стороны, я не имею причины относиться к этому доктору так чувствительно, как относится он. Значит, я должна действовать самостоятельно. Эй, гражданин, поди сюда!

Пильщик, смертельно боявшийся гражданки Дефарж и находившийся у нее в подобострастном повиновении, подошел, приложив руку к своему красному колпаку.

— Касательно сигналов, гражданин, — сурово обратилась к нему мадам Дефарж, — тех сигналов, что она подавала арестантам, согласен ты сегодня же дать показание, что сам видел, как она этим занималась?

— Да как же не согласен-то! Конечно согласен! — воскликнул пильщик. — Каждый день во всякую погоду, от двух часов до четырех, только и делала, что подавала сигналы, иногда с малюткой, а иногда одна. Уж мне ли этого не знать, когда своими глазами видел.

Произнося эту речь, пильщик выделывал множество различных жестов, как будто подражая некоторым из тех сигналов, которых он, в сущности, никогда не видел.

— Ясное дело, что они сговаривались, — сказал Жак Третий, — тут и сомневаться нечего.

— А можно ли положиться на присяжных? — осведомилась мадам Дефарж, взглянув на него с мрачной улыбкой.

— Состав присяжных самый благонадежный, дорогая гражданка: все чистейшие патриоты, и я отвечаю за своих сотоварищей.

— Ну так подумаем, как быть, — сказала мадам Дефарж, снова впадая в раздумье. — Надо рассудить, можно ли выгородить доктора в угоду моему мужу? Мне-то до него решительно дела нет, но все-таки можно ли его щадить?

— Его голова все-таки в счет пойдет, — заметил Жак Третий, понизив голос. — У нас положительно не хватает голов. Жалко упускать случай.

— Дело в том, что и он подавал сигналы в то время, как я сама ее увидела, — рассуждала мадам Дефарж. — Говоря о ней, я не могу не упомянуть о нем, а нельзя же мне молчать и все дело свалить на плечи одного этого маленького гражданина, потому что ведь и я гожусь в свидетельницы.

Месть и Жак Третий наперерыв принялись уверять, что такой удивительной и превосходной свидетельницы еще не бывало, а маленький гражданин, не желая отставать от других, прямо объявил, что она божественная свидетельница.

— Ну что ж, пускай и он попытает счастья! — сказала мадам Дефарж. — Выходит, что я его выгородить не могу. Помните, что к трем часам я вас приглашаю на зрелище сегодняшней казни... А ты пойдешь?

Последний вопрос относился к пильщику, который торопливо отвечал, что непременно пойдет, и воспользовался случаем прибавить, что он самый ревностный из республиканцев и был бы в отчаянии, если бы какой-нибудь случай помешал ему выкурить послеобеденную трубку, наслаждаясь в то же время созерцанием того, как уморительно работает национальный цирюльник. Он был так преувеличенно болтлив по этой части, что можно было заподозрить, что он ежечасно трепещет за свою собственную шкуру. Мадам Дефарж действительно заподозрила его в этом и с презрением воззрилась на него своими черными глазами.

— Я тоже приглашена туда, — сказала мадам Дефарж. — Когда представление закончится... так, около восьми часов вечера, приходите вы ко мне в Сент-Антуанский квартал, и мы все вместе отправимся доносить на это семейство в мой комитет.

Пильщик сказал, что это очень для него лестно и он с гордостью будет сопровождать гражданку. Она молча посмотрела на него; он же, съежившись, как собачонка, старался избегать ее взгляда, отошел к своим дровам и, чтобы скрыть смущение, взялся за пилу. Мадам Дефарж поманила к себе присяжного и Месть, встала поближе к двери и начала излагать им свои планы:

— Она теперь, должно быть, сидит дома, ожидая момента его смерти. Вероятно, горюет и плачет — словом, будет в таком состоянии, которое противно интересам республики и служит к осуждению ею правосудия. Все ее симпатии теперь на стороне врагов республики. Поэтому я сейчас же пойду к ней.

— Что за удивительная женщина! Восхитительная женщина! — восклицал Жак Третий в порыве восторга.

— Ах ты, моя душечка! — причитала Месть и начала ее целовать.

— На, возьми мое вязанье, — сказала мадам Дефарж, вручая свое рукоделие своему адъютанту. — Пускай оно лежит на том месте, которое я всегда занимаю. Побереги мой стул для меня и всего лучше ступай теперь же, так как сегодня, по всей вероятности, там будет гораздо больше народу, чем обыкновенно.

— Охотно повинуюсь распоряжениям моего начальства! — поспешно сказала Месть, чмокнув ее в щеку. — А ты не опоздаешь?

— Я буду на месте до начала зрелища.

— Смотри же, приходи, прежде чем приедут телеги. Непременно, душа моя, будь на месте до приезда телег! — закричала Месть, видя, что та уже вышла на улицу.

Мадам Дефарж махнула ей рукой в знак того, что слышит ее слова и наверное придет вовремя, потом она зашагала по грязи и скрылась за углом тюремной стены. Месть и член суда смотрели ей вслед, любовались ее статной фигурой и расхваливали ее удивительные душевные качества.

В ту пору много было женщин, на которых тогдашнее время наложило свою страшную, обезображивающую руку, но ни одной не было страшнее той неукротимой женщины, что шла теперь по улицам. Она была одарена характером сильным и отважным, умом тонким и живым, решительным нравом и той красотой, которая резче всего изобличает твердость и мстительную злобу, так что и посторонним зрителям эти свойства прежде всего бросаются в глаза. С такими задатками она во всех случаях заняла бы выдающееся положение в такие смутные времена. Но она к тому же с детства пропиталась сознанием перенесенных обид и ярой ненавистью к целому классу общества, а потому из нее образовалась настоящая тигрица. Чувство жалости было ей совершенно неизвестно. Если оно и было в ее натуре, от него давно не осталось ни малейших следов.

Ей было нипочем, что невинный человек умирает за грехи своих праотцев: в его лице она казнила их. Ей было мало того, что жена этого человека овдовела, а дочь осталась сиротой: в ее глазах это было слишком слабое наказание, и, так как они были ее естественными врагами, ее законной добычей, она не хотела давать им права на жизнь. Взывать к ее состраданию было бы напрасно, потому что она и к себе была также безжалостна. Если бы ей пришлось пасть во время одного из тех многочисленных уличных побоищ, в которых она принимала участие, она бы и не подумала себя жалеть. И если бы завтра же ее послали на гильотину, она пошла бы на казнь нимало не смягченная, и преобладающим ее чувством было бы при этом свирепое желание поменяться ролями с тем, кто послал ее под секиру.

Таково было сердце, бившееся под грубой одеждой этой женщины. Одежда была неизящная, но она решительно была ей к лицу, а густые черные волосы роскошными волнами выбивались из-под жесткой красной шапочки. За пазухой у нее спрятан пистолет, за поясом торчит остро отточенный кинжал. В таком наряде идет она самоуверенной поступью, свойственной ее нраву, с той развязной грацией, какую придала ей привычка с детства ходить босиком по песчаному морскому прибрежью.

Накануне вечером, когда собирали в дорогу ту самую почтовую карету, что стояла теперь во дворе банкирской конторы, ожидая своего последнего пассажира, мистер Лорри был сильно озабочен тем обстоятельством, что некуда было посадить мисс Просс. Желательно было, во-первых, не набивать карету битком; во-вторых, было в высшей степени важно сократить список пассажиров, чтобы на заставах терять как можно меньше времени на перекличку и проверку паспортов, так как спасение их могло зависеть от нескольких секунд проволочки тут или там. По зрелом размышлении мистер Лорри предложил, чтобы мисс Просс и Джерри, оба имевшие право во всякое время покинуть столицу, выехали в три часа в самом легком экипаже, какой только можно было достать в те времена. Не стесняемые никакой поклажей, они имели все шансы в скором времени догнать карету, перегнать ее, мчаться вперед, заготовлять на станциях свежих лошадей и всячески облегчать путешествие в течение драгоценных ночных часов, когда, всего скорее, можно было опасаться задержек.

Видя в этом распоряжении случай оказать им настоящую услугу в трудных обстоятельствах, мисс Просс с радостью ухватилась за него. Она и Джерри были свидетелями того, как карета выехала со двора, узнали, какого пассажира доставил в последнюю минуту Соломон, еще минут десять провели на дворе, мучась всякими опасениями, после чего деятельно принялись собираться в дорогу вслед за почтовой каретой. В это самое время мадам Дефарж тоже пустилась в путь: она шла по улицам к опустевшей квартире, где двое верных слуг держали между собой совет.

— Слушайте-ка, мистер Кренчер, — говорила мисс Просс, которая была в таком состоянии, что почти утратила способность стоять, ходить или сидеть и едва могла говорить, — как вы думаете, хорошо ли нам выезжать с этого двора? Отсюда уж сегодня выехала карета, а если еще и другой экипаж выедет, то я боюсь, как бы не возбудить подозрений.

— По моему мнению, мисс, вы правы, — отвечал мистер Кренчер. — А впрочем, во всяком случае, куда вы, туда и я.

— Я так одурела от страха за наших, — сказала мисс Просс, обливаясь слезами, — что ничего сообразить не могу. Не можете ли вы составить какой-нибудь план действий, добрейший мистер Кренчер.

— Касательно будущей жизни, мисс, пожалуй что и могу, — ответствовал мистер Кренчер, — но что касается настоящей целости моей старой башки — вряд ли. Сделайте одолжение, мисс, будьте свидетельницей двух обещаний, которые я намерен на себя наложить по случаю критических обстоятельств нашей жизни.

— Ох, ради бога, — воскликнула мисс Просс, необузданно предаваясь слезам, — налагайте их скорее и займемся делом, милый мистер Кренчер!

— Во-первых, — торжественно начал мистер Кренчер, весь дрожа, со смертельно бледным лицом, — если только все будет благополучно и наши бедняги успеют спастись, я обещаю никогда больше этого не делать, никогда!

— Верю, мистер Кренчер, и вижу, что вы точно никогда больше этого не сделаете; но вы, пожалуйста, уж не трудитесь объяснять, что именно это было.

— Нет, мисс, я вам этого не буду объяснять, — сказал Джерри. — Во-вторых, если все кончится благополучно и наши бедняги спасутся, я даю обещание никогда больше не препятствовать моей жене грохаться, никогда не буду!

— Ну, я, конечно, не знаю, какие хозяйственные дела у вас так называются, — сказала мисс Просс, осушая глаза и стараясь успокоить свои чувства, — однако ж полагаю, что, во всяком случае, лучше будет, если вы предоставите миссис Кренчер распоряжаться по-своему... Ох, мои милашки, бедненькие!

— И я даже так скажу, мисс, — продолжал мистер Кренчер, выказывая опасную наклонность принять проповеднический тон, — и прошу вас самих о том засвидетельствовать перед миссис Кренчер, что, дескать, относительно гроханья мое мнение решительно изменилось и я не то чтобы запрещать, а даже от всего сердца надеюсь, что миссис Кренчер в настоящую минуту этим самым занимается.

— Ну и отлично! — воскликнула мисс Просс вне себя. — Будем надеяться, милый человек, что она в этом находит себе удовольствие.

— И боже сохрани... — продолжал мистер Кренчер еще торжественнее, еще медленнее и с явным намерением произнести нечто поучительное, — боже сохрани, чтобы прежние мои слова или деяния послужили препятствием к осуществлению искреннего моего желания всяких благ этим беднягам! Боже сохрани! Если бы случилась такая надобность, мы и все хоть сейчас бы грохнулись, лишь бы избавить их от такого ужасного риска! Боже сохрани, мисс! То есть я говорю... Б-боже сохрани!

Таково было заключение речи после продолжительных, но тщетных попыток сказать что-нибудь другое.

А мадам Дефарж тем временем шла да шла и была уже недалеко.

— Если мы с вами когда-нибудь доберемся до нашей родной земли, — сказала мисс Просс, — будьте уверены, что я непременно скажу миссис Кренчер все, что могу запомнить и понять из ваших назидательных слов. Во всяком случае, я готова засвидетельствовать перед ней, что в эти ужасные часы вам было не до шуток. А теперь, пожалуйте, давайте думать. Многоуважаемый мистер Кренчер, надо же нам подумать!

А мадам Дефарж подходила все ближе.

— Вам бы пойти на почтовый двор, — сказала мисс Просс, — да приостановить повозку и лошадей, чтобы не въезжали сюда, а подождали нас где-нибудь в другом месте. Не лучше ли так будет?

Мистер Кренчер согласился, что действительно так будет лучше.

— Где же вы меня подождете? — спросила мисс Просс.

Мистер Кренчер до такой степени сбился с толку, что не мог придумать никакого адреса, за исключением Темплских ворот. Увы! Темплские ворота были за сотни миль, а мадам Дефарж была уже совсем близко.

— Так вот что: у входа в собор, — сказала мисс Просс. — Как вы думаете, большой будет крюк, если повозка подождет меня у входа в большой собор, что между двумя высокими башнями?

— Нет, мисс, не будет крюка, — отвечал Джерри.

— В таком случае, милейший, ступайте сейчас же на почтовый двор и распорядитесь о перемене.

— Да я все думаю, — молвил мистер Кренчер, нерешительно мотая головой, — как же я вас одних тут оставлю? Мало ли что может случиться!

— Ох, ничего-то мы вперед не знаем, — отвечала мисс Просс, — но вы не бойтесь за меня. Ждите меня в три часа у дверей собора или вообще поблизости оттуда. Я уверена, что это будет лучше, нежели съезжать со здешнего двора. Наверное, так лучше! Ну и хорошо. Господь с вами, мистер Кренчер, идите! Думайте не обо мне, но о жизни тех, которые, может быть, спасутся благодаря нам с вами!

Это воззвание, в связи с умоляющим видом мисс Просс, в мучительной тревоге всплеснувшей руками, придало решимости мистеру Кренчеру. Он еще раза два ободрительно кивнул и ушел распорядиться, предоставив ей оправиться и действовать по составленному плану.

Для мисс Просс было большим облегчением сознавать, что она придумала кое-какую предосторожность и что ее выдумка приводится в исполнение. Очень кстати явилась также необходимость привести в порядок свою внешность так, чтобы никому не бросаться в глаза на улице. Она посмотрела на свои часы и увидела, что уже двадцать минут третьего. Нельзя было терять время, и она принялась за дело.

Она была в таком нервном состоянии, что просто боялась опустевших комнат и ей чудилось, что из-за всех дверей на нее кто-то глядит. Влив в умывальный таз холодной воды, она начала с того, что промыла себе глаза, раскрасневшиеся и опухшие от слез. Обуреваемая какими-то неопределенными опасениями, она не могла и умыться как следует и беспрестанно оглядывалась по сторонам со страху, как бы вода не залепила ей глаза и не помешала видеть, если кто-нибудь войдет. В один из таких моментов она вся съежилась и закричала благим матом, потому что вдруг увидела человеческую фигуру, остановившуюся среди комнаты.

Таз полетел на пол, разбился вдребезги, а вода потекла к ногам мадам Дефарж. По каким кровавым следам и какими странными путями эти ноги дошли до этой воды!

Мадам Дефарж хладнокровно взглянула на нее и сказала:

— Мне нужна жена Эвремонда, где она?

Туг только мисс Просс заметила, что все двери в квартире стояли настежь, и в уме ее мелькнула мысль, что это уже достаточный намек на бегство. Поэтому первым ее делом было захлопнуть все двери. Их было четыре в этой комнате, и, когда они были затворены, она встала перед той дверью, где прежде жила Люси.

Темные глаза мадам Дефарж неотступно следили за ее быстрыми движениями и теперь остановились на ней. В особе мисс Просс ничего не было красивого; с годами она не стала ни более грациозна, ни менее угловата и резка, но и она в своем роде была женщина решительная и тоже смерила глазами посетительницу с головы до ног.

— Судя по внешним приметам, ты годилась бы в жены самому дьяволу, — сказала мисс Просс, тяжело переводя дух. — Однако ж я тебе не поддамся. Я сама родилась в Англии.

Мадам Дефарж взирала на нее презрительно, но тем не менее чувствовала, что с мисс Просс шутить нельзя. Перед ней была большая, костлявая, крепкая женщина с железными мускулами, все такая же, какой она была в те дни, когда мистер Лорри испытал на себе ее тяжелую руку. Мадам Дефарж отлично знала, что мисс Просс — преданнейший друг докторского семейства, а мисс Просс не менее хорошо знала, что мадам Дефарж — злейший враг этого семейства.

— По дороге туда, — сказала мадам Дефарж, небрежно указав в сторону роковой площади, — где мне уж и стул приготовили, и мое вязанье там, я зашла к ней с визитом. Желаю видеть ее.

— Я-то знаю, что ты пришла с недобрыми намерениями, — сказала мисс Просс, — только будь уверена, голубушка моя, что я не попадусь впросак.

И та и другая говорили каждая на своем родном языке и совсем не понимали друг друга, но обе зорко следили одна за другой и старались по манере и по выражению лица угадать, что означают эти непонятные слова.

— Напрасно она от меня скрывается в такую минуту, — сказала мадам Дефарж, — ей же будет хуже: добрые патриоты поймут, что это значит. Пустите меня к ней. Подите и скажите ей, что я желаю с ней повидаться. Слышите?

— У тебя глаза все равно что бурав, — сказала мисс Просс, — но меня им не просверлить, потому что я из крепкого дерева скроена; так-то, мадам иностранка. Я тебе под стать.

Маловероятно, чтобы мадам Дефарж могла до тонкости понять такое возражение, однако ж она догадалась, что собеседница ее в грош не ставит.

— Бессмысленная дура, — молвила мадам Дефарж, начиная хмуриться, — не нужно мне твоих разговоров! Я пришла с ней повидаться. Или ступай скажи ей, что я дожидаюсь, или уходи прочь от двери, я сама к ней пойду.

С этими словами она выразительным жестом указала на дверь.

— Вот не думала не гадала, чтобы мне понадобилось понимать ваше дурацкое наречие! — сказала мисс Просс. — А теперь ведь я бы отдала все свое добро до последней нитки, только бы мне знать наверное, подозреваешь ли ты, в чем дело!

Обе не отводили глаз друг от друга. Мадам Дефарж не шелохнулась с того места, где мисс Просс ее увидела вначале, но теперь она шагнула вперед.

— Я ведь англичанка, — сказала мисс Просс, — и я теперь на все готова. Мне своя жизнь недорога. А только знаю я, что чем дольше задержу тебя тут, тем больше шансов моей птичке спастись. Если ты посмеешь пальцем меня тронуть, я тебе повыдергаю все твои черные волосы, так что клока не оставлю на голове.

Так говорила мисс Просс, потрясая головой и сверкая глазами, произнося скороговоркой отрывочные фразы и учащенно дыша. Так говорила мисс Просс, которая отроду никого еще не ударила.

Но ее отвага была окрашена чувствительностью, и она вызвала у нее на глазах слезы. Этот род мужества был так незнаком мадам Дефарж, и она приняла его за малодушие.

— Ха-ха-ха! — рассмеялась она. — Ах вы, жалкая дрянь! На что вы годитесь! Позову-ка я лучше самого доктора.

И, возвысив голос, она закричала:

— Гражданин доктор! Жена Эвремонда! Дочь Эвремонда! Эй, кто там? Кто-нибудь, лишь бы не эта дура, отзовитесь!.. Отвечайте гражданке Дефарж!

То ли обстоятельство, что никто не отозвался, или особое выражение лица мисс Просс навели ее на эту мысль, или, наконец, ее собственная подозрительность была возбуждена, но только мадам Дефарж вдруг догадалась, что они уехали. Она поспешно одна за другой растворила три двери и заглянула в другие комнаты.

— Тут все вверх дном, видно, что наскоро укладывались, на полу валяются куски веревок и всякая дрянь... В той комнате, что за вами, наверное никого нет! Пустите меня!

— Ни за что! — сказала мисс Просс, понявшая это требование так же точно, как мадам Дефарж поняла ее ответ.

— Если их нет в этой комнате, значит, они уехали, и нужно послать за ними в погоню и вернуть их! — бормотала мадам Дефарж про себя.

— Пока ты наверное не знаешь, тут ли они или нет, ты не будешь знать, что делать, — говорила мисс Просс себе под нос, — и ты не узнаешь этого, пока от меня зависит, чтобы ты не узнала, а уж будешь ли ты это знать или нет, я тебя отсюда не выпущу, пока буду в состоянии удержать!

— Я с самого начала участвовала в народной расправе, меня ничто не остановит, и я тебя хоть в клочки изорву, а доберусь до этой двери! — шипела мадам Дефарж.

— Мы с тобой одни на самой верхушке высокого дома, за пустым двором; нас никто не услышит, а я молю Бога дать мне телесную крепость удерживать тебя как можно дольше, потому что для моей милочки каждая минута дороже ста тысяч гиней, — говорила мисс Просс.

Мадам Дефарж бросилась к двери. Мисс Просс по инстинкту ухватила ее обеими руками вокруг пояса и крепко зажала. Напрасно мадам Дефарж вырывалась из ее рук и била куда попало: мисс Просс мощным упорством любви, которая всегда сильнее ненависти, держала ее как в тисках и даже приподняла с полу. Мадам Дефарж обеими руками колотила ее и царапала по лицу, а мисс Просс, низко опустив голову, держала ее за талию крепче, чем утопающий держится за доску.

Наконец руки мадам Дефарж перестали наносить удары и стали ощупывать то, что было у нее за поясом.

— Он у меня под рукой, я его придерживаю локтем, — говорила мисс Просс глухим голосом. — Нет, тебе не удастся его выдернуть. Я сильнее тебя, и слава богу! Буду тебя держать до тех пор, пока одна из нас не ослабеет или не умрет!

Рука мадам Дефарж опустилась за пазуху. Мисс Просс подняла голову, увидела, чтó она оттуда вынула, хотела вышибить у нее из рук этот предмет, ударила по нему кулаком, извлекла из него вспышку огня, оглушительный треск... и очутилась одна, в клубах порохового дыма.

Все это совершилось в одну секунду. Среди наступившей затем страшной тишины дым рассеялся и исчез в воздухе, подобно душе разъяренной женщины, безжизненное тело которой лежало распростертым на полу.

В первую минуту испуга и ужаса мисс Просс прошла мимо тела как можно дальше от него и побежала с лестницы вниз звать на помощь, теперь уже бесполезную. К счастью, она вовремя опомнилась и вернулась назад. Страшно ей было снова войти в эту дверь, но она все-таки вошла и даже подошла близко к трупу, чтобы достать свою шляпку и прочие дорожные принадлежности своего туалета. Все это она надела на площадке лестницы, сперва заперев за собой дверь квартиры и сунув ключ в карман. Потом села на ступеньку, несколько минут отдыхала, поплакала, потом встала и поспешила на улицу.

По счастливой случайности шляпка ее оказалась с вуалью, иначе едва ли она могла бы пройти по улицам и не быть задержанной. На ее счастье, и наружность у нее была от природы такая странная, что обезображение было на ней не так заметно, как было бы на лице всякой другой женщины. Оба названных преимущества сослужили ей серьезную службу в настоящем случае, так как лицо ее носило следы ногтей, волосы были вырваны, а платье, наскоро оправленное дрожащими руками, смято и раздергано на все лады.

Переходя через мост, она бросила в реку ключ от квартиры. Достигнув собора за несколько минут до прибытия туда повозки и своего спутника, она начала размышлять: а что, если ключ попал кому-нибудь в невод, что, если кто-нибудь догадается, откуда этот ключ, что, если дверь уж отперли и нашли труп, а ее сейчас остановят у заставы, засадят в тюрьму и обвинят в убийстве?.. Пока такие мысли крутились в ее голове, появился мистер Кренчер, забрал ее в повозку, и они уехали.

— А что, есть ли на улицах шум? — спросила она.

— Как обыкновенно, — отвечал мистер Кренчер и, по-видимому, удивился как ее вопросу, так и странному ее виду.

— Я не расслышала, — сказала мисс Просс, — что вы сказали?

Мистер Кренчер несколько раз повторил свой ответ, но тщетно: она не могла расслышать его.

«Ну так я просто стану кивать, — подумал озабоченный мистер Кренчер, — по крайности, она увидит, в чем дело».

И точно, она увидела.

— А теперь есть на улицах шум? — спросила мисс Просс через некоторое время.

Мистер Кренчер опять кивнул.

— Я совсем ничего не слышу, — прибавила она.

— Вишь ты, в один час как оглохла! — задумчиво промолвил мистер Кренчер, сильно озабоченный. — И что с ней поделалось?

— Я чувствую, — сказала мисс Просс, — как будто во мне что-то вспыхнуло, треснуло, и после этого я на веки вечные перестала что-нибудь слышать.

— Вот оказия! — молвил мистер Кренчер, все более смущаясь духом. — И чего такого она хлебнула для куражу?.. Чу! Поехали эти страшные телеги, загрохотали! Это-то вы слышите, мисс?

— Ничего я не слышу, — сказала мисс Просс, видя, что он к ней обращается. — Видите ли, милый человек, сначала что-то хлопнуло, а потом настала великая тишина, и эта тишина утвердилась неизменно, как будто ей суждено продолжаться все время, пока я живу на свете!

— Коли она не слышит грохота этих ужасных телег... а они теперь совсем близко от места казни, — сказал мистер Кренчер, оглядываясь через плечо, — я так полагаю, что ей и в самом деле ничего больше не будет слышно в этом мире.

Так оно и было: она оглохла навсегда.

Глава XV

Шаги умолкают навеки

Глухо гремят по улицам Парижа телеги, наполненные осужденными на смерть. На шести колесницах везут красное вино — ежедневное пропитание гильотины. С тех пор как человеческое воображение стало придумывать ненасытных чудовищ, пожирающих людей, не было выдумано ни одного более совершенного, чем гильотина. И как ни разнообразна почва Франции, как ни благодатен ее климат, нет в ней ни одного листочка, ни одной травки, ветки, ни единого зерна, которое бы взросло и созрело при условиях более благоприятных, чем это самое чудовище. Попробуйте еще раз изувечить человечество ударами таких же молотков, и увидите, что его изуродованное тело примет такую же форму. Посейте те же семена хищного произвола и притеснения, и они дадут такие же плоды.

Шесть телег тяжело катятся по улицам. Преврати их снова в то, чем они прежде были, о могущественный волшебник Время, и мы увидим вместо них колесницы самодержавных владык, кареты феодальных дворян, пышные наряды, достойные древней Иезавели, храмы, которые «не дом Отца Моего, но притоны разбойников» и жалкие лачуги миллионов крестьян, истощенных голодом! Но нет, великий волшебник, величаво исполняющий законы, установленные Создателем, никогда не восстанавливает в прежнем виде то, что подверг превращению. «Если ты принял этот вид по воле Божией, — говорят прорицатели оборотням в мудрых арабских сказаниях, — то оставайся так! Если же ты превратился в такую форму через простое заклинание колдунов, то прими свой первоначальный вид!» Неизменно, безнадежно телеги грохочут по улицам.

По мере того как мрачные колеса шести телег вертятся по мостовой, они как бы проводят глубокую извилистую борозду среди черни, густо заполняющей улицы. Плуги безостановочно идут вперед, взрывая направо и налево сплошные окраины из человеческих лиц. Постоянные обитатели окрестных домов до того привыкли к этому зрелищу, что во многих окнах совсем нет зрителей; в других видны люди, на несколько секунд обернувшиеся взглянуть на проезжих, не отрываясь от своего обычного дела. Изредка заметно, что хозяин квартиры угощает этим зрелищем своих гостей: он указывает пальцем то на ту телегу, то на другую, с самодовольством официального экспонента объясняя, кто там сидел вчера и кого провозили третьего дня.

Некоторые из сидящих в телегах видят все это, бесстрастно глядя по сторонам, другие еще с некоторым интересом следят за жизнью и нравами людей. Одни понурили голову в безмолвном отчаянии, другие, продолжая заботиться о своей внешности и репутации, бросают на толпу такие взоры, какие видели на картинах или на театральных сценах. Несколько человек едут с закрытыми глазами, задумавшись или стараясь собраться с мыслями. Только один несчастный, полупомешанный, так опьянел от ужаса, что поет и даже пытается приплясывать. Ни один из них ни взглядом, ни единым движением не взывает к жалости народа.

Рядом с телегами едет разнокалиберная конная стража, и к некоторым из всадников часто обращаются из толпы с вопросами. Как видно, все задают один и тот же вопрос, потому что после каждого ответа толпа теснится к третьей телеге. Едущие рядом с этой телегой солдаты часто указывают концом обнаженной шпаги на одного из находящихся тут. Всеобщее любопытство направлено сегодня на этого человека: он стоит у задка телеги и, наклонившись, все время разговаривает с молоденькой девушкой, которая сидит на боковой скамейке и держит его за руку. Он не интересуется тем, что происходит кругом, и занят только этой девушкой. Пока проезжают по длинной улице Сент-Оноре, там и сям из толпы вырываются ругательства по его адресу, но он не обращает на них внимания; лишь изредка по лицу его скользнет спокойная улыбка, и он качает головой, чтобы волосы спустились ниже и отчасти закрыли его лицо. Поправить их он не может, потому что у него локти связаны.

На ступенях церковной паперти стоит шпион и тюремный лазутчик, поджидая, когда приедут телеги. Он заглядывает в переднюю из них: нет, не тут. Заглядывает во вторую — и тут нет. Ему приходит в голову: «Уж не предал ли он меня?» Но тут его лицо проясняется, потому что он увидел третью телегу.

— Который из них Эвремонд? — спрашивает человек из публики, стоящий за его спиной.

— Вот он, стоит у задка третьей телеги.

— Тот, которого девочка держит за руку?

— Да.

Человек из публики кричит:

— Долой Эвремонда! На гильотину всех аристократов! Долой Эвремонда!

— Тише, тише, — робко унимает его шпион.

— Почему так, гражданин?

— Он и так сейчас расплатится за свои провинности, минут через пять будет все кончено. Оставьте его в покое.

Тот же человек, однако, опять принимается кричать:

— Долой Эвремонда!

И тогда лицо Эвремонда на минуту оборачивается в его сторону. Эвремонд видит шпиона, пронизывает его внимательным взглядом и проезжает мимо.

Часы на башнях сейчас пробьют три; извилистая борозда, проведенная плугом среди толпы народу, заворачивает за угол и выходит на площадь, к месту казни и конца. Тесные ряды поднятых голов смешиваются в одну сплошную массу вслед за последним из проехавших плугов, потому что все устремляются поближе к гильотине. Перед ней расположены полукругом ряды стульев, как перед эстрадой публичных садов, и на стульях сидят женщины и вяжут на спицах. В самом первом ряду на стуле стоит Месть: она озирается вокруг, ища в толпе свою подругу.

— Тереза! — кричит она пронзительным голосом. — Не видел ли кто Терезу? Терезу Дефарж!

— Она еще ни разу не пропускала, — говорит одна из женщин, — этого дружеского собрания.

— Еще бы! И теперь не пропустит, — возражает Месть запальчиво. — Тереза!

— А ты погромче! — советует ей товарка.

Да, погромче; зови ее еще громче, Месть, и то едва ли она услышит тебя. Кричи громче, Месть, можешь вставить и ругательное словцо, коли придется, и все-таки она не придет. Посылай других товарок разыскивать, куда она запропастилась, но, хоть они на своем веку проделали немало отважных и ужасных дел, вряд ли они добровольно зайдут так далеко, чтобы отыскать ее!

— Вот досада! — восклицает Месть, топая ногой о стул. — Уж и телеги приехали, и Эвремонда мигом спровадят, а ее тут нет! Вот и ее вязанье у меня в руках, и ее стул стоит пустой. Просто хоть плачь с горя и досады!

Месть спрыгивает со стула и начинает плакать, а телеги начинают выгружать то, что привезли. Служители святой гильотины в полном облачении стоят наготове. Крах!.. Палач показывает народу отрубленную голову, и женщины, едва удостоившие оторвать глаза от своего рукоделия, чтобы взглянуть на эту голову, за минуту перед тем, пока она могла еще думать и говорить, громко считают: «Раз!»

Вторая телега подъезжает, разгружается и отъезжает прочь. Крах!.. И женщины, не переставая все так же усердно перебирать спицами, считают: «Два!»

Мнимый Эвремонд выходит из телеги, и вслед за ним вынимают оттуда швею. Он так и не выпустил ее руки и продолжает ее держать, как обещал. Он тихонько устанавливает ее спиной к грохочущей машине, которая то и дело с шуршащим звуком поднимается вверх и с размаху падает вниз. Швея взглядывает ему в глаза и благодарит его.

— Если бы не вы, милый чужеземец, я бы не могла быть так спокойна, потому что я от природы слаба и труслива. Если бы не вы, я бы не могла вознестись духом к Тому, кто добровольно пошел на казнь, чтобы нам сегодня доставить надежду и утешение. Мне кажется, что сам Бог послал мне вас.

— Или вас послал мне, — говорит ей Сидни Картон. — Смотрите только на меня, дитя мое, и ни на что больше не обращайте внимания.

— Я ничего не боюсь, пока держу вас за руку. И когда отпущу ее, не буду бояться, лишь бы они это сделали скоро.

— Они очень скоро сделают. Не бойтесь!

Они стоят в толпе, которая быстро редеет, но разговаривают так, как будто они наедине. С глазу на глаз, рука с рукой, обмениваясь слогами, сердцем откликаясь сердцу, — эти дети одной мировой матери, столь различные между собой, невзначай сошлись на жизненном пути в самом конце дороги, чтобы вместе прийти домой и успокоиться в ее лоне.

— Мой добрый и благородный друг, позвольте задать вам еще один, последний вопрос? Я очень мало смыслю, и это меня немножко смущает.

— Скажите, в чем дело.

— У меня есть кузина, единственная моя родня на свете, тоже сирота, и я ее люблю всем сердцем. Она лет на пять моложе меня и живет далеко на ферме, в одной из южных провинций. Бедность разлучила нас, и она ничего не ведает о моей судьбе, потому что я писать не умею, да если бы и умела, что в этом толку? Пожалуй, оно и лучше, что так вышло.

— Да, да, гораздо лучше.

— И вот, пока мы ехали сюда, я все об этом думала и теперь думаю, глядя на ваше доброе, мужественное лицо, которое действует на меня так ободрительно... А думаю я вот что: если правда, что республика учреждена для блага бедных и они перестанут так голодать и вообще будут страдать гораздо меньше прежнего, ведь моя кузина может прожить очень долго; пожалуй, даже до старости доживет?

— Ну так что же, моя кроткая сестра?

— Как вы думаете...

Но тут кроткие глаза, выражающие столь стойкое терпение, наполняются слезами и разжатые губы начинают дрожать.

— ...как вы думаете, очень ли долго мне покажется ждать ее в том, лучшем мире, куда, я надеюсь, мы с вами оба попадем сегодня?

— Об этом и думать нечего, дитя мое: там нет времени и нет печалей.

— Как это хорошо! Спасибо вам. Ведь я совсем неученая. Поцеловать вас сейчас? Разве пора?

— Да.

Они целуются и торжественно благословляют друг друга. Когда он выпускает из своей руки ее тонкую, исхудалую руку, она не дрожит. На лице остается все то же выражение ясности и твердости. Она проходит перед ним, и вот уже нет ее. Женщины, перебирая спицами, считают: «Двадцать две!»

«Я есмь воскресение и жизнь, — сказал Господь, — верующий в Меня, хотя бы умер, оживет, и кто живет и верует в Меня, тот будет жить вечно».

Ропот множества голосов, зрелище множества поднятых лиц, шарканье множества ног в толпе, бросившейся с окраин площади к середине и одной сплошной волной затопившей подножие гильотины, — и всему конец. «Двадцать три!»

* * *

В тот вечер в городе говорили, что никогда еще не видели там такого умиротворенного выражения, каким отличалось лицо этого человека. Многие прибавляли, что в этом лице было что-то великое и пророческое.

Одна из самых замечательных женщин, погибших на той же плахе, незадолго перед тем у подножия того же эшафота просила позволения записать те мысли, которыми она вдохновилась при этом случае. Если бы и он захотел сделать то же и если бы слова его были пророческие, вот что он мог бы сказать:

«Я вижу Барседа и Клая, Дефаржа, Месть, присяжных и судей и еще длинные ряды новых тиранов, восставших на развалинах прежнего угнетения, и все они погибнут от этой мстительной машины, прежде чем перестанет она действовать так, как теперь. Я вижу, как из этой бездны встают великолепный город и блестящий народ, который в течение многих лет еще будет выдерживать борьбу за истинную свободу; и много раз еще суждено ему и падать, и торжествовать победу.

Я вижу, за кого полагаю свою жизнь, живущими мирно, полезно и счастливо в родной Англии, которую я больше не увижу. Вижу *ее* и у ее груди дитя, названное моим именем. Вижу отца ее, престарелого, согбенного, но здорового, примиренного с самим собой и усердно врачующего своих ближних.

Вижу их старого друга, почтенного старика, живущего тихо и мирно, оставив им в наследство все, что он имел.

Вижу, что мне воздвигнут алтарь в сердцах их и потомков их на много поколений вперед. Вижу *ее*, уже в преклонных летах, все еще плачущую обо мне в годовщину нынешнего дня. Вижу, как и она, и муж ее, свершив свой земной путь, рядом упокоились в могиле.

Вижу их сына, лежавшего у ее груди и окрещенного моим именем, взрослым человеком: он преуспевает на том самом поприще, которое когда-то было и моим. Он так блистательно преуспевает на нем, что мое имя, озаряемое его славой, становится знаменитым. Я вижу, как с этого имени исчезают все пятна, которыми я его запятнал. Вижу его праведным судьей в рядах людей, всеми уважаемым и почтенным, у него тоже сын, носящий мое имя, — мальчик с золотистыми волосами и знакомым мне очертанием лба; и он привозит этого сына сюда, в этот красивый город, в котором тогда не будет никаких следов теперешнего безобразия; и, приведя его на это место, дрожащим голосом и с нежностью поведает своему сыну мою историю».

СОДЕРЖАНИЕ

ЧАСТЬ ТРЕТЬЯ
ПО СЛЕДАМ БУРИ

Диккенс Ч.

Д 45   Повесть о двух городах : роман / Чарльз Диккенс ; пер. с англ. Е. Г. Бекетовой — СПб. : Азбука, Азбука-Аттикус, 2023. — 448 с — (Азбука-классика).

ISBN 978-5-389-01133-5

Роман Чарльза Диккенса «Повесть о двух городах» — один из самых популярных англоязычных романов — стал бестселлером задолго до возникновения самого термина. Только на языке оригинала напечатано более двухсот миллионов экземпляров.

Это история неистовых страстей и захватывающих приключений в «эпоху перемен», которыми отозвалась в двух великих городах Лондоне и Париже Великая французская революция. Камера в Бастилии и гильотина в ту пору были столь же реальны, как посиделки у камина и кружевные зонтики, а любовь и упорная ненависть, трогательная преданность, самопожертвование и гнусное предательство составили разные грани мира диккенсовских персонажей.

УДК 821.111
ББК 84(4Вел)-44

Литературно-художественное издание

ЧАРЛЬЗ ДИККЕНС
ПОВЕСТЬ О ДВУХ ГОРОДАХ

Художественный редактор Валерий Гореликов
Технический редактор Татьяна Тихомирова
Компьютерная верстка Алексея Положенцева
Корректоры Светлана Федорова, Ирина Киселева

Главный редактор Александр Жикаренцев

Подписано в печать 31.   .2023. Формат издания 76 × 100 $^{1}/_{32}$.
Печать офсетная. Тираж 2000 экз. Усл. печ. л. 19,74. Заказ № 0285/23.

Знак информационной продукции
(Федеральный закон № 436-ФЗ от 29.12.2010 г.):   16+

ООО «Издательская Группа „Азбука-Аттикус“» —
обладатель товарного знака АЗБУКА®
115093, г. Москва, вн. тер. г. муниципальный округ Даниловский,
пер. Партийный, д. 1, к. 25

Филиал ООО «Издательская Группа „Азбука-Аттикус“»
в Санкт-Петербурге
191123, г. Санкт-Петербург, Воскресенская наб., д. 12, лит. А

Отпечатано в Акционерном обществе
«Можайский полиграфический комбинат»
143200, Россия, г. Можайск, ул. Мира, 93.
www.oaompk.ru, тел.: (49638) 20-685

ПО ВОПРОСАМ РАСПРОСТРАНЕНИЯ ОБРАЩАЙТЕСЬ:

В Москве: ООО «Издательская Группа „Азбука-Аттикус“»
Тел.: (495) 933-76-01, факс: (495) 933-76-19
E-mail: sales@atticus-group.ru; info@azbooka-m.ru

В Санкт-Петербурге: Филиал ООО «Издательская Группа „Азбука-Аттикус“»
Тел.: (812) 327-04-55, факс: (812) 327-01-60
E-mail: trade@azbooka.spb.ru

Информация о новинках и планах
на сайтах: www.azbooka.ru, www.atticus-group.ru

Информация по вопросам приема рукописей и творческого сотрудничества
размещена по адресу: www.azbooka.ru/new_authors/

Y-AKB-6228-08-R